NOUVELLE

GÉOGRAPHIE FERROVIAIRE

DE LA FRANCE

NOUVELLE GÉOGRAPHIE FERROVIAIRE DE LA FRANCE Tome II
par Gérard BLIER

Fabrication, ordonnancement de l'ouvrage : Dominique Paris
Direction artistique : Catherine Auclaire/Clarinda
Mise en page : France Laroche
Cartographie : Bernard Collardey, Marie Goubrin-Cristiani et IDE Infographie,
Révision : Jacques Rossetti, Bernard Collardey et Marie-Claude Brossard.

© 1993 Éditions LA VIE DU RAIL
11, rue de Milan
75440 PARIS CEDEX 09

Gérard BLIER

Agrégé de l'Université
Docteur ès Lettres et Sciences Humaines

NOUVELLE

GÉOGRAPHIE FERROVIAIRE

DE LA FRANCE

Tome II

L'organisation régionale du trafic

De la ligne à grande vitesse Paris-Sud-Est à une ligne du Massif Central où serpente un autorail : un contraste qui symbolise l'extrême diversité du réseau ferré français.

INTRODUCTION

Le premier tome de la nouvelle géographie ferroviaire s'est intéressé à la structure et au fonctionnement d'ensemble de notre réseau. Quelle que soit son unité, ce dernier, de la frontière du nord-est aux Pyrénées et de la Bretagne aux Alpes, n'en présente pas moins des aspects très variés. Aussi ce second tome se propose-t-il de les mettre en lumière, tout en montrant ce qui, sur le terrain, forge la cohérence et l'harmonie globales.

D'une manière particulièrement spectaculaire, le réseau ferré français constitue une véritable toile d'araignée, dont la capitale est le centre. Aussi une analyse régionale de l'activité ferroviaire dans notre pays peut-elle opportunément commencer par la description et l'étude du fonctionnement du carrefour parisien, pièce maîtresse du dispositif, à la fois par la convergence des lignes, la puissance des installations et la densité des flux. Le géographe ne peut que constater une disposition très centralisée ; si elle s'explique par le jeu de plusieurs grands facteurs, et si ses avantages demeurent, les nécessités de l'aménagement du territoire en font ressortir de plus en plus les inconvénients.

L'architecture d'ensemble du réseau est basée sur une trame constituée de nombreuses grandes artères radiales mais aussi de quelques importantes lignes transversales. Chacun de ces axes possède sa personnalité, qu'il s'agisse par exemple des relations Paris-Le Havre, Paris-Lyon-Marseille, Paris-Bordeaux-Irun ou Bordeaux-Marseille. Aussi est-il indispensable de montrer l'originalité du tracé et du trafic de chacun de ces itinéraires essentiels, qui parfois traversent une très grande partie du pays.

Mais l'activité ferroviaire, dans son étonnante diversité, s'ordonne en dehors de l'agglomération parisienne autour de carrefours d'importance variée, dont le rayonnement peut être vaste. Il faudra donc tenter de dessiner l'organisation du transport par voie ferrée dans le cadre de grands ensembles géographiques.

L'étude montrera que, dans le nord et le nord-est du pays, la circulation des trains est largement conditionnée par l'existence de véritables nébuleuses, correspondant aux bassins industriels du Nord-Pas-de-Calais et de Lorraine.

Dans le Sud-Est, en revanche, la structure est linéaire, avec des axes majeurs qui exploitent à fond les possibilités offertes par un relief difficile mais contrasté, comme dans le couloir rhodanien et le long de la Méditerranée : les nœuds de Dijon, de Lyon et du carrefour du Bas-Rhône jouent un rôle essentiel. D'autre part, alors que dans le centre du pays l'importance du Massif Central représente un obstacle particulièrement répulsif, l'Ouest et le Sud-Ouest se caractérisent, eux, par une disposition étoilée, aérée, largement étalée autour des

centres nerveux primordiaux que sont Le Mans, Tours, Nantes, Bordeaux ou Toulouse.

Après le second chapitre, consacré aux grands axes, l'ensemble de l'ouvrage laissera ainsi une large place aux nœuds ferroviaires eux-mêmes ; nous évoquerons leur importance, la nature de leurs missions et l'ampleur de leur impact géographique. A côté de Lyon, Dijon, Bordeaux, Toulouse ou Strasbourg, des agglomérations beaucoup moins peuplées comme Aulnoye, Vierzon et surtout Culmont-Chalindrey ou Saint-Germain-des-Fossés doivent au rail une part essentielle de leur activité.

Le premier tome a montré que, comme ses semblables, notre réseau ferré, organisme vivant, se transformait rapidement : des lignes sont supprimées, de nouveaux axes s'élancent, les flux se transforment, aussi bien au plan quantitatif que qualitatif ; ainsi, depuis une quinzaine d'années, le trafic des marchandises subit un incontestable recul, avec entre autres l'effondrement de certains types de transport comme ceux du charbon et du minerai de fer ; mais des progrès sont enregistrés, dans le domaine des céréales ou du trafic combiné rail-route par exemple. Il faudra essayer de déceler dans les divers ensembles régionaux la manifestation de ces évolutions. Etroitement liées à une conjoncture économique générale elle-même très mouvante et globalement peu tonique, ces fluctuations tendent, ces dernières années, à s'accélérer.

Il n'était donc pas question de les figer. Aussi cet ouvrage dépeint-il et explique-t-il l'activité au plan régional du réseau ferré français au tout début des années 1990. Pour dynamiser cette photographie, les évolutions les plus nettes et les plus récentes seront dessinées, en évoquant des faits, et des transformations relevées aussi bien en aval qu'en amont du changement de décennie.

Nécessaires, les éléments statistiques ne sont volontairement pas trop nombreux, afin de ne pas nuire à la lecture du texte. En raison de leur nature par définition fugace, des nombres arrondis, des ordres de grandeur, des proportions sont le plus souvent présentés. Par ailleurs le parti a été pris de donner des moyennes journalières chaque fois que la possibilité se présentait, afin de dessiner une image plus concrète du trafic.

Il faut enfin souligner la richesse de la collaboration établie avec les divers services et directions de la SNCF, ainsi que l'efficacité de l'aide de *La Vie du Rail* ; que soit une fois de plus particulièrement remercié Bernard Collardey : non seulement il a bien voulu mettre sa très vaste connaissance du réseau et de son fonctionnement à la disposition de l'auteur, mais encore ses schémas de zones et nœuds ferroviaires les plus importants éclairent de la manière la plus opportune l'ensemble de l'ouvrage.

LE CARREFOUR PARISIEN

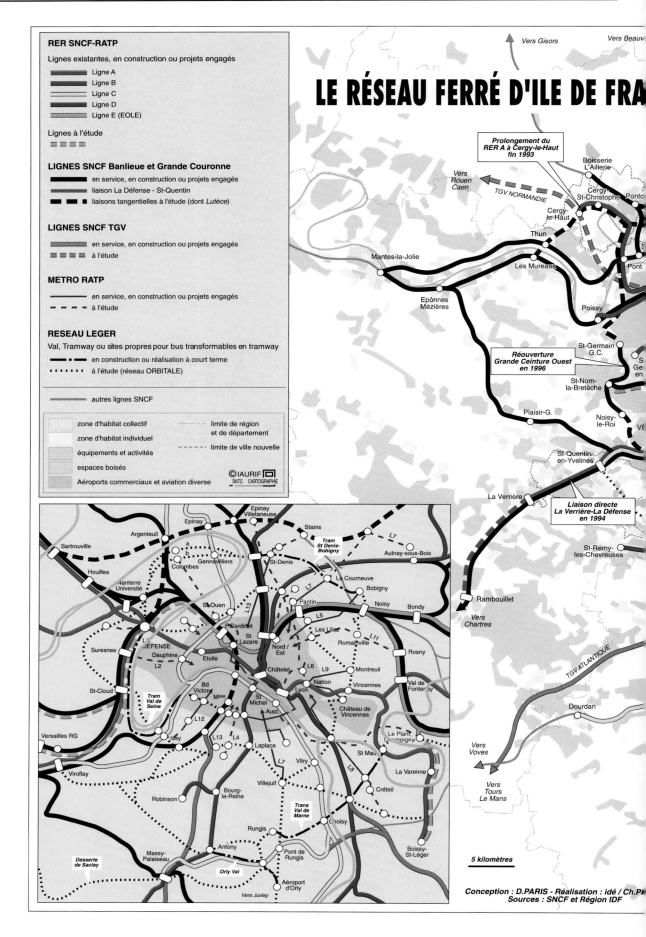

LES INFRASTRUCTURES

Chaque jour près de 6000 trains de voyageurs ou de marchandises roulent sur les multiples voies ferrées qui sillonnent l'agglomération parisienne. Enorme, ce trafic est bien sûr en relation directe avec les activités et le poids de la capitale, comme l'acheminement des flux considérables et quotidiens des banlieusards. Mais, en raison de sa situation centrale, le carrefour parisien, remarquablement équipé, joue un rôle essentiel de plaque tournante à l'échelle de l'ensemble du réseau. C'est ainsi qu'il organise et contrôle la circulation des personnes et du fret entre, par exemple, le nord et le sud-est, l'est et le sud-ouest du pays.

Ce gigantesque nœud est très complexe et hiérarchisé. Il est constellé de nombreuses gares de bifurcation comme Juvisy, Mantes ou Creil. Mais des carrefours en apparence autonomes, installés à au moins une centaine de kilomètres de la capitale, comme Amiens, Le Mans ou Orléans, qui doivent séparer en fin de tronc commun de puissants flux issus de la région parisienne, travaillent en fait en osmose étroite avec ce grand carrefour. Ses limites, dans cette étude seront globalement celles de la grande banlieue. Celle-ci ne correspond pas exactement à la région Ile-de-France, dont par exemple Creil ne fait pas partie. Mais par commodité statistique cette unité administrative, qui englobe en revanche la plaine de Brie, servira souvent de référence.

Les infrastructures sont à la mesure du trafic à écouler.

Des centaines d'installations comme gares de voyageurs, de marchandises et de triage, dépôts et ateliers, sous-tendent le réseau ferré en région parisienne, au dispositif avant tout rayonnant.

L'ÉCHEVEAU DES VOIES FERRÉES
La disposition générale des lignes

Tracé autour de Paris, un cercle imaginaire d'une soixantaine de kilomètres de rayon est recoupé par une vingtaine de voies ferrées ; elles s'élancent dans toutes les directions, sans lacune importante. Cet harmonieux éclatement ferroviaire a été permis par l'extrême modération du modelé dans le centre du Bassin Parisien, où sans obstacle notable s'étalent largement plaines et plateaux.

Pourtant le rôle du relief est loin d'être négligeable. Ainsi les grandes vallées, nombreuses, accueillent-elles de manière privilégiée les voies ferrées : en amont de la capitale l'axe classique Paris-Lyon remonte le couloir de la Seine puis de l'Yonne, tandis que celui de Strasbourg met à profit l'ample corridor de la Marne. En aval l'artère Paris-Rouen-Le Havre suit longuement le cours de la Seine, alors qu'au nord la ligne Paris-Bruxelles se hâte de rejoindre la vallée de l'Oise. L'influence de la topographie se remarque dans le détail : par exemple les lignes Dourdan-Brétigny et Malesherbes-Corbeil suivent les vallées de l'Orge et de l'Essonne ; de même la grande artère Paris-Orléans saute de la vallée de l'Orge dans

celle de la Juine avant d'aborder la plate-forme de la Beauce. Comment par ailleurs ne pas remarquer que dans Paris même la proximité des gares de Lyon et d'Austerlitz s'explique par la même utilisation du couloir de la Seine par les lignes du PLM et du PO ; la trouée qui sépare les collines de Montmartre et de Belleville, elle, a attiré les voies des Compagnies de l'Est et du Nord.

Cependant l'adaptation n'est pas totale. A l'ouest de la capitale l'axe Paris-Le Havre court-circuite les majestueux méandres de la Seine en franchissant en moins de 20 kilomètres le fleuve à trois reprises. Par ailleurs la traversée de plateaux ou leur approche peuvent générer des profils localement difficiles : la rampe de Survilliers, entre Saint-Denis et Creil, correspond au léger bombement de terrain qui sépare la plaine de France de la vallée de l'Oise ; plus nettement, au sud d'Etampes, c'est au prix d'une rampe de dix kilomètres de développement, atteignant le taux de 8 mm/m pendant les 6 premiers kilomètres, que la ligne Paris-Orléans peut se hisser à la surface du plateau de la Beauce.

Comment se présente la trame ferroviaire dans la région parisienne ?

Le trait dominant, c'est la convergence des axes radiaux vers les six grandes gares terminales, celles de Saint-Lazare, du Nord, de l'Est et de Lyon sur la rive droite de la Seine, celles de Montparnasse et d'Austerlitz sur la rive gauche, toutes proches du cœur de l'agglomération ; non loin d'elles s'étalent dépôts, faisceaux de garage et gares de marchandises. Ces lignes, comme celles de Lille, Strasbourg, Dijon, Orléans, Le Mans ou Le Havre, comptent parmi les plus actives du réseau ; mais parfois, au-delà de la grande banlieue parisienne, elles n'assurent que des relations d'importance moyenne ou secondaire, avec par exemple Granville, Le Tréport ou Laon. Sont également de type radial plusieurs artères qui ne dépassent pas les limites de la région parisienne, et qui sont quasi exclusivement affectées au service des voyageurs de banlieue. Les liaisons Paris Saint-Nom-la-Bretèche/Saint-Lazare-Versailles-Rive-Droite, ou Ermont-Eaubonne-Valmondois, offrent de bons exemples.

Conçu par définition également pour le trafic de la banlieue est le RER, Réseau Express Régional, qui utilise lignes anciennes et très récentes.

Mais la région parisienne est aussi desservie par des artères non radiales, comme les rocades Creil-Achères, suivant la vallée de l'Oise, et Epône-Mézières-Plaisir-Grignon, établie dans la Vallée de la Mauldre, reliant la ligne du Havre à celles de Granville et du Mans. Il faut par ailleurs souligner dès maintenant le rôle essentiel de la Grande Ceinture, qui recoupe et relie entre eux tous les axes radiaux, et supporte un énorme trafic de transit. C'est naturellement sur elle ou à proximité immédiate que de puissantes gares de triage se sont installées. Au total trois constats s'imposent d'ores et déjà.

L'écheveau des voies ferrées à Nanterre-Université ; y divergent ou se croisent les deux branches ouest du RER-A et la ligne Paris-Saint-Lazare-Sartrouville.

D'abord le carrefour parisien ne peut fonctionner que grâce à l'activité de nombreux rouages. Au-delà des grandes gares intra-muros peuvent se discerner trois couronnes : des nœuds comme Argenteuil, Villeneuve-Saint-Georges, Juvisy, Versailles forment le cercle intérieur ; une couronne moyenne est jalonnée par les gares de Mantes, Creil, Melun ou Corbeil ; par ailleurs a déjà été souligné le rôle de carrefours comme Amiens, Orléans ou Le Mans décrits et analysés ultérieurement, bel et bien dans l'orbite parisienne.

Ensuite c'est au nord, nord-ouest et ouest de la capitale que le tissu ferroviaire est le plus dense.

Enfin ce gigantesque carrefour est vivant et évolue : si quelques rares lignes ont dépéri au fil des décennies, par exemple la Petite Ceinture, en revanche plusieurs artères sont nées depuis seulement une quinzaine d'années, pour desservir villes nouvelles ou l'aéroport de Roissy, sans oublier les trois axes nouveaux du TGV.

Ces divers types d'infrastructures méritent d'être analysés de plus près.

Les grandes radiales

Dans leur ensemble les lignes radiales bénéficient d'un équipement de haut niveau et qui permet un important débit, en particulier dans le domaine du nombre de voies.

Les sections dotées de plus de 6 voies sont rares, installées seulement à proximité immédiate des grandes gares de voyageurs parisiennes, comme celles de Saint-Lazare et du Nord ; elles ne sont longues que de quelques kilomètres : 4 kilomètres par exemple pour la section Paris-Saint-Lazare-Asnières, dotée de 10 voies. Hors du cœur de l'agglomération quelques tronçons sextuplés s'identifient, entre Paris-Est et Noisy-le-Sec (8 kilomètres), Paris-Lyon et Villeneuve Saint-Georges (15 kilomètres), Versailles-Chantiers et Saint-Cyr (4 kilomètres). Les sections quadruplées, elles, sont très nombreuses : elles jalonnent la plus grande partie de la ligne Paris-Creil jusqu'à Orry-la-Ville (35 kilomètres), celle de Laon jusqu'à Mitry-Claye (27 kilomètres). Si les artères Paris-Strasbourg et Paris-Le Mans ne sont dotées de quatre voies que jusqu'à Lagny et Trappes, gares situées chacune à 28 kilomètres du point d'origine, celle qui relie Paris à Orléans est quadruplée jusqu'à Etampes, à 56 kilomètres de Paris-Austerlitz. Au-delà, jusqu'à la gare des Aubrais la présence constante d'une voie de garage actif, dans le sens pair ou impair, confère à cette artère le caractère d'une ligne dotée en fait de 3 voies. Par ailleurs la ligne Paris-Mantes par Achères, sillonnée par les trains qui desservent Rouen et Le Havre, Caen et Cherbourg est équipée de quatre voies jusqu'à Poissy, puis de Vernouillet aux Mureaux ; de plus elle est doublée, entre Asnières et Mantes, par une artère à double voie courant à partir d'Argenteuil sur la rive droite de la Seine :

11

Le saut-de-mouton de Lieusaint où se séparent TGV d'une part et trains de banlieue ou express classiques d'autre part, sur le grand axe Paris-Lyon.

au total le débit potentiel est presque égal à celui qu'autorise un quadruplement classique.

Une disposition de cette nature se retrouve sur la ligne Paris-Dijon. En effet, alors qu'elle bénéficie de Villeneuve à Melun de quatre voies groupées, entre Melun et Montereau deux artères indépendantes et à double voie chacune encadrent la Seine : c'est qu'au siècle dernier la Compagnie du PLM a voulu augmenter la capacité de l'axe "impérial", tracé sur la rive gauche du fleuve, mais en évitant l'élargissement très onéreux des deux longs viaducs de Fontainebleau et de Moret. A Melun et à Villeneuve-la-Guyard, au-delà de Montereau, des sauts-de-mouton évitent tout cisaillement à niveau entre les voies de sens contraire des sections quadruplées classiques, et celles des deux itinéraires distincts Melun-Montereau par Moret et par Héricy. Au total l'artère maîtresse de notre réseau doit être considérée comme quadruplée jusqu'à Saint-Florentin (172 kilomètres de Paris-Lyon) ; son potentiel est d'ailleurs renforcé jusqu'à Melun par la ligne à double voie passant par Juvisy et Corbeil, et tracée sur la rive gauche de la Seine : ainsi grâce à une intersection dénivelée à Melun, un itinéraire de dédoublement totalement indépendant, tracé par Corbeil et Héricy, peut efficacement entre Villeneuve-Saint-Georges et Montereau soulager l'artère maîtresse.

Depuis quelques années la palette des axes radiaux parisiens s'est enrichie de la création des lignes nouvelles TGV, elles aussi à double voie. Les bolides orange du TGV Sud-Est, partant de Paris-Lyon, abandonnent la ligne classique à Lieusaint, près de Combs-la-Ville : l'artère nouvelle s'élance alors vers Lyon à travers le plateau de la Brie. Pour préparer la mise en service plus récente (1989) de la ligne nouvelle de l'axe TGV Atlantique, la SNCF n'a pas été malheureuse : elle a en effet pu utiliser la plate-forme prévue dès le siècle dernier pour l'établissement d'une liaison Paris-Chartres par Gallardon, et envahie depuis par la végétation et des baraquements divers... Désormais les TGV bleus et argentés du réseau Atlantique déboulent dans cette ancienne "coulée verte", où se succèdent tranchées, à l'air libre ou couvertes, et tunnels ; après celui de Villejust ils se retrouvent, le long de l'autoroute A 10, dans le cadre verdoyant et vallonné des Yvelines. Au plan de l'électrification et de la signalisation les radiales, dans leur ensemble, apparaissent comme remarquablement équipées.

Il est vrai que certaines d'entre elles ne bénéficient pas de tous les perfectionnements techniques. Ainsi les lignes de Mulhouse au-delà de Gretz, de Beauvais au-delà de Persan-Beaumont, de Tours par Vendôme au-delà de Dourdan ne sont pas électrifiées, alors même que la pose des caténaires au-dessus des voies de Moret à Nevers, de Corbeil à Malesherbes est postérieure à 1988 et qu'en 1995 l'électrification de l'artère Mantes-Caen-Cherbourg doit être à son tour effective. Mais, dans leur ensemble, les artères qui ont la capitale pour origine sont à la fois électrifiées et dotées du block automatique lumineux, qu'elles rayonnent vers Lille, Bruxelles, Nancy, Dijon, Orléans, Le Mans ou Rouen. Il est possible d'opposer les lignes classiques aboutissant aux trois gares méridionales, électrifiées en courant de 1 500 volts, à celles parvenant aux gares Saint-Lazare, du Nord et de l'Est, où règne le 25 000 volts.

Les deux lignes nouvelles du TGV, elles, se singularisent par leur électrification en 25 000 volts, au cœur du domaine du 1 500 volts, ainsi que par une gestion du trafic originale : deux PAR, Postes d'Aiguillage et de Régulation, installés dans les emprises des gares de Paris-Lyon et de Paris-Montparnasse, contrôlent directement sur l'intégralité des deux axes les appareils de voie, la circulation et l'espacement des rames ; de niveau très élevé la sécurité est basée sur des indications fournies pour l'essentiel non plus sur le bord de la voie, mais en cabine même. Mise en service en 1993, la ligne nouvelle du TGV Nord, qui se débranchera près de Goussainville de l'artère de Creil, présentera les mêmes caractéristiques, le PAR étant installé à Lille ; la rocade d'interconnexion Est qui, de part et d'autre du triangle de Coubert, permettra la liaison à grande vitesse entre les trois lignes TGV Sud-Est, Atlantique et Nord, sera opérationnelle en 1996.

Au total, en incluant ces deux lignes récentes, ce sont 11 artères puissamment équipées qui divergent dans toutes les directions depuis la capitale : électrification, block automatique lumineux, sections sextuplées, quadruplées, triplées, ou dotées de garages actifs leur confèrent une capacité de trafic considérable, indispensable pour faire face à une circulation intense comme le montre le tableau ci-après :

Nombre moyen de circulations journalières les deux sens réunis (1990) (trafic de banlieue inclus)		
Radiale	Section de ligne	Nombre de trains
Paris-Mantes	Achères-Epône-Mézières	258
Paris-Creil	Survilliers-Orry-la-Ville	319
Paris-Lérouville (Strasbourg)	Vaires-Meaux	254
Paris-Dijon	Villeneuve-Saint-Georges Combs-la-Ville	464
Paris-Les Aubrais	Brétigny-Etampes	304
Paris-Le Mans	Versailles-Saint-Cyr	446

Les lignes affectées à la banlieue

Agglomération de plus de 10 000 000 d'habitants, la région parisienne génère un trafic de banlieue énorme : ainsi chaque jour près de 5 000 trains affectés à ce service entrent dans les grandes gares parisiennes ou en partent. Plusieurs types de voies ferrées concourent à l'écoulement de ces flux.

D'abord les voies utilisées peuvent être non spécialisées. C'est le cas de radiales à double voie, au trafic seulement modéré, où les trains de banlieue s'intercalent entre les express, rapides et convois de marchandises : les lignes de Granville au-delà de la bifurcation de Saint-Cyr, de Troyes au-delà de la gare de Nogent-le-Perreux offrent de bons exemples, puisqu'elles sont sillonnées par les trains de grande couronne qui desservent Plaisir-Grignon et Dreux, ou Coulommiers. Par ailleurs, toujours dans le cadre des relations radiales, les rames de banlieue peuvent rouler sur des artères à double voie au trafic chargé mais d'exploitation relativement souple lorsqu'elles constituent des itinéraires dédoublés, comme entre Argenteuil et Mantes par Conflans, entre Juvisy et Melun par Corbeil, entre Melun et Montereau. Enfin le service de banlieue est assuré sur certaines liaisons de type transversal empruntées par d'autres trains, de marchandises entre autres : ainsi de Juvisy à Versailles par Savigny-sur-Orge et Massy-Palaiseau, et de Pontoise à Creil.

Mais la densité de la circulation exige souvent que le trafic de banlieue bénéficie de voies indépendantes. Deux cas de figures peuvent être retenus.

Des artères à double voie et remarquablement équipées, avec caténaires et block automatique lumineux sont quasi-exclusivement réservées aux déplacements journaliers des personnes, hormis la circulation de très rares trains de marchandises qui assurent la desserte locale ; ainsi les lignes d'Epinay à Persan-Beaumont, à Valmondois et à Pontoise au nord de la capitale, la ligne A du RER vers Saint-Germain-en-Laye, les artères de Paris à Saint-Nom-la-Bretèche ou à Versailles Rive-Droite à l'ouest, à Saint-Rémy-les-Chevreuse au sud, à Marne-la-Vallée-Chessy ou Boissy-Saint-Léger à l'est et au sud-est. La carte de ces relations s'enrichit puisque, depuis 15 ans, ont été construites et mises en service les antennes de Cergy, Evry ou Roissy, afin de desservir des villes nouvelles et l'aéroport de Roissy, cette dernière antenne étant par ailleurs en cours de prolongement. De même deux axes perpendiculaires ont été forés dans le sous-sol de la capitale, au prix de gigantesques travaux ; ils établissent l'interconnexion devenue indispensable entre des lignes et des gares anciennes, géographiquement opposées, et donc la mise en relation de banlieues très éloignées les unes des autres. C'est dans le cœur même de Paris, au Châtelet et à Saint-Michel, que les lignes A, B, et C du RER sont en correspondance.

Cependant de très nombreux trains de banlieue roulent sur de grands axes radiaux, également parcourus par de multiples trains de grandes lignes ou de marchandises. L'important débit indispensable est alors permis par le triplement, le quadruplement ou le sextuplement de nombreuses sections au départ des grandes gares parisiennes : ainsi entre Paris-Nord et Chantilly ou Mitry-Claye, entre Paris-Est et Lagny, Paris-Lyon et Melun, Paris-Austerlitz et Etampes, Paris-Montparnasse et Trappes, les rames de banlieue roulent en principe sur des voies spécifiques. Le plus souvent, la proximité immédiate des voies de même sens permet de répartir avec souplesse les flux : c'est ainsi que les trains qui ne desservent pas la proche

Le Val d'Argenteuil : les voitures à deux niveaux ne sont pas de trop pour drainer sur Paris les flux migratoires quotidiens que génèrent de tels ensembles d'habitations collectives.

banlieue peuvent rouler sur les voies rapides avant d'aborder le secteur des gares de moyenne ou de grande couronne, où ils empruntent les voies lentes. Sans ce renforcement de la trame des voies principales le trafic ne pourrait s'écouler : c'est le sextuplement de la section Paris-Lyon-Villeneuve-Saint-Georges qui autorise la circulation, en moyenne quotidienne et les deux sens réunis, de 720 trains dont exactement la moitié sont des rames de banlieue.

Au plan administratif et juridique, beaucoup de lignes qui sillonnent la banlieue parisienne sont gérées directement par la SNCF, tandis que le réseau du Métropolitain est, lui, contrôlé par la RATP (Régie Autonome des Transports Parisiens). Mais depuis le début des années 70 a été mis en place le RER, Réseau Express Régional. Cogéré par la SNCF et la RATP, il offre l'originalité d'être constitué soit par des lignes anciennes, comme celle de la Bastille et de Saint-Germain-en-Laye, soit par des liaisons très récentes, comme celles qui traversent Paris au titre de l'interconnexion. De plus ses trains peuvent rouler sur des lignes de la SNCF à vocation polyvalente, comme les sections Porchefontaine-Saint-Quentin-en-Yvelines, Paris-Austerlitz-Etampes ou Paris-Nord-Roissy-Charles-de-Gaulle. La carte montre le caractère cohérent de la trame du RER mais aussi sa densité insuffisante : plusieurs projets plus ou moins avancés doivent lui permettre de mieux faire face à l'augmentation constante des flux de banlieusards, à l'échelle de l'ensemble de la région parisienne.

Les ceintures

Si la structure d'ensemble du réseau ferré autour de la capitale reste avant tout radiale, dès le milieu du XIXᵉ siècle s'est manifesté le désir de relier entre elles les diverses artères convergentes : sont alors nées les deux "ceintures", lignes circulaires complètement fermées, exploitées à l'origine par un syndicat regroupant les grands réseaux.

Courant à la limite de la ville de Paris à proximité immédiate des célèbres "boulevards des Maréchaux", dotée à l'origine sur tout son parcours d'une double voie, la Petite Ceinture a été construite - ou reconstruite - intégralement en tranchée, viaduc ou tunnel. Reliée par des raccordements à toutes les grandes gares parisiennes, elle est jalonnée par plusieurs gares et a supporté longtemps des flux diversifiés de marchandises et de voyageurs. C'est au début du XXᵉ siècle qu'elle a connu ses heures de plus grande gloire. Mais le déclin s'est ensuite affirmé au fil des décennies : l'essor du réseau du métro a porté un coup sensible au transport des voyageurs ; pour celui des marchandises en transit la Grande Ceinture en a absorbé la plus grande partie, permettant de spécialiser la boucle parisienne au trafic des voyageurs urbains.

Mais, dès que ce dernier a été supprimé en 1934, plusieurs tronçons inutilisés ont disparu au fil du temps, comme le tronçon Auteuil-Grenelle démoli dès le début des années 60. Pendant longtemps ont résisté, à l'ouest, la section de Pont-Cardinet à Auteuil-Boulogne, dite ligne d'Auteuil, ouverte au seul trafic des voyageurs, et, à l'est, celle de l'Evangile à Paris-Masséna, qui acheminait des trains de marchandises en transit ; la mise en sommeil de la gare de triage de Tolbiac a entraîné le quasi tarissement de ce dernier type de circulation. En revanche la mise en service en 1988 de la "VMI" (Vallée de Montmorency-Invalides), liaison qui emprunte la plus grande partie de l'ancienne ligne d'Auteuil, a donné une nouvelle jeunesse à la partie occidentale de cette boucle parisienne. Désormais, la section à double voie Batignolles-Tolbiac est la seule exploitée en service régulier, mais avec un faible niveau d'activité, tandis que la section Sud, à voie unique et neutralisée reste en attente d'une hypothétique réaffectation. Car l'implantation de la Petite Ceinture, au cœur de l'agglomération parisienne, pourrait lui valoir pour le transport des voyageurs une réhabilitation que nous évoquons plus loin.

Très différente à tous points de vue se présente la Grande Ceinture.

D'un développement total de 120 kilomètres, cette artère circulaire est tracée à une distance de 10 à 20 kilomètres du cœur de la capitale ; c'est dans sa partie méridionale et occidentale qu'elle s'en éloigne le plus. Son profil général est plutôt convenable ; quelques courtes rampes, à la limite des départements des Yvelines et de l'Essonne, s'expliquent par une médiocre adaptation au réseau hydrographique.

Beaucoup de grands centres ferroviaires européens sont dotés de lignes au caractère de rocades, qui établissent les indispensables liaisons entre les axes convergents ; ainsi autour de Londres, de Berlin ou Milan par exemple. Mais ici le système atteint pratiquement sa plénitude. En effet, d'abord, la Grande Ceinture est presque en totalité indépendante des lignes radiales, qu'elle recoupe à des niveaux différents ; la seule exception se relève entre Sartrouville et Maisons-Laffitte, où elle se confond sur 3 kilomètres environ avec l'artère majeure Paris-Le Havre ; il est vrai que la présence d'au moins 4 voies contribue à fluidifier un trafic très important (490 trains en moyenne journalière, les deux sens réunis). Par ailleurs elle est systématiquement reliée à ces lignes radiales par des raccordements étudiés, dans la mesure du possible, pour éviter ou limiter le nombre de cisaillements à niveau. Ainsi des sauts-de-mouton ont-ils été construits par exemple à Gagny, sur la ligne Paris-Strasbourg, à la bifurcation dite "des Ambassadeurs" entre Achères et Poissy sur l'axe Paris-Le Havre, ou dans les emprises mêmes des grandes gares de bifurcation et de triage de Villeneuve-Saint-Georges et de Juvisy. Sur la ligne Paris-Creil, à Pierrefitte près de Saint-Denis, les conditions locales ont conduit à adopter la solution du sas : entre les deux voies rapides une voie conçue spécialement permet à un convoi provenant de la Grande Ceinture de franchir d'abord l'itinéraire Creil-Paris, puis d'attendre la libération de l'itinéraire inverse pour s'intercaler sans problème dans les flux Paris-Creil. Intégralement à deux voies équipées du block

Tout au long de son parcours circulaire, la Grande Ceinture croise les radiales qui s'éloignent de Paris en étoile ; ici le site du Bourget.

Bobigny-Grande-Ceinture, une gare où les convois de marchandises se succèdent de jour comme de nuit à un rythme continu.

automatique lumineux, cette Ceinture possède des potentialités considérables : en effet, sauf entre Versailles-Matelots et la bifurcation des Ambassadeurs elle est entièrement électrifiée ; les locomotives bicourant passent sans difficulté des caténaires alimentées en courant 25 000 volts, dans la moitié nord, entre Achères et Sucy-Bonneuil, à celles qui reçoivent, au sud le 1 500 volts. De plus, dans deux secteurs précis les trains de la Grande Ceinture peuvent rouler sur deux itinéraires différents : entre Valenton et Massy-Palaiseau la ligne la plus directe - dite ligne stratégique - passe au-dessus du grand triage de Villeneuve-Saint-Georges et dessert Rungis ; mais les convois peuvent également gagner Massy par Juvisy et Savigny-sur-Orge tandis que l'itinéraire "évite-Villeneuve" est également emprunté par les trains circulant entre les Aubrais et Valenton. A l'est, entre Bobigny et Noisy-le-Sec, la majeure partie du trafic est acheminée par l'artère dite "complémentaire" tracée par Bry-sur-Marne et le triangle de Gagny ; mais existe toujours la possibilité d'emprunter l'itinéraire plus ancien établi par Nogent-le-Perreux et qui se confond partiellement avec celui de la ligne Paris-Belfort. Ainsi l'exploitation de la Grande Ceinture bénéficie-t-elle alors d'une souplesse accrue.

La création et l'essor de cette ligne circulaire essentielle correspondent à l'implantation et au dynamisme de l'ensemble des artères radiales aboutissant à Paris ; la rareté ou l'éloignement des axes transversaux les plus proches expliquent que

dès l'origine la Grande Ceinture ait joué un rôle primordial au plan national, en répartissant de volumineux flux de marchandises interrégionaux. Aussi est-ce très naturellement que de puissantes gares de triage ont été très tôt implantées par les diverses compagnies à proximité immédiate de la jonction de leurs lignes avec elle : les faisceaux d'Achères, Trappes, Juvisy, Villeneuve-Saint-Georges, Vaires, Noisy-le-Sec ou du Bourget n'en sont jamais éloignés de plus de quelques kilomètres.

A la différence de la boucle parisienne, la Grande Ceinture a toujours acheminé un trafic considérable. Mais des nuances doivent être apportées, dans l'espace d'abord : c'est en effet sa partie orientale qui est de loin la plus chargée, avec par exemple 245 convois en moyenne journalière, les deux sens réunis, entre Valenton et Sucy-Bonneuil, 310 entre Noisy-le-Sec et Bobigny ; les trains de marchandises dominent de manière écrasante. Dans le temps ensuite : l'itinéraire direct entre Achères et Versailles, tracé par Saint-Nom-la-Bretèche, laissé à l'écart de l'électrification, a vu rapidement son trafic s'étioler, au bénéfice d'un acheminement plus long, mais sous caténaires, par Epône-Mézières et Plaisir-Grignon. Par contre, la réouverture au service banlieue de cette section est envisagée, dans un premier temps, de Saint-Germain à Noisy pour 1996, tandis qu'à plus long terme elle pourrait être intégrée à une future transversale Saint-Quentin-en-Yvelines-Cergy-Pontoise.

Pièce maîtresse du carrefour parisien, la Grande Ceinture joue en fait un rôle essentiel au plan du fonctionnement de l'ensemble du réseau ferré français, comme l'analyse des flux de marchandises autour de la capitale le montrera plus loin.

Les nœuds de bifurcation

S'éloignant des grandes gares parisiennes, les diverses artères radiales, d'abord regroupées en troncs communs, se séparent successivement les unes des autres ; elles s'enchevêtrent avec les lignes affectées au service de la banlieue, et la Grande Ceinture vient se superposer à ce dispositif déjà impressionnant. Aussi l'acheminement sans heurt de l'énorme trafic global n'est-il rendu possible que par le fonctionnement de nombreux nœuds de bifurcations.

Quatre groupes peuvent être discernés.

Non loin de certaines gares intra-muros têtes de ligne, les voies ferrées divergent dans plusieurs directions. Le cas d'Asnières est à la fois le plus spectaculaire et le plus simple : le tronc commun en provenance de Paris-Saint-Lazare qui voit circuler quotidiennement, en moyenne, les deux sens réunis, près de 1 300 trains, éclate en 4 branches en direction d'Argenteuil (section quadruplée jusqu'au "Stade") de Rouen, de Nanterre Université et de Versailles Rive Droite ; mais cette bifurcation essentielle ne joue pas elle-même un rôle actif dans la mesure où les divers flux sont séparés, en fait, dès la gare Saint-Lazare, grâce à 5 doubles voies bien individualisées. Près de Paris-Nord s'étale une zone de bifurcations beaucoup plus complexe traversée en moyenne journalière par environ 1 300 trains : de nombreux sauts-de-mouton facilitent la circulation des locomotives et des trains entre la grande gare de voyageurs, le dépôt de La Chapelle et les garages du Landy d'une part, l'accès aux installations réservées aux marchandises de La Chapelle et de l'Evangile d'autre part. Mais aussi, et surtout, ils ont pour mission de répartir les convois entre la gare de surface et les emprises souterraines, entre les directions d'Aulnay-Mitry (section quadruplée) et de Saint-Denis (section sextuplée). Dans cette dernière gare se séparent l'artère se dirigeant vers Creil, quadruplée jusqu'à Orry-la-Ville, et celle, également à 4 voies, à peu près exclusivement sillonnée par des trains de banlieue qui à Epinay éclate à son tour vers Pontoise et Monsoult.

L'ampleur de ce trafic de banlieue explique l'activité considérable de plusieurs gares davantage éloignées de Paris. Dans certains cas les autres catégories de convois sont pratiquement absentes : ainsi la gare de Saint-Cloud commande la ventilation des trains de banlieue venant de Paris-Saint-Lazare en direction de Versailles-Rive-Droite et de Saint-Nom-la-Bretèche ; celle de Grigny, commandée depuis Juvisy et dotée elle aussi d'un saut-de-mouton, oriente les flux se dirigeant vers Corbeil soit par l'itinéraire direct, soit par la ligne nouvelle, dite du "plateau", qui dessert Evry. Le nœud de Nanterre est plus compliqué, avec le débranchement depuis la ligne A du RER de l'antenne qui s'élance vers Cergy et, pour la gare de Nanterre-Université, un important rôle de correspondance avec l'artère aboutissant à Paris-Saint-Lazare. Plus

complexe encore s'affirme l'activité de la gare d'Ermont-Eaubonne, dans la vallée de Montmorency : vers elle convergent en effet cinq lignes à double voie et électrifiées, où roulent quotidiennement plus de 300 trains de banlieue se dirigeant vers Paris-Nord, Pontoise, Valmondois, Argenteuil et le sud de la capitale via la ligne C du RER ; l'absence de saut-de-mouton pose parfois de délicats problèmes d'exploitation.

Plusieurs gares, en plus du trafic de banlieue qui reste essentiel, assument d'autres missions importantes. Le rôle de la bifurcation de Pierrefitte a déjà été souligné. A Aulnay-sous-Bois l'antenne récente desservant l'aéroport de Roissy-Charles-de-Gaulle se détache de l'artère de Mitry où roulent trains de banlieue et convois de marchandises ; un saut-de-mouton facilite les échanges. Par ailleurs les bifurcations du nœud de Pontoise gèrent le trafic de voyageurs en provenance des gares de Paris-Nord et Paris-Saint-Lazare, mais aussi organisent la circulation du flux de marchandises qui s'écoule, dans la vallée de l'Oise, entre Creil et Achères ; seule, près d'Eragny, la séparation des lignes se dirigeant vers Pontoise et Cergy-Préfecture est équipée d'un saut-de-mouton. Dans le nœud d'Argenteuil le poids du trafic du fret est plus lourd dans la mesure où les courants de banlieue, massifs, sont partiellement recoupés par la Grande Ceinture qui supporte alors environ 70 convois de marchandises, les deux sens réunis.

Enfin, au sud, la gare de Massy-Palaiseau jouait un rôle déjà important et diversifié, avec l'intersection de la ligne B du RER, aboutissant à Saint-Rémy-les-Chevreuse, et de la Grande Ceinture, qui se scinde elle-même en deux branches en direction de l'est, respectivement vers Valenton et Juvisy via Savigny-sur-Orge ; or le passage dans ses emprises de la ligne nouvelle du TGV Atlantique lui confère maintenant une vocation capitale de gare de correspondance entre les diverses catégories de trains roulant sur une étoile désormais à sept branches !

Mais, au sein du grand carrefour parisien, plusieurs nœuds atteignent un niveau de complexité beaucoup plus élevé.

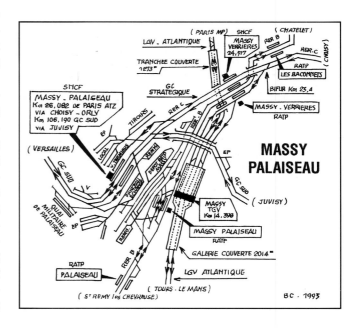

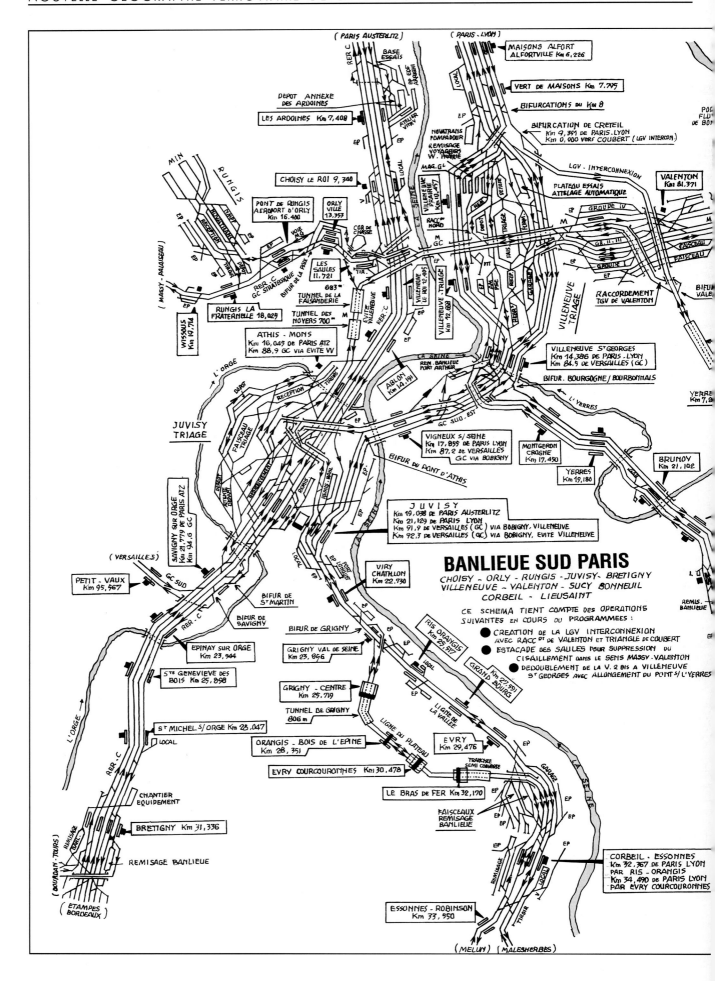

BANLIEUE SUD PARIS

CHOISY - ORLY - RUNGIS - JUVISY - BRETIGNY
VILLENEUVE - VALENTON - SUCY BONNEUIL
CORBEIL - LIEUSAINT

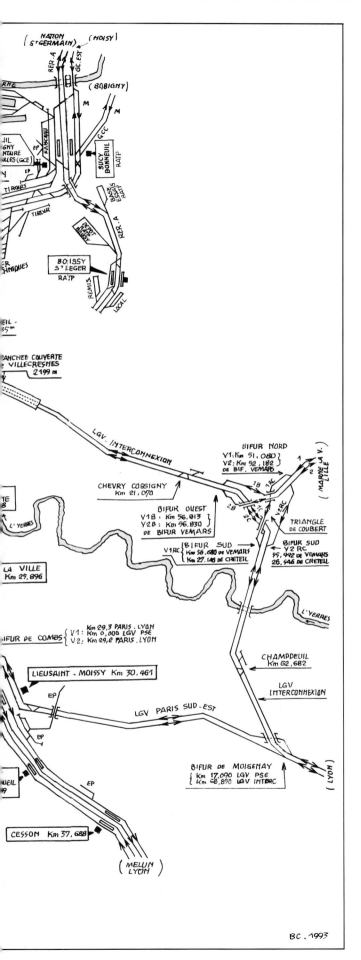

De part et d'autre de la gare de triage d'Achères, entre Houilles et Poissy, le long de l'artère Paris-Rouen-Le Havre qui bénéficie alors de 3 ou 4 voies, s'étale un remarquable ensemble de 5 bifurcations, toutes dotées de sauts-de-mouton : elles permettent la greffe aisée, sur l'axe principal, des lignes à double voie provenant de Nanterre-Université et du RER, de Cergy, d'Argenteuil et de Versailles. La superposition de puissants courants de trains de voyageurs de banlieue et de grandes lignes, de convois de marchandises, ceux de la Grande Ceinture en particulier, se traduit entre Achères et Sartrouville par la circulation journalière moyenne de près de 500 trains. Au sud-ouest de Paris, l'ensemble ferroviaire versaillais, lui, est le centre d'une toile d'araignée tissée par huit voies ferrées. En effet, de l'artère Paris-Le Mans, autre axe majeur de notre réseau, se détachent les deux branches occidentales de la Grande Ceinture vers Achères et Massy-Palaiseau, la ligne C du RER se dirigeant vers Invalides et Paris-Austerlitz, le raccordement de Viroflay qui rejoint la relation de Versailles-Rive-Droite à Paris-Saint-Lazare, et l'artère de Granville ; celle-ci, à Plaisir-Grignon, donne elle-même naissance à une rocade rejoignant à Epône-Mézières la ligne de Paris-Le Havre. La circulation dans ces conditions de près de 600 trains autour de la gare de Versailles-Chantiers, en moyenne quotidienne, nécessite la mise en œuvre d'importants moyens : c'est l'écheveau très spectaculaire et efficace des sauts-de-mouton de Porchefontaine, c'est l'existence à Saint-Cyr d'une bifurcation en triangle qui permet aux trains de marchandises venant de Mantes et de Granville de gagner directement le triage de Trappes tout proche ; c'est le sextuplement récent de la section de Versailles-Chantiers à Saint-Cyr, c'est enfin la mise en service en 1977 d'un poste d'aiguillage ultra moderne, de type PAR (Poste d'Aiguillage et de Régulation), qui commande la totalité du secteur de Sèvres-Rive-Gauche à Saint-Quentin-en-Yvelines.

A l'est de la capitale, le nœud centré sur Noisy-le-Sec, et qui s'étale du Bourget à Gagny, est plus complexe encore. Quelles sont en effet ses principales composantes ? D'abord, dans le sens est-ouest, courent deux radiales : en raison de l'importance de son trafic de banlieue, la ligne de Laon-Hirson est dotée de quatre voies, tout comme l'axe Paris-Strasbourg ; à Noisy-le-Sec, celui-ci donne naissance à une autre radiale, celle de Mulhouse-Bâle. De plus, dans le sens méridien, se développent les deux branches de la Grande Ceinture : complètement autonome, l'itinéraire dit "complémentaire", se trouve jalonné par le triangle de Gagny, aux trois côtés à double voie mais qui, en raison de la topographie et de la densité du tissu urbain, ne dispose pas du moindre saut-de-mouton ; les quelque 250 trains de marchandises qui traversent quotidiennement ce haut lieu ferroviaire en montrent l'énorme importance. Enfin, à Noisy-le-Sec et au Bourget, ont été installées de puissantes gares de triage, alors qu'entre elles les faisceaux de Bobigny et de Villemomble jouent un rôle essentiel de régulation. Dans ces conditions, les 1 400 convois journaliers de toutes catégories qui sillonnent en tous sens ce complexe ne peuvent circuler que grâce à d'impressionnantes infrastructures, dont la carte rend compte : nombreuses sections à quatre voies ou plus (six voies principales dans la traversée de la gare de Noisy-le-Sec par exemple), amples faisceaux à Bobigny et à Villemomble, multiples sauts-de-mouton, qui, entre autres, à Noisy-le-Sec, permettent une nette séparation des flux de voyageurs et de marchandises, des courants de grandes lignes et de banlieue, de ceux qui se répartissent entre les radiales de Strasbourg et de Mulhouse.

A cheval sur la Seine, en amont immédiat de la capitale, l'ensemble ferroviaire Villeneuve-Saint-Georges-Juvisy mérite d'être considéré comme au moins aussi complexe. La disposition générale est du même type. Si ici les deux artères radiales, celles de Lyon-Marseille et de Bordeaux-Toulouse, comptent parmi les plus actives du réseau, de nombreuses similitudes se remarquent : quadruplement des deux axes principaux (1) et de la relation Juvisy-Villeneuve, dédoublement de la Grande Ceinture entre Valenton et Massy-Palaiseau, gare de Valenton spécialisée dans les opérations de relais qui s'effectuent sur trois faisceaux parallèles regroupant 20 voies au total, spectaculaires sauts-de-mouton à Villeneuve-Saint-Georges, Choisy-le-Roi, Juvisy, Savigny et Grigny. De même deux grandes gares de triage ont été aménagées au cœur de ce dispositif, à Villeneuve-Saint-Georges et Juvisy. Ce nœud de Juvisy mérite une attention particulière : en plus du passage des nombreux trains de voyageurs circulant sur le tronc commun Paris-les-Aubrais, il organise la répartition des trains de banlieue provenant des gares d'Austerlitz (ligne C du RER) et de Lyon, entre les directions de Massy-Palaiseau, Etampes, Corbeil par Evry et par Ris-Orangis ; par ailleurs il doit assurer la continuité du trafic des marchandises entre la ligne de Bordeaux-Toulouse et la Grande Ceinture, ainsi que la desserte de la gare du Marché National de Rungis etc. Alors que les courants qui traversent la gare de Villeneuve-Saint-Georges se révèlent également lourds et diversifiés, comment s'étonner qu'en moyenne quotidienne ce soient près de 1 600 trains, de toute nature, qui en tous sens sillonnent les voies de cet écheveau ferroviaire unique en France par son ampleur.

A plusieurs dizaines de kilomètres de la capitale, des nœuds puissamment équipés et en apparence plus autonomes fonctionnent en fait comme des pièces elles aussi essentielles du grand carrefour parisien, en raison surtout des bifurcations qu'ils commandent.

Au nord de Paris la gare de Creil, à 51 kilomètres de Paris-Nord, est avant tout, en fin de tronc commun, le point de séparation des lignes de Lille et de Bruxelles. En raison de la proximité de la zone des quais, la bifurcation, dite de Nogent-sur-Oise, n'a pu être dotée de saut-de-mouton ; or le croisement à niveau des itinéraires contraires Paris-Bruxelles et Lille-Paris, suivis chacun en moyenne quotidienne par respectivement 55 et 80 trains, pose de délicats problèmes d'exploitation. Certes, une solution de substitution existe, avec la déviation des circulations en provenance de Lille sur une voie

réservée en principe à la banlieue et, à la sortie sud de la gare, leur passage sur le saut-de-mouton de Laversine ; mais, outre la gêne apportée à un trafic de banlieue non négligeable (45 trains en moyenne journalière, les deux sens réunis), cet acheminement suppose un sensible ralentissement des convois ; aussi cette épineuse question ne sera-t-elle résolue que lorsque la mise en service du TGV Nord soulagera les axes classiques d'une notable partie de leurs flux de rapides et d'express. Par ailleurs, plus que la ligne secondaire qui se dirige vers Beauvais, l'artère qui prolonge dans la vallée de l'Oise celle de Bruxelles et se dirige vers Achères, et qui supporte un trafic mixte important (30 trains de banlieue et 35 convois de marchandises, les deux sens réunis), confère au nœud de Creil un intense rayonnement ; aussi n'est-il pas étonnant qu'une gare de triage étale ses faisceaux au sud de celle des voyageurs, au Petit Thérain.

A l'ouest de la capitale, le carrefour de Mantes joue un rôle assez comparable : éclatement du tronc commun en provenance de Paris vers Le Havre et Cherbourg, avec absence de saut-de-mouton, débranchement à Epône-Mézières, à quelques kilomètres à l'est de la gare, d'une ligne en rocade qui se dirige vers Versailles en acheminant voyageurs de banlieue et marchandises. Mais, par rapport à Creil, des différences apparaissent : jonction près de la gare des deux itinéraires tracés depuis Paris, bifurcation de Cherbourg établie en amont et non en aval des voies à quai dont la disposition générale est donc en fourche, trafic des deux branches très déséquilibré (les deux tiers des 185 circulations, en moyenne journalière, et les deux sens réunis, pour la ligne du Havre), absence de gare de triage.

Au sud-est de Paris, à respectivement 45 et 79 kilomètres de la gare de Lyon, les nœuds de Melun et Montereau jalonnent "l'artère impériale" Paris-Marseille. Alors que tous deux et surtout le premier connaissent un important trafic de banlieue, ils jouent également un rôle essentiel dans l'acheminement des flux de voyageurs et de marchandises à grande distance. En effet ils doivent assurer la répartition des circulations entre les sections encadrantes, quadruplées et avec voies de même sens côte à côte, et la section Melun-Montereau où courent deux lignes distinctes, tracées de part et d'autre de la Seine. La primauté de l'itinéraire établi par Fontainebleau, où roulent en moyenne quotidienne les deux sens réunis, près de 160 trains (contre 70), avec prédominance très accentuée des convois de voyageurs, est renforcée à Moret par l'adjonction des courants qui sillonnent la radiale provenant de Clermont-Ferrand. Très considérable puisque près de 270 trains traversent la gare de Melun, origine elle-même de forts flux de banlieue avec 125 trains roulant vers ou depuis Paris, avec les trois cinquièmes sur l'itinéraire jalonné par Combs-la-Ville, ce trafic est fluidifié par la présence de sauts-de-mouton, construits à Villeneuve-la-Guyard près de Montereau et à proximité immédiate de la gare de Melun, qui évitent tout cisaillement à niveau des itinéraires principaux. Le départ vers Corbeil et Juvisy d'une artère, elle aussi à double voie et électrifiée, où roulent trains de banlieue mais aussi

---

(1) *La section de Paris-Lyon à Villeneuve-Saint-Georges est, elle, sextuplée.*

Juvisy : lieu exceptionnel de convergence de plusieurs axes lourds qui se raccordent et s'entrecroisent par des enfilades de sauts-de-mouton.

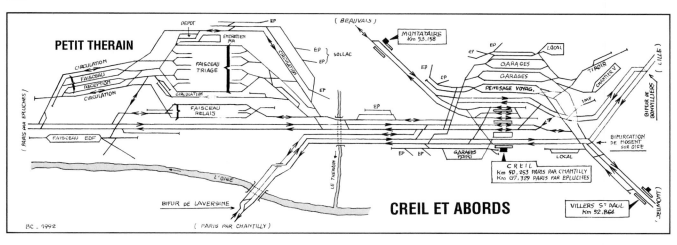

de marchandises, confère au nœud de Melun une importance toute particulière.

Pendant longtemps, au sud de la capitale le nœud de Massy-Palaiseau a souffert, au plan du prestige, de l'absence de grand axe. Depuis 1989 et la mise en service du TGV Atlantique cette gare est au centre d'un prodigieux enchevêtrement de voies ferrées : ligne B du RER, Grande Ceinture qui elle même vers l'est se divise en deux branches, vers Valenton et Savigny-sur-Orge, et bien sûr l'artère à grande vitesse du TGV. Ce sont donc 7 sections à double voie, toutes électrifiées qui convergent sur le complexe de Massy ; sa gare TGV ultra moderne, qui, pour l'heure, est quelque peu sous utilisée, pourrait connaître un bon développement pour peu qu'aboutissent les projets d'urbanisme prévus aux alentours de la gare ; de même, l'intensification prochaine des liaisons d'interconnexion devrait rendre plus attractive l'utilisation de ce nœud ferroviaire au cœur d'un secteur d'emploi et de résidence très dynamique proche de l'aéroport d'Orly et de la "Silicone Valley française".

Versailles-Chantiers avec, en arrière-plan, les bifurcations de Porchefontaine.

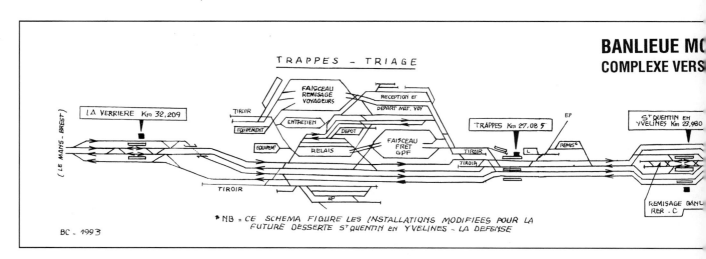

22

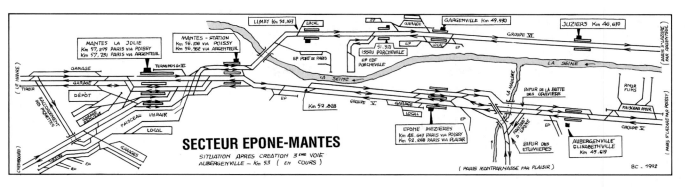

SECTEUR EPONE-MANTES

SITUATION APRES CREATION 3ÈME VOIE
AUBERGENVILLE - Km 53 (EN COURS)

BC - 1992

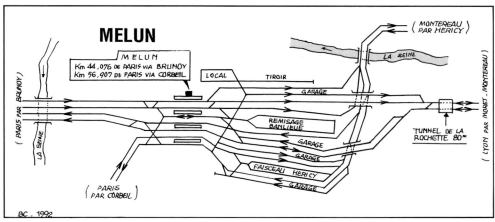

MELUN

BC - 1992

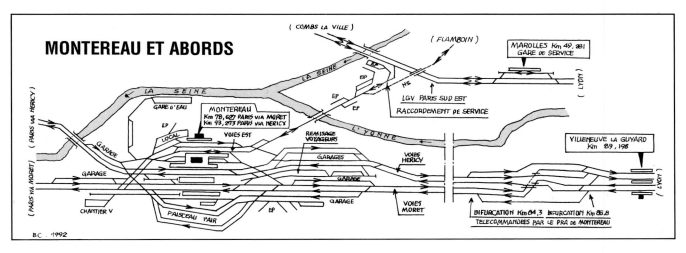

MONTEREAU ET ABORDS

BC - 1992

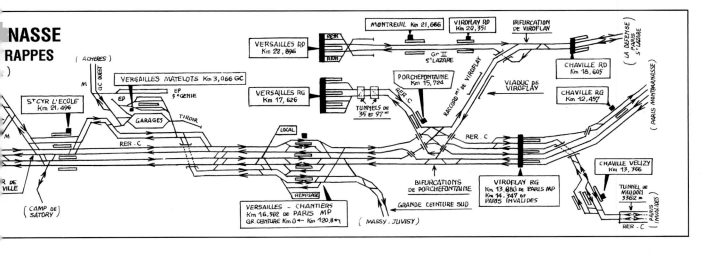

Ci-dessus, la gare de l'Est, où les deux structures de départ, à gauche, et d'arrivée, à droite, apparaissent distinctement.

Ci-contre, un rapide pour Amsterdam au départ de la gare du Nord.

LES GARES, GARAGES ET DÉPÔTS

La formation et l'acheminement des milliers de trains qui parcourent quotidiennement en tous sens l'agglomération parisienne ne peuvent s'effectuer que grâce à un réseau dense de gares de voyageurs et de marchandises, de gares de triage, de faisceaux de garage et de dépôts. Comme l'a montré le tome précédent, chacune de ces familles d'installations possède une profonde originalité. Mais, sur le terrain, ces divers modules sont souvent regroupés pour constituer de puissants ensembles ferroviaires.

Les grandes gares parisiennes terminales

Toutes en impasse, les six grandes gares de la capitale, au-delà de fortes ressemblances présentent une grande diversité. Avec 30 voies à quai (1) la gare de l'Est a longtemps occupé le premier rang. Derrière la façade monumentale et harmonieuse les quais, de faible largeur, sont recouverts par des abris-parapluie et non par une vaste marquise. L'évolution des trains est facilitée par le nombre élevé d'appareils de voie assurant des liaisons simultanées, ainsi que la présence de 9 voies d'entrée et de sortie jusqu'à La Villette, de six au-delà. Certes considérable puisque traduit par l'arrivée ou le départ de près de 650 convois en moyenne journalière, le trafic pourrait être assuré par un nombre de voies à quai plus restreint ; ce n'est pas par hasard, comme l'auront sûrement remarqué les cheminots cinéphiles, si de nombreuses séquences de films ou téléfilms sont tournées à la gare de l'Est : l'exploitation ne peut ici en être sérieusement gênée.

A quelques centaines de mètres seulement, la gare du Nord, elle aussi insérée dans un très dense tissu urbain et ornée d'une façade à l'architecture de grande allure, se révèle sensiblement plus complexe.

Forte pendant longtemps d'une dotation de 29 voies à quai, elle a vu son potentiel augmenter grâce à la construction en 1980 d'une gare de banlieue souterraine à 4 voies de passage, qui accueille les rames des lignes B et D du RER ; aussi n'est-elle plus exclusivement une gare en cul-de-sac, tout en prenant, avec ses 33 voies, la première place en France. Par ailleurs, depuis toujours compliqué, le plan de la gare de surface aura subi de 1990 à 1993 un profond remaniement dans la perspective de la mise en service du TGV Nord en 1993 : en phase finale, 200 TGV, en moyenne quotidienne, arriveront alors en gare du Nord ou en partiront ! L'idée principale consiste à regrouper dans la zone ouest de la gare, recouverte par les vastes verrières, le trafic TGV et des grandes lignes classiques, avec allongement à 405 mètres de la plupart des quais desservant ces 16 voies. Plus courtes, les 10 voies du secteur "est" seront affectées au trafic de banlieue, en incluant celui de la grande couronne mais les voies 19 à 21, en position médiane, pourront recevoir des trains soit de grande ligne, soit de banlieue. Ainsi, en comprenant la gare souter-

(1) *En principe les voies centrales sont affectées au service de la banlieue, celles des secteurs ouest et est respectivement aux départs et arrivées des trains de grandes lignes.*

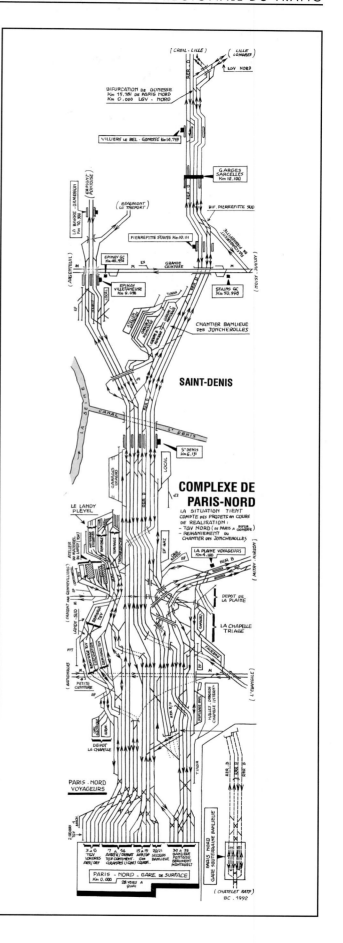

raine, le nombre total de voies à quai est-il ramené à 30, mais avec une disposition d'ensemble beaucoup plus rationnelle et surtout apte à faire face à l'afflux des TGV. Dans le même esprit, un PRCI (Poste à Relais à Commande Informatique) contrôlera l'ensemble des itinéraires, tandis que le remodelage du plan des voies dans une avant-gare déjà très complexe amènera une utilisation optimale des 10 voies principales qui sillonnent la tranchée séparant les ponts-route Saint-Ange et Marcadet.

Même si sa façade n'offre pas la même majesté, en raison entre autres du manque de dégagement, et en l'absence d'une

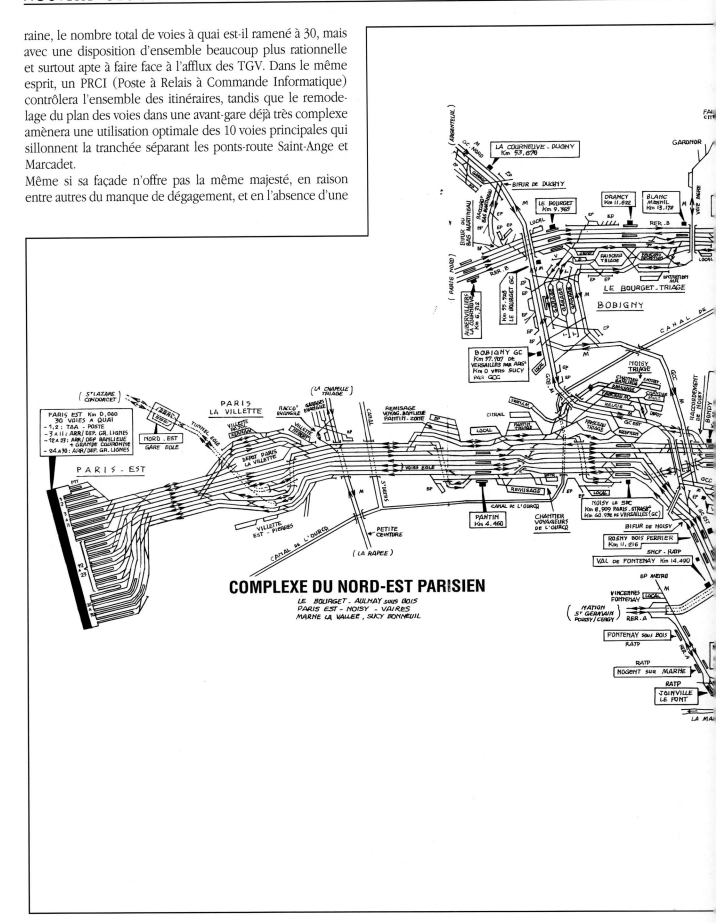

COMPLEXE DU NORD-EST PARISIEN

*LE BOURGET - AULNAY sous BOIS
PARIS EST - NOISY - VAIRES
MARNE LA VALLÉE , SUCY BONNEUIL*

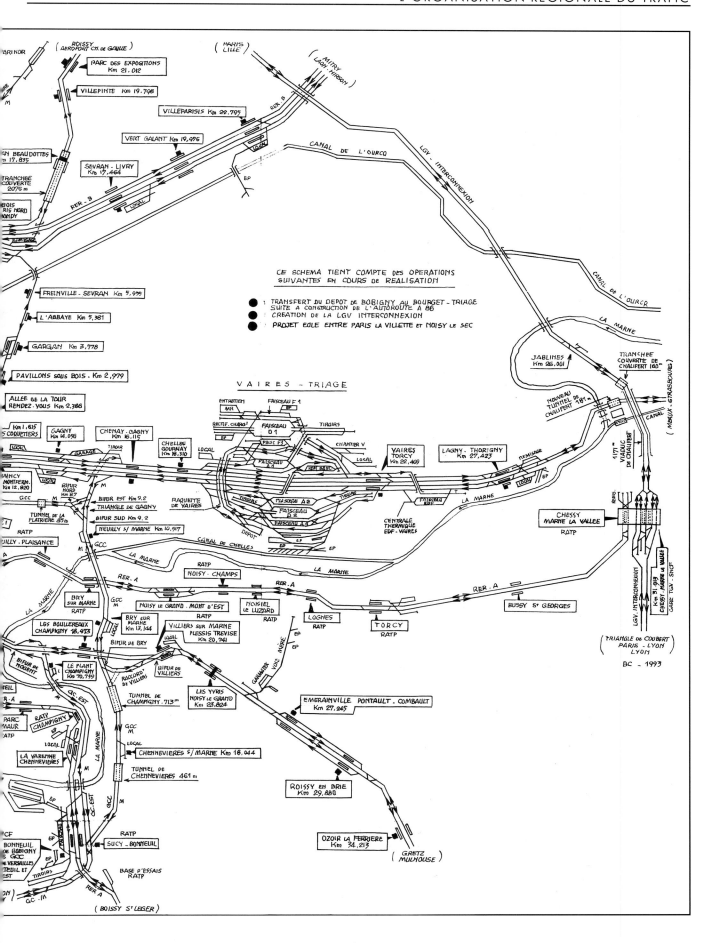

CE SCHEMA TIENT COMPTE DES OPERATIONS
SUIVANTES EN COURS DE REALISATION

● : TRANSFERT DU DEPOT DE BOBIGNY AU BOURGET-TRIAGE
SUITE A CONSTRUCTION DE L'AUTOROUTE A 86
● CREATION DE LA LGV INTERCONNEXION
● PROJET EOLE ENTRE PARIS LA VILLETTE ET NOISY LE SEC

gare souterraine de banlieue, la gare Saint-Lazare, au nord-ouest de la capitale, n'en ressemble pas moins à celle du Nord. Elle aussi est enserrée de toutes parts par les constructions urbaines et se trouve située près du cœur de Paris, en particulier des grands quartiers d'affaires de la rive droite de la Seine. De même, malgré les 11 voies enserrées dans la tranchée des Batignolles, celle-ci représente pour l'exploitation un notable goulot d'étranglement. Au nombre de 27, les voies à quai qui naissent sous les vastes marquises et convergent vers le pont de l'Europe, à la structure étoilée, sont courtes, ne dépassant jamais 300 mètres ; le handicap n'est pas trop lourd puisque la desserte des lignes du Havre et de Cherbourg est assurée par des trains nombreux mais de longueur limitée en raison de la longueur elle-même réduite des quais des gares de province comme Rouen, Dieppe, Le Havre ou Cherbourg. Ici ce sont les voies du secteur oriental qui reçoivent et expédient les trains de grandes lignes ; les autres sont spécialisées, par groupes de 4 le plus souvent, dans le service de la banlieue suivant une répartition géographique : lignes de Versailles Rive Droite et Saint-Nom-la-Bretèche, Nanterre-Université, Cergy et Mantes par Poissy et par Argenteuil. Géré par un poste d'aiguillage de type PRS le trafic de la gare Saint-Lazare reste actuellement le plus lourd de France, avec près de 1 300 trains au départ ou à l'arrivée en moyenne quotidienne, contre 1 250 à la gare du Nord.

Les trois grandes gares du sud de la capitale, c'est-à-dire celles de Lyon, d'Austerlitz et de Montparnasse, sont toutes trois de dimensions un peu plus réduites et un peu plus éloignées, surtout les deux premières, du cœur de Paris.

Ancien embarcadère de la Compagnie du Paris-Orléans, la gare d'Austerlitz ne brille, ni par l'ampleur de ses installations, ni par l'allure architecturale et ornementale de ses bâtiments. Elle a toujours souffert de sa situation peu confortable entre les berges de la Seine et les murs du grand hôpital de la Pitié-Salpêtrière, qui lui interdisait toute extension. Par ailleurs son exploitation a longtemps été perturbée par l'arrivée sous le grand hall métallique de la ligne provenant de la gare d'Orsay, débouchant du tunnel et du célèbre "trou", dans la mesure où les secteurs "départ" et "arrivée" des grandes lignes se trouvaient totalement séparés ; de plus, à la sortie sud de la gare, le cisaillement à niveau des voies banlieue et grandes lignes était une source de difficultés souvent inextricables. La création d'une gare souterraine de banlieue, équipée elle aussi de 4 voies et portant le total des voies à quai à 25, a résolu ce double problème : désormais un vaste quai frontal dessert en continuité la totalité des voies de surface, tandis que les voies principales de banlieue, extérieures aux voies rapides dans l'avant gare, plongent grâce à des trémies vers la station souterraine sans perturber la circulation des trains rapides et express. Toujours est-il que les quais de la gare d'Austerlitz, recouverts partiellement d'abris-parapluie pour pallier la surface insuffisante des verrières, sont depuis 1990 moins fréquentés en raison de la concentration vers la gare Montparnasse des TGV du réseau Atlantique, qui desservent entre autres Bordeaux et l'Aquitaine.

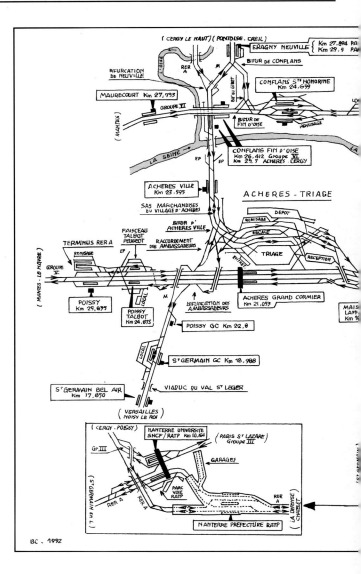

BC - 1992

De l'autre côté de la Seine se dressent les bâtiments de la gare de Lyon, construits par la Compagnie du PLM ; dominés par un fier campanile, ils sont à la fois sobres, majestueux et élégants. Desservies par 6 voies d'accès, contre 4 à Paris-Austerlitz et très bien reliées au dépôt du Charolais situé à proximité immédiate, les voies à quai se répartissent en 3 groupes : les 12 voies qui sont abritées par les imposantes marquises sont affectées à l'arrivée des trains de grandes lignes et aux TGV, dont beaucoup repartent directement sans passage par les garages et entretien de Conflans, tandis que le creusement d'une vaste salle spéciale et d'un long et large souterrain transversal a permis d'améliorer sensiblement les conditions d'accueil des voyageurs TGV et des grandes lignes classiques ; les 9 voies aménagées en 1928, dont les butoirs sont décalés d'environ 150 mètres vers le sud et dont les quais sont protégés par des abris-parapluie, assument le départ des express et rapides ainsi que de nombreux TGV en partance ; enfin la gare souterraine de 4 voies, qui accueille le trafic banlieue, actuellement en impasse, sera rapidement appelée à devenir gare de passage dans le cadre d'une nouvelle interconnexion du Réseau Express Régional. A ces 24 voies s'ajou-

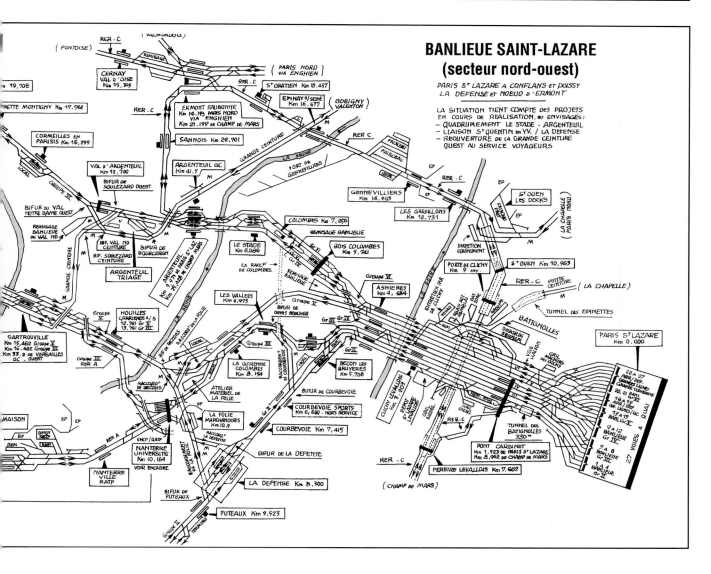

BANLIEUE SAINT-LAZARE
(secteur nord-ouest)

PARIS St LAZARE A CONFLANS ET POISSY
LA DEFENSE ET NOEUD D'ERMONT

LA SITUATION TIENT COMPTE DES PROJETS
EN COURS DE REALISATION, OU ENVISAGES :
- QUADRUPLEMENT LE STADE - ARGENTEUIL
- LIAISON ST QUENTIN EN YV. / LA DEFENSE
- REOUVERTURE DE LA GRANDE CEINTURE
  OUEST AU SERVICE VOYAGEURS

tent les 4 de la gare de dégagement aménagée à quelques centaines de mètres vers le sud, à Bercy, où partent et arrivent, entre autres, les trains auto-couchettes, des trains spéciaux et supplémentaires, en particulier lors des vacances d'hiver.

Mais les installations actuelles, déjà proches de la surcharge, entre 18 et 19 heures les jours de semaine entre autres, risquent d'être totalement saturées dans les prochaines années en raison de l'essor du trafic des voyageurs sur l'ensemble du réseau Sud-Est et en particulier de celui des TGV. Aussi est-il prévu de construire dans les meilleurs délais cinq nouvelles voies à quai, à l'est de la gare existante, sur des terrains réservés à cet usage dès le début de l'opération de réhabilitation du quartier "Chalon", dans le cadre d'une extension des bâtiments dont l'architecture évoquera plus l'Opéra Bastille ou le nouveau Bercy que la gare du PLM du siècle dernier !

Près de la gare Montparnasse, à Vaugirard, a également été édifiée une annexe de 4 voies. Elle se révèle d'autant plus utile qu'avec 24 voies la gare Montparnasse risque elle aussi d'être assez rapidement saturée avec l'essor accéléré du TGV dans l'ouest et le sud-ouest français. Ces dernières décennies

elle a connu de nombreuses péripéties, comme le quartier qui l'entoure : construction en deux étapes dans les années trente des deux gares du Maine, arrivée et départ, pour soulager l'antique gare de la rue de Rennes (6 voies seulement), destruction de cette dernière, érection de la célèbre Tour Montparnasse et d'un fer à cheval de hauts immeubles autour de la nouvelle gare, inaugurée en 1969... Depuis une dizaine d'années, dans la perspective de l'arrivée des TGV, les bâtiments d'exploitation ont été remaniés et agrandis, dans une optique résolument sobre et moderne ; au-dessus des 24 voies à quai s'est développée une audacieuse opération d'urbanisme avec, à partir d'une vaste dalle de 55 000 m², l'aménagement d'un parking étendu, de divers locaux, d'espaces verts, de jeux et de sport... Après le remaniement du plan des voies, celles situées au centre, au nombre de 8, restent affectées à la banlieue ; elles sont encadrées, à l'ouest, par celles qui reçoivent les TGV et assurent le départ et l'arrivée des autres trains de grandes lignes, à l'est par celles vouées au départ des TGV. Par ailleurs le nombre des voies d'accès est passé de six à huit, afin d'écouler le flux des TGV, l'évolution des rames entre Montparnasse et le dépôt de Montrouge Châtillon

La gare d'Austerlitz ci-dessus et ce qu'elle devrait en principe devenir, après achèvement de l'opération visant à urbaniser tout le secteur Austerlitz-Tolbiac sur les emprises de la SNCF.

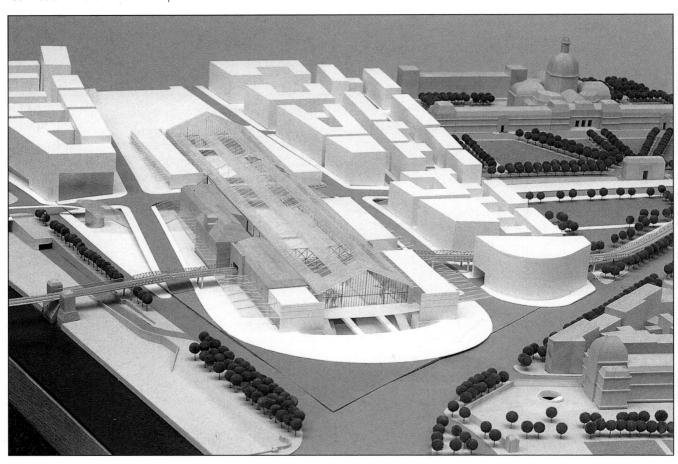

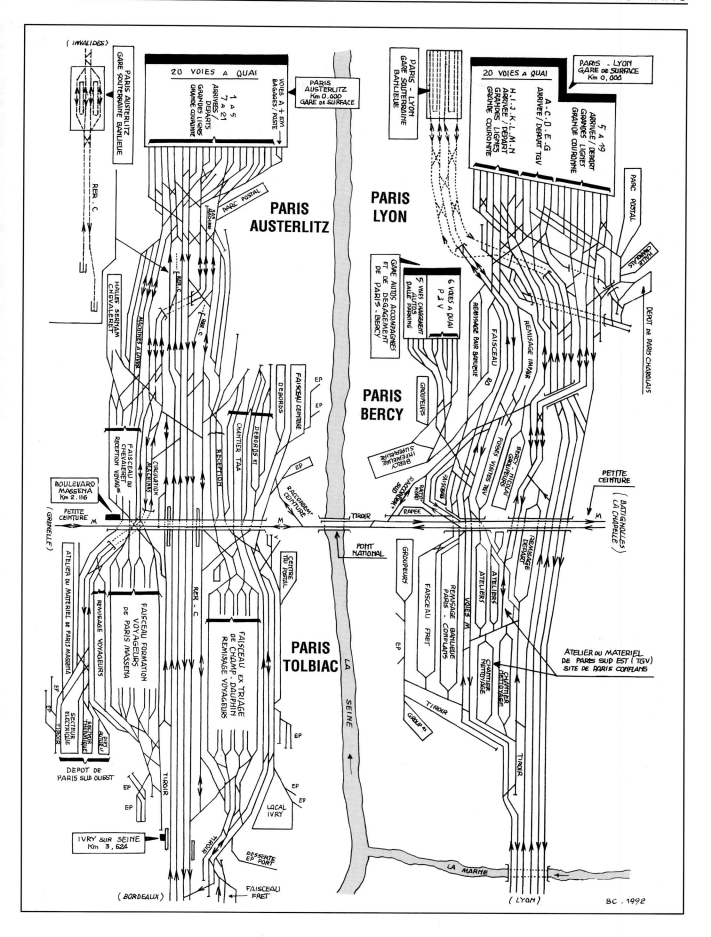

31

Le hall principal de Paris-Lyon avec ses 12 voies à quai (A à N) affectées au service grandes lignes et TGV, depuis la mise en souterrain de l'ensemble du service banlieue.

ainsi que le trafic de la ligne de Versailles-Chantiers. Le problème de cette gare Montparnasse est bel et bien celui de sa croissance : l'essor très rapide du TGV Atlantique peut provoquer des phénomènes de saturation, que la construction d'une gare souterraine de banlieue, envisagée dans le cadre de la future ligne F du RER, pourrait atténuer ou supprimer.

Beaucoup moins étendues et spectaculaires, plus de 300 autres gares sont disséminées dans l'agglomération. Certaines, comme celles de Versailles-Chantiers ou Melun, traversées par de multiples trains express ou rapides dont seulement quelques-uns marquent l'arrêt, sont avant tout des gares de banlieue. Beaucoup d'autres le sont exclusivement. Leur équipement peut parfois être important : 6 voies à quai par exemple à Ermont-Eaubonne, 8 à Versailles-Chantiers, 12 à Juvisy dont plusieurs utilisées pour le passage sans arrêt de convois de marchandises ou de trains de voyageurs de grandes lignes. Dans le sous-sol de la capitale elle-même, quatre stations jouent un rôle particulier. Celle du Châtelet assure la correspondance entre les lignes A, B et D du RER ; extérieures les voies des itinéraires A et B encadrent les mêmes quais ; en position centrale les voies de la ligne D, exploitée par la SNCF, sont provisoirement en impasse. A Saint-Michel voisinent en fait deux gares sur les lignes C et B du RER, à des niveaux différents : les échanges sont un peu moins aisés.

Par ailleurs, dans le secteur central de la ligne C les stations Invalides et Musée d'Orsay sont dotées chacune de quatre voies : il s'agit moins d'exploiter des terminus intermédiaires que, sur une section de ligne très chargée où en période de pointe les trains se suivent avec des écarts inférieurs à 3 minutes, de permettre dans chaque sens, grâce au dédoublement des voies, l'accès au quai d'une rame alors que la précédente n'a pas quitté la gare.

Aux grandes gares parisiennes sont reliées des installations indispensables à leur fonctionnement.

Les dépôts et garages

Les Batignolles, La Villette, La Chapelle, Le Charolais : noms de dépôts prestigieux qui, en particulier, ont marqué de leur empreinte dans la mémoire collective cheminote l'ère de la vapeur. Mais celle-ci a disparu.

Avec l'invasion des locomotives électriques de nombreuses contraintes se sont effacées, mais l'augmentation constante du trafic de la banlieue a posé de nombreux problèmes d'entretien et de maintenance, tandis que dans les années 1980 le triomphe des TGV s'est appuyé sur la mise en service de nouvelles infrastructures. Aussi en 25 ans la carte de ces installations s'est-elle sensiblement modifiée.

La gare Montparnasse : ses 24 voies à quai cernées d'immeubles et recouvertes d'une dalle de béton supportent, depuis la mise en service du TGV, un trafic considérable.

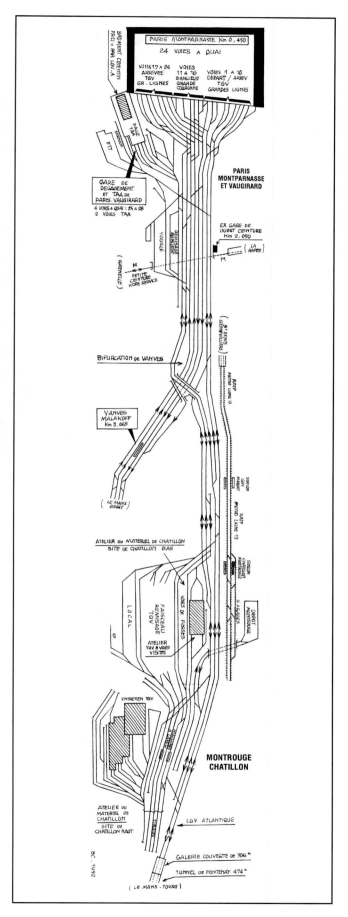

Actuellement chacun des six puissants axes qui naissent dans les grandes gares parisiennes est bordé dans les premiers kilomètres d'un ou plusieurs dépôts et de faisceaux de garage des rames de voitures, mais avec plusieurs types d'implantation. Les dépôts qui constellent la région parisienne comptent parmi les plus puissants du réseau. C'est ainsi que pour le nombre d'engins moteurs celui de La Chapelle occupe la première place au plan national (361 engins en gérance en 1992), devant ceux de Lens et d'Avignon, mais c'est le dépôt de Villeneuve-Saint-Georges qui se classe en tête dans le cadre du réseau pour le kilométrage parcouru annuellement (près de 40 000 000 de kilomètres).

Ces dépôts qui assurent aussi bien le service des trains de marchandises que celui des trains de voyageurs peuvent se classer selon plusieurs critères, et d'abord en fonction de leur localisation. Si celui du Charolais est littéralement soudé à la gare de Lyon, ceux de Paris Sud-Ouest, de La Chapelle et de La Villette sont un peu plus éloignés des gares d'Austerlitz, du Nord et de l'Est, mais à une distance ne dépassant pas 4 kilomètres ; en revanche les dépôts de Villeneuve-Saint-Geor-

33

Après Châtillon pour l'Atlantique, les ateliers du Landy ont été reconstruits pour le service du TGV-Nord.

ges et Achères (1) sont installés respectivement à une quinzaine et une vingtaine de kilomètres des gares têtes de ligne. Par ailleurs des établissements très actifs comme ceux de Vaires, Bobigny ou Trappes ne sont que des centres-relais, ne possédant pas en propre de locomotives. D'autre part, à côté des dépôts qui pourvoient aux besoins de traction des trains de marchandises et de voyageurs de grandes lignes, certains sont spécialisés dans le garage et l'entretien des rames automotrices de banlieue : ainsi ceux des Joncherolles (annexe de la Chapelle) de Saint-Lazare-Levallois, des Ardoines dépendant de l'Atelier du Matériel de Vitry. A côté d'installations mineures, comme celles des dépôts relais de Vaires, Creil ou de Trappes, les principaux dépôts présentent des infrastructures toujours impressionnantes, adaptées à l'ère de l'électrification mais héritées du temps de la vapeur : rotondes de Villeneuve-Saint-Georges ou de Paris-Sud-Est (ex-Charolais), remises avec voies parallèles accessibles par pont transbordeur comme à La Chapelle, grils d'entrée et de sortie...
La naissance et l'essor des TGV, hier sur le Sud-Est et l'Atlantique, maintenant sur le Nord, a amené la SNCF à remanier

profondément les installations existantes ou à en créer de nouvelles, pour faire face à des besoins très spécifiques.
Automotrices, les rames TGV doivent en effet recevoir la gamme des soins dûs aussi bien à des voitures de voyageurs classiques qu'à des locomotives de vitesse ; aussi faut-il des voies pour les garer mais aussi des équipements comme des fosses de visite, des machines à laver au défilé, des dispositions permettant d'ausculter les pantographes, etc. D'ores et déjà deux puissants ensembles fonctionnent à plein régime. A Paris-Conflans près de la gare de Lyon sont entretenues et mises en attente les rames TGV Sud-Est (dont l'entretien est effectué à l'Atelier du Matériel Paris Sud-Est installé sur le site de Villeneuve-Triage), à moins de 6 kilomètres de la gare Montparnasse les garages et ateliers de Montrouge-Châtillon jouent le même rôle pour le compte du TGV Atlantique. Dans le paysage ferroviaire ces infrastructures marquent par leur ampleur, avec des faisceaux forts respectivement de près d'une quarantaine et d'une trentaine de voies, à l'air libre mais aussi partiellement sous remises. Bien entendu des installations du même type sont en cours d'achèvement au Landy, entre Paris-Nord et Saint-Denis, au profit des rames TGV Réseau, à deux niveaux, Transmanche et PBK.
Ces créations récentes, indispensables, ont des répercussions sur la répartition et la structure des chantiers de garage des

---

(1) Dans les emprises de la gare Saint-Lazare a été aménagé un gril qui permet aux locomotives en rotation rapide d'attendre en fait sur place leur mise en tête.

rames de voyageurs classiques, Corail ou autres. Près de plusieurs gares aucun changement notable n'est intervenu depuis des décennies : ainsi les garages de Clichy non loin de Paris-Saint-Lazare, sont en impasse et accessibles par refoulement ; ceux de l'Ourcq qui travaillent pour la gare de l'Est, ceux de Paris-Masséna qui sont proches de la gare d'Austerlitz comptent chacun plusieurs dizaines de voies. En revanche l'arrivée des TGV a amené la SNCF à restructurer la zone de Montrouge-Châtillon, en réservant aux rames classiques, désormais beaucoup moins nombreuses, une aire plus limitée ; mais la majeure partie du remisage et de l'entretien de ces rames s'effectue sur le site d'une partie de l'ex-grand triage de Trappes. Près de Paris-Lyon les dispositions décidées ont été plus radicales, avec le report à une dizaine de kilomètres, à Villeneuve-Prairie, du garage et de l'entretien de rames traditionnelles qui restent nombreuses sur le réseau Sud-Est. Près de la gare du Nord, sur le site du Landy vont coexister rames TGV et classiques, au prix pour ces dernières de l'aménagement de 3 nouveaux faisceaux au Landy-Pleyel. Par ailleurs, il est intéressant de réduire la distance entre gares et garages, afin de limiter les manœuvres à vide : ainsi, la mise en sommeil de la gare de triage de Paris-Tolbiac, à proximité immédiate de Paris-Austerlitz, a été mise à profit pour faire stationner sur certaines de ses voies de nombreuses rames, utilisées seulement en période de pointe, qu'il fallait auparavant faire venir de Brétigny, à 31 kilomètres de la tête de ligne, voire de province. Se pose donc le problème de la liaison entre les gares terminales d'une part, de l'autre les dépôts et les garages sans lesquels elles ne peuvent vivre : or quotidiennement l'évolution des locomotives isolées et des rames vides représente plusieurs centaines de circulations.

Vrais cordons ombilicaux, des voies spécialisées sont affectées à ces mouvements, afin de ne pas perturber le trafic de banlieue et de grandes lignes sur voies principales. Ainsi, dans la tranchée des Batignolles, une onzième voie banalisée relie les garages de Clichy et la gare Saint-Lazare. Très souvent des sauts-de-mouton évitent de gênants cisaillements à niveau : ainsi dans l'avant-gare de Paris-Nord, où ils contribuent à l'extrême complexité du plan général des voies, entre la gare Montparnasse et le complexe Montrouge-Châtillon ; à la sortie de Paris-Austerlitz les locomotives et rames qui assurent les express et rapides au départ, et venant du chantier de Paris-Massena, empruntent un itinéraire enterré totalement étranger aux voies principales : il est courant de voir une rame tirée ou poussée par une locomotive de manœuvre sortir du tunnel et se diriger vers son quai de départ, alors qu'au-dessus un rapide s'élance vers le sud ou en arrive. De même l'activité de la gare de Lyon est fluidifiée par les sauts-de-mouton aménagés dans l'immédiat avant-gare et au-dessus de la rue Proudhon, qui assurent une liaison de qualité avec d'une part le dépôt du Charolais, de l'autre les chantiers de Conflans et de Villeneuve-Prairie.

Moins connues, les installations réservées au trafic des marchandises n'en sont pas moins largement étalées en surface, et très diversifiées.

Les gares de marchandises

En fonction de l'évolution générale du fret ferroviaire (voir tome 1) l'implantation et l'équipement des gares de marchandises dans la région parisienne ont connu ces dernières décennies de profondes modifications.

L'une des plus importantes concerne le recul des gares classiques avec halles et cours de débords, installées depuis le siècle dernier à l'intérieur même de la capitale ou à proximité. Le déclin du trafic diffus ou du transport par voie ferrée des animaux vivants, la fin de celui du charbon, les exigences d'une urbanisation dévorante ont concordé. Ils expliquent la disparition des chantiers de Vaugirard, La Chapelle-Charbons, Paris-Bestiaux, Charonne, La Glacière-Gentilly, Les Gobelins, l'amenuisement de ceux de Paris-Tolbiac ou Bercy, de la Villette ou des Batignolles.

Mais à l'échelle du grand carrefour parisien les points de chargement et de déchargement des marchandises restent nombreux, avec près de 200 gares, dont près d'une soixantaine sont exclusivement réservées au fret. Les installations désormais les plus importantes s'éloignent du cœur de l'agglomération, se développent près des secteurs industriels récemment implantés ; tendant à se concentrer à proximité de la Grande Ceinture et de ses gares de triage, dont le rôle est capital, elles sont également placées sous le signe d'une spécialisation de plus en plus poussée : c'est ainsi que, dans le paysage, les halles et cours de débords traditionnelles sont progressivement remplacées par des chantiers équipés de manière spécifique, éloignés des habitations et des gares proprement dites : plus de 1 300 embranchements particuliers constellent le tissu ferroviaire de la région parisienne, jouant un rôle de plus en plus dominateur.

Ces embranchements sont d'envergure très variée. Les plus étendus ressemblent à de véritables réseaux en miniature : les usines produisant des automobiles près d'Aulnay-sous-Bois (Citroën), ou à Poissy (Peugeot) et aux Mureaux (Renault) sont striées de voies regroupées en faisceaux spécialisés pour la réception et le départ des trains ; une voie mère de plusieurs kilomètres relie l'embranchement Citroën-Garonor au triage du Bourget tout proche, enjambant par un ouvrage d'art important, en courbe, les quatre voies principales de la ligne Paris-Aulnay-Mitry.

Plus inattendus par leur ampleur sont les embranchements qui desservent les ports fluviaux implantés en aval de Paris, à Limay ou Gennevilliers en particulier, et en amont à Bonneuil-sur-Marne, dont l'ensemble constitue le Port Autonome de Paris. A Gennevilliers par exemple, les voies qui courent le long de la Seine et des divers bassins ajoutées au faisceau de classement des wagons représentent une longueur totale de 27 kilomètres de voies ferrées : vues d'avion, les installations bien que de moindre envergure, rappellent celles du port de Rouen.

Certains ensembles ferroviaires ont une vocation particulière et récente. Ainsi depuis 1969 le Marché d'intérêt national de Rungis concentre les arrivées en gros des produits frais, des fruits et légumes entre autres, en région parisienne. Le rail,

La zone industrielle du port de Gennevilliers génère des trafics aussi volumineux que divers comme les ferrailles ou les automobiles neuves.

bénéficiant de la proximité de la section Massy-Valenton de la Grande Ceinture, est naturellement présent ; un réseau de 40 kilomètres de voies comprend un faisceau de réception, une bosse et un poste de triage, un éventail de voies s'immisçant dans les secteurs spécialisés du marché-gare.

Par ailleurs depuis une vingtaine d'années se développe rapidement le transport combiné rail-route. Aussi de puissants chantiers spécialisés se sont-ils développés dans les limites du carrefour parisien ; à ceux des Batignolles, de Bercy ou de La Chapelle gérés par la Compagnie nouvelle de conteneurs s'opposent ceux de Noisy-le-Sec ou Maisons-Alfort-Pompadour, exploités par Novatrans, qui procèdent à la mise sur wagons des véhicules routiers. La nécessité de disposer de vastes surfaces et d'excellentes possibilités de raccordement au réseau routier et autoroutier a conduit les deux sociétés à envisager de travailler ensemble sur le site de Valenton, c'est-à-dire sur la Grande Ceinture près d'un important centre de relais, de la puissante gare de triage de Villeneuve-Saint-Georges et de grands axes routiers. Edifiée sur d'anciennes graviè-

res en 1986, cette gare multitechniques possède deux chantiers Novatrans et CNC accolés, fortement équipés avec par exemple des engins de levage de conteneurs de 40 tonnes, des portiques de 50 tonnes ; l'exploitation ferroviaire est assurée dans de bonnes conditions grâce à un faisceau de 10 voies pour la réception et le départ des trains, une douzaine de voies de desserte des divers plateaux d'évolution des camions, un poste d'aiguillage particulier.

L'intérêt géographique du site et les réserves foncières disponibles permettent d'envisager à moyen terme d'autres extensions dans les domaines des transports combinés ou du stockage (plates-formes pour véhicules automobiles, boissons, etc.) Ce complexe de Valenton offre un exemple, de qualité, de la capacité du rail à s'adapter à des évolutions diverses : la desserte ferroviaire des gares routières de Sogaris, à Rungis, et de Garonor, près du Bourget, en est une preuve supplémentaire, même si le camion n'est pas perdant dans l'affaire.

Le réseau des gares de triage, lui aussi, a dû ou su évoluer.

Les gares de triage

Au nombre d'une dizaine, des gares de triage souvent puissamment équipées sont réparties dans l'ensemble du carrefour, dans un rayon de plusieurs dizaines de kilomètres autour de la capitale. Construites au temps des anciennes compagnies elles sont toujours situées sur l'un des grands axes convergeant vers Paris, le plus souvent à proximité de son intersection avec la Grande Ceinture. Donc elles se trouvent remarquablement placées, à la confluence de flux massifs de marchandises. Par ailleurs, comme sur l'ensemble du réseau, ces triages ont été conçus ou remaniés, en 1949, pour assurer le trafic soit du Régime Ordinaire (RO), soit du Régime Accéléré (RA). Ils travaillent désormais dans le cadre du plan ETNA, basé sur l'unicité du mode d'acheminement des wagons (cf tome 1 et plus loin). Dans ce nouveau contexte certains ont été mis en sommeil.

C'est ainsi qu'entre Juvisy et Etampes le triage de Brétigny, depuis des décennies, ne joue plus qu'un rôle tout à fait local, accueillant de nombreuses rames de voitures de voyageurs, mises en réserve pour les périodes de pointe que connaît la gare d'Austerlitz, et des wagons de marchandises en attente d'utilisation. De même, à la fin des années 1980, le triage de Paris-Tolbiac a été progressivement supprimé : offrant la particularité de s'étaler en partie dans Paris même, tout près de la gare d'Austerlitz, il comptait 13 voies de réception, réparties en plusieurs pinceaux, et un faisceau de débranchement de 24 voies ; il avait toujours souffert de la longueur insuffisante de ses voies, de l'impossibilité de toute extension, d'un raccordement difficile avec la Petite Ceinture par une voie unique en forte pente et en courbe de faible rayon. Aussi, dans le cadre de la rationalisation du plan général de transport, a-t-il vu son activité transférée par étapes sur d'autres triages mieux équipés ; actuellement ses voies sont largement affectées au garage de rames de voitures de voyageurs, et à un trafic de marchandises purement local.

Sur la ligne de Paris au Mans la gare de triage de Trappes possède des installations impressionnantes : bien reliée à la Grande Ceinture et à la ligne de Granville par un raccordement en triangle, elle possède en effet tous les types classiques de faisceaux, de réception (14 voies), de débranchement (32 voies), de départ (11 voies), avec un dépôt à proximité. Elle n'en a pas moins été laissée à l'écart de la famille des grands triages ETNA et sert aujourd'hui partiellement au garage de rames voyageurs classiques. A connu le même type d'évolution, sur la ligne Paris-Strasbourg, entre Chelles et Lagny, le triage de Vaires. Sur les bords de la Marne la Compagnie de l'Est avait aménagé un très puissant complexe de triage, avec deux chantiers distincts s'allongeant de part et d'autre des voies principales enjambées, profonde originalité, par un raccordement à double voie et en courbe, dessinant une raquette ; alors que chacun des deux triages n'assure plus que des fonctions locales, en revanche les faisceaux de relais impairs et pairs demeurent très fréquentés.

Le long de l'artère Paris Le Havre, dans la forêt de Saint-Germain, le triage d'Achères offre des potentialités considérables.

Constitué de faisceaux de réception et de débranchement de 11 et 39 voies, flanqué d'un important dépôt, il est remarquablement situé à la convergence de la Grande Ceinture et de la ligne provenant de Creil par la Vallée de l'Oise et Eragny ; des sauts-de-mouton à l'est et à l'ouest permettent des entrées et sorties aisées. Aussi joue-t-il un rôle original (voir plus loin).

Le nœud de Creil, lui, a longtemps été doté de deux triages : le principal, celui de "Petit Thérain", installé le long de la ligne d'Achères, voué au trafic du RO, contrôle désormais l'activité des lignes de l'étoile ; celui de "Creil-Plaine", proche de la gare des voyageurs et ex-triage RA, est maintenant affecté au remisage des rames de banlieue.

Les deux ex-triages RA de Juvisy et de Noisy-le-Sec, dont les attributions sont maintenant différentes au profit du second, offrent de sensibles ressemblances : tous deux sont situés à proximité immédiate de bifurcations essentielles, et très bien reliés à la Grande Ceinture ; nombreux, les sauts-de-mouton évitent les cisaillements à niveau des itinéraires les plus chargés ; par ailleurs les divers faisceaux ne sont pas gigantesques : à Juvisy les faisceaux de réception et de départ de 5 et 7 voies encadrent un faisceau de débranchement de 30 voies ; au nord du triage deux voies de tiroir autorisent l'accès et la sortie du triage, par refoulement, aux trains arrivant du Sud-Est par la ligne Melun-Corbeil ; à Noisy-le-Sec le faisceau de débranchement, également de 30 voies, est précédé d'un faisceau de réception de 11 voies, tandis qu'un groupe de 9 voies permet des opérations de relais et le garage de convois roulant sur la Grande Ceinture.

Avec ceux de Woippy, Sibelin, Gevrey ou Sotteville les deux triages de Villeneuve-Saint-Georges et du Bourget comptent parmi les plus étendus et les mieux équipés de notre réseau. C'est ainsi que chacun d'eux possède un faisceau de débranchement de 48 voies, de réception de respectivement 18 et 14 voies, de départ de 22 et 5 voies ; au Bourget l'exiguïté apparente du faisceau de départ est palliée par la proximité des faisceaux de Bobigny, qui peuvent accueillir de nombreux trains après leur formation ; à Villeneuve est installé le dispositif du "tir au but", qui améliore très nettement les conditions d'exploitation.

Le chantier du Bourget offre un paradoxe apparent dans la mesure où il est greffé sur une ligne, celle de Laon-Hirson, d'importance très moyenne, même si elle supporte près de Paris un lourd trafic de banlieue. Mais en fait naît à Ormoy-Villers un raccordement, à double voie et électrifié, qui à Verberie vient se brancher sur la grande radiale Paris-Bruxelles, et autorise des relations aisées entre le triage du Bourget et le nord de la France ; de plus la proximité de la Grande Ceinture constitue un atout de tout premier ordre.

A Villeneuve-Saint-Georges le triage, encadré par les 4 voies principales de la ligne Paris-Dijon, est traversé en viaduc par la section Valenton-Massy-Palaiseau de la Grande Ceinture ; le schéma d'ensemble montre que les trains, très nombreux, qui dans les deux sens roulent entre le triage de Villeneuve et Valenton, ne cisaillent pas à niveau les voies de la Ceinture, grâce à des raccordements judicieusement disposés. De

37

même des sauts-de-mouton évitent des interférences fâcheuses entre la circulation des convois de marchandises fréquentant le triage et celle des autres trains, qu'il s'agisse des liaisons avec Paris-Bercy, des lignes de Dijon ou de Juvisy ; le fait que le service de banlieue bénéficie de voies particulières augmente la fluidité d'un trafic global intense. Il faut cependant relever qu'au sud de la gare de Villeneuve les trains de marchandises entrant dans le triage coupent à niveau des voies principales. Ainsi cette gare de Villeneuve-Saint-Georges, qui s'étale sur 145 hectares et compte 255 kilomètres de voies,

mérite-t-elle d'être considérée comme l'une des pièces maîtresses, à l'échelle du réseau, du mécanisme d'acheminement des wagons de marchandises.

Très diversifiées et imposantes, les infrastructures ferroviaires qui dotent le carrefour parisien n'en sont pas moins parfois au bord de la saturation. C'est que les flux qui naissent ou aboutissent, qui traversent ce vaste espace ferroviaire sont énormes, aussi bien dans le domaine du fret que dans celui du transport des voyageurs. Aussi les installations, loin d'être figées, s'efforcent-elles d'évoluer.

Le Bourget, un haut-lieu du trafic marchandises en région parisienne avec son triage et le raccordement avec la Grande Ceinture où la succession des convois est impressionnante.

Avec le phénomène des villes à une heure de Paris, est né un trafic qui, malgré son appartenance aux "grandes lignes", s'apparente plus à de la "grande banlieue". Spécialisées dans ce service les nouvelles voitures V2N ont amélioré le confort, comme ici sur Paris-Rouen.

LES FLUX DE VOYAGEURS

Quotidiennement plus d'un million cinq cent mille personnes arrivent dans l'ensemble des six grandes gares parisiennes ou en partent. Parmi elles 250 000 voyageurs descendent des convois de grandes lignes ou y montent. Il faut l'arrivée et le départ de plus de 5 000 trains pour que puissent s'écouler dans des conditions satisfaisantes ces courants massifs. Autre indicateur très intéressant, celui de la fréquentation des lignes du RER, qu'elles soient gérées par la SNCF ou la RATP : près de 300 000 voyageurs circulent chaque jour sur la ligne C, 450 000 sur la ligne B, plus de 800 000 sur la ligne A !

Quantitativement le trafic de banlieue se révèle donc énorme. Il correspond aux nécessités de déplacement dans une agglomération non seulement gigantesque puisqu'elle compte plus de 10 000 000 d'habitants, mais de plus structurée d'une manière telle que les distances, souvent considérables entre lieux de résidence et de travail, génèrent des besoins accrus. Mais, proportionnellement, les courants de grandes lignes sont aussi importants. Ils s'expliquent par l'attraction exercée par la capitale aux plans politique, administratif, économique et culturel, et aussi pour sa situation de plaque tournante à l'échelle du réseau qui amène dans ses gares de nombreux voyageurs en transit et en correspondance.

LE TRAFIC DES GRANDES LIGNES

Chaque jour, au nombre de près d'un millier, les trains s'élancent des six grandes gares parisiennes ou y arrivent, en desservant non seulement l'ensemble de la France mais encore la majeure partie de l'Europe, occidentale en particulier. Ils sont de types très variés, qu'il s'agisse de rames joignant la capitale à des villes proches comme Amiens, Troyes ou Orléans, de trains classiques à moyen ou long parcours, comme entre Paris et Lille, Strasbourg ou Toulouse, des TGV, des rapides internationaux quelquefois prestigieux.

La densité et la qualité du service offert sont en étroite relation avec l'importance de la demande.

La trame des relations

L'analyse de la grille du service d'hiver 1991-92 (1), facilitée par la représentation cartographique, amène à formuler plusieurs constats.

Grâce aux trains ou à des voitures directes, il est possible depuis Paris d'atteindre sans changement de très nombreuses grandes villes européennes comme Amsterdam ou Ham-

_____

(1) *Trains réguliers du lundi au vendredi inclus.*

Région parisienne:
trafic voyageurs et marchandises
(Trafic de banlieue exclu)

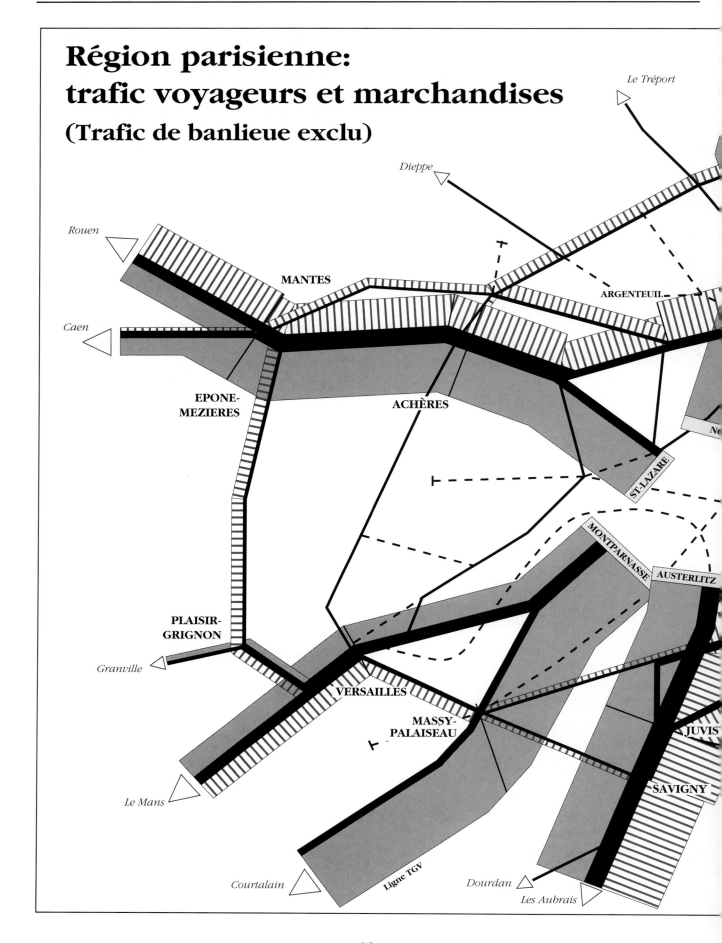

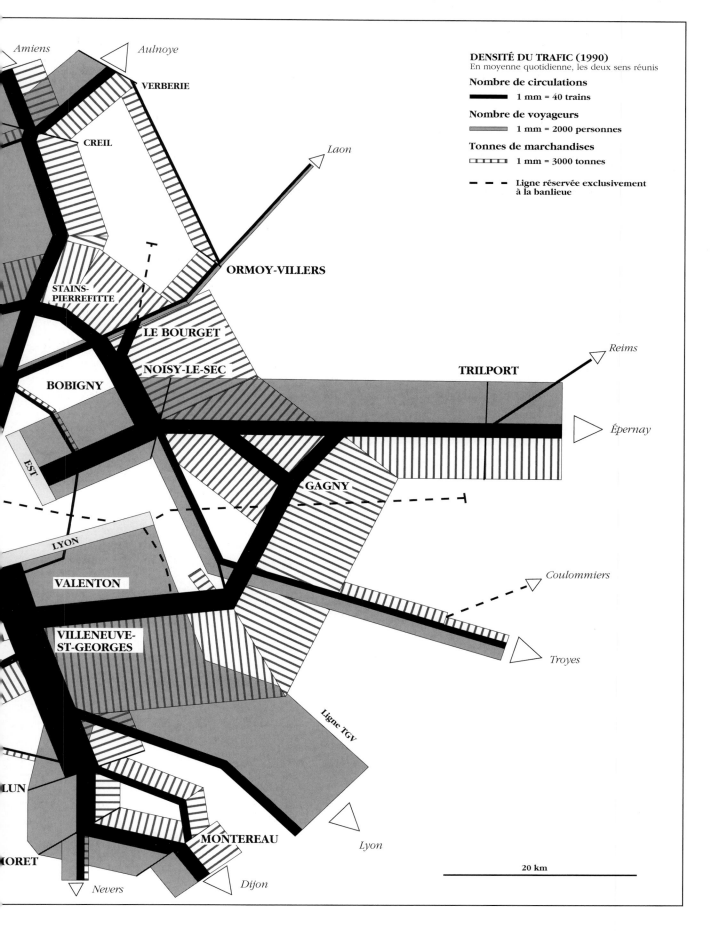

DENSITÉ DU TRAFIC (1990)
En moyenne quotidienne, les deux sens réunis
Nombre de circulations
1 mm = 40 trains
Nombre de voyageurs
1 mm = 2000 personnes
Tonnes de marchandises
1 mm = 3000 tonnes

Ligne réservée exclusivement
à la banlieue

Amiens
Aulnoye
VERBERIE
CREIL
Laon
STAINS-PIERREFITTE
ORMOY-VILLERS
LE BOURGET
NOISY-LE-SEC
TRILPORT
Reims
BOBIGNY
Épernay
EST
GAGNY
LYON
Coulommiers
VALENTON
Troyes
VILLENEUVE-ST-GEORGES
Ligne TGV
LUN
MONTEREAU
Lyon
ORET
20 km
Nevers
Dijon

41

bourg, Dresde ou Vienne, Venise ou Rome, Madrid ou Barcelone. Au plan de l'Hexagone les cités de quelque importance, même les plus éloignées, bénéficient de relations directes avec la capitale : Nice et Mulhouse mais aussi Brest, Bayonne ou Perpignan offrent de bons exemples. Plus difficiles d'accès les agglomérations isolées ou enclavées dans des massifs montagneux ne sont pas oubliées : Clermontois, Chambériens ou Grenoblois ne doivent pas changer de train pour gagner Paris. Sauf de très rares exceptions, il est possible depuis chaque ville-préfecture d'effectuer le trajet directement ou au prix d'une seule correspondance. Incontestablement sont touchés les dividendes de la conception très centralisée du réseau ferré français au siècle dernier, avec des lignes radiales jaillissant dans toutes les directions et se ramifiant la plupart du temps pour desservir l'ensemble du territoire.

La densité du service est à la fois inégale et forte. D'une manière générale le nombre de relations offertes diminue en même temps que la distance augmente ; c'est ainsi que trois trains au plus circulent dans chaque sens entre Paris et Madrid, Barcelone, Florence, Rome ou Hambourg. Mais intervient aussi le poids des agglomérations terminales ou intermédiaires : alors que les distances sont du même ordre, environ deux fois plus de convois roulent sur la ligne de Nancy et Strasbourg que sur celle de Belfort et de Mulhouse. De même sur l'axe majeur du réseau une quinzaine de trains par sens relient la capitale à Marseille, éloignée pourtant de 862 kilomètres. La conjugaison de l'importance des villes et d'une relative proximité se concrétise par un service extrêmement étoffé, de l'ordre par exemple d'une quinzaine de relations entre Paris et Rouen ou Lille ; la desserte devient alors cadencée durant la période diurne, avec un départ par heure en moyenne. Par ailleurs la mise en circulation des TGV, depuis 1981, a induit la définition d'une trame plus dense qu'auparavant sur les itinéraires concernés : 14 allers-retours quotidiens sont programmés entre Paris et Nantes, 15 entre Paris et Bordeaux, 17 entre Paris et Rennes, 30 entre Paris et Lyon.

Bien entendu, la densité du trafic est particulièrement élevée sur les troncs communs, qui peuvent regrouper les flux de plusieurs radiales importantes, alors même que sur chacune d'elles s'écoulent des courants de nature et d'amplitude différentes : ainsi dans chaque sens et chaque jour en moyenne roulent près de 70 rapides et express entre Paris et Creil, ayant pour destination ou origine Amiens, Lille, Dunkerque ou Calais mais aussi Bruxelles, Liège, les villes de la Ruhr. De même les 45 trains dénombrés entre Etampes et Les Aubrais relient la capitale française à Orléans, Montluçon, Limoges, Toulouse, aux cités du Val de Loire et à la péninsule ibérique par Port-Bou ou Irun. Record national, les 120 rapides et express de chaque sens qui traversent la Brie au nord de Melun éclatent ensuite en direction de Clermont-Ferrand, de Dijon et au-delà par l'artère ancienne, tandis que les TGV empruntent la ligne nouvelle Paris-Sud-Est pour diverger ensuite vers Dijon, la Suisse, la Savoie, Lyon, Marseille, Nice et Montpellier. La gare de Lyon se trouve ainsi nettement en tête des six grandes gares parisiennes dans le domaine du nombre des trains

de grandes lignes partant ou arrivant quotidiennement. Avec près de 290 convois les deux sens réunis elle devance en effet celles du Nord (210 trains environ), de l'Est et de Montparnasse (150), de Saint-Lazare (115) et d'Austerlitz (95).

Remarquable donc par sa densité, la trame des trains desservant la capitale se caractérise aussi par le haut niveau des prestations offertes. Le confort des voyageurs est garanti par la qualité du roulement, de l'insonorisation, des sièges et de la décoration intérieure aussi bien des compositions Corail, qui assurent la plus grande partie des circulations Express et Rapides, que des rames TGV. Il est assuré aussi par la réduction très sensible ces dernières années des temps de parcours.

Deux facteurs concordants expliquent l'excellence des vitesses moyennes pratiquées sur l'ensemble des grandes radiales. D'abord, dans la mesure où le poids des agglomérations terminales le justifie, la densité des flux à acheminer permet la mise en circulation de trains directs, sans le moindre arrêt intermédiaire. C'est le cas de lignes courtes ou de développement seulement moyen, comme Paris-Rouen ou Paris-Bruxelles, mais aussi d'axes beaucoup plus longs, comme Paris-Rennes, Nantes, Lyon ou Bordeaux. De plus, et c'est sans doute là l'essentiel, les vitesses maximales autorisées sur les diverses lignes radiales sont le plus souvent très élevées, grâce à l'amélioration des tracés, les progrès de la signalisation et l'électrification. Actuellement, en dehors des lignes nouvelles TGV Sud-Est et Atlantique où respectivement les 270 et 300 km/h peuvent être pratiqués, sur près de 1 400 kilomètres de voie simple les trains peuvent rouler à 200 km/heure, tandis que la vitesse de 160 km/h peut être atteinte sur près de 8 000 autres kilomètres.

Les résultats sont éloquents, comme le montre le tableau ci-dessous (chiffres du service d'hiver 90-91) :

Relations radiales	Meilleur temps de parcours	Meilleure vitesse moyenne (km/h)
Paris-Lyon	2 h 00	213
Paris-Nantes	1 h 59	195
Paris-Bordeaux	2 h 58	191
Paris-Rennes	2 h 04	177
Paris-Marseille	4 h 40	166
Paris-Toulouse (via Bordeaux)	5 h 10	160
Paris-Strasbourg	3 h 49	131
Paris-Lille	2 h 02	124
Paris-Le Havre	1 h 59	115

L'impact des arrêts entraîne une baisse des vitesses moyennes sur les axes les plus longs. Mais celles-ci s'établissent le plus souvent à un niveau élevé : ainsi Nice se retrouve à 7 heures de Paris, Brest à seulement 4 heures, grâce aux TGV. Sur les radiales les moins prestigieuses les prestations apparaissent fort honorables, avec par exemple des trajets Paris-Clermont-Ferrand effectués en 3 h 21.

Un Amsterdam-Paris à Saint-Denis, point de passage obligé des radiales aboutissant à Paris-Nord.

Dans ces conditions, et après les progrès spectaculaires apportés par les TGV dans le sud-est et le grand ouest, depuis la plupart des principales villes du pays il est possible, en voyageant entre 6 heures et minuit, de disposer l'après-midi d'une séquence de quatre heures dans la capitale, et réciproquement : Strasbourg, Mulhouse, Marseille, Montpellier, Toulouse, Bayonne, Brest, pourtant situés à la périphérie de l'Hexagone, connaissent cet avantage. Celui-ci n'est d'ailleurs pas réservé à la métropole, puisque les relations ferroviaires tissées entre Paris et Bâle, Francfort, Liège ou Bruxelles offrent le même type de possibilité.

Dans leur très grande majorité les voyageurs de grandes lignes des gares parisiennes ont la capitale elle-même comme origine ou destination. Mais un flux non négligeable ne fait que la traverser, en mettant à profit les potentialités de correspondance d'une gare à l'autre. C'est ainsi, par exemple, que des échanges se développent quotidiennement, représentant plusieurs milliers de personnes entre les trois gares méridionales et celles de Saint-Lazare, du Nord et de l'Est, ou entre gares d'un même groupe. Même en tenant compte de l'indispensable délai de 30 à 45 min. Selon le moyen de transport utilisé pour se rendre d'une gare à l'autre, la durée totale de nombreuses relations entre villes de province, avec transit par Paris, est satisfaisante. Quelques exemples, choisis en période diurne, sont probants comme le montre le tableau ci-après (chiffres du service d'hiver 91-92) :

Relation	Durée totale
Bordeaux-Strasbourg	7 h 51
Rennes-Mulhouse	8 h 39
Le Havre-Marseille	9 h 31
Lille-Toulouse	10 h 06
Nantes-Bruxelles	9 h 35

Il est vrai que la montée en puissance des TGV depuis une dizaine d'années explique ces potentialités. Or les perspectives offertes par la nouvelle génération sont très prometteuses : d'ores et déjà, depuis plusieurs années, des rames TGV relient directement Rennes, Nantes, Rouen et Lille à Lyon, dans des conditions de rapidité exceptionnelles, par exemple, en effectuant en 3 h 50 le trajet Rouen-Lyon, en 4 h 33 le parcours Nantes-Lyon ; si elles ignorent les gares terminales parisiennes elles n'en utilisent pas moins les énormes possibilités offertes par les lignes qui convergent vers la capitale, et la grande ceinture dans sa partie méridionale. L'accentuation de cette tendance sera concrétisée très prochainement par l'interconnexion des trois axes TGV Sud-Est, Atlantique et Nord ; elle diminuera sensiblement le rôle de transit des gares parisiennes ; mais les bolides reliant par exemple Londres à Marseille, ou Bordeaux à Bruxelles, qui contourneront par le sud et l'est la capitale démontreront à leur manière le rôle essentiel du carrefour ferroviaire parisien.

43

Les flux de voyageurs qui actuellement s'écoulent sur les lignes de l'étoile de la capitale sont eux-mêmes à la fois énormes et variés.

La densité des flux de voyageurs : primauté de la gare de Lyon et montée en puissance de la gare Montparnasse

L'analyse ultérieure du trafic des grandes lignes radiales montrera que tout en se ramifiant parfois à l'extrême, les courants restent denses à des centaines de kilomètres de la capitale. Dans la région parisienne elle-même les flux sont particulièrement puissants, dans la mesure où chacune des grandes gares est l'origine d'un tronc commun regroupant l'activité d'au moins deux axes importants.

Le tableau ci-dessous montre la hiérarchie des différentes sections de ligne en fonction de l'ampleur du trafic.

Nombre de voyageurs circulant en moyenne quotidienne, les deux sens réunis, dans les trains rapides et express (1990)		
Tronc commun	Nombre de voyageurs	Radiales divergentes en fin de tronc commun
Gare de Lyon-Combs-la-Ville	75 000	ligne TGV PSE ligne classique Paris-Dijon
Gare du Nord-Creil	40 000	Paris-Lille Paris-Bruxelles
Gare Montparnasse-Courtalain	37 000	Paris-Rennes Paris-Nantes (1)
Gare de l'Est-Noisy-le-Sec	33 000	Paris-Strasbourg Paris-Mulhouse
Gare Saint-Lazare-Mantes	28 000	Paris-Le Havre Paris-Cherbourg
Gare d'Austerlitz-Les Aubrais	28 000	Paris-Bordeaux Paris-Toulouse
Gare Montparnasse-Saint-Cyr	14 000	Paris-Le Mans Paris-Granville

(1) Ainsi que Paris-Bordeaux dès la fin de 1990.

Première constatation, si les flux sont toujours considérables ils sont aussi d'importance très inégale, dans la proportion en effet d'environ 1 à 7.

Ensuite, comment ne pas remarquer l'écrasante prépondérance de la gare de Lyon, qui rassemble à elle seule près du tiers des voyageurs de grandes lignes de la capitale ; c'est qu'elle commande l'axe principal de notre réseau et organise la desserte du quart sud-est du pays, peuplé et actif, avec de nombreuses très grandes villes comme Lyon, Marseille, Nice, Toulon, Grenoble ou Clermont-Ferrand. La mise en service des TGV, en 1981, a entraîné une sensible recrudescence du trafic ; actuellement deux fois plus de voyageurs que sur la ligne classique, soit 50 000 contre 25 000, circulent sur la ligne nouvelle au-delà de Combs-la-Ville : loin de rester concentrés sur l'axe "PLM", les TGV éclatent ensuite vers Dijon et la Suisse, vers la Savoie. Sur l'itinéraire ancien roulent les trains de Clermont-Ferrand jusqu'à Moret et les convois de nuit de l'axe Paris-Marseille-Nice entre autres.

Plus récente, la ligne nouvelle du réseau TGV Atlantique a vraiment pris son essor à la fin de 1990, au moment de la mise en service de la branche Aquitaine. En pleine expansion, l'activité intense de la section de Montparnasse à Courtalain, où se séparent les deux branches Atlantique et Aquitaine de la ligne nouvelle, est elle aussi en relation avec le drainage d'une large partie du territoire national : alors que la branche bretonne, qui accapare près de 60% du trafic global dessert les lignes de Rennes, Brest et Quimper, d'Angers, Nantes, Le Croisic, la branche Aquitaine, elle, à partir de l'axe Tours-Bordeaux, permet d'atteindre Bayonne, Hendaye, Pau, Tarbes, Agen et même Toulouse. Vraisemblablement ce tronc commun va-t-il prendre très vite la première place.

Par ailleurs, la mise en service du TGV Nord ne peut que porter un coup sensible au trafic grandes lignes entre Paris et Creil. Son envergure actuelle s'explique par la superposition des flux Paris-Bruxelles et Paris-Longueau, majoritaire au passage à Creil avec 55% du trafic global ; leur ampleur s'explique par l'addition jusqu'à Longueau des courants Paris-Calais et Paris-Arras, qui lui-même diverge dans cette ville vers Lille et Dunkerque.

L'activité des troncs communs originaires des gares de l'Est et Saint-Lazare se caractérise par une remarquable stabilité. A Mantes c'est la ligne de Rouen et du Havre qui l'emporte, attirant plus de 55% des voyageurs. A Noisy-le-Sec le déséquilibre est beaucoup plus considérable, au bénéfice de la voie ferrée de Nancy et Strasbourg, qui conserve près des trois quarts des courants initiaux. Là aussi la mise en service, prévisible à terme, du TGV Est et d'une autre ligne nouvelle, amènera une diminution notable du trafic.

Ce phénomène de délestage touche d'ores et déjà deux troncs communs, certes toujours actifs, mais beaucoup moins qu'avant 1989.

Avec près de 45 000 voyageurs chaque jour, les deux sens réunis, l'artère Paris-Les Aubrais a longtemps occupé, et très nettement, la seconde place dans la hiérarchie nationale. Or depuis 1990 et la mise en circulation des TGV Aquitaine, elle ne conserve plus que le trafic de la ligne de Toulouse et de ses affluents, de celle du Val de Loire jusqu'à Tours, et des trains classiques qui roulent entre Paris et Bordeaux, la nuit surtout ; évaluée à un tiers environ des flux de voyageurs antérieurs, cette perte de substance, qui touche de plein fouet la gare d'Austerlitz, permet une meilleure exploitation d'un tronc commun surchargé.

La ligne nouvelle Atlantique à la sortie de Villejust, un axe qui supporte désormais les flux "grandes lignes" de la Bretagne jusqu'à l'Aquitaine et au Pays Basque.

Le déclin du tronc commun Paris-Montparnasse-Saint-Cyr, qui comporte au plan technique les mêmes conséquences positives, est beaucoup plus marqué, car la mise en service de la branche Bretagne de la ligne du TGV Atlantique a capté la majeure partie du trafic "grandes lignes" de l'artère ancienne Paris-Le Mans. Ce n'est pas l'activité, en palier mais très minoritaire de la voie ferrée de Granville, qui peut compenser un déficit de l'ordre de près de 50% globalement.

Par leur ampleur les flux de voyageurs qui s'écoulent sur les radiales autour de Paris posent des problèmes parfois délicats dans le domaine de la gestion du trafic. Les différents types de variations que ce dernier connaît, et en particulier les fameuses "pointes" accentuent les difficultés.

Les variations du trafic : les périodes de pointe

Dans tout réseau ferré comme dans tout carrefour ferroviaire, ainsi d'ailleurs qu'au plan de la circulation routière ou autoroutière, s'observent des changements dans le rythme de l'activité. Mais dans les gares parisiennes l'énormité des courants "grandes lignes", en temps normal, amplifie sensiblement ces phénomènes et leurs conséquences.

Les fluctuations interannuelles sont les moins spectaculaires. Globalement le trafic des grandes gares parisiennes augmente lentement mais sûrement, à l'image de celui de l'ensemble du réseau. Ces vingt dernières années, la progression a été en effet de l'ordre de plus de 45%. Mais il faut moduler cet accroissement, en fonction de l'effet TGV : si celui-ci joue

négativement dans le cas de la gare d'Austerlitz, qui en deux ans vient de perdre plus du tiers de son activité, pour les raisons invoquées plus haut, en revanche deux gares connaissent un essor vertigineux. Depuis 1981, avec la mise en service des TGV Sud-Est, le trafic "grandes lignes" de la gare de Lyon a presque doublé ; depuis 1989 c'est celui de la gare Montparnasse qui a effectué un bond considérable, de l'ordre de près des deux tiers ! Alors que l'activité des gares de l'Est et de Saint-Lazare augmente à un rythme beaucoup plus régulier et modéré, l'arrivée des TGV en 1993 doit provoquer une hausse sensible des courants "grandes lignes" de la gare du Nord.

A l'échelle de l'année, les variations sont tangibles et d'abord au plan général.

Fluctuations mensuelles du trafic global "grandes lignes" de l'ensemble des gares parisiennes			
Pourcentage de l'augmentation par rapport au mois le moins chargé 1985-90			
Janvier	+ 0,8%	Juillet	+14,2%
Février	+ 7,1%	Août	+ 6, 2%
Mars	+ 7,5%	Septembre	+ 4,2%
Avril	+14,6%	Octobre	+ 0,8%
Mai	+ 3,3%	Novembre	0
Juin	+15,4%	Décembre	+ 6,2%

Ci-dessus, l'arrivée d'un express de Lille à Paris-Nord. Ci-dessous, ambiance à la gare de l'Est un dimanche soir, avec l'afflux des militaires en retour de permission.

L'accroissement de la demande de transport en juillet, avril et à un moindre degré en décembre et février, montre l'impact des différentes périodes de vacances, même si en août celui-ci se trouve atténué par le ralentissement très marqué de la vie du pays. L'excellence de la position du mois de juin s'explique par l'addition de flux différents : amorce du courant estival mais aussi maintien à un haut niveau de l'activité économique, administrative ou universitaire.

Mais l'amplitude et la nature de ces variations sont très inégales d'une gare à l'autre : les écarts se révèlent relativement modérés dans les trois gares septentrionales, plus forts dans celles du sud de la capitale qui, de la Bretagne aux Alpes en passant par les Pyrénées et le littoral méditerranéen, attirent les flots de vacanciers aussi bien estivaux qu'hivernaux. C'est ainsi que la différence entre le trafic du mois de juillet et celui du mois le moins chargé, de seulement moins de 20% à la gare de l'Est, dépasse 40% à celle de Lyon.

Comme sur l'ensemble du réseau, les fluctuations de l'activité dans le cadre de la semaine sont elles aussi très marquées. Par rapport en effet à un trafic quotidien moyen de l'ordre de 250 000 voyageurs de grandes lignes, arrivées et départs réunis pour le groupe des six grandes gares, le samedi se trouve nettement attardé tandis que, mieux placés, mardi, mercredi et jeudi sont eux aussi en dessous de la moyenne ; en revanche l'activité connaît une sensible recrudescence les dimanche et lundi, pour culminer le vendredi : elle représente alors un volume plus élevé, dans la proportion de 60%, que celui constaté le samedi. C'est qu'avec l'allongement du repos de la fin de semaine les départs sont particulièrement massifs, dans les gares parisiennes, le vendredi en fin d'après-midi et en soirée : le service des trains est alors doublé ou même triplé. Les retours, eux, sont un peu plus étalés, partagés entre la fin d'après-midi et la soirée du dimanche, et le lundi matin.

Enfin, durant la journée, des différences peuvent être relevées, valables pour l'ensemble de la semaine. D'abord, à l'origine de lignes de longueur relativement faible, les gares du Nord et surtout Saint-Lazare expédient ou reçoivent très peu de trains circulant intégralement la nuit. Leur nombre et leur proportion s'accroissent dans les gares de l'Est, de Montparnasse et surtout d'Austerlitz et de Lyon, qui desservent des villes beaucoup plus éloignées, en France et dans les pays voisins. Encore faut-il remarquer que l'essor des TGV, en favorisant les trajets effectués en soirée ou en début de matinée, a entraîné un déclin évident des relations nocturnes.

Durant la période diurne, des pulsions se manifestent au plan des départs le matin entre 6 et 9 heures, en début de soirée entre 17 et 20 heures, avec une pointe secondaire en début d'après-midi ; par ailleurs les trains arrivent en grand nombre en milieu de journée, dans la tranche 11 h 30-14 heures, en fin d'après-midi et en fin de soirée, dans le créneau 21 h-23 h 30. Mais il est vrai que la multiplication pendant la journée des relations offertes sur la plupart des lignes, et en particulier sur les axes TGV, amène un étalement du trafic, surtout lorsque la desserte est de type cadencé comme entre Paris et Lyon, avec un départ en moyenne au moins chaque heure.

En raison de l'intensité générale du trafic les gares parisiennes sont à peu près toujours très animées. Leur activité devient spectaculairement débordante lorsqu'un vendredi soir l'amorce du week-end coïncide avec le début d'une période de vacances. Lors de ces paroxysmes le nombre des express et rapides au départ est triplé ou quadruplé : il arrive qu'entre 20 heures et minuit une quarantaine de trains s'élancent de la gare de Lyon vers l'ensemble du sud-est. En 48 heures, lors de ces grandes migrations, plus de 500 000 voyageurs peuvent partir de l'ensemble des gares de la capitale, transportés par plus de 800 convois, réguliers ou supplémentaires.

Moins noble mais tout aussi indispensable, le trafic de la banlieue parisienne est, à une autre échelle, gigantesque et source de problèmes.

LE TRAFIC DE LA BANLIEUE

Chaque jour ouvrable, dans les 6 grandes gares de la capitale et l'ensemble des 390 gares de la région parisienne, s'écoulent des flux de banlieue regroupant 2 200 000 voyageurs environ et nécessitant la mise en route de 5 000 trains. Ce trafic représente le septième du nombre de voyageurs-kilomètres du réseau et en nombre de trajets près des deux tiers de l'activité globale de la SNCF. Celle-ci n'exerce d'ailleurs pas un monopole puisqu'elle partage avec la RATP l'exploitation des lignes du RER.

Si la banlieue parisienne s'identifie désormais largement à l'Ile-de-France, en fait les déplacements quotidiens pendulaires dépassent son cadre dans la mesure où ils s'effectuent à partir non seulement de Rouen, Amiens ou Orléans, mais aussi de par exemple Vendôme ou Tours, Poitiers ou Lyon, grâce aux vertus du TGV. En augmentation rapide et en mutation avec entre autres l'essor des courants interbanlieues, ce trafic pose de nombreux problèmes qui exigent des solutions novatrices et hardies pour éviter une asphyxie de plus en plus menaçante.

La hiérarchie des courants de transport

Les flux, importants mais aussi variés, se répartissent en région parisienne en fonction d'abord de leur amplitude. Si certains pénètrent jusqu'au cœur de la capitale ou même la traversent, d'autres s'arrêtent dans les grandes gares terminales. Par ailleurs leur origine peut se situer en petite couronne (départements des Hauts-de-seine, de la Seine-Saint-Denis et du Val-de-Marne) ; mais des courants de plus en plus denses et structurés se développent depuis la grande couronne (départements de Seine-et-Marne, Yvelines, Essonne et Val-d'Oise). D'autre part le poids des divers secteurs de la banlieue, en fonction de leur localisation géographique par rapport à Paris même, n'est pas égal.

Quelques indications statistiques fournissent d'utiles points de repère.

Densités des flux de voyageurs de banlieue, moyenne quotidienne, les deux sens réunis, chaque jour ouvrable de ces 3 dernières années

Tronçon central du RER ligne A	810 000
Tronçon central du RER ligne B	440 000
Tronçon central du RER ligne C	270 000
Gare du Nord	360 000
Gare Saint-Lazare	333 000
Gare de l'Est	170 000
Gare de Lyon	153 000
Gare Montparnasse	82 000
Gare d'Austerlitz	68 000

Classement des gares de banlieue (hors Paris) en 1990, moyenne quotidienne, arrivées et départs confondus (gares accueillant au moins 20 000 personnes)

Gare	Région SNCF	Flux
La Défense	Paris Saint-Lazare	72 000
Argenteuil	Paris Saint-Lazare	58 000
Nanterre-Université	Paris Saint-Lazare	44 000
Garges	Paris Nord	42 000
Juvisy	Paris Rive Gauche	42 000
Aulnay-sous-Bois	Paris Nord	39 000
Versailles-Chantiers	Paris Rive Gauche	39 000
Saint-Denis	Paris Nord	35 000
Choisy-le-Roi	Paris Rive Gauche	35 000
Saint-Quentin-en-Yvelines	Paris Rive Gauche	33 000
Val-de-Fontenay	Paris Est	32 000
Villiers-le-Bel	Paris Nord	32 000
Pont-Cardinet	Paris Saint-Lazare	30 000
Bécon-les-Bruyères	Paris Saint-Lazare	29 000
Cergy-Préfecture	Paris Saint-Lazare	27 000
Chelles-Gournay	Paris Est	26 000
Parc-des-Expositions	Paris Nord	26 000
Sevran-Beaudottes	Paris Nord	26 000
Mantes-la-Jolie	Paris Saint-Lazare	26 000
Epinay-Villetaneuse	Paris Nord	25 000
Saint-Cloud	Paris Saint-Lazare	24 000
Cergy-Saint-Christophe	Paris Saint-Lazare	23 000
Meaux	Paris Est	23 000
Le Raincy-Villemomble	Paris Est	22 000
Colombes	Paris Saint-Lazare	22 000
Melun	Paris Sud-Est	22 000
Suresnes	Paris Saint-Lazare	22 000
Val-d'Argenteuil	Paris Saint-Lazare	22 000
Noisy-le-Sec	Paris Est	21 000
Versailles-Rive-Droite	Paris Saint-Lazare	21 000
Le Bourget	Paris Nord	20 000
Villeneuve-Saint-Georges	Paris Sud-Est	20 000
Conflans-Sainte-Honorine	Paris Saint-Lazare	20 000
Asnières	Paris Saint-Lazare	20 000
Sartrouville	Paris Saint-Lazare	20 000

La densité de plus en plus forte du trafic de la périphérie vers le centre est concrétisée par le fait que dans Paris même la ligne A du RER transporte quotidiennement la masse énorme de plus de 800 000 personnes.

Un autre constat s'impose, celui de la très nette prépondérance des banlieues nord et ouest : réunies, elles représentent plus de la moitié du trafic global. Non seulement en effet elles sont très peuplées et développent des activités industrielles et de plus en plus de services, mais encore elles sont toutes deux bien drainées par deux réseaux de voies ferrées en éventail largement déployé ; cette disposition contraste avec la structure plus linéaire des autres réseaux de banlieue. D'ailleurs la qualité de la desserte ferroviaire s'est trouvée largement à la base de l'essor de l'ouest de la région parisienne dès le siècle dernier (1). Alors que globalement les flux de cette banlieue ouest sont les plus importants, la primauté de la gare du Nord, récente, s'explique par le délestage à La Défense, au bénéfice de ses centres d'affaires, d'une partie des courants provenant de l'ouest, et surtout par la dérivation depuis peu du trafic de l'artère de Cergy sur la ligne A du RER, qui soulage ainsi partiellement l'activité de la gare Saint-Lazare. Il n'est pas étonnant que chaque jour ouvrable, en moyenne, plus d'un millier de trains à la gare du Nord, plus de 1 200 à Saint-Lazare soient programmés pour permettre l'écoulement de ces flux énormes.

En comparaison, le trafic qui concerne les autres banlieues est plus modeste. Non loin de la gare de l'Est, à Noisy-le-Sec, c'est l'axe de Strasbourg qui supporte la plus grande partie des courants. De même, sur la banlieue sud-est, au sud de Villeneuve-Saint-Georges, la ligne de Corbeil qui, à Juvisy sur deux kilomètres, se retrouve tangente à la ligne Paris-Les Aubrais, et qui plus au sud se divise en deux branches, par la vallée de la Seine et le plateau d'Evry, l'emporte sur la branche Melun par Combs-la-Ville.

Depuis la connexion ferroviaire réalisée entre les gares des Invalides et d'Orsay, la ligne C du RER traverse le cœur de la capitale en décrivant de Saint-Quentin-en-Yvelines à Dourdan un magnifique fer à cheval. Aussi les courants qu'elle transporte sont-ils très variés mais avant tout en liaison avec les centres vitaux parisiens répartis de part et d'autre de la Seine ; encore plus chargées, les lignes A et B, elles, beaucoup plus rectilignes, supportent en plus des flux de transit entre banlieues ouest et est, nord et sud. Dans ces conditions les gares du Châtelet-les-Halles et de Saint-Michel jouent un double rôle essentiel de correspondance et de desserte de secteurs très actifs de la capitale : les portillons d'entrée et de sortie de la première sont franchis par plus de 100 000 personnes durant la journée !

Loin d'être étales, les courants de banlieue connaissent de multiples variations.

---

(1) C'est dans la banlieue ouest qu'a été systématisée après 1920 la desserte par zones, avec des terminus intermédiaires, comme celui de Saint-Cloud sur la ligne Saint-Lazare-Versailles R D. Cette technique a été généralisée et permet aux trains parcourant une ligne entière de couvrir sans arrêt une partie du parcours.

Ci-dessus, un train de la ligne C du RER traversant l'antique hall de la gare d'Austerlitz . Ci-dessous, le Raincy-Villemonble à l'heure du retour des migrations alternantes.

Une rame "MI 79" à Châtelet-Les Halles, une station qui voit transiter des flux de voyageurs d'une ampleur exceptionnelle.

Les fluctuations du trafic de banlieue

L'évolution la plus spectaculaire est décelable dans le cadre de la journée. Il est vrai qu'en raison de dessertes cadencées qui, en heures creuses, prévoient sur la plupart des relations une rame au moins chaque demi-heure et par sens, et chaque quart d'heure sur les 15 premiers kilomètres au départ de Paris, pour la plupart des lignes, les gares terminales parisiennes ne sont jamais désertes. Mais deux pulsions particulièrement fortes se manifestent, symétriquement, en début de matinée et en fin d'après-midi. Ces périodes de pointe correspondent au flot gigantesque des habitants de banlieue qui viennent travailler dans le cœur de l'agglomération parisienne, et qui en repartent en début de soirée. La densité du trafic est alors considérable : par exemple lors de la pointe de fin de journée, plus de 100 000 voyageurs se pressent dans les gares du Nord ou Saint-Lazare, d'où un train de banlieue part toutes les 45 secondes, en moyenne, entre 17 h 30 et 19 heures ! Ce rythme pendulaire se traduit, surtout en grande banlieue, par l'occupation intégrale durant la journée des parkings aménagés près de chaque gare, où le matin des centaines d'automobilistes abandonnent leur véhicule à la fin de leur voyage d'approche, pour le retrouver à la descente du train de banlieue en fin de journée.

A l'échelle de la semaine, le rythme est là aussi binaire : pour des raisons évidentes les déplacements sont à peu près de même nature et de même ampleur du lundi au vendredi inclus (1). En revanche samedis et surtout dimanches sont des journées creuses, où ne fonctionne qu'un service réduit (2).

Durant l'année les fluctuations déjà décrites se retrouvent à peu près en permanence, mais naturellement dans le contexte de flux globaux très amoindris lors des périodes de congé, et en particulier pendant les vacances d'été : c'est ainsi que le trafic du mois d'août diminue de près de moitié par rapport à la moyenne mensuelle générale.

Enfin le trafic de la banlieue parisienne, fait essentiel, augmente régulièrement depuis plusieurs décennies, et de plus en plus rapidement : il a progressé en effet de près de 40% les vingt dernières années, d'environ 10% de 1986 à 1990 ; il atteint maintenant 530 millions de voyageurs transportés et plus de 9 milliards de voyageurs-kilomètres par an.

Si cette expansion est générale, elle se manifeste plus nettement, depuis 20 ans, d'une part au niveau de la grande couronne, où les possibilités d'urbanisation nouvelle sont plus importantes, et de l'autre au nord de la capitale : le poids de la banlieue nord égale désormais celui de la banlieue ouest. D'ores et déjà énorme, ce trafic interne à la région parisienne et à l'Ile-de-France pose d'autant plus de problèmes que sa croissance semble devoir se poursuivre, au rythme de 2 à 3% par an.

---

(1) Le mercredi, en raison de la disponibilité des jeunes, est la journée la plus chargée, alors qu'en raison de la fermeture des magasins le lundi se retrouve un peu en retrait.

(2) Le trafic du samedi n'est que de l'ordre de 50% de celui des autres jours de la semaine, celui du dimanche de seulement 25%.

Les retours vers la banlieue : l'heure de pointe ci-dessus à Versailles-Chantiers et le calme relatif du milieu d'après-midi à Meaux, ci-dessous.

Problèmes, perspectives et solutions

Les causes de cet accroissement irrésistible du trafic de banlieue sont connues : poursuite de la concentration des hommes et des activités en région parisienne, maintien d'une inopportune séparation géographique entre les secteurs résidentiels, nombreux dans la banlieue est par exemple, et les zones d'implantation d'emplois, très structurées à l'ouest de Paris ; pèsent également la saturation de plus en plus fréquente du réseau routier et autoroutier, la création sur la grande couronne de villes comme Saint-Quentin-en-Yvelines, Evry, Cergy ou Marne-la-Vallée qui génèrent de nouvelles demandes de transport ; la création de la célèbre carte orange a joué également un important rôle incitatif. Ces exigences sont d'autant plus délicates à satisfaire qu'elles concernent de plus en plus des relations entre banlieues parfois éloignées.

Ainsi malgré les incontestables efforts des pouvoirs publics, concrétisés dès 1965 par un schéma directeur d'aménagement de l'Ile-de-France, dû à Paul Delouvrier, la saturation des voies ferrées de la banlieue parisienne est très fréquente, et l'asphyxie menace de plus en plus, en particulier lors de la pointe de début de soirée. Comme le problème est général, frappant de plein fouet aussi bien le trafic du Métropolitain que la circulation automobile, il faudrait s'attaquer énergiquement aux causes : il serait urgent dans le cadre de la politique d'ensemble du territoire, de concevoir et programmer une répartition plus équilibrée des activités et des responsabilités entre Paris et la province et, à l'intérieur de la région parisienne, d'envisager une répartition plus harmonieuse et rationnelle des lieux d'habitat et de travail, entre Paris même et la banlieue, et entre les villes des diverses couronnes. Il faut dire qu'actuellement la ville de Paris ne regroupe que 20% de la population de l'Ile-de-France, mais offre 37% des emplois ; en revanche la grande couronne, qui représente 42% de la population, ne compte que 30% des emplois.

Toujours est-il qu'en liaison avec les responsables politiques ceux de la SNCF et de la RATP mettent dès à présent en application un ensemble de mesures ambitieuses et coûteuses mais indispensables, pour permettre au rail de continuer de jouer dans des conditions convenables le rôle vital qui est le sien.

Ces dispositions sont diverses et concernent d'abord le matériel roulant : l'extension rapide du parc de voitures de deux niveaux depuis 1975 procure une augmentation de 40% de la capacité des rames de banlieue en places assises : entre 1989 et 1994 près de 400 véhicules de ce type auront été mis en service, l'objectif étant d'assurer l'intégralité des dessertes avec ce matériel à l'horizon 2000.

Par ailleurs le débit des lignes actuelles peut être augmenté : grâce à l'installation du SACEM (Système d'Aide à la Conduite et à la Maintenance) qui correspond à un pilotage de type semi-automatique des rames avec contrôle de la vitesse et signalisation en cabine, l'intervalle entre deux trains peut être ramené à 2 minutes. Mis en service sur la ligne A du RER, qui aux périodes de pointe achemine d'ores et déjà plus de 60 000 voyageurs à l'heure, le SACEM pourrait être à terme un ballon d'oxygène pour les axes les plus chargés, et en particulier les lignes B et C du RER. Localement, d'autre part, les électrifications récentes des sections La Ferté-Alais-Malesherbes et Tournan-Coulommiers vont rapidement donner des résultats positifs. De même la transformation de la ligne Puteaux-Issy, dans la perspective d'une liaison Issy-Défense par tramways, devrait améliorer la circulation des flux transversaux dans la proche banlieue ouest. La Défense, centre d'affaires essentiel, bénéficiera également en 1994 d'une desserte directe depuis Saint-Quentin-en-Yvelines via Versailles et Saint-Cloud, grâce à l'utilisation des raccordements, sans doute remaniés, de Porchefontaine et de Viroflay.

Mais à partir du réseau actuel des améliorations plus spectaculaires et aussi plus coûteuses sont programmées. Paradoxalement, les goulots d'étranglement du trafic ne se décèlent pas à proximité des grandes gares terminales, où pourtant l'activité est la plus intense, car alors sur ces troncs communs les voies ferrées sont quadruplées, sextuplées ou plus, avec une séparation souvent totale des courants de grandes lignes et de banlieue. Les problèmes se posent avec la plus forte acuité plus loin, et en particulier en grande couronne, où la demande de transport des Franciliens augmente constamment et où trains de banlieue, de voyageurs de grandes lignes et de marchandises doivent coexister, sur des sections le plus souvent à deux ou trois voies seulement. Aussi la SNCF prévoit-elle, au titre du Contrat de Plan Etat-Région Ile-de-France 1990-94, la pose de voies supplémentaires : le quadruplement de la section Emerainville-Roissy-en-Brie entre Noisy-le-Sec et Gretz sera réalisé dès 1993, tandis qu'interviendront rapidement le triplement du tronçon Aubergenville-Mantes, puis le quadruplement de la section Le Stade-Argenteuil.

D'autres projets sont plus ambitieux et nécessitent des investissements particulièrement lourds : prolongement de la ligne de Cergy jusqu'à Cergy-le-Haut, desserte de la seconde aérogare de Roissy. A l'échelle de l'ensemble de la région parisienne cette fois deux améliorations considérables vont être apportées, sous le signe de l'interconnexion.

D'abord les liaisons nord-sud seront facilitées par la création de la ligne D du RER. Elle reliera Orry-la-Ville, sur l'artère de Creil, à Melun et à la Ferté-Alais, en utilisant largement les infrastructures en place ; mais entre la station Châtelet et la gare souterraine de Paris-Lyon, qui fonctionne actuellement comme une gare terminale, le percement d'un tunnel parallèle à celui de la ligne A du RER est indispensable, en raison de la saturation de cette ligne A. Dès sa création la gare du Châtelet a été prévue pour recevoir 7 voies, c'est-à-dire les 3 doubles voies des lignes A, B et D du RER, plus une voie servant de terminus éventuel.

Décidée en 1990, la concrétisation du projet EOLE (Est-Ouest-Liaison-Express) favorisera, elle, les relations est-ouest, et donc devrait soulager la ligne A du RER. A terme, les lignes des banlieues de la gare de l'Est et Saint-Lazare doivent être reliées par une artère souterraine à double voie et à grand gabarit, jalonnée par deux gares, "Nord-Est", qui desservira à la fois les actuelles gares du Nord et de l'Est, et Saint-Lazare-

Les rames inox des années 60, comme ci-dessus à Gargan, sont désormais en fin de carrière car la consistance actuelle des flux de banlieue exige du matériel à deux niveaux : ci-dessous à La Villette, en rame tractée et, en bas, à Paris-Nord, en automotrice bicourant Z2N.

Condorcet. Dès 97 le trafic des sections de ligne Paris-Lagny, Paris-Villiers-sur-Marne devrait être rabattu sur le tronçon souterrain parisien d'Eole ; ultérieurement il capterait également l'activité des lignes de Versailles et de Saint-Nom-la-Bretèche. Dans cette perspective la réactivation au profit du service de banlieue de la section Saint-Germain-GC-Noisy-le-Roi de la Grande Ceinture, de part et d'autre de la gare de Saint-Nom-la-Bretèche, prendrait alors une nouvelle signification ; sa desserte devrait être effective dès 1996, depuis la gare Saint-Lazare.

Donc, bien avant la fin du siècle, des améliorations substantielles auront été apportées avec l'accroissement du débit des artères actuelles et l'essor de l'interconnexion.

Mais il faudra sans doute aller plus loin. D'autres projets sont d'ores et déjà à l'étude, à plus longue échéance, plus lourds financièrement. Leur caractéristique première est de s'attaquer résolument à l'un des maux de la structure actuelle des transports en commun en région parisienne, l'engorgement dans la capitale et la rareté des relations transversales.

C'est ainsi que, dans le cadre du projet ORBITALE, la proche banlieue, qui bénéficiera de l'allongement de plusieurs lignes du métropolitain traditionnel, sera sillonnée par deux rocades à peu près concentriques, reliant les lignes radiales du RER, de la SNCF, du métro : assuré soit par des tramways de la nouvelle génération, soit par des rames de métro automatiques du type VAL, le trafic ORBITALE doit autour de la capitale faciliter les déplacements journaliers tangentiels et donc, en épargnant aux usagers le passage par les gares parisiennes, soulager les axes radiaux.

Dans le même esprit, la SNCF et les pouvoirs publics entendent, entre les localités de la moyenne banlieue et de la zone de la grande couronne, favoriser des déplacements de grande amplitude évitant le passage par Paris. Ainsi est étudiée la création de deux relations tangentielles, l'une septentrionale, entre Cergy-Pontoise et Roissy, l'autre méridionale entre Saint-Quentin-en-Yvelines et Melun-Sénart par Massy et Evry. Utilisant largement les lignes existantes, d'ailleurs au débit amé-

lioré par des quadruplements localisés, nécessitant aussi la construction de sections nouvelles, ces rocades permettraient de mieux lutter contre l'asphyxie du cœur du dispositif ferroviaire parisien ; elles amèneraient les villes nouvelles de la grande couronne, de Saint-Quentin-en-Yvelines à Marne-la-Vallée en passant par Cergy, Evry ou Melun-Sénart, à être plus autonomes et à rayonner davantage qu'actuellement.

Dans la même perspective, au nombre de quatre, des gares sont prévues, en grande couronne, sur les lignes du TGV. Après celle de Massy, mise en service fin 1991, les gares de Chessy, proche du gigantesque parc d'attractions d'Eurodisneyland, de Roissy-Charles de Gaulle, et de Melun-Sénart assumeront plusieurs missions. Toutes situées sur des lignes interconnectées où rouleront des TGV à long rayon d'action, elles permettront d'intéressantes correspondances à des voyageurs qui, par exemple, pourront se rendre de Nantes à Londres ou de Rennes à Bruxelles sans transiter par Paris même ; mais ces gares seront fréquentées aussi par les habitants de leur zone d'influence, agrandie par le jeu des correspondances avec les lignes de banlieue ; ces voyageurs pour gagner l'ensemble de la France et de l'Europe occidentale, pourront éviter le passage par Paris.

Préoccupation majeure pour la SNCF, et partagée par la RATP, la desserte de la banlieue parisienne exige des mesures importantes, à la fois urgentes et à étaler nécessairement sur de longues années. Même si enfin des décisions énergiques et concertées améliorent les équilibres entre capitale et province, Paris et banlieue, banlieues entre elles, des flux énormes devront toujours être quotidiennement acheminés. Dans le cadre d'efforts intermodaux harmonisés le chemin de fer doit absolument continuer, dans l'intérêt de la collectivité, de jouer le rôle irremplaçable qui est le sien.

Cet énorme trafic de banlieue s'ajoute à celui des grandes lignes, dont l'ampleur a été soulignée : leur combinaison influence fortement la personnalité de chacune des grandes gares de la capitale.

54

Page ci-contre : sur fond de tours de la Défense, Puteaux, où cohabitent encore les Z6400 et les rames à 750 V de la ligne d'Issy-Plaine, en attendant le tramway qui doit les remplacer.

L'extension tentaculaire de la conurbation francilienne entraîne la création d'infrastructures nouvelles qui viennent en contrepartie de la disparition des lignes rurales. Sont concernés tant les services de banlieue (ci-dessus le prolongement de la ligne A à Cergy-le-Haut) que la grande distance (ci-contre, la gare de Chessy, au cœur d'Eurodisneyland, où convergent le RER et le TGV).

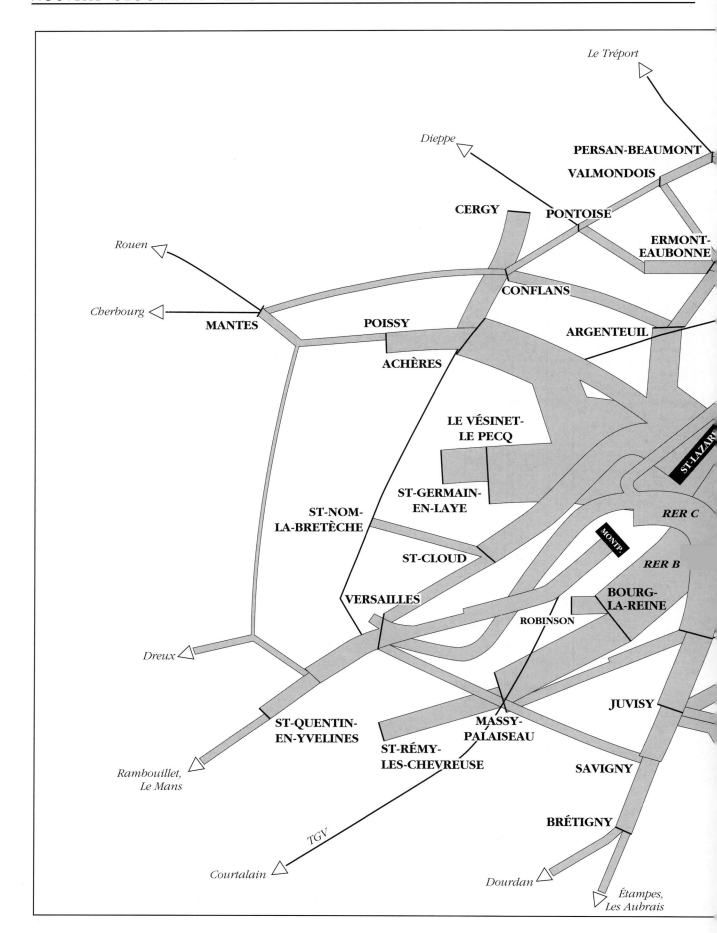

Le Tréport

Dieppe

PERSAN-BEAUMONT

VALMONDOIS

CERGY

PONTOISE

**ERMONT-
EAUBONNE**

Rouen

CONFLANS

Cherbourg

MANTES

POISSY

ARGENTEUIL

ACHÈRES

**LE VÉSINET-
LE PECQ**

ST-LAZARE

**ST-GERMAIN-
EN-LAYE**

RER C

**ST-NOM-
LA-BRETÈCHE**

MONTP.

ST-CLOUD

RER B

VERSAILLES

**BOURG-
LA-REINE**

ROBINSON

Dreux

JUVISY

**ST-QUENTIN-
EN-YVELINES**

**MASSY-
PALAISEAU**

**ST-RÉMY-
LES-CHEVREUSE**

SAVIGNY

Rambouillet,
Le Mans

BRÉTIGNY

TGV

Courtalain

Dourdan

Étampes,
Les Aubrais

Trafic de la banlieue parisienne

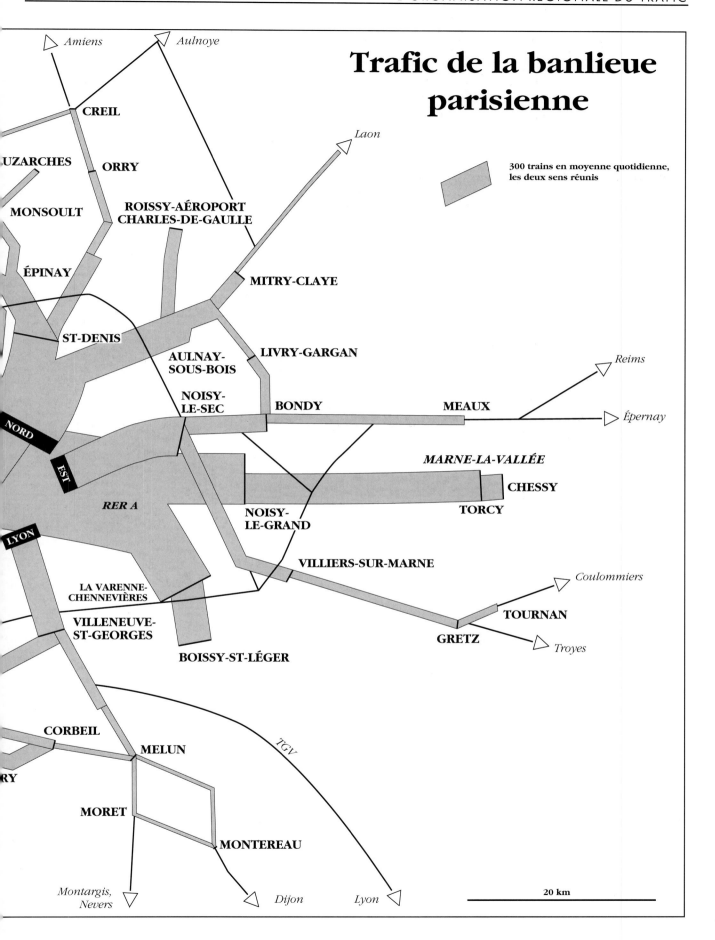

300 trains en moyenne quotidienne, les deux sens réunis

Amiens

Aulnoye

CREIL

Laon

UZARCHES

ORRY

MONSOULT

ROISSY-AÉROPORT
CHARLES-DE-GAULLE

ÉPINAY

MITRY-CLAYE

ST-DENIS

AULNAY-
SOUS-BOIS

LIVRY-GARGAN

Reims

NOISY-
LE-SEC

BONDY

MEAUX

Épernay

NORD

MARNE-LA-VALLÉE

EST

CHESSY

RER A

TORCY

NOISY-
LE-GRAND

LYON

VILLIERS-SUR-MARNE

Coulommiers

LA VARENNE-
CHENNEVIÈRES

TOURNAN

VILLENEUVE-
ST-GEORGES

GRETZ

Troyes

BOISSY-ST-LÉGER

CORBEIL

MELUN

TGV

RY

MORET

MONTEREAU

Montargis,
Nevers

Dijon

Lyon

20 km

Gare du Nord, le week-end : pour Beauvais, un duo d'autorails EAD suffit ; en semaine, une rame tractée est indispensable.

LES GRANDES GARES PARISIENNES

Les stations parisiennes du RER : Châtelet-les-Halles, Saint-Michel, Auber, Orsay ou Invalides connaissent une activité importante, avec dans chacune d'elles le passage quotidien de milliers de voyageurs. Mais les six grandes gares terminales, beaucoup plus étendues, et qui brassent des foules plus considérables fréquentent trains de banlieue et de grandes lignes, exercent un plus grand rayonnement. Quelques données statistiques permettent de mieux les situer les unes par rapport aux autres :

Gare	Voyageurs de banlieue	Voyageurs de grandes lignes	Total	Nombre de trains
Nord	360	40	400	1 274
Saint-Lazare	333	28	361	1 145
Lyon	153	75	228	649
Est	170	33	203	645
Montparnasse	82	51	153	389
Austerlitz	68	28	96	553

Moyenne quotidienne, les deux sens réunis, en 1990-91 et en milliers.

Par l'intensité de leur trafic deux gares dominent nettement les autres. Longtemps en tête celle de Saint-Lazare a depuis peu été dépassée par celle du Nord. Menacée d'asphyxie elle a été partiellement soulagée par la dérivation récente vers la ligne A du RER des flux de la ligne de Cergy et en partie de ceux de la ligne de Poissy. Toujours est-il qu'elle conserve un très haut niveau d'activité, qui se caractérise d'abord par la permanence d'un très fort trafic de banlieue irriguant l'ensemble de la banlieue ouest, d'Argenteuil et Mantes à Versailles, grâce à un réseau en éventail largement déployé. Viennent se juxtaposer des courants "grandes lignes" de relativement faible amplitude kilométrique mais denses, reliant Paris à Rouen et au Havre, à Caen et à Cherbourg. Actuellement intégralement en surface et en impasse, la gare Saint-Lazare, proche du centre des affaires et du cœur de Paris, doit dans le cadre de la réalisation du projet Eole être dotée d'une station souterraine affectée au trafic de banlieue est-ouest, dénommée Saint-Lazare-Condorcet.

L'activité de la gare du Nord présente des caractéristiques assez semblables : énormité d'un trafic de banlieue lui aussi très ramifié et désormais le premier de France, importance des courants circulant entre Paris et les villes du nord de la France et du Bénélux, excellence de l'implantation dans la capitale. Mais d'ores et déjà elle dispose d'une station souterraine traversée par les rames du RER. Par ailleurs la mise en service en 1993 du TGV Nord va lui donner un coup de fouet tel que sa première place au sein des gares parisiennes et françaises, très récente, ne pourra être que largement assurée et confirmée dans les prochaines années.

Egalement sur une courbe ascendante se retrouve la gare de Lyon. Elle fait en effet depuis 1981 à la montée en puissance du TGV Sud-Est, dont l'essor doit se poursuivre, au plan national et aussi international. Comme le trafic des trains classiques se maintient à un bon niveau, la gare se situe très nettement à la première place en France pour l'activité "grandes lignes" ; les convois, le plus souvent de grand parcours, sont particulièrement nombreux le long des quais, en attente de départ, en début de soirée ou de nuit ; la desserte dans le quart sud-est du pays, de multiples agglomérations, stations balnéaires et de sports d'hiver importantes explique la vigueur particulière des pointes du vendredi soir et des débuts de vacances. Au plan du transport de banlieue, nettement moins lourd que dans les deux gares précédentes, les perspectives sont également prometteuses : la mise en service de la ligne D du RER et la transformation de la gare souterraine de Paris-Lyon en station de passage doivent stimuler le trafic sur l'ensemble de la banlieue sud-est.

L'activité de la gare de l'Est se caractérise, elle, par une grande stabilité. Dominée par la gare de Lyon pour le trafic des grandes lignes, elle la rattrape presque grâce à l'ampleur des flux de banlieue qui en sortent ou y arrivent, et qui représentent environ la moitié de ceux des gares du Nord ou Saint-Lazare ; elle aussi doit profiter de la mise en œuvre du plan Eole. En tout état de cause, le nombre de liaisons simultanées dans l'avant-gare, et des voies à quai, doit permettre à la gare de l'Est de faire face aux fluctuations prévisibles du trafic ; le délestage provoqué par la réalisation d'Eole permettra d'assurer dans de bonnes conditions le trafic du futur TGV Est.

Les deux dernières gares connaissent des évolutions et ont des perspectives fort différentes.

La gare d'Austerlitz qui ne présente pas la même architecture majestueuse et harmonieuse que les précédentes, est loin d'être condamnée. Elle est et continuera d'être, grâce à sa gare souterraine de banlieue, un jalon très important sur la ligne C du RER ; son activité contribuera fort opportunément à l'essor de ce secteur de Paris, autour des pôles de Tolbiac et de Bercy. Mais en 1990 la disparition de l'essentiel du trafic diurne de l'artère Paris-Bordeaux, assumé désormais par TGV, au profit de la gare Montparnasse, lui a porté un coup sensible.

La desserte de Clermont-Ferrand et Limoges par des TGV roulant en partie sur une ligne nouvelle permettrait à Austerlitz de retrouver un rôle majeur et délesterait la gare de Lyon des trains du Bourbonnais. C'est pourquoi, malgré le projet ambitieux de couverture des voies d'Austerlitz à Tolbiac, la SNCF entend conserver intact le potentiel de l'ancienne gare du PO, tant en terme d'accueil de trains qu'en terme de débit en ligne. En revanche la montée en puissance de la gare Montparnasse constitue dans le carrefour parisien ferroviaire l'un des faits essentiels de ces dernières années.

Alors que le trafic de banlieue est en palier, celui des grandes lignes connaît une expansion considérable et rapide depuis 1989, grâce à la mise en service des branches Atlantique puis Aquitaine du TGV Atlantique ; représentant d'ores et déjà comme à Paris-Lyon le tiers du trafic total de la gare, il doit se développer et permettre à cette gare Montparnasse, déjà solidement installée au second rang en France pour le transport par trains express et rapides, de menacer la gare de Lyon. Totalement remaniée ces dernières années sous le signe de la sobriété et du fonctionnel, bien située par rapport à l'ensemble des centres décisionnels de la rive gauche, et remarquablement desservie par la RATP, elle doit s'affirmer comme la grande gare parisienne de demain.

En région parisienne, à ces très forts courants de banlieue et de grandes lignes se superposent de puissants flux de marchandises, qui confèrent à l'ensemble de l'activité ferroviaire une très forte complexité.

La fourmilière de la gare Saint-Lazare : cette gare au trafic banlieue impressionnant s'est cependant fait ravir la première place par Paris-Nord.

Sur la partie Est de la Grande Ceinture, le passage des trains de fret ne connaît pratiquement aucun répit mais c'est la nuit que la densité de circulation est maximale.

LES COURANTS DE TRANSPORT DE MARCHANDISES

Globalement le carrefour ferroviaire de la capitale est la source, la destination ou le point de passage d'un trafic des marchandises en tout point comparable par son ampleur à celui des voyageurs. Mais sa structure est d'un type différent. Chaque jour, sur l'ensemble des lignes qui convergent vers Paris roulent en moyenne, les deux sens réunis, plus de 500 convois de marchandises transportant près de 240 000 tonnes de produits variés. C'est de loin la plus forte concentration de flux à l'échelle du réseau.

Bien entendu l'existence tentaculaire d'une agglomération de plus de 10 000 000 d'habitants génère un trafic propre qui ne peut être que massif. Mais, dans la mesure où la région parisienne n'est pas pour les industries lourdes un lieu d'implantation privilégié, il faut chercher un autre élément majeur d'explication. En fait c'est le trafic de transit qui, en raison de la situation géographique du carrefour parisien, est la source essentielle de l'énormité des courants.

LES FLUX DES LIGNES CONVERGENTES

L'examen de la carte des densités de trafic révèle au premier abord, au-delà de l'ampleur générale des échanges, une concentration sur plusieurs grands axes plus marquée que pour les voyageurs de grandes lignes.

C'est ainsi que le transport des marchandises est écrasé par celui des artères majeures, et dominé par celui des voyageurs sur les lignes de Nevers, de Cherbourg ou de Granville. Mais sur une demi-douzaine d'autres les tonnages acheminés correspondent proportionnellement, par leur volume, à l'importance du trafic des voyageurs, et même parfois les dépassent. Souvent, à quelque distance de la capitale, le trafic global se ramifie en deux courants à l'extrémité d'un tronc commun plus ou moins développé.

Ainsi l'artère Paris-Le Mans, qui supporte un trafic moyen journalier, les deux sens réunis, de l'ordre de 14 000 tonnes, donne naissance à deux flux d'importance très inégale puis-

60

que la branche de Rennes accapare près de 80% de l'activité, au détriment de celle de Nantes.

La section Paris-Mantes, elle, voit s'écouler des flux beaucoup plus denses puisqu'ils approchent les 40 000 tonnes. En fin de tronc commun, à Mantes, le trafic est encore plus déséquilibré puisque la ligne de Rouen et du Havre draîne 95% des tonnages.

Avec 48 000 tonnes l'artère Paris-Les Aubrais se situe au premier rang à l'échelle du réseau, exception faite de la Grande Ceinture parisienne. Au-delà des Aubrais la ligne de Bordeaux l'emporte très nettement, avec 75% de l'ensemble des flux.

Au nord de la capitale deux artères assurent la liaison avec le bassin industriel du Nord et la Belgique proche. Rassemblées elles supportent une charge globale de l'ordre de 50 000 tonnes, équitablement répartie entre les deux lignes de Lille et de Bruxelles au-delà de Creil et Verberie. Mais entre Paris même d'une part, Creil et Verberie de l'autre, l'organisation de l'acheminement des convois de marchandises, plus complexe, ne confère pas à la gare de bifurcation de Creil le même rôle éminent que pour la répartition des trains de grandes lignes (voir plus loin).

Les deux autres grands axes qui s'élancent hors du carrefour parisien correspondent eux aussi à des troncs communs, mais beaucoup plus longs que les précédents.

Jusqu'à Lérouville l'artère Paris-Strasbourg supporte un trafic important, de l'ordre de 37 000 tonnes, qui au-delà éclate en direction de Nancy et de Metz.

Mais l'originalité est ailleurs : alors qu'en effet sur les autres lignes les courants de sens opposés sont à peu près équilibrés, ici les flux est-ouest l'emportent très nettement, puisqu'ils constituent 70% de l'ensemble.

Enfin l'axe Paris-Dijon, avec 35 000 tonnes décomptées de Montereau à Laroche et réparties à peu près également entre les deux axes, joue pour le transport des marchandises un rôle certes de premier ordre, mais qui n'est pas aussi éclatant, proportionnellement, que le résultat de l'addition des courants de voyageurs des deux lignes, classique et nouvelle. Il est évident que le niveau global de l'activité sur les lignes de la gigantesque étoile parisienne ne peut qu'induire un trafic très dense à l'intérieur même du carrefour de la capitale. L'analyse de la carte amène à formuler plusieurs remarques. Le fait majeur est l'énormité du trafic sur la plus grande partie de la Grande Ceinture, et en particulier sur sa moitié orientale. En effet 71 000 tonnes en moyenne quotidienne et les deux sens réunis sont transportées entre Gagny et Sucy-Bonneuil, 82 500 tonnes entre cette gare et Valenton, tandis que 83 000 tonnes sont recensées au passage à Bobigny ! Il s'agit là d'un record national absolu. Les sections nord-ouest sont moins chargées mais les flux représentent tout de même 36 000 tonnes entre Argenteuil et Stains. A l'ouest de la capitale aucun trafic de marchandises n'est acheminé directement entre Achères et Versailles par la Grande Ceinture, alors non électrifiée : le report des flux sur l'itinéraire tracé par Epône-Mézières explique qu'entre cette gare et Saint-Cyr, près de Versailles, le courant soit supérieur à 10 000 tonnes. A l'est de Versailles, le trafic se maintient à ce niveau jusqu'à Massy-Palaiseau, pour ensuite se répartir à peu près équitablement entre les deux branches qui se dirigent vers Valenton et Savigny-sur-Orge Juvisy.

Un train complet de granulats venant de la ligne du Havre sur le raccordement des Piquettes, à Mantes-la-Jolie.

L'énorme quantité de combustible consommée pour le chauffage en région parisienne génère des trafics lourds dont le rail est friand : ci-dessus, l'approvisionnement en charbon d'une centrale à Saint-Ouen et, ci-contre, le "dépotage" du fuel lourd pour la Compagnie de chauffage urbain de Paris-Vaugirard.

En comparaison, les flux de marchandises non plus tangentiels mais radiaux dans l'agglomération parisienne-même, c'est-à-dire liés à son activité, sont modérés. Ils n'atteignent en effet 10 000 tonnes qu'entre Sucy-Bonneuil et La Varenne-Chennevières, et sont sensiblement inférieurs sur les itinéraires qui mènent aux gares terminales comme celles de Tolbiac, près de la gare d'Austerlitz, ou des Batignolles.

LE TRAFIC : ÉLÉMENTS D'EXPLICATION

Même s'ils sont considérables, les flux générés par l'ensemble urbain lui-même sont largement dominés par des courants de transit extrêmement puissants.

Le poids du trafic lié à l'agglomération

Le trafic total des gares de la région Ile-de-France représente près du sixième de l'activité d'ensemble du réseau avec environ 16 000 000 de tonnes chargées et déchargées annuellement. Seules les régions du Nord-Pas-de-Calais et Lorraine sont l'origine ou la destination de courants ferroviaires aussi lourds. C'est ainsi que globalement les tonnages chargés et déchargés sont ici 50% plus importants qu'en Aquitaine, plus de quatre fois plus lourds que dans la région Auvergne. Deux types d'explication complémentaires doivent être évoqués : la région parisienne, avec plus de 10 000 000 d'habitants regroupe près du cinquième de la population française, tandis qu'elle constitue, avec les bassins du Nord-Pas-de-Calais, de Lorraine et de Rhône-Alpes, l'un des principaux bastions industriels du pays.

Par ailleurs le trafic se trouve considérablement éclaté en de multiples points de chargement et de déchargement dont la diversité a déjà été soulignée ; près de 200 gares au sens classique du terme, plus de 1 300 embranchements particuliers assurent une desserte géographique de très bonne qualité dans une agglomération très étendue et ramifiée, et où les secteurs industriels sont eux-mêmes dispersés. Aussi, dans le classement des 50 principales gares marchandises au plan national, les gares de la région parisienne sont à la fois bien présentes puisqu'elles sont au nombre de cinq, mais sans jamais figurer aux tout premiers rangs, et en assumant un trafic très éloigné par son volume de celui des poids lourds du réseau :

Classement	Gare	Tonnages reçus et expédiés (en 1990)
20e	Creil	2 500 000 t
29e	Valenton	1 820 000 t
36e	Gennevilliers	1 600 000 t
38e	Vaires	1 590 000 t
43e	Pantin	1 450 000 t

Réunies, ces cinq gares ne représentent qu'environ 55% de l'activité globale du complexe parisien, qui dans ce domaine précis ressemble plus à une nébuleuse que les autres ensembles industriels du pays, où la concentration du trafic est en effet plus marquée, autour d'installations minières et surtout de puissantes usines.

Une autre caractéristique est le déséquilibre général entre les expéditions et les arrivages, qui dominent très nettement dans la mesure où ils regroupent environ les deux tiers de l'ensemble des tonnages. Cette distorsion, à des titres divers, se retrouve en particulier dans les cinq gares vedettes :

Gares	Pourcentage des arrivages par rapport au trafic total
Creil	65%
Valenton	54%
Gennevilliers	84%
Vaires	64%
Pantin	60%

Ce déséquilibre se justifie par les besoins considérables des millions d'habitants de l'agglomération, et aussi par le fonctionnement des industries qui y sont implantées : malgré leur valeur marchande souvent élevée les objets fabriqués, et expédiés, ne peuvent rivaliser en tonnage avec les matières premières ou les produits énergétiques indispensables à la marche des usines, déchargés sur les embranchements particuliers et très accessoirement dans les gares.

Aussi n'est-il pas étonnant qu'un autre élément dominant soit l'extrême variété des marchandises, à l'arrivée comme au départ. En effet, à l'exception des matériaux de construction et des produits de carrière, qui représentent près du tiers des tonnages, et du trafic intermodal (près de 20%), aucune catégorie de marchandises ne dépasse 15% de l'activité totale. Aux arrivages boissons et combustibles minéraux solides, produits de la sidérurgie, se retrouvent aux avant-postes, alors qu'aux expéditions se remarque le poids de la production des industries métallurgiques et de construction mécanique, avec une participation importante des usines automobiles. Paradoxe apparent, le grand ensemble ferroviaire parisien expédie davantage de tonnages de céréales qu'il n'en reçoit : c'est qu'au niveau de la grande couronne, zones urbanisées et encore agricoles s'enchevêtrent ; une bonne démonstration est fournie par la riche plaine de Brie, qui s'avance jusqu'à quelques dizaines de kilomètres de la capitale elle-même, et dont la production céréalière est prise en charge par des gares installées à l'intérieur du complexe de transport parisien.

Ce trafic, considérable, est loin d'être figé. D'abord, à l'image de l'activité de l'ensemble du réseau, il tend à diminuer régulièrement depuis 1974, pour des raisons analysées dans le tome I : la baisse peut être évaluée à près de 40% ces 15 dernières années. Mais il faut nuancer l'appréciation : si les arrivages de charbon, par exemple, continuent de décliner, en revanche, la part des chargements et déchargements des véhicules rail-route comme des conteneurs augmente, elle, régulièrement. Le niveau d'activité des chantiers fret de Maisons-Alfort, Noisy-le-Sec et surtout Valenton, en rapide essor, en témoigne.

Par ailleurs, dans la mesure où ils sont à la fois importants et variés, les flux qui partent de la région parisienne ou y arrivent sont en relation avec l'ensemble du pays. Si des courants puissants se développent avec les régions Lorraine, Nord-Pas-de-Calais, Rhône-Alpes ou Provence-Côte-d'Azur, d'autres se décèlent aisément, non négligeables, avec pratiquement toutes les autres régions : un exemple probant est celui des arrivages massifs de produits de carrière, provenant du nord des Deux-Sèvres, donc de la région Poitou-Charentes. Les échanges ont également une dimension internationale, puisque près du cinquième de leur volume total correspond à un franchissement de frontières.

Autre angle d'attaque de l'analyse, en rapport étroit avec ce qui précède, celui de la diversité de l'activité des multiples points de chargement et de déchargement, en liaison avec leur dispersion géographique à l'échelle du carrefour parisien. L'un des points essentiels est le déclin très marqué des gares situées dans le centre de l'agglomération et dans Paris même. Elles souffrent en effet de leur conception ancienne et d'installations maintenant peu adaptées aux besoins, à la fois de l'absence de possibilité d'extension et de l'appétit des promoteurs immobiliers ; de plus, le lent déplacement de la population et des industries vers les diverses couronnes ne milite pas en leur faveur. C'est ainsi que le trafic de la gare de Paris-La Chapelle, qui atteignait 2 000 000 de tonnes en 1974 et la classait au premier rang régional, a chuté depuis de 75% ; à Paris-Bercy, troisième en 1974 avec 1 200 000 tonnes, la baisse atteint 80% et le même type d'évolution est constaté dans les gares des Batignolles, près de Saint-Lazare et de Tolbiac, près d'Austerlitz. Dans Paris-même, plusieurs gares, souvent peu importantes il est vrai, ont été supprimées comme celles du Champ de Mars dès l'avant-guerre ou plus récemment de la Villette, Paris-Bestiaux ou des Gobelins. Des événements ponctuels, comme le transfert des halles sur le site de Rungis, ont pu porter un coup sensible à l'activité des gares parisiennes qui recevaient de fortes quantités de denrées périssables ; c'est l'une des explications de la disparition du chantier de Paris-Vaugirard, au sud de la gare Montparnasse.

En s'éloignant du cœur de l'agglomération, la tendance se modifie, mais pas totalement. Par exemple le trafic ferroviaire a diminué de plus de 30% à Rungis en 15 ans. En 1974 la gare de Rungis, avec 1 031 000 tonnes, s'était classée au 5e rang dans l'ensemble parisien, mais aujourd'hui, alors que la desserte par la SNCF de la gare routière récente de Sogaris a freiné l'érosion, l'arrivée des wagons classiques chargés de fruits et de légumes est, elle, en chute libre, à cause surtout de l'efficacité de la concurrence routière.

Pourtant, globalement, de nombreuses gares installées en banlieue prospèrent et progressent rapidement, grâce à des installations modernes, spécialisées, où la mécanisation et l'automatisation des opérations sont poussées. Ainsi, en 15 ans, le trafic a presque doublé à Vaires-Torcy, a plus que doublé à Pantin, où les sources de l'activité sont multiples avec la proximité des Grands Moulins, la réception de tonnages considérables de boissons et de journaux, en particulier dans les vastes entrepôts du SERNAM. Mais c'est le trafic intermodal, aussi bien celui des conteneurs que des remorques rail-route, qui induit les progressions les plus spectaculaires : beaucoup plus récente que celle de Pompadour-Maisons-Alfort, la gare spécialisée de Valenton a vu son activité sextupler en cinq ans !

Dans le grand carrefour ferroviaire parisien coexistent donc des installations très variées et aux fortunes diverses, où se remarquent également des embranchements particuliers desservant des complexes métallurgiques, comme près de Creil, des usines automobiles comme entre Achères et Mantes, à Poissy ou aux Mureaux, des silos comme à l'orée de la Brie. Mais la palette est encore enrichie par le trafic portuaire : à la fois stable au plan interannuel et caractérisé par une très nette prépondérance des arrivages, il se hausse, à Sucy-Bonneuil et surtout à Gennevilliers (1 600 000 tonnes), au niveau de l'activité de ports maritimes, beaucoup plus connus, comme Sète ; c'est que les marchandises lourdes reçues, matériaux de construction, combustibles ou produits métallurgiques, sont à la fois indispensables à la vie et au fonctionnement de l'agglomération, et adaptées au transport par la voie d'eau.

Le trafic des marchandises propre à la région parisienne est actuellement en pleine mutation. Ainsi, dans le cadre de l'amélioration à la fois de l'aménagement du territoire et des circuits de distribution, progresse depuis quelques années l'idée de création de puissants complexes logistiques, performants, capables au plan national mais aussi européen d'accélérer les échanges et d'en diminuer le coût. Il s'agit d'aménager de vastes entrepôts, exploités de la manière la plus moderne, et évidemment très bien raccordés à l'ensemble des voies de communication ; si la proximité des routes, autoroutes, et éventuellement des ports fluviaux et des aéroports, doit être recherchée, le rail ne peut rester à l'écart. Aussi la SNCF étudie-t-elle, en partenariat, la création, à partir le cas échéant des installations existantes, de plates-formes logistiques en petite couronne comme La Plaine-Saint-Denis, Pantin, Ivry, Vitry et Valenton, en grande couronne comme à Roissy, Marne-la-Vallée et Melun-Sénart, où par exemple la plate-forme "Parisud" bénéficiera d'une excellente desserte ferroviaire ; sur ses 40 hectares seront présentes des entreprises d'entreposage, de transport, de groupage et de distribution. S'exprime de la sorte la volonté de développer harmonieusement l'ensemble de l'Ile-de-France et en particulier l'est de la région parisienne, jusqu'ici en retrait par rapport au nord et à l'ouest où, par exemple, l'industrie automobile constitue d'ores et déjà des pôles très actifs.

Sur les voies ferrées du grand carrefour de la capitale vient se superposer un trafic de transit encore plus considérable.

Deux exemples de trafic fret par fer en Région parisienne : ci-dessus les expéditions de journaux à partir du centre NMPP de Saint-Denis et, ci-dessous, l'approvisionnement en ciment d'une centrale à béton dans l'enceinte des Magasins généraux à Aubervilliers.

L'extrême importance des flux de transit

Si le trafic généré par la région parisienne elle-même peut être évalué à un peu plus de 50 000 tonnes en moyenne quotidienne, les échanges interrégionaux qui traversent le carrefour correspondent à environ 90 000 tonnes, c'est-à-dire à près des deux tiers des flux globaux.

Ces flux, massifs, sont très variés. Les plus importants, avec environ un tiers du total, s'établissent entre le nord et le sud-est du pays ; plus précisément ils circulent entre d'une part le bassin industriel du Nord-Pas-de-Calais, les ports de la mer du Nord et de la basse Seine, d'autre part la région Rhône-Alpes, la France méditerranéenne et l'Italie du nord ; les produits lourds, de l'industrie métallurgique surtout, dominent. En seconde position se classent les échanges, perpendiculaires aux premiers, entre la Lorraine industrielle et l'ouest de la France ; malgré le rapide déclin de la sidérurgie, la Lorraine qui a partiellement reconverti et diversifié ses activités, entretient toujours des relations suivies avec entre autres les ensembles urbains et industriels de la basse Seine, de la basse Loire, de la région rennaise entre autres. D'orientation assez semblable se discerne un courant entre le sud de l'Alsace, la basse Loire et surtout la basse Seine, dont les usines d'engrais s'approvisionnent en potasse dans la région de Mulhouse.
Les autres flux sont moins denses, mais peuvent être importants. Ainsi, depuis les raffineries de la basse Seine, les produits pétroliers sont-ils répartis dans l'ensemble du bassin parisien ; de même peuvent s'identifier des courants entre le bassin du Nord-Pas-de-Calais, l'ouest, le grand sud-ouest, ou entre la Lorraine et le sud-ouest ; depuis l'ouest, le sud-ouest et le sud-est, des tonnages notables de céréales sont expédiés vers les ports de la basse Seine, de Dunkerque, de Gand.

Avec les progrès de l'unification économique européenne, les flux qui transitent par les voies ferrées du carrefour parisien tendent à s'internationaliser : des flux se développent entre le Royaume Uni et l'Italie, entre l'Europe du nord-ouest et les pays de la péninsule ibérique. Minoritaires actuellement ces courants ne peuvent manquer de s'intensifier, surtout lorsqu'en 1994 le tunnel sous la Manche aura été mis en service.
Par sa position centrale le complexe ferroviaire parisien devait naturellement jouer un rôle essentiel de plaque tournante, nettement plus marqué que par exemple à Londres, carrefour beaucoup plus excentré. L'intérêt de sa situation ne pouvait qu'être renforcé par la proximité relative de quelques-uns des ensembles industriels les plus puissants du pays, comme ceux du Nord, de Lorraine ou de la basse Seine. Mais d'autres facteurs plus techniques expliquent l'ampleur du rôle de transit des lignes qui se nouent autour de la capitale.
Si en effet les flux à peu près rectilignes qui s'établissent par exemple entre la Bretagne et l'Alsace, ou entre le nord et le sud-ouest doivent naturellement s'écouler par Paris, le passage de courants parfois orthogonaux est beaucoup plus surprenant.
C'est que dans l'ensemble du bassin parisien les voies ferrées transversales sont rares et souvent médiocrement équipées. Il faut s'éloigner de plusieurs centaines de kilomètres de la capitale pour rencontrer des artères électrifiées et dotées du block automatique lumineux, comme Valenciennes-Thionville et Nancy-Dijon, qui entre nord et nord-est du pays évitent le passage par la région parisienne. Encore faut-il remarquer qu'à l'ouest ce type de possibilité n'existe pas.
En raison en effet de la force d'attraction de la capitale les lignes radiales, dès le début très actives, ont toujours bénéficié

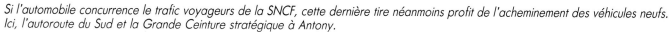

Si l'automobile concurrence le trafic voyageurs de la SNCF, cette dernière tire néanmoins profit de l'acheminement des véhicules neufs. Ici, l'autoroute du Sud et la Grande Ceinture stratégique à Antony.

d'un équipement de très haut niveau, et se sont trouvées reliées entre elles, dans d'excellentes conditions, par la Grande Ceinture parisienne. Elles ont attiré d'autant plus aisément le trafic de transit que la disposition en éventail depuis la capitale du réseau de chaque grande compagnie ne pouvait favoriser l'essor d'importantes liaisons transversales. La SNCF ne pouvait pas ne pas tenir compte de cet héritage : aussi une rocade pourtant à double voie, comme celle qui unit Amiens à Culmont-Chalindrey par Tergnier, Reims et Châlons-sur-Marne, ignore-t-elle encore l'électrification de bout en bout. Il a paru préférable d'utiliser à fond les potentialités offertes par les grands axes radiaux, électrifiés, dotés du block automatique lumineux, aux sections souvent triplées ou quadruplées ; possible, l'acheminement sur ces itinéraires des courants interrégionaux se révèle, malgré l'allongement certain des parcours, économiquement plus rentable que l'utilisation de transversales dont l'amélioration de l'équipement aurait été très coûteux. La présence à proximité de Paris de très puissantes gares de triage a également joué un rôle essentiel, en diminuant le nombre des opérations de classement des wagons, et en permettant la constitution de trains de grande longueur et couvrant de fortes distances. Il est donc économique de faire circuler par le carrefour de la capitale les wagons roulant par exemple entre Tergnier et Dijon, entre Amiens et Reims, entre Tours et Mulhouse, entre Rennes et Rouen. Donc, pour des raisons techniques, elles-mêmes largement conditionnées par la géographie et l'histoire, les voies ferrées qui convergent vers la capitale accueillent, en plus du trafic propre à la région parisienne, des flux globalement plus importants qui lui sont totalement étrangers et dont l'itinéraire peut parfois paraître inattendu au profane.

L'écoulement de ces courants énormes ne peut s'effectuer de manière satisfaisante que grâce à une organisation rigoureuse et complexe.

L'ORGANISATION DU TRAFIC DES MARCHANDISES

La circulation des convois de fret dans la région parisienne connaît des fluctuations à l'échelle de la semaine et de l'année ; l'activité diminue du samedi au lundi en raison de l'interruption des opérations de chargement et de déchargement, et lors des vacances, en particulier celles d'été, qui provoquent un sensible ralentissement de la production industrielle. Mais la différence considérable avec le trafic des voyageurs, qu'il s'agisse des trains de banlieue ou de grandes lignes, réside dans la permanence de l'activité dans le cadre des 24 heures : en particulier les gares de triage travaillent le plus souvent à plein régime la nuit, entre des périodes diurnes où les wagons sont chargés et déchargés dans les gares d'origine ou de destination.

C'est ainsi que sur la Grande Ceinture les trains de marchandises se pressent en grand nombre à toute heure du jour et surtout de la nuit. Si les deux sens réunis ils ne sont qu'au nombre d'une quarantaine en moyenne quotidienne entre Versailles et Massy-Palaiseau, il est possible d'en décompter 220 sur

la partie est, entre Valenton et Sucy-Bonneuil, 295 au nord-est, entre Bobigny et Noisy-le-Sec, ce qui constitue le record national.

Sur les axes radiaux la trame des convois de fret est moins serrée mais tout de même dense, avec 45 trains entre Versailles et Le Mans, 80 sur la ligne de Strasbourg entre Lagny et Meaux, 85 entre Achères et Mantes sur l'itinéraire Paris-Le Havre, 100 entre Villeneuve-Saint-Georges et Melun sur l'artère Paris-Lyon, 110 sur celle reliant Paris aux Aubrais entre Savigny-sur-Orge et Etampes.

Ces très nombreux trains correspondent à plusieurs types d'acheminement, en fonction des origines ou destinations.

Six catégories de convois peuvent être identifiées.

Les trajets les plus courts, de l'ordre au plus de quelques dizaines de kilomètres, sont effectués par de multiples rames de wagons roulant entre les gares ou embranchements particuliers, et la grande gare de triage proche, qui organise la dispersion des wagons dans de multiples directions. Le mouvement inverse a naturellement la même ampleur.

Réparties durant l'ensemble de la journée, ces opérations de desserte des points de chargement et de déchargement ont surtout lieu en fin d'après-midi pour le départ des wagons, en fin de nuit ou début de matinée pour leur arrivée. Le plus souvent tractées par des locomotives de manœuvre, les rames peuvent être de longueur relativement faible ; elles se forment souvent grâce à la concentration de wagons provenant de plusieurs gares ou embranchements particuliers proches, ou à l'inverse éclatent entre eux.

Plusieurs cas de figure se présentent : ces trains locaux peuvent desservir des gares à vocation très diversifiée, comme ceux qui relient les chantiers de Paris-Tolbiac ou de Vitry-sur-Seine à la gare de triage de Villeneuve. Ils sont parfois voués à la desserte exclusive d'installations portuaires, comme ceux, au nombre d'une dizaine par sens en moyenne journalière, qui circulent entre les bassins de Gennevilliers et le triage du Bourget. Certains sont très spécialisés : ainsi les rames de wagons chargés de véhicules automobiles roulant entre les gares de Poissy et des Mureaux et le triage d'Achères.

Mais les gares et embranchements divers peuvent être desservis par des trains qui ignorent les triages et gagnent directement leur point de destination, souvent lointain, ou effectuant le mouvement inverse. Ainsi chaque fin de nuit trois convois chargés de fruits et légumes entrent en gare de Rungis ; ils viennent de Perpignan, de la vallée de la moyenne Garonne et de Provence. Plus spectaculaire encore est la trame qui est tissée à partir des grands chantiers de transport combiné de la région parisienne ; ainsi chaque jour de nombreux trains spécialisés sillonnent à vitesse élevée une grande partie de la France, franchissant parfois les frontières. Le tableau ci-après montre la diversité des relations assurées au départ et à l'arrivée, soit par la CNC (Compagnie Nouvelle des Conteneurs), soit par les sociétés Novatrans, qui transporte des remorques rail-route et caisses mobiles, et Chronofroid. Certains de ces trains sont mixtes, composés par exemple de wagons CNC et Novatrans.

Un train entier de soude au passage de la célèbre "faucille" de Villeneuve.

Nombre de trains quotidiens réguliers (printemps 1990)	
Gares d'origine	Gares de destination
Pompadour-Maisons-Alfort	Avignon (1)
Noisy-le-Sec	Bordeaux (1), Toulouse (1) Marseille (1), Modane (2)
Valenton	Bordeaux (1), Toulouse (1) Marseille (2), Lyon (1) Montpellier (1)
Bordeaux	Rungis (1), Maisons-Alfort (2) Noisy-le-Sec (1)
Toulouse	Maisons-Alfort (1) Noisy-le-Sec (1)
Montpellier	Valenton (1)
Avignon	Valenton (3)
Marseille	Valenton (2)
Nice	Valenton (1)
Lyon	Valenton (1)
Le Havre	Noisy-le-Sec (1)
Sarrebruck	Noisy-le-Sec (1)
Strasbourg	Noisy-le-Sec (1)

De très nombreux autres trains roulent sur les lignes de la région parisienne sans fréquenter ses gares de triage. Il peut s'agir de trains complets, qui sans adjonction ou retrait de wagons entre points de chargement ou de déchargement, traversent la France. De nouveau les convois Novatrans et CNC fournissent d'excellents exemples en assurant des relations régulières entre les pays méditerranéens d'une part, Lille de l'autre, entre Modane et Le Havre ou Dunkerque.

Mais beaucoup d'entre eux, composés de wagons préalablement regroupés et ensuite dispersés, circulent entre des gares de triage parfois très éloignées du carrefour de la capitale. En 1990, en service régulier et en moyenne quotidienne, le grand triage lorrain de Woippy expédie entre autres un train vers Sotteville, vers Rennes, vers Saint-Pierre-des-Corps, deux vers Hourcade ; tous transitent par la Grande Ceinture parisienne, transportant des produits métallurgiques issus des usines de l'ensemble de la Lorraine sidérurgique. De même du triage de Gevrey, près de Dijon, partent une rame de wagons vers Tergnier, vers Lille, deux vers Sotteville. Celui de Saint-Pierre-des-Corps, près de Tours, envoie deux trains vers Sotteville, un vers Somain, un vers Woippy, un vers Hausbergen : tous passent par le carrefour parisien, traversé par d'autres convois intertriages, d'origine et de destination très variées.

Pourtant les grandes gares de triage parisiennes jouent un rôle essentiel, en raison de leur position au cœur du réseau. Elles doivent en effet organiser le ramassage et la distribution des wagons isolés, dans les gares de l'agglomération, qui correspondent à des flux pas assez denses pour générer des trains complets.

A l'image de ce qui est constaté sur l'ensemble du réseau, les triages de la couronne ferroviaire parisienne traitent un peu plus de la moitié des wagons qui circulent sur les lignes du carrefour ; ceci montre à la fois leur importance et l'ampleur du trafic par trains complets.

Pour des raisons techniques et de rentabilité, plusieurs d'entre eux ont ces dernières années été mis en sommeil. Ainsi, après des décennies d'activité souvent intense, les gares de Vaires, sur la ligne de Strasbourg, de Trappes sur celle du Mans, de Juvisy sur celle d'Orléans (1), de Paris-Tolbiac près de la gare d'Austerlitz, ne font plus partie de la famille des triages opérationnels de la SNCF. Leurs installations, souvent considérables, (à Vaires par exemple l'ensemble des faisceaux regroupait près d'une centaine de voies), sont soit partiellement désaffectées, soit vouées à des opérations de relais et à l'accueil de trains de marchandises en escale, ainsi qu'au garage de rames de voyageurs utilisées seulement épisodiquement ; elles peuvent être aussi consacrées, comme à Vaires, à la desserte de puissants chantiers de marchandises ou à celle des gares et embranchements particuliers de la zone.

Comme sur l'ensemble du réseau, le trafic est maintenant concentré sur un petit nombre de triages remarquablement équipés, qui reçoivent et expédient un nombre global de wagons ne représentant pas la moitié de ce qu'il était dans les années 50 : le tassement général de l'activité de fret mais aussi l'essor des trains complets et directs, l'augmentation de la capacité des wagons expliquent cette évolution.

Deux triages, les plus importants, figurent dans le groupe des treize triages polyvalents de la SNCF, à des places flatteuses, la troisième et la quatrième.

En 1991, celui de Villeneuve-Saint-Georges a expédié en moyenne quotidienne 1 685 wagons. Longtemps au premier rang en France, avec un record d'un peu plus de 5 000 wagons qui a peu de risques d'être battu, il est désormais devancé par les gares de Woippy et Gevrey. Il n'en continue pas moins de jouer un rôle essentiel, admirablement situé à proximité immédiate de la ligne majeure Paris-Lyon, de l'axe Paris-Les Aubrais et de la Grande Ceinture, auxquels il est relié par des raccordements qui évitent dans la plupart des cas de fâcheux cisaillements avec les voies principales. Aussi son rayonnement géographique est-il considérable : il échange chaque jour des trains avec par exemple des triages lointains comme Hourcade (près de Bordeaux), Saint-Jory (près de Toulouse), Miramas, Hausbergen (près de Strasbourg), Woippy (près de Metz) ; les liens les plus denses sont tissés avec des gares plus proches : quotidiennement, trois trains

réguliers dans chaque sens roulent entre Villeneuve et Sotteville, deux convois relient Villeneuve à Gevrey contre trois de sens inverse en 1991. Au total le triage reçoit 33 trains des autres triages, en expédie 30 vers eux, auxquels s'ajoutent plusieurs dizaines de mouvements en relation avec les gares de marchandises et embranchements particuliers de la partie sud de l'agglomération parisienne.

Légèrement en retrait, l'activité du triage du Bourget est cependant considérable puisqu'elle se caractérise par 1 530 wagons expédiés en moyenne quotidienne en 1991, 31 trains reçus des autres triages, 25 expédiés. Lui aussi est installé à proximité immédiate de la Grande Ceinture ; en revanche il n'est accolé à aucune grande artère radiale puisque la relation Paris-Laon-Hirson ne joue, au-delà de la banlieue parisienne, très chargée, qu'un rôle limité ; mais la section de ligne Ormoy-Villers-Verberie, à grand débit, assure une liaison de qualité avec l'axe Paris-Bruxelles et le bassin industriel du nord de la France. Aussi n'est-il pas étonnant qu'au moins la moitié du trafic intertriages du Bourget s'effectue avec les chantiers du nord et du nord-est du réseau.

Au nord-est de Paris, le grand triage de Noisy-le-Sec est lui aussi très bien situé, à l'extrémité du tronc commun des lignes de Strasbourg et de Mulhouse, et à proximité immédiate de la Grande Ceinture. Dans l'organisation du trafic de l'après-guerre, il était l'un des plus grands triages du RA (Régime Accéléré) ; fidèle à sa vocation il se retrouve, dans le cadre du plan Etna, l'un des rares triages spécialisés dans le traitement des wagons nécessitant l'acheminement le plus rapide ; aussi la part du trafic nocturne est-elle importante, entre les créneaux de chargement des marchandises, jusqu'en fin d'après-midi, et leur déchargement, dès le début de la matinée. Le nombre de wagons traité, 413, correspond à une trame de trains beaucoup plus réduite qu'autour des deux triages précédents ; au nombre d'une dizaine dans chaque sens, les convois sont en relation surtout avec le nord et le nord-est du réseau ; les triages du Bourget et de Villeneuve, en relais, assurent la liaison avec le sud de la France.

Un autre triage a fait les frais, jusqu'à un certain point, de la restructuration d'Etna, celui d'Achères. Malgré l'excellence de sa situation, qui a été déjà évoquée, il n'est plus qu'un triage complémentaire, dont le rôle est cependant original : en raison de la proximité de plusieurs grandes usines automobiles, sur la ligne du Havre entre Achères et Mantes, il est voué avant tout à la régulation du trafic à l'arrivée et au départ qu'elles induisent. Les 566 wagons expédiés en moyenne quotidienne en 1991 donnent la mesure d'une activité qui dépasse le stade de l'appoint.

Beaucoup moins nombreuses qu'il y a dix ans, les gares de triage, dans la région parisienne comme ailleurs, n'en continuent donc pas moins de jouer un rôle essentiel.

Le trafic qu'elles contrôlent et génèrent s'ajoute aux flux que représentent les trains complets et directs. Aussi, exprimée en nombre de trains en moyenne quotidienne, les deux sens réunis, la circulation atteint un niveau considérable, comme le montre le tableau page suivante.

---

(1) *La fermeture du triage de Brétigny, entre Juvisy et Etampes, est beaucoup plus ancienne.*

Sections de lignes	Relations	Nombre
Trappes-Rambouillet	Paris-Le Mans	40
Pierrefitte-Creil	Paris-Lille (Bruxelles)	70
Poissy-Mantes	Paris-Le Havre	70
Vaires-Meaux	Paris-Strasbourg	80
Etampes-Brétigny	Paris-Les Aubrais	105
Combs-la-Ville-Melun	Paris-Dijon	105

Mais c'est sur la Grande Ceinture que le trafic est le plus intense, plus spécialement sur sa moitié orientale, entre Bobigny et Valenton. La proximité de grands triages, la massivité des courants sur les artères radiales du nord, de l'est, du sud-est et du sud-ouest, expliquent que 230 convois de fret soient dénombrés en moyenne journalière entre Valenton et Sucy-Bonneuil, 295 entre Bobigny et Noisy-le-Sec (ils représentent plus de 95% du trafic de la Grande Ceinture). La gestion de la circulation, dans ces conditions, pose de délicats problèmes, en particulier aux abords du triangle de Gagny, dont les trois côtés sont dotés chacun d'une double voie, mais où aucun saut-de-mouton n'a pu être édifié ; aussi les 45 trains, deux sens confondus, du courant ligne de Strasbourg-Valenton, les 52 du courant ligne de Strasbourg-Bobigny éprouvent-ils souvent des difficultés pour s'intercaler dans le flot des 155 convois reliant Valenton à Bobigny. La régulation d'ensemble est cependant facilitée par l'existence de puissants faisceaux de garage, d'attente et de relais à Bobigny, Villemomble et Valenton : dans chacune de ces gares, quotidiennement, des dizaines de trains stationnent pour dégager les voies principales, se replacer dans leur sillon horaire, subir des

Sur l'itinéraire Paris-Mantes par Conflans, un convoi de sucre pour Sotteville au passage à La Frette.

contrôles techniques, échanger leurs mécaniciens, voire leurs locomotives.

Au total, les voies ferrées de la région parisienne sont sillonnées chaque jour par près de 6 000 trains, toutes catégories confondues. Si des lignes, comme celles du RER, sont exclusivement réservées au service des voyageurs, si sur la Grande Ceinture Est, les trains de voyageurs sont minoritaires (uniquement des trains en transit), sur la plupart des artères roulent des convois de marchandises, de voyageurs de banlieue et de grandes lignes. Aussi la circulation est-elle le plus souvent intense ; elle tend à diminuer en s'éloignant de la capitale, en raison de l'affaiblissement progressif du trafic de banlieue.

En effet, c'est à proximité des grandes gares parisiennes que les flux sont les plus vigoureux : plus de 1 200 trains de tous types en moyenne quotidienne, les deux sens réunis, sur le pont d'Asnières, près de la gare Saint-Lazare, ou dans la tranchée d'accès et de sortie de la gare du Nord, plus de 700 entre Paris-Est et Noisy-le-Sec, ou entre Paris-Lyon et Villeneuve-Saint-Georges, plus de 600 entre la gare d'Austerlitz et Choisy-le-Roi. Mais près des nœuds de bifurcation qui constellent l'ensemble ferroviaire parisien, l'animation peut être également considérable : près de 600 trains entre Sartrouville et Achères, plus de 500 près de la gare de Versailles-Chantiers ou entre Juvisy et Savigny-sur-Orge. C'est l'addition de très forts courants de trains des diverses catégories qui constitue le principal élément d'explication.

A l'échelle de l'Europe et sans doute de la planète aucun carrefour ferroviaire n'égale par son niveau d'activité l'ensemble parisien. Celui de Londres atteint un volume de trafic comparable, mais son rayonnement spatial est moins étendu, en raison de la géographie des îles britanniques ; Francfort, Munich, Milan, au rôle si important, sont cependant en retrait, tandis que de grandes capitales comme Madrid ou Rome n'exercent pas au plan ferroviaire une influence en rapport avec leur impact global.

Mais cette vie intense pose de nombreux problèmes, entre autres celui de la saturation actuelle et de la relative inadaptation à la demande, surtout dans la grande couronne. Les solutions existent, dont la mise en œuvre a débuté. Or, qu'il s'agisse d'améliorations de la trame existante, comme de nouveaux triplements ou quadruplements, ou de la création de lignes nouvelles, comme pour l'interconnexion TGV, le coût ne peut être que très élevé. Aussi seule une vigoureuse politique de développement des transports en Ile-de-France, impulsée par les pouvoirs publics, peut générer des progrès appréciables. Si le réseau routier et autoroutier doit contribuer lui aussi à une meilleure circulation dans la mégapole, le chemin de fer a un rôle décisif à jouer. Il doit en particulier faciliter les liaisons entre banlieues, qu'elles traversent la capitale comme dans le cadre du projet Eole ou qu'elles lui soient tangentielles. Sans doute, et pas seulement pour la circulation des TGV, faudra-t-il construire de nouvelles infrastructures ferroviaires, et à grand prix. Mais la survie de l'ensemble de l'agglomération est en jeu.

LES PRINCIPAUX AXES FERROVIAIRES

Comme les autres radiales menant à Paris, la ligne de Strasbourg supporte à la fois banlieue et grandes lignes : les quadruplements ou triplements permettent heureusement une séparation de ces deux flux antagonistes.

LES GRANDES ARTÈRES RADIALES

Quelle que soit l'importance du carrefour ferroviaire parisien, le réseau ferré français ne peut fonctionner que grâce à l'activité de plusieurs artères transversales, comme Valenciennes-Thionville ou Bordeaux-Marseille, bien équipées et qui acheminent un trafic lourd. Il n'en reste pas moins vrai que son armature de base reste constituée par un éventail de puissantes lignes radiales, qui s'élancent depuis la capitale vers les secteurs les plus lointains de l'hexagone (1).

Quelques lignes naissant dans le carrefour parisien, comme les relations Paris-Laon-Hirson ou Paris-Granville, ne jouent pas un rôle majeur : elles seront décrites et analysées ultérieurement, dans le cadre régional. Mais les autres, au nombre d'une douzaine, sont des rouages essentiels de notre réseau. Elles possèdent des personnalités affirmées, en fonction de leur longueur, de leur tracé et de leur profil, de leur équipement, du volume et de la nature des flux qui les sillonnent. Elles s'individualisent à la fin de troncs communs dont le kilométrage est très variable.

---

(1) *Les divers carrefours ferroviaires seront décrits et analysés dans le cadre des chapitres ultérieurs, voués à l'étude du réseau par ensembles régionaux.*

DU NORD-OUEST AU NORD-EST : DES RADIALES COURTES

Entre l'estuaire de la Seine et le massif des Ardennes, quatre axes radiaux ferroviaires essentiels atteignent les limites du territoire.

La ligne Paris-Le Havre : un axe ancien qui se porte bien

C'est à Mantes que l'artère Paris-Le Havre se sépare de la ligne de Cherbourg et se dégage du grand complexe parisien.
140 kilomètres séparent Paris-Saint-Lazare de la gare de Rouen Rive Droite, 226 kilomètres de celle du Havre. Le tracé de la ligne se compose de deux sections étonnamment différentes : jusqu'à Rouen, en effet, la voie ferrée, comme elle le fait depuis la gare Saint-Lazare, suit globalement la vallée de la Seine, avec un profil donc excellent. Si elle longe étroitement le fleuve sur de nombreux kilomètres, comme entre Bonnières et Gaillon, elle s'en écarte à trois reprises afin, en court-circuitant les trois grands méandres de La Roche-Guyon, Les Andelys et Elbeuf, d'éviter un allongement sensible du parcours ; à chaque fois d'importants travaux de génie civil ont été nécessaires : tunnels de Rolleboise pour éviter la première de ces boucles, du Roule et de Venables pour la seconde, de

La radiale du Havre avec le viaduc de Mirville, près de Bréauté : le temps de parcours peu concurrentiel avec l'autoroute, le développement des migrations quotidiennes vers Paris et du trafic fret en provenance des ports risquant de saturer l'axe actuel, militent pour la réalisation à terme du TGV Normandie.

Tourville et le pont métallique du Manoir près de Pont-de-l'Arche pour la troisième. Au-delà de Rouen, la ligne ignore délibérément la vallée de la Seine, où les vastes méandres prolifèrent et où la navigation maritime interdit tout franchissement ferroviaire ; elle escalade donc le plateau du Pays de Caux, au prix de rampes qui peuvent atteindre 8 mm/m, en particulier non loin du Havre, d'ouvrages d'art parfois importants : viaducs de Barentin (27 arches) et de Mirville, tunnel de Pissy-Pôville, long de deux kilomètres.

Cet axe bénéficie d'un équipement de premier ordre puisqu'il est électrifié en courant monophasé 25 000 volts, et jalonné des signaux du B.A.L. (Block Automatique Lumineux) ; de plus chacune des deux voies se dédouble fréquemment, par exemple à Motteville ou près de Vernon, pour donner naissance à des "garages actifs", qui permettent aux convois lents, tout en continuant lentement leur progression, de laisser passer les trains plus rapides.

En raison en effet du poids des agglomérations rouennaise et havraise, ainsi que de la considérable activité industrielle et commerciale de l'ensemble de la Basse Seine, le trafic est très important, surtout sur la section Paris-Rouen en raison de la superposition des flux. C'est ainsi qu'entre Mantes et Rouen roulent en moyenne quotidienne près de 130 trains, les deux sens réunis ; en aval de Rouen la circulation conserve un niveau élevé de l'ordre de 70 convois. Ces courants de grande densité concernent aussi bien les voyageurs que les marchandises. Pour les premiers sont programmées en moyenne dans chaque sens et chaque jour une quinzaine de relations entre Paris et Rouen, une dizaine entre Rouen et Le Havre. A haute fréquence donc ce service, qui ignore les trains de nuit en raison de la brièveté du temps de parcours, est assuré par des rames courtes composées chacune d'une dizaine de voitures le plus souvent. Il achemine globalement près de 5 000 voyageurs entre les deux grandes agglomérations haut-normandes, contre 12 000 environ en amont de Rouen (à titre de comparaison près de 50 000 sur la ligne du TGV sud-est entre Paris et Pasilly). Dans le domaine du fret se remarque également la primauté de la section Mantes-Rouen, avec environ

30 000 tonnes transportées en moyenne quotidienne (1), et réparties également entre les deux sens. Au-delà de Rouen le trafic, qui diminue de moitié, est marqué par la prépondérance du flux se dirigeant vers la capitale, en raison surtout du poids des importations dans le complexe portuaire havrais. Achevée dès 1843 après une construction très influencée par les ingénieurs britanniques, cette ligne s'est prêtée au tournage de "La bête humaine", avec Jean Gabin aux commandes de la "Lison" traversant en trombe la gare de Rouen Rive Droite, et a longtemps été sillonnée par des trains transatlantiques assurant au Havre la correspondance avec les grands paquebots ; elle a donc un passé prestigieux. Elle a su évoluer, avec par exemple l'élargissement de l'entrevoie et du gabarit des ouvrages d'art au moment de l'électrification. La réalisation éventuelle d'une liaison nouvelle réservée aux TGV, au moins entre Paris et Rouen, ne saurait lui porter ombrage, compte tenu de la diversité des flux qu'elle supporte et du poids économique des régions desservies.

L'artère Paris-Cherbourg, en mutation

371 kilomètres séparent les gares de Paris-Saint-Lazare et de Cherbourg. Née à Mantes où elle abandonne celle du Havre, la ligne de Cherbourg traverse des régions faiblement accidentées, proches de la mer. Son tracé présente cependant des difficultés à l'est de Mézidon, dans la mesure où il est perpendiculaire à la direction des principales vallées comme celles de l'Eure, de l'Iton, de la Risle ou de la Touques ; aussi est-elle alors jalonnée de plusieurs tunnels et marquée par de nombreuses rampes dont le taux peut atteindre 10 mm/m.

Cette ligne a été longtemps réputée car sillonnée elle aussi par des trains-paquebots, où se retrouvaient des passagers transatlantiques qui voulaient abandonner la terre ferme le plus tard possible : la gare maritime de Cherbourg, reconstruite après 1945, reste le symbole majestueux de cette période pratiquement révolue.

_____

(1) Près de 50 000 transportées entre Paris et Les Aubrais.

Paris-Cherbourg, longtemps terrain de prédilection des turbotrains, va enfin connaître l'électrification pour 1995.

Le trafic actuel n'est pas considérable ; il est celui de régions à vocation surtout agricole, où les très grandes villes sont absentes ; de plus la crise a frappé les rares activités industrielles de poids, comme la métallurgie caennaise. Les flux de marchandises ne sont relativement denses, avec 8 000 tonnes environ en moyenne quotidienne, les deux sens réunis, qu'entre Serquigny et Mézidon, section où la radiale est en tronc commun avec la transversale Rouen-Le-Mans-Tours ; à l'ouest de Caen les courants deviennent faibles. Le transport des voyageurs, lui, est marqué comme sur la plupart des radiales par une lente décroissance en s'éloignant de Paris, puisque le nombre de personnes transportées est de près de 11 000 jusqu'à Evreux, 7 000 jusqu'à Caen, un peu plus de 2 000 avant Cherbourg. Au total le trafic peut être considéré comme assez élevé sur la section de Mantes à Caen, où roulent quotidiennement entre 50 et 90 trains de toutes les catégories, moyen ensuite avec dans le Cotentin une trentaine de convois seulement. L'équipement de l'ensemble de cette ligne à double voie n'en va pas moins atteindre un bon niveau, grâce au développement du Block Automatique Lumineux, prochainement installé de bout en bout, à l'électrification en courant 25 000 volts, prévue pour 1995, et à la construction d'une véritable ligne nouvelle entre Bernay et Lisieux, remplaçant l'ancien tracé trop sinueux et d'ores et déjà en service en traction thermique.

La ligne Paris-Lille : une artère courte mais très chargée

Mise en relation de régions économiquement actives, qualité de l'équipement, importance du trafic, développement relativement court (251 kilomètres), voilà des caractéristiques qui rapprochent cet axe Paris-Lille de la relation Paris-Le Havre. Mais il faut apporter de nombreuses nuances.

De la gare de bifurcation de Creil, où elle se sépare de la ligne de Bruxelles, jusqu'à Lille la voie ferrée bénéficie d'un tracé et d'un profil extrêmement favorables ; non seulement en effet elle court à travers les plaines et plateaux très mollement ondulés de la Picardie et de l'Artois, puis dans la platitude de la Flandre, mais encore elle se sert habilement du réseau de vallées ; par exemple à proximité d'Amiens elle suit le cours de la Noye, de la Somme, de l'Ancre. L'évitement de la gare d'Amiens par l'itinéraire direct Paris-Lille, tracé par Longueau, représente un autre élément positif. Ainsi, jusqu'à l'entrée dans la nébuleuse ferroviaire du Nord-Pas-de-Calais, au-delà d'Arras, des vitesses élevées peuvent-elles être autorisées.

L'électrification (25 000 volts), le Block Automatique Lumineux, l'existence de garages actifs confèrent à cette artère une capacité de transport très comparable à celle de la ligne Paris-Le Havre. Et de fait le volume du trafic est légèrement supérieur, avec une répartition par sections de ligne d'un type diffé-

Un rapide Lille-Paris assuré en matériel inox ex-TEE : un service appelé à disparaître, TGV-Nord oblige.

rent. De Creil en effet jusqu'au nœud d'Amiens, l'artère de Lille est en tronc commun avec celle de Calais. Aussi achemine-t-elle des flux très denses, aussi bien dans le domaine du fret avec 25 000 tonnes transportées en moyenne quotidienne, et réparties équitablement entre les deux sens, que dans celui des voyageurs : plus de 20 000 personnes. Au-delà d'Amiens-Longueau ce courant "voyageurs" est moins important, avec 13 000 personnes seulement ; c'est qu'alors ont disparu les flux de la ligne de Calais. En revanche, si l'artère Rouen-Amiens ne supporte qu'un trafic de voyageurs très faible, elle achemine entre bassin du Nord-Pas-de-Calais et Basse Seine des masses volumineuses de marchandises de l'ordre de 8 000 tonnes par jour, les deux sens réunis : aussi l'arrivée de ce courant sur l'itinéraire Longueau-Arras, plus fort que le volume du fret qui prend la direction de Calais, explique que les tonnages transportés sur l'axe Paris-Lille au nord d'Amiens soient avec 28 000 tonnes plus lourds qu'au sud.

Dans ces conditions, de bout en bout, le nombre moyen journalier de circulations ne peut qu'être considérable, avec 150 trains entre Creil et Longueau, dont 60% de rapides et express, contre respectivement 120 et 45% entre Longueau et Arras, à l'entrée de la nébuleuse ferroviaire du Nord. Actuellement, dans chaque sens roulent en moyenne quotidienne près d'une quinzaine de rapides et express, dont certains continuent au-delà de Lille, jusqu'à Tourcoing. En 1993 la

mise en service du TGV allègera la trame des trains de voyageurs sur une artère Paris-Lille qui jouera cependant toujours un rôle important entre Nord-Pas-de-Calais et région parisienne.

Paris-Calais : un important lien franco-anglais

Par son trafic cette ligne n'a jamais figuré, au plan quantitatif, parmi les principales du réseau français. Mais elle a toujours tiré un réel prestige de son rôle de liaison entre France et Angleterre, entre les deux capitales plus particulièrement, concrétisé par la circulation de trains rapides aussi connus que le célèbre "Flèche d'Or".

Cette artère se révèle originale à plus d'un titre.

D'abord elle ne devient vraiment autonome qu'après le carrefour d'Amiens, puisque depuis Paris elle se trouve en tronc commun avec la ligne de Lille. Ensuite son infrastructure n'est pas intégralement de tout repos : si jusqu'à l'estuaire de la Canche le profil est excellent, le long de la vallée de la Somme et des dunes et marais littoraux, plus au nord apparaissent des difficultés ; en effet, alors que le rivage n'est jamais éloigné, la voie ferrée doit escalader le bombement crayeux de l'Artois qui domine la mer par les falaises escarpées des caps Gris-Nez et Blanc-Nez. Aussi entre les gares de Boulogne (254 kilomètres de Paris-Nord) et de Calais (295 kilomètres) le tracé est-il sinueux et accidenté, avec des courbes de faible

Un rapide Paris-Calais-Maritime à la traversée du Boulonnais : là aussi, un service auquel le TGV Paris-Londres va mettre un terme définitif.

rayon et surtout, comme près de Caffiers, des rampes pouvant atteindre 8 mm/m.

Par ailleurs son équipement technique est loin d'être sophistiqué. En effet cette double voie, qui n'est toujours pas électrifiée, n'est dotée, au plan de la signalisation, que du Block Manuel Unifié, qui est loin d'autoriser le même débit que le Block Automatique Lumineux (celui-ci réapparaît au-delà de Boulogne).

C'est que le trafic n'est pas vraiment considérable, avec en moyenne quotidienne la circulation de 50 à 60 trains, les deux sens réunis. Les flux de marchandises , qui culminent à près de 5 000 tonnes journalières, tombent à moins de 3 000 tonnes au-delà de Boulogne. Relativement le transport des voyageurs est plus important, avec une diminution lente des courants, forts de près de 6 000 personnes en moyenne quotidienne, les deux sens réunis, avant Abbeville, réduits à 5 000 puis à environ 2 000 personnes avant Boulogne et Calais.

La prochaine mise en service de la ligne à Grande Vitesse Nord en septembre 1993 , du tunnel sous la Manche en 1994, va s'accompagner de l'électrification de la section Boulogne-Calais. Aussi la desserte de Boulogne par Lille depuis Paris va-t-elle, grâce aux TGV, être très attractive, tandis que les courants de marchandises transmanche, de plus en plus denses, seront acheminés par Hazebrouck afin de bénéficier de l'électrification. Dans ces conditions la prestigieuse artère Paris-Calais risque de connaître, paradoxalement, un sensible dépérissement.

Paris-Bruxelles : un grand axe international

Jamais très éloignée de l'axe Paris-Lille, la ligne de Bruxelles irrigue certes des régions françaises actives, mais surtout assume une vocation internationale de premier ordre en reliant le cœur de notre pays aux centres vitaux de la Belgique, des Pays-Bas et d'une partie de l'Allemagne.

Les caractéristiques du tracé et du profil de cette artère sont, elles aussi, de grande qualité. En effet, à partir de la bifurca-

tion de Nogent-sur-Oise, près de Creil, elle remonte la large et douce vallée de l'Oise ; au nord de Tergnier, après avoir coupé la rocade Amiens-Reims-Châlons-sur-Marne, elle traverse les plaines du Vermandois et du Cambrésis avant de retrouver et de descendre une autre ample vallée, celle de la Sambre, orientée, elle, vers la Meuse et le nord-est. Aussi les déclivités, très rares, ne dépassent-elles jamais le taux de 5 mm/m. Alors qu'à Aulnoye (216 kilomètres de la gare du Nord) la ligne internationale coupe la grande transversale du nord-est Valenciennes-Thionville, elle se sépare peu avant la frontière, à Hautmont, en deux branches : la première se dirige par les plaines du Brabant vers Bruxelles (311 kilomètres de la gare du Nord) et, au-delà, vers Amsterdam ; la seconde, plus à l'est, descend la vallée de la Sambre puis celle de la Meuse, desservant Charleroi, Namur et Liège avant d'atteindre les grandes cités de l'Allemagne septentrionale.

L'équipement, de haut niveau, avec les caténaires 25 000 volts, le B.A.L. et de nombreux garages, détermine un débit théorique très comparable à celui des axes Paris-Le Havre et Paris-Lille. Fluide, la circulation des trains n'en est pas moins dense, avec un nombre de mouvements journaliers, les deux sens réunis, toujours supérieur à la centaine pour atteindre 130 convois entre Tergnier et Saint-Quentin, 185 entre Aulnoye et Hautmont.

A partir de Longueil-Verberie, où la radiale reçoit le raccordement qui l'unit par Ormoy-Villers au grand triage du Bourget et qui achemine une quarantaine de trains de marchandises, la répartition du trafic entre flux de voyageurs et de fret est remarquablement équilibrée. D'une part en effet les premiers sont puissants, alimentés moins par les ensembles urbains français du parcours que par les échanges internationaux : si plus de 14 000 voyageurs sont décomptés quotidiennement au sud de Tergnier, 9 000 franchissent la frontière, privilégiant pour près des trois quarts d'entre eux la ligne de Bruxelles et Amsterdam (1). Mais d'autre part la circulation des marchandises est d'envergure : l'artère Paris-Bruxelles assure en fait l'acheminement de trois types de courants : internationaux certes mais aussi à destination ou en provenance de l'ensemble industriel implanté en France dans la vallée de la Sambre, d'Aulnoye à la frontière, et aussi du secteur oriental du bassin du Nord-Pas-de-Calais, grâce à une ligne qui, à Busigny, se débranche de la grande radiale et se dirige vers Somain et Valenciennes. Aussi les flux, après la confluence de Longueil-Verberie, se situent-ils en moyenne quotidienne en permanence entre 25 000 et 30 000 tonnes, avec une primauté marquée du courant nord-sud qui représente environ les trois cinquièmes de l'ensemble du trafic.

Comme les axes Paris-Lille et Paris-Calais, la radiale Paris-Bruxelles verra sûrement sa mission redéfinie au moment de la mise en service du TGV Nord. Mais l'accroissement attendu de la demande de transport, le développement industriel de régions situées au cœur de l'Europe occidentale doivent assurer son avenir ; la ligne nouvelle lui permettra de lutter efficacement contre les risques d'asphyxie.

Le nord-est et l'est du pays sont desservis par des artères radiales de plus grande longueur et donc à l'activité plus diversifiée.

LE NORD-EST ET L'EST : DEUX RADIALES INÉGALEMENT IMPORTANTES

A seulement 9 kilomètres de la gare de l'Est, à Noisy-le-Sec, se séparent les deux grandes artères qui relient la capitale aux provinces françaises du nord-est et de l'est, et, au-delà, au Luxembourg, à l'Allemagne, à la Suisse et aux pays danubiens. C'est incontestablement la ligne Paris-Strasbourg qui joue le rôle essentiel.

---

(1) Paris et Bruxelles sont unis par une dizaine de rapides quotidiens, en moyenne, dans chaque sens, dont plus de la moitié assurent également la liaison entre notre capitale et Amsterdam.

La ligne Paris-Strasbourg : une vocation européenne

Avec 502 kilomètres, l'axe Paris-Strasbourg compte parmi les plus longues radiales de notre réseau. Reliant le centre du Bassin Parisien à la plaine d'Alsace, il traverse des régions très contrastées, de topographie variée. Aussi deux sections peuvent-elles aisément s'identifier.

Jusqu'à Bar-le-Duc (254 kilomètres de la gare de l'Est), le profil est extrêmement favorable dans la mesure où la ligne, traversant l'est de l'Ile-de-France et la Champagne, remonte l'ample vallée de la Marne, puis, à l'est de Vitry-le-François, celle de l'Ornain. Sauf entre Meaux et Château-Thierry, où en raison de méandres marqués elle franchit le fleuve à cinq reprises et décrit des sinuosités peu propices à la grande vitesse, la voie ferrée reste sagement sur sa rive gauche. Aussi entre Paris et Vitry-le-François décrit-elle un vaste arc de cercle. Plongeant de plus en plus vers le sud-est à partir d'Epernay, elle change brutalement de cap à Vitry-le-François.

Au-delà de Bar-le-Duc est abordée la France de l'est, dont le modelé est beaucoup moins calme que celui du centre du Bassin Parisien, avec des lignes de côtes et donc des vallées le plus souvent d'orientation méridienne, et la présence massive des Vosges. C'est pourquoi les vallées de la Meuse, de la Moselle, de la Meurthe ou de la Sarre ne sont jamais longtemps suivies par la ligne Paris-Strasbourg qui, en revanche, doit franchir, entre elles, des obstacles guère impressionnants dans l'absolu mais difficiles pour une voie ferrée. Ainsi, entre Bar-le-Duc et Lérouville, le massif des Hauts de Meuse jalonne la ligne de partage des eaux entre le bassin de la Seine et celui de la Meuse, donc du Rhin. Cette barrière sans faille ne peut être franchie par l'artère de Strasbourg qu'au prix de deux rampes de sens opposés, de 8 mm/m chacune, qui se rejoignent à Ernécourt-Loxéville et qui représentent un développement total de 23 kilomètres. Autre secteur délicat, celui de la traversée du nord du massif vosgien : comme le canal de la Marne au Rhin, la route nationale et maintenant l'auto-

En attendant le futur service des TGV "PBKA", les traditionnelles CC 40 100 continuent d'assurer pour quelque temps la traction des rapides pour le Bénélux.

Vers Nançois-Tronville, un Strasbourg-Paris de matinée.

route, la voie ferrée emprunte la trouée de Saverne, dominée par des hauteurs boisées et pittoresques ; il est significatif que le principal tunnel ferroviaire de cette section tourmentée, celui d'Arzviller, long de 2 676 mètres, côtoie étroitement le souterrain foré pour le passage du canal. Mais la ligne bénéficie tout de même souvent de conditions favorables, comme par exemple de Toul à Nancy et de Nancy à Lunéville où elle remonte les vallées de la Moselle et de la Meurthe, ou dans le seuil de Foug : dans ce large couloir qui sépare les vallées de la Meuse et de la Moselle les caractéristiques du tracé et du profil sont celles d'une artère de plaine, comme en Alsace, entre Saverne et Strasbourg.

Ce grand axe est de bout en bout remarquablement équipé, avec la trilogie bien connue électrification (en 25 000 volts), Block Automatique Lumineux et nombreuses voies de garage paires et impaires. Avec les moindres besoins de la Défense, l'électrification et les progrès de la signalisation, donc du débit potentiel, plusieurs sections quadruplées se sont retrouvées à double voie, comme entre Vitry-le-François et Sarrebourg. Toujours est-il que les principales déclivités ne sont escaladées que lentement par les lourds convois de marchandises qui, par exemple sur chacune des deux rampes grimpant vers Loxéville, bénéficient d'une voie bis qui leur évite de gêner les trains plus rapides.

L'étude régionale montrera qu'en fait cette artère Paris-Strasbourg irrigue une très large partie de la France de l'est, et en premier lieu le bassin industriel lorrain qui, à l'instar de celui

du Nord-Pas-de-Calais, correspond au plan ferroviaire à une nébuleuse dense et bien structurée. Aussi de l'une de ses extrémités à l'autre achemine-t-elle des flux toujours importants.

Exprimé en nombre moyen quotidien de trains, les deux sens réunis, le trafic, en effet, oscille entre 60 et 170 circulations, proche banlieue exclue. De Meaux à Blesme son niveau est à peu près constant, toujours au-dessus de 140 convois : la greffe à Epernay de la ligne de Reims et Charleville-Mézières n'apporte pas de modification globale sensible car la perte des courants Paris-Ardennes-Luxembourg est à peu près compensée par l'arrivée de ceux de la rocade Amiens-Tergnier-Reims. Alors qu'à Blesme s'opère une première ponction, légère, au profit de l'itinéraire Saint-Dizier, Culmont-Chalindrey-Dijon, c'est à Lérouville, à 289 kilomètres de la gare de l'Est que s'effectue un partage radical du trafic. En effet cette gare marque, d'une certaine manière, la fin d'un très long tronc commun où se superposent les flux de la ligne de Strasbourg, bien sûr, et ceux de l'artère qui se dirige vers Metz, Sarrebruck et Francfort : si la première l'emporte, la seconde attire tout de même un peu plus de 45% de l'activité de la grande radiale. Au-delà du complexe ferroviaire nancéien, c'est après la perte des trains roulant sur les artères d'Epinal et de Saint-Dié que se situe le creux de l'activité, avec une soixantaine de trains seulement. Mais à Reding, entre Sarrebourg et Saverne, la radiale est revivifiée par l'apport de la ligne en provenance de Metz, du Luxembourg, de Thionville et du nord de la France, au trafic d'ensemble légèrement supérieur. Il n'est donc pas surprenant qu'après Reding, dont le rôle est très comparable à celui de Lérouville, la densité de la circulation redevienne élevée, pour dépasser les 150 trains au-delà de Saverne.

Globalement le poids du transport des marchandises est le plus lourd, en particulier aux abords du bassin industriel lorrain, mais celui des voyageurs se situe à un niveau toujours digne d'intérêt. Il se caractérise d'abord par de forts courants à grande distance, entre Paris, Nancy, la capitale alsacienne, et au-delà l'Allemagne du sud et les pays danubiens : aussi, les deux sens réunis, le flux quotidien moyen des voyageurs ne descend-il jamais au-dessous des 7 000 personnes. Il est marqué aussi par une lente progression d'est en ouest des courants, qui passent d'un peu moins de 13 000 voyageurs entre Nancy et Toul, à plus de 15 000 à l'ouest de Lérouville, à 18 000 aux abords de Châlons-sur-Marne et à 25 000 entre Epernay et Meaux : c'est que cette artère rassemble de nombreux flux qui convergent vers la capitale, provenant des villes qui la jalonnent mais aussi de Sarrebruck et Metz, du Luxembourg et de Reims. A Lérouville le flux sud lorrain et alsacien, avec plus des trois cinquièmes du trafic, l'emporte nettement sur le flux messin. A Reding les proportions sont les mêmes, pour aboutir à un trafic globalement moins fort sur le tronc commun aboutissant à Strasbourg, avec un peu plus de 11 000 voyageurs. Parmi la douzaine de rapides et express circulant dans chaque sens, en moyenne quotidienne, certains sont célèbres, comme les EC à parcours international, "Mozart", "Gœthe" entre autres ou "l'Orient-Express" qui circule de nuit. Par ailleurs, les trains les plus rapides relient Paris et Strasbourg en 3 h 49.

Au plan du fret la structure du trafic est un peu différente. Certes, de bout en bout, les tonnages acheminés sont très volumineux, atteignant les deux sens réunis et en moyenne journalière plus de 40 000 tonnes entre Châlons-sur-Marne et Blesme. Mais si, comme pour les voyageurs, l'attraction de la capitale s'exerce, celle du bassin industriel lorrain, malgré les difficultés économiques récentes et le déclin accentué de la sidérurgie, reste très marquée : à Lérouville et Reding ce ne sont pas les sections de la radiale de Strasbourg qui cette fois l'emportent, mais les artères la reliant à Metz avec respectivement les trois cinquièmes et les deux-tiers des tonnages massifs qui se retrouvent sur les troncs communs. Par ailleurs le rôle joué par sa production lourde est tel que non seulement les flux qui circulent sur les diverses lignes en relation avec la Lorraine industrielle sont denses, mais encore que les tonnages expédiés l'emportent à chaque fois sur les tonnages reçus avec par exemple près des deux tiers du trafic total entre Metz et Lérouville.

L'axe Paris-Strasbourg assume donc des fonctions complexes et diversifiées ; c'est ainsi qu'à Epernay il donne naissance à une radiale diffluente.

Aux limites de l'Ile-de-France, l'axe Paris-Strasbourg aura connu un quadruplement éphémère au droit de la déviation de Chalifert, mais, pour réserver une éventuelle mise à quatre voies, l'ancien tracé ne sera pas aliéné.

L'artère Epernay-Charleville-Mézières

Cette ligne présente plusieurs originalités. De faible longueur (116 kilomètres) elle court le plus souvent dans des régions de topographie calme, à travers la plaine champenoise au nord-est de Reims en particulier ; mais quelques difficultés apparaissent au nord, au contact du massif ardennois et surtout au sud, lors du franchissement de la barre calcaire de la Montagne de Reims : aussi a-t-il fallu creuser le long tunnel de Rilly (3 441 mètres). Par ailleurs l'équipement n'est pas homogène : entre Reims et Charleville-Mézières l'électrification, en courant 25 000 volts, le Block Automatique Lumineux puis le Block Manuel Unifié procurent à la double voie une capacité de transport satisfaisante. La section Epernay-Reims (31 kilomètres), elle, également électrifiée, ne possède plus qu'une seule voie à partir d'Ay ; mais la présence de quatre points de croisement franchissables à 120 km/h, le B.A.L. et surtout la commande centralisée de la circulation permettent l'acheminement dans des conditions convenables de 53 trains, en moyenne quotidienne et les deux sens réunis. D'où un paradoxe apparent puisqu'au-delà de Reims la ligne, à double voie, ne supporte qu'un flux de 35 circulations. Il faut dire que le report sur l'itinéraire électrifié Epernay-Reims de l'ensemble du trafic radial a parallèlement entraîné l'assèchement de l'essentiel de l'activité de la ligne directe Trilport-Reims, tracée dans la vallée de l'Ourcq par la Ferté-Milon et qui n'achemine plus qu'un trafic local.

Jamais énorme, le trafic se caractérise par la superposition de plusieurs courants, presque tous nés dans la capitale. Renforcée entre Paris et Reims la trame des express et rapides, se compose de 5 mouvements de chaque sens jusqu'à Charleville-le-Mézières ; au-delà, deux trains, qui empruntent alors la grande transversale Nord-Est, poursuivent leur route jusqu'à Longwy et Luxembourg ; ainsi cette artère, par son prolongement, joue-t-elle un rôle international, même si les courants sont de densité très modérée, avec par exemple moins de 3 000 voyageurs entre Reims et Charleville. Au plan du transport des marchandises, les flux dominants s'écoulent entre la Lorraine métallurgique et la région parisienne : intégralement électrifié, cet itinéraire soulage ainsi celui, plus direct, tracé par Lérouville. Cela explique les 8 000 tonnes quotidiennes, les deux sens réunis, qui s'écoulent entre Charleville et Reims. Près de Charleville-Mézières, à Mohon, un raccordement direct permet d'éviter le rebroussement des trains circulant entre la radiale et la transversale.

La ligne Paris-Mulhouse-Bâle : une radiale en demi teinte

Intéressant, le rôle joué par cette autre grande radiale est moins spectaculaire que celui de la ligne Paris-Strasbourg.
Avec 492 kilomètres de Paris à Mulhouse et 526 kilomètres de la capitale à Bâle, cet axe se développe sur une longueur comparable à celle de la relation Paris-Strasbourg.

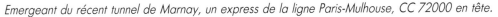

Emergeant du récent tunnel de Marnay, un express de la ligne Paris-Mulhouse, CC 72000 en tête.

Au départ de Paris-Est, les trains de la ligne de Troyes-Chaumont-Mulhouse constituent désormais les derniers convois en traction diesel qui subsistent.

Sur la partie initiale du trajet, le tracé et le profil sont de qualité : après avoir traversé le plateau de Brie, la voie ferrée, à Flamboin-Gouaix, rejoint la vallée de la Seine qu'elle remonte jusqu'à Troyes. Elle s'élève ensuite en Champagne humide, emprunte à partir de Chaumont et jusqu'à Langres la haute vallée de la Marne. Mais ensuite apparaissent des difficultés plus fortes avec la traversée accidentée du plateau de Langres, château d'eau d'où coulent des rivières aux vallées étroites et sinueuses qui s'élancent dans toutes les directions : aussi jusqu'aux abords de Vesoul et Lure la voie ferrée est-elle tourmentée, avec de nombreuses déclivités – qui ne dépassent d'ailleurs pas 6 mm/m – et plusieurs tunnels. Issue du bassin de la Seine, elle franchit alors deux lignes de partage des eaux, entre bassins de la Seine et de la Saône, de la Saône et du Rhin ! Le secteur terminal, en revanche, est favorable puisque tout naturellement l'axe ferroviaire s'engouffre dans la trouée de Belfort, entre les hauteurs du Jura et des Vosges, pour atteindre le sud de la plaine d'Alsace à Mulhouse et les rives du Rhin à Bâle.

A double voie, cette artère Paris-Bâle, modernisée au cours des années 70, ne bénéficie toutefois pas d'un équipement homogène. En effet elle est exploitée en traction diesel dans la mesure où, en dehors de la banlieue parisienne, seul le tronçon Belfort-Bâle, commun à plusieurs courants, se trouve électrifié. Au plan de la signalisation, le block automatique lumineux n'équipe pas la totalité du parcours de Paris à Belfort ; c'est ainsi que la section Jussey-Belfort conserve le block manuel unifié.

C'est que le trafic acheminé est très inférieur à celui des radiales de Strasbourg ou de Lille : les régions desservies sont beaucoup moins peuplées, avec l'absence de grande métropole, les foyers industriels plus rares et d'ampleur très limitée. De plus, pour des raisons de rentabilité, c'est par Strasbourg et Nancy ou par Dijon, c'est-à-dire sur des itinéraires électrifiés, que circulent les flux de marchandises entre Alsace et région parisienne. Les chiffres sont éloquents : sauf sur les troncs communs Chaumont-Culmont-Chalindrey et Belfort-Mulhouse-Bâle, jamais le nombre quotidien moyen de trains, les deux sens réunis, ne dépasse sensiblement la cinquantaine, pour descendre à moins de 35 entre Port-d'Atelier et Vesoul. Alors que les tonnages transportés se situent entre 8 000 tonnes journalières, et 4 000 autour de Vesoul, les flux de voyageurs, eux aussi de moins en moins denses vers l'est, ne dépassent jamais nettement 6 000 personnes, sauf sur les troncs communs déjà cités. Il n'en est pas moins vrai que sur cette ligne roulent des rapides de qualité, au nombre de 6 en moyenne dans chaque sens entre Paris et Mulhouse, dont certains sont prestigieux, comme "l'Arbalète" ou "l'Arlberg-Express" : la desserte des grandes villes du nord de la Suisse, et de plusieurs capitales danubiennes, confère à cet axe une vocation internationale.

L'axe lourd Paris-Lyon avec ses quatre voies à la traversée de l'Yonne.

PARIS-LYON-MÉDITERRANÉE : L'AXE MAJEUR DU RÉSEAU

Entre la capitale et Marseille jamais le nombre total de trains circulant en moyenne journalière, les deux sens réunis, ne tombe au dessous de 200. Toujours énormes, les flux atteignent sur les sections les plus chargées 50 000 tonnes de marchandises, 65 000 voyageurs : cette artère, la première sillonnée par les TGV s'impose non seulement comme la plus importante de France, mais aussi comme l'un des axes ferroviaires essentiels de l'Europe occidentale. De très grande longueur puisque Lyon, Marseille et Vintimille se situent respectivement à 511, 862 et 1 121 kilomètres de la gare de Paris-Lyon, elle se compose de quatre sections bien individualisées aussi bien par les paysages traversés que par la nature du tracé et des infrastructures.

Par ailleurs, depuis une décennie, la mise en service des TGV et de leur ligne nouvelle bouleverse les conditions générales de l'acheminement du trafic.

La section Paris-Dijon : d'un grand bassin hydrographique à un autre

Longue de 314 kilomètres, la ligne classique Paris-Dijon peut se diviser en deux sections tout à fait différentes. Jusqu'aux abords de Montbard, la voie ferrée a la chance de pouvoir remonter une succession de vallées, où coulent la Seine jusqu'à Montereau, l'Yonne jusqu'à Laroche-Migennes, l'Armançon jusqu'à Montbard, la Brenne au-delà. Mais ces couloirs, qui se rapprochent sans cesse des marges sud-orientales du Bassin Parisien et des hauteurs qui le séparent du sillon rhodanien, sont de plus en plus étroits et en pente de plus en plus marquée. Aussi, après Montbard, les derniers 70 kilomètres du tracé sont-ils particulièrement difficiles pour une ligne à grand trafic, puisqu'il faut franchir une dorsale continue de près de 600 mètres d'altitude, correspondant aux confins méridionaux du plateau de Langres et marquant la ligne de partage des eaux entre Manche et Méditerranée. Le basculement d'un bassin dans l'autre s'effectue à proximité immédiate du tunnel de Blaisy-Bas, long de 4 100 mètres, vers lequel montent deux longues rampes de sens contraire, dont le développement global atteint près de 60 kilomètres, avec 25 kilomètres en pente de 8 mm/m.

Au plan de l'équipement, cette grande artère Paris-Dijon est remarquable moins par son électrification, réalisée dès 1950 en 1 500 volts, et par sa dotation en block automatique lumineux, que par le nombre et l'utilisation des voies. En effet, après Montereau, où se rejoignent les deux itinéraires tracés par Moret et Héricy, la ligne est quadruplée jusqu'à Saint-Florentin (1), les voies en principe réservées aux trains les plus lents encadrant les voies rapides, avec de nombreuses possibilités de report de trafic des unes sur les autres. Cette disposition est reprise plus loin, entre Les Laumes-Alésia et Blaisy-Bas, là où la forte déclivité posait au temps de la vapeur de délicats problèmes. En revanche, entre Tonnerre et Les Laumes ainsi qu'entre Blaisy-Bas et Dijon, c'est la solution de la banalisation des deux voies qui a été choisie et mise en œuvre à partir de 1950 : commandés à distance depuis le PC de Dijon, signaux et appareils de voie permettent en toute sécurité l'utilisation de chaque voie dans les deux sens, en pleine vitesse, en fonction des impératifs du trafic. Cette pratique, qui a évité de lourds et coûteux travaux en milieu accidenté, en particulier entre Blaisy-Bas et Dijon, est d'autant plus intéressante qu'entre Paris et la capitale bourguignonne les trains de voyageurs ou de marchandises sont souvent regroupés en batteries : ils circulent alors dans le même sens sur chacune des deux voies, autrement dit dans les mêmes conditions que sur les deux voies de même direction d'un tronçon quadruplé. Il faut la mise en œuvre de l'ensemble de ces dispositions pour écouler un trafic considérable qui oscille, en moyenne quotidienne et les deux sens réunis, entre 160 et près de 200 trains, avec une légère majorité de convois de marchandises ; ce sont les sections extrêmes qui sont les plus chargées, sans surprise au nord ouest de Laroche-Migennes avec l'impact de la région parisienne et, entre Aisy et Dijon, en raison de l'apport des TGV provenant de la ligne nouvelle par le raccordement de Pasilly. A postériori se vérifie largement le bien fondé de la construction de la ligne nouvelle TGV, qui a évité à l'artère classique l'engorgement et même l'asphyxie. Très différent se révèle le tronçon Dijon-Lyon.

La section Dijon-Lyon : à travers les plaines de la Saône

Après un coude très marqué inscrit dans le nœud dijonnais lui-même, l'axe Paris-Lyon file droit vers le sud. Les 196 kilomètres qui séparent les deux grandes villes offrent de remarquables caractéristiques de tracé et de profil, dans la mesure où la voie ferrée, tracée sur la rive droite de la Saône, ne s'éloigne jamais beaucoup du fleuve après qu'elle l'ait rejoint à Chalon-sur-Saône. Dominée à l'ouest par les hauteurs de la Côte-d'Or puis des collines du Charolais et du Beaujolais elle comporte de longs alignements, des courbes de très grand rayon, des rampes rares et de faible taux. Si aucune section n'est quadruplée, de nombreux garages à entrée directe fluidifient un trafic très lourd, de l'ordre de 160 à 220 trains en

moyenne quotidienne, les deux sens réunis. Le débit le plus important est constaté entre Dijon et Chagny, où la ligne Paris-Lyon supporte les flux qui circulent sur l'artère de Montchanin et du Creusot.

La section Lyon-Marseille : l'utilisation intensive du couloir rhodanien

Au sud de Lyon, et jusqu'à la grande cité phocéenne, sur 351 kilomètres, le tracé de la grande artère du PLM ne présente pas de difficulté majeure. Elle court en effet dans le couloir qui permet au Rhône de se frayer un passage entre les contreforts orientaux du Massif Central, comme les monts du Lyonnais ou du Vivarais, et les avant postes occidentaux des Alpes, hauteurs du Vercors et des Baronnies entre autres. La largeur de ce corridor est très inégale : épanoui et à la limite orientale peu marquée entre Vienne et Valence, il ne compte que quelques centaines de mètres dans le défilé de Donzère, où en raison de nombreuses courbes et contre courbes la vitesse des trains ne peut atteindre les 160 kilomètres/heure couramment autorisés sur la "ligne impériale". Très rares là aussi, les déclivités ne dépassent jamais le taux, très modéré de 5 mm/m.

Le paysage s'élargit au sud d'Avignon, avec la rencontre des plaines du Bas-Languedoc, de la Camargue et de la Crau, traversées par les deux principales branches du delta du Rhône. Absence de pentes notables, splendides alignements caractérisent alors le tracé de la voie ferrée avec, en vedette, la ligne droite qui relie Arles et Miramas à travers la Crau (2). La ligne, après avoir contourné par le nord l'étang de Berre, traverse le chaînon calcaire de l'Estaque, juste avant de pénétrer dans l'agglomération marseillaise, grâce au tunnel de la Nerthe qui, avec 4 630 mètres, est le plus long souterrain à double voie foré intégralement en territoire français.

Entre les seconde et troisième ville française, la disposition des voies ferrées est originale. En effet la carte montre que, de bout en bout, deux lignes à double voie, indépendantes, relient Lyon à Marseille. Alors que l'axe principal, jalonné par les villes de Vienne, Valence, Avignon, Tarascon et Arles est tracé sur la seule rive gauche du fleuve, une artère de dédoublement, distincte, la suit sur l'autre rive du fleuve, desservant les gares de Tournon, La Voulte et du Teil ; elle offre dans sa portion terminale deux particularités : d'abord elle recoupe à deux reprises, à Avignon et à Miramas, la ligne principale ; ensuite, si elle est dotée comme elle de l'électrification en 1 500 volts et du block automatique lumineux, ce n'est pas sur la totalité de son parcours puisque la courte section terminale Lavalduc-l'Estaque ne possède ni caténaires ni signaux lumineux. Ce court tronçon en effet n'accueille pas un trafic important, en raison de la contrainte constituée par la travée tournante du viaduc de Caronte, et de la concentration sur le triage de Miramas de la totalité du trafic des complexes de Fos, Port-de-Bouc et Martigues. Alors que la présence de deux lignes autorise un débit important, la capacité globale de ce corridor ferroviaire essentiel est renforcée par de nombreuses voies de garage à entrée directe, sur l'axe de la rive gauche

---

(1) L'itinéraire Paris-Saint-Florentin (172 kilomètres) constitue donc et de loin, la plus longue ligne quadruplée du réseau puisque dotée de 6 voies jusqu'à Villeneuve-Saint-Georges, d'un quadruplement classique jusqu'à Melun et après Montereau de deux artères à double voie chacune entre Melun et Montereau.

(2) En raison de la violence du mistral, au temps du PLM, des haies de conifères avaient été plantées le long de la ligne afin de ménager le matériel roulant et de lutter contre le vent qui freinait les locomotives à vapeur fonçant vers la vallée du Rhône.

A Tarascon, la ligne ancienne du "PLM" accueille toujours les TGV Paris-Marseille et Montpellier dans l'attente du prolongement de la ligne à grande vitesse au sud de Valence.

en particulier ; parfois, comme à Saint-Rambert-d'Albon, ce sont des faisceaux composés de plusieurs voies qui permettent une régulation satisfaisante des flux, en dégageant la ligne à l'approche de trains rapides.

Ainsi peut s'écouler un flot quotidien, les deux sens réunis, de 230 à 250 convois : plus de 70% roulent sur la ligne de la rive gauche qui accueille la quasi totalité des trains de voyageurs, alors que l'artère tracée sur l'autre rive se spécialise dans l'acheminement du trafic de marchandises, des trains lourds surtout.

La section Marseille-Vintimille : une ligne difficile

Il est paradoxal que le tronçon Marseille-Vintimille présente un profil et un tracé beaucoup plus dur que celui des sections précédentes, dans la mesure où elle ne s'écarte jamais beaucoup du littoral. C'est que la côte méditerranéenne à l'est de Marseille est presque toujours accidentée, avec des secteurs quasiment infranchissables pour une voie ferrée, comme celui des célèbres calanques non loin de la métropole phocéenne. Jusqu'à la baie de Cannes les massifs de Saint-Cyr, de la Sainte-Baume, des Maures et de l'Esterel sont proches de la mer ou la dominent directement ; pour des raisons d'ordre historique, la dépression ouest-est de l'Arc et de l'Argens, entre Aix et Fréjus, qui accueille la Nationale 7 et l'autoroute "La Proven-

çale", a été délaissée par la grande voie ferrée du PLM, établie par Marseille et Toulon. A l'est de Cannes, et jusqu'à la frontière, la ligne doit se frayer un passage parfois ardu entre un rivage très découpé, souvent rocheux, et les escarpements des Alpes méridionales qui plongent parfois directement dans la mer. Aussi tracé et profil sont-ils le plus souvent difficiles ; ils se caractérisent par d'innombrables courbes, fréquemment de faible rayon sur la Côte d'Azur elle-même, et par des déclivités marquées : de multiples rampes entre Marseille et Saint-Raphaël, par exemple, atteignent le taux de 8 mm/m. Sur la Côte d'Azur, à l'est de Saint-Raphaël, le taux de 6 mm/m est souvent atteint ; il culmine à 8 mm/m entre Menton et Vintimille ! Même courtes elles n'en posaient pas moins des problèmes au temps de la vapeur. Nombreux également sont les ouvrages d'art, comme l'altier viaduc d'Anthéor, entre Saint-Raphaël et Cannes, ou des tunnels, souvent de faible longueur sur la Côte d'Azur, mais parfois longs comme celui du Mussuguet (2 625 m), entre Marseille et Toulon.

Il est aisé de comprendre que l'électrification de cette ligne, réalisée en courant 25 000 volts avant 1970, ait apporté une notable amélioration de l'exploitation, comme l'installation du block automatique lumineux. Moins dense qu'au nord de Marseille, le débit quotidien n'en est pas moins important, avec un nombre de trains, les deux sens réunis, proche de la centaine et atteignant les 130 circulations entre Marseille et

A partir de Saint-Raphaël, et jusqu'à la frontière italienne, la ligne de la Riviera longe de près la Méditerranée, comme ici, à Juan-les-Pins.

Toulon, entre Cannes et Nice ; les convois de voyageurs sont très nettement majoritaires puisqu'ils représentent au moins les trois quarts du trafic.

De tout temps l'axe Paris-Lyon-Marseille-Vintimille, au rôle capital, a donc bénéficié d'un équipement lourd et perfectionné. Or, depuis une dizaine d'années le TGV a amené un enrichissement de la structure ferroviaire du corridor.

La ligne nouvelle du TGV

Après la mise en service de la section Saint-Florentin à Sathonay en 1981, celle du tronçon Combs-la-Ville-Saint-Florentin en 1983 a permis d'inaugurer l'intégralité de la ligne nouvelle Paris-Lyon, exclusivement réservée aux TGV

Pourquoi cet axe ? Il s'agissait de lutter efficacement contre la saturation de l'artère classique, tracée par Dijon, très proche parfois de l'asphyxie, tout en permettant, grâce à des rames automotrices articulées capables de dépasser largement les 200 km/h, de réaliser des performances impossibles jusque-là. Longue de 390 kilomètres, ce qui ramène le développement total de l'itinéraire Paris-Lyon à 426 kilomètres, en raison de la suppression du coude formé par le tracé établi par Dijon (512 kilomètres), cette ligne était révolutionnaire à plusieurs points de vue. Construite à l'écart des zones peuplées – et donc le plus souvent des vallées – elle adopte un tracé très fréquemment rectiligne, au prix de rampes très sévères pou-

vant atteindre 35 mm/m dans la traversée du Morvan en particulier, mais très supportables pour un matériel moteur très puissant eu égard au poids des rames. Rares, les courbes sont toutes de grand rayon, d'au moins 4 000 mètres. En l'absence de tunnel, la ligne n'en compte pas moins d'impressionnants remblais ou tranchées, et plus de 500 ponts ou viaducs.

L'équipement technologique est bien sûr de très haut niveau. Electrifiées en courant 25 000 volts, les deux voies sont banalisées, reliées par des aiguillages de très grand rayon de courbure qui peuvent être franchis en voie déviée à grande vitesse, à 160 ou même 220 km/heure. La signalisation, de type block automatique, très sûre, se manifeste dans les cabines de conduite et non sur le bord de la ligne ; comme les appareils de voie, elle est totalement contrôlée par le PAR (Poste d'Aiguillage et de Régulation), installé à Paris-Lyon. Non seulement la sécurité mais encore la meilleure fluidité du trafic sont garanties par cette commande centralisée de la totalité de la circulation. Cette dernière s'est révélée immédiatement considérable. Actuellement, en moyenne quotidienne et les deux sens réunis, elle représente un flot de près de 120 rames entre la bifurcation de Lieusaint, où naît la ligne nouvelle, et Pasilly, origine d'un embranchement vers Dijon, pour frôler les 100 trains entre Pasilly et Mâcon, et se situer au-dessus des 70 mouvements ensuite, après la perte du flux desservant Genève et la Savoie.

La ligne nouvelle Paris-Sud-Est : ci-dessus, la partie en service entre Paris et Lyon et ci-dessous, son prolongement au sud de Saint-Quentin-Fallavier ; en février 1993, on y pose les voies à la traversée de la Drôme.

Parcourue dès l'origine à 260 puis à 270 km/h, cette artère TGV assure un trajet d'une durée de deux heures seulement entre Paris et Lyon. Aussi son succès a-t-il été immédiat, entraînant très rapidement la question de son prolongement vers le sud, en raison de l'impossibilité de faire circuler à 270 ou 300 km/h des TGV sur les voies existantes, de toutes manières déjà saturées.

La première réponse a consisté dans la décision de construire une ligne contournant Lyon par l'est. Longue de 115 kilomètres, équipée suivant les normes TGV, totalement opérationnelle en 1994, elle permettra d'abord aux TGV se dirigeant vers Marseille, Nice et Montpellier, de gagner 30 mn et d'éviter le complexe et encombré carrefour ferroviaire lyonnais, et de ne rejoindre l'axe classique qu'à proximité de Valence ; de plus elle va assurer une excellente desserte de l'aéroport international de Lyon-Satolas et améliorer celle de Grenoble, de Chambéry et des stations alpines de sports d'hiver.

Au sud de Valence, et alors que le principe de l'aménagement d'une ligne nouvelle jusqu'aux rives de la Méditerranée est adopté, le choix du tracé définitif est difficile, pour deux raisons : dans la vallée du Rhône-même, l'étroitesse du couloir et les reliefs souvent escarpés qui le dominent vont imposer d'importants et coûteux travaux ; au sud d'Orange les problèmes sont surtout d'ordre psychologique et politique, dans la mesure où l'axe nouveau doit traverser une région peuplée, à l'agriculture souvent intensive et parfois fragile, et des sites splendides et prestigieux. L'idée maîtresse consiste à créer non loin d'Aix-en-Provence une bifurcation où se sépareront un embranchement aboutissant à Marseille et la ligne qui, par la dépression de l'Arc et de l'Argens, rejoindra l'artère classique près de Fréjus.

Lorsque la liaison par un axe nouveau réservé aux TGV sera mise en service entre Valence et la Méditerranée, l'infrastructure ferroviaire dans le couloir rhodanien sera impressionnante, avec 3 lignes à double voie, remarquablement équipées. D'ores et déjà, entre Paris et Lyon, la trame est de très haut niveau, avec l'artère classique souvent quadruplée ou bénéficiant de la banalisation des voies, et l'axe TGV. Ils sont à la mesure d'un trafic énorme dont le nombre de trains par grande section a donné une première image, mais qu'il faut maintenant préciser.

L'ampleur d'un trafic des voyageurs à grande distance

Même s'il tend à diminuer de densité en s'éloignant de la capitale, le flux des voyageurs reste toujours considérable. Il se caractérise par la prédominance écrasante de courants de transport de très grande amplitude, entre Paris d'une part, Lyon, Marseille, Nice et l'ensemble de la Côte d'Azur de l'autre ; des ponctions sont effectuées à Dijon, Lyon et Tarascon au profit de lignes diffluentes très souvent importantes. C'est ainsi que le service des express et rapides est placé sous le signe de la dualité : entre Paris et Nice coexistence des trains classiques et des TGV, prédominance des circulations diurnes mais maintien, en raison de la longueur des parcours, de nombreux trains de nuit ; entre Paris et Lyon existence de deux axes différents, la ligne classique et celle du TGV.

Grâce à ces derniers, les temps de parcours ont été remarquablement raccourcis, ramenés à 2 heures entre Paris et Lyon, à 4 h 40 entre la capitale et Marseille, à 7 heures entre Paris et Nice. La fréquence des dessertes est elle aussi sensiblement améliorée, avec près de 30, 15 et 6 trains en moyenne par sens les jours ouvrables entre la capitale et respectivement Lyon, Marseille et Nice. Sauf en période nocturne les TGV accaparent la majeure partie du trafic.

Pour l'acheminement des flux de voyageurs la ligne nouvelle l'emporte nettement entre Paris et Lyon puisque, les deux sens réunis et en moyenne quotidienne, elle voit passer entre 50 et 30 000 voyageurs ; les dérivations TGV à Pasilly vers Dijon, à Mâcon vers la Savoie n'amputent pas de manière décisive ce flot impressionnant. Mais l'artère classique n'en continue pas moins de jouer un rôle notable puisqu'entre Paris et Dijon elle accueille 13 à 14 000 personnes environ, 20 000 après Aisy où surgissent les TGV ; au sud de Dijon les flux se stabilisent autour de 15 000 voyageurs. Le fait qu'entre Laroche-Migennes et Saint-Florentin, entre Chalon et Mâcon roulent en moyenne journalière, les deux sens réunis, 70 trains classiques, montre à l'évidence que les TGV n'ont pas tué ces derniers, qui continuent d'occuper de larges créneaux, la nuit entre autres : la ligne nouvelle a généré de tels courants que les deux axes, complémentaires, sont également indispensables.

Au sud de Lyon, les flux sont acheminés, sauf incident, uniquement par l'artère noble de la rive gauche du Rhône. S'ils sont moins importants, ils représentent tout de même plus de 30 000 voyageurs par jour en moyenne, les deux sens réunis. Alors qu'à Valence l'apport de la ligne de Grenoble est limité (un peu plus de 3 000 voyageurs), à Tarascon, gare de bifurcation capitale à la jonction de l'axe Paris-Marseille et de la grande transversale sud provenant de Bordeaux et Toulouse, les courants sont profondément remaniés : les près de 20 000 voyageurs qui circulent sur cette transversale essentielle se répartissent de manière assez équilibrée en direction ou en provenance, soit de Lyon et Paris, soit de Marseille et Nice ; comme le premier type de flux l'emporte, le trafic de la radiale est un peu moins lourd au sud de Tarascon qu'au nord, avec près de 28 000 voyageurs tout de même.

A l'est de Marseille le trafic des voyageurs sur la ligne de Nice et Vintimille reste considérable. Mais d'abord il est moins élevé, n'atteignant jamais 20 000 voyageurs, et ensuite il tend à diminuer régulièrement à l'approche de la frontière italienne ; en effet les courants au départ ou à l'arrivée, à Toulon ou dans les villes de la Côte d'Azur, s'établissent avant tout avec Marseille, Lyon et surtout la capitale. Toujours est-il que les trains express et rapides transportent en moyenne quotidienne, les deux sens réunis, plus de 10 000 voyageurs entre Cannes et Nice, plus de 4 000 entre Nice et Vintimille.

Sur l'ensemble de l'axe majeur Paris-Marseille-Vintimille la structure de l'acheminement des marchandises offre des analogies mais aussi quelques différences.

La massivité du trafic des marchandises

La principale similitude réside dans le volume des courants et leur amplitude géographique. En effet, les 40 000 tonnes transportées quotidiennement, les deux sens réunis, ne sont atteintes ou dépassées ailleurs, à l'échelle de l'ensemble du réseau, que sur des sections de longueur limitée comme certains secteurs de la transversale nord-est et de l'axe Paris-Strasbourg, sur le tronc commun Paris-Les Aubrais, et sur la partie orientale de la Grande Ceinture parisienne. Or, si de bout en bout le trafic est important entre Paris et Nice, il dépasse ces 40 000 tonnes entre Chagny et Lyon pour approcher les 50 000 tonnes entre Avignon et Marseille, les atteindre ou les dépasser entre Dijon et Chagny, entre Lyon et Avignon.

Se perçoit dès lors une distorsion très nette avec la répartition du courant des voyageurs, qui lui s'épaissit sans cesse depuis Vintimille en s'approchant de la capitale : le trafic des marchandises entre la capitale et les régions rhodaniennes ou méditerranéennes est considérable, avec près de 35 000 tonnes transportées en moyenne quotidienne, les deux sens réunis, entre Paris et Dijon. Mais au niveau du carrefour bourguignon l'axe radial reçoit un renfort de taille avec les flux qui circulent sur l'artère Nancy-Dijon, c'est-à-dire entre la Lorraine sidérurgique et la France du sud-est et dont l'ordre de grandeur est le même. Par ailleurs, la ligne Belfort-Besançon-Dijon, dont le trafic est de l'ordre de 12 000 tonnes environ, contribue à alimenter, elle aussi, l'activité de l'artère Dijon-Lyon-Marseille, qu'elle met en relation avec les régions rhénanes. Aussi, au sud de Dijon, se développe un tronc commun rassemblant ces courants à destination ou en provenance du centre du Bassin Parisien, de la France du nord et du nord-est et de l'Europe rhénane. Ainsi les flux sont-ils très compacts jusqu'à l'approche de Marseille. Mais quelques nuances peuvent être apportées : comme pour les voyageurs, la greffe de la transversale sud implique des modifications structurelles puisque les 28 000 tonnes qu'elle transporte au niveau de Nîmes sont dirigées un peu plus vers la vallée du Rhône, ou en proviennent, que vers ou depuis Marseille. Par ailleurs l'impact de la production industrielle lorraine explique qu'entre Dijon et Lyon le courant nord-sud soit légèrement plus fort (près de 55% des flux) ; en revanche au sud de Lyon le poids des importations du grand complexe Marseille-Fos, des produits pétroliers, chimiques et sidérurgiques entre autres, justifie la prépondérance du flux sud-nord (près de 60% des flux). Dans le même ordre d'idées la faiblesse relative de l'industrialisation à l'est de Marseille génère un trafic ferroviaire de marchandises beaucoup moins important que celui des voyageurs, très nettement dominé par les arrivages induits par les besoins de la forte population de la région.

Au plan technique l'acheminement des tonnages présente quelques particularités, avec l'utilisation systématique de lignes de dédoublement. Ainsi, au sud de Dijon, la majorité du trafic lié à la Savoie et à l'Italie, afin de soulager l'artère maîtresse, emprunte-t-elle jusqu'à Ambérieu la ligne de la Bresse tracée par Saint-Jean-de-Losne. Plus nettement, au sud de Lyon, sont utilisées à plein les possibilités offertes par la ligne de la rive droite du Rhône, où circulent près des deux tiers des tonnages ; mais afin de fluidifier le mieux possible le trafic, les trains de fret les plus rapides roulent de préférence sur la ligne de la rive gauche. De même, entre Avignon et Miramas, le rôle joué par l'itinéraire établi par Cavaillon est essentiel, puisqu'il supporte un trafic de marchandises presque égal à celui de l'axe noble tracé par Tarascon et Arles. De ce corridor ferroviaire essentiel qui relie Paris à la Méditerranée se détachent plusieurs radiales, de nature fort différente.

Sur la ligne ancienne Paris-Lyon, un train de fret à Pont-sur-Yonne.

Sur la déviation de Saint-Pierre-le-Moutier, un Clermont-Ferrand-Paris, "Sybic" en tête.

LES RADIALES DIFFLUENTES DE L'AXE PARIS-MARSEILLE

En gare de Paris-Lyon se côtoient des trains qui s'apprêtent à s'élancer vers Marseille ou Nice, mais aussi vers Vallorbe et Lausanne, Chambéry et Modane, vers Clermont-Ferrand.

La ligne du Bourbonnais et de l'Auvergne

C'est à Moret, à 67 kilomètres de la gare de Lyon, que l'axe Paris-Clermont-Ferrand se détache de la ligne de Marseille. Longue de 419 kilomètres, cette artère de direction à peu près méridienne, dotée de la double voie, bénéficie de nombreux atouts. D'abord son tracé et son profil sont très favorables puisqu'à travers les plaines du Gâtinais elle peut remonter la douce vallée du Loing ; de Gien à Nevers s'offre à elle le couloir de la Loire, puis jusqu'à Vichy celui de l'Allier ; la section terminale, qui court à travers la plaine de Limagne, se révèle elle aussi sans problème majeur ; aussi les déclivités sont-elles rares et, sauf quelques exceptions près de Clermont-Ferrand, peu accentuées. Par ailleurs l'équipement est de qualité, grâce à l'électrification récente en courant 1 500 volts jusqu'à Montargis, en 25 000 volts au-delà, et à l'installation du block automatique lumineux sur la plus grande partie du parcours, le tronçon Montargis-Nevers étant, lui, doté du Block Automatique à Permissivité Restreinte.

Desservant des régions surtout agricoles où en dehors de l'agglomération clermontoise l'industrie est peu représentée, cette ligne supporte un trafic modéré : entre Montargis et Nevers le nombre moyen de trains, les deux sens réunis, n'est de l'ordre que de la quarantaine ; au sud de Nevers l'activité est plus intense dans la mesure où la radiale, jusqu'à l'importante gare de bifurcation de Saint-Germain-des-Fossés, se trouve en tronc commun avec la grande transversale Nantes-Lyon : le nombre de convois dépasse alors la soixantaine, avec toujours la prépondérance des trains de voyageurs.

Alors que sur ce tronc commun en moyenne quotidienne et les deux sens réunis le nombre de voyageurs se situe aux environs de 7 000, celui des tonnes transportées aux alentours de 5 000, le trafic en amont comme en aval est plus modéré. Les 4 500 à 5 000 voyageurs circulant entre Paris et Clermont bénéficient d'une trame d'une demi douzaine de trains dans chaque sens, effectuant le trajet en près de trois heures trente. Depuis l'électrification, le trafic des marchandises entre Saint-Germain-des-Fossés et Riom a déserté l'itinéraire tracé par Gannat (1) et emprunte la ligne directe par Vichy.

C'est beaucoup plus loin de Paris, à Dijon, que naissent deux autres radiales également diffluentes.

---

(1) Aussi depuis 1991 la section Gannat-Riom se retrouve-t-elle à voie unique.

Dijon-Vallorbe : à la traversée du Jura, cette ligne peut parfois endurer des conditions hivernales difficiles, les années où il neige.

La ligne Dijon-Vallorbe

L'artère Dijon-Vallorbe ne peut en aucun cas faire partie des axes majeurs du réseau : au-delà de Dole, qui marque la fin d'un tronc commun aux itinéraires Dijon-Besançon-Belfort et Dijon-Vallorbe, le nombre des voyageurs acheminés en moyenne quotidienne, les deux sens réunis, ne dépasse pas 4 500, tandis que le trafic des marchandises plafonne à 3 700 tonnes. Pourtant, cette ligne est intéressante par sa vocation internationale puisqu'elle relie Paris à Lausanne, Milan, Venise, Belgrade : même amputée du mot "Orient", si prestigieux, la dénomination "Simplon-Express" peut encore faire rêver ; au total ce sont 6 à 7 rapides dans chaque sens (dont des TGV) qui, près de Vallorbe, franchissent la frontière. Le tracé de cette ligne est extrêmement contrasté ; de Dijon à Mouchard, elle traverse les plaines de la Saône et du Doubs ; mais, à la fin du très court tronc commun d'Arc-et-Senans à Mouchard, où elle se confond avec l'itinéraire de la transversale Strasbourg-Lyon, elle aborde sans transition la barrière escarpée que forme le rebord occidental du massif du Jura. La traversée de la montagne elle-même est difficile puisque la ligne doit couper perpendiculairement une série de chaînons parallèles ; aussi, le profil en long à l'est de Mouchard est-il très accidenté et très dur ; de nombreuses rampes qui atteignent le taux de 20 mm/m jalonnent le parcours, ainsi que de nombreux ouvrages d'art : le plus important est le tunnel frontalier du Mont-d'Or, long de 6 097 mètres, dont 5 110 mètres sur notre territoire. Rendue encore plus ardue par la rudesse de l'hiver dans une région élevée et éloignée

de toute influence maritime, l'exploitation a fait l'objet d'une modernisation poussée après 1955 : électrification, en courant de 25 000 volts, mise à voie unique de la section Dole-Vallorbe (1), mais avec block automatique lumineux et commande centralisée de la circulation depuis le "PC Jura" installé à Dijon (2). Ainsi les techniques modernes permettent-elles d'écouler un trafic international de volume non négligeable, sur une voie unique.

La ligne Dijon-Ambérieu-Chambéry-Modane

Un paradoxe réside dans le fait que cet axe, lui aussi international, moins prestigieux, supporte un trafic beaucoup plus important, surtout dans le domaine des marchandises.
Beaucoup plus longue (391 kilomètres de Dijon à Modane contre 145 de Dijon à Vallorbe), cette radiale traverse des contrées fort différentes. De Dijon à Ambérieu la plaine de la Bresse puis les confins du plateau des Dombes, n'offrent aucune difficulté ; mais après avoir longé le Revermont, premier contrefort du Jura, la voie ferrée doit traverser la chaîne ; elle profite de l'étroite et profonde cluse des Hôpitaux, au prix d'un tracé très tortueux. Après Culoz et le franchissement du

---

(1) La courte section du tronc commun Arc-et-Senans-Mouchard (6 kilomètres) a conservé sa double voie, comme le tronçon Boujailles-Frasne.

(2) La circulation en moyenne quotidienne, les deux sens réunis, d'une quarantaine de trains (entre Mouchard et Andelot), est ainsi assurée dans des conditions satisfaisantes.

Rhône, c'est le début de la pénétration du massif alpin ; compte tenu de l'altitude des sommets environnants celle-ci s'effectue dans des conditions satisfaisantes jusqu'à Saint-Pierre-d'Albigny, grâce à la topographie favorable de la cluse de Chambéry et de la vallée de l'Isère, de disposition orthogonale ; mais ensuite le profil, dans la vallée de la Maurienne suivie par l'Arc, devient de plus en plus difficile avec des rampes qui atteignent 30 mm/m entre Saint-Jean-de-Maurienne et la gare frontière de Modane, située à 1057 m d'altitude. Au-delà d'ailleurs la ligne grimpe encore, jusqu'au cœur du tunnel du Mont-Cenis ou du Fréjus, long de 13 657 mètres dont 6 867 mètres en territoire français.

Il n'est donc pas surprenant que pour faciliter une exploitation rendue encore plus délicate dans le massif montagneux par les risques d'éboulement, d'avalanche et d'inondation, que la Compagnie du PLM ait songé à l'électrification. Réalisée en courant 1 500 volts, par troisième rail, de Chambéry à Modane de 1925 à 1930 elle équipe désormais la totalité du parcours Dijon-Modane, avec substitution en 1976 des caténaires au troisième rail. Voies de garage, block automatique lumineux de bout en bout confèrent également à cet itinéraire international lourdement chargé un débit potentiel optimal. Si en moyenne quotidienne et les deux sens réunis, au moins 80 trains circulent sur chaque section, le débit réel atteint 155 circulations sur la section Ambérieu-Culoz, tronc commun à l'axe international et à la relation Lyon-Savoie-Genève, 160 entre Aix-les-Bains et Chambéry ; partout les convois de marchandises sont les plus nombreux, parfois très nettement puisque dans la Maurienne le rapport est du simple au triple en leur faveur. L'analyse des courants dominants fournit les éléments d'explication.

Jamais négligeable, le trafic des voyageurs de cet axe est géographiquement inégal : de Dijon à Modane circulent plusieurs rapides internationaux de nuit qui relient Paris à Turin, Rome, Naples auxquels s'ajoute à partir d'Ambérieu le courant Lyon-Italie : ils justifient entre Dijon et Bourg et dans la vallée de la Maurienne des flux de l'ordre de 3 000 voyageurs, les deux sens réunis. Mais entre Bourg-en-Bresse et Chambéry se superposent plusieurs courants, que l'étude régionale analysera ultérieurement, avec entre autres un fort impact des TGV qui abandonnent la ligne nouvelle à Mâcon et se dirigent vers Genève et Annecy : c'est ainsi qu'entre Bourg et Culoz le débit réel dépasse 15 000 voyageurs.

Or la densité du transport des marchandises sur l'ensemble de la ligne est proportionnellement beaucoup plus forte : si entre Ambérieu et Culoz se retrouve un paroxysme lié à l'addition de flux différents, qui se traduit par plus de 35 000 tonnes quotidiennes les deux sens réunis, jamais sur les autres sections le trafic ne descend en dessous de 24 000 tonnes. C'est que cet axe Dijon-Modane assure, et de loin, la plus forte partie des échanges ferroviaires entre la France et l'Italie qui, dans le cadre du marché européen, se développent sans cesse ; en raison du poids des exportations de céréales ou d'automobiles en particulier, le courant France-Italie représente plus des deux tiers du total du transit.

Aussi l'aménagement d'une liaison ferroviaire nouvelle entre Lyon et Turin, ouverte aux TGV, avec creusement d'un tunnel de base et dont le principe a été retenu en 1991, apportera-t-il un indispensable ballon d'oxygène à une liaison essentielle et en plein essor.

L'axe majeur de notre réseau, qui relie Paris à Lyon, Marseille et Nice, joue vraiment un rôle capital. Il dessert des régions peuplées et de grandes métropoles, des pôles industriels très actifs ; il voit également circuler des flux de type transversal, originaires de la France de l'est par exemple, qui le rejoignent à Dijon. Sa dimension internationale, d'ores et déjà assurée, ne peut que s'affirmer avec l'essor prévisible des TGV et de leurs lignes nouvelles vers l'Europe méditerranéenne.

Entre Culoz et Chambéry, un express longe le grand lac du Bourget.

PARIS-BORDEAUX-IRUN ET PARIS-TOULOUSE, RADIALES MAJEURES DU SUD-OUEST

Ces deux artères présentent de nombreuses analogies : de grande longueur, elles irriguent des régions à la fois vastes et relativement peu peuplées, où l'industrialisation n'est que très modérée ; elles atteignent deux des huit principales agglomérations françaises, et relient le cœur de notre pays à la péninsule ibérique. Mais chacune possède une personnalité affirmée, que l'arrivée du TGV, surtout en ce qui concerne l'axe Paris-Bordeaux, est d'ailleurs en train de modifier.

Jusqu'à la gare de bifurcation des Aubrais les deux grandes artères constituent un tronc commun de 119 kilomètres de développement. Après Etampes (56 kilomètres de Paris-Austerlitz), la rampe de Guillerval, longue de 10 kilomètres avec sur 6 kilomètres une pente de 8 mm/m, permet l'escalade du rebord du plateau de Beauce, parfaitement horizontal. Jusqu'en 1990 la section Etampes-Les Aubrais était l'une des plus chargées du réseau, avec plus de 230 trains en moyenne quotidienne les deux sens réunis, transportant 43 000 voyageurs et 48 000 tonnes de marchandises. Aussi son exploitation, malgré la présence des caténaires (alimentées en courant 1 500 volts) et du Block Automatique Lumineux se révélait-elle difficile : l'existence constante d'une troisième voie latérale et lente, soit paire soit impaire, ne procurait pas en effet les possibilités et la souplesse d'une voie centrale banalisée. Mais, comme entre Paris et Lyon, la mise en service en 1990 de la ligne nouvelle réservée aux TGV de la branche Aquitaine en particulier, a permis de soulager l'axe classique dont l'activité se situe tout de même maintenant au niveau de 195 trains quotidiens.

Au sud des Aubrais, chacune des deux artères de l'ancienne Compagnie du PO (Paris-Orléans) se retrouve autonome.

L'artère internationale Paris-Toulouse : aux confins du Sud-Ouest et du Massif Central

713 kilomètres séparent les gares de Paris-Austerlitz et de Toulouse-Matabiau. Entre la platitude de la Beauce et les bords de la Garonne les paysages se modifient profondément à plusieurs reprises, impliquant des caractéristiques de tracé et de profil fort différentes d'une région à l'autre. Deux secteurs calmes s'identifient nettement, d'abord au nord, depuis Orléans jusqu'à Argenton-sur-Creuse : de part et d'autre de la vallée du Cher et de Vierzon, la ligne traverse en effet la plaine verdoyante et humide de Sologne, puis celle aux larges horizons de la Champagne Berrichonne. Loin de là, à partir de Caussade, elle trouve le calme des larges vallées de l'Aveyron, du Tarn et de la Garonne.

Mais entre Argenton et Caussade, sur 345 kilomètres, l'artère Paris-Toulouse souffre d'un tracé et d'un profil extrêmement difficiles : multiples courbes, souvent de rayon assez faible, très nombreuses rampes, de sens opposé, qui très souvent atteignent le taux de 10 mm/m ; 43 tunnels, le plus souvent courts (le plus long, au nord de Cahors, se développe sur 1 700 mètres) jalonnent ce parcours. C'est que la voie ferrée doit traverser les abords occidentaux du Massif Central ; dans le Limousin et le Quercy où les altitudes ne sont jamais considérables, elle est pénalisée par la massivité du relief et la disposition est-ouest de l'ensemble des vallées, vers lesquelles elle doit inlassablement plonger avant de grimper sur leur versant opposé, en raison de son tracé délibérément méridien. Ce profil en dents de scie très marquées explique l'ancienneté de l'électrification en courant 1 500 volts réalisée par étapes de 1926 à 1943 ; en revanche l'installation du Block Automatique Lumineux est récente : elle s'est terminée en 1993 entre Limoges et Brive. Au total, en prenant en compte les évitements créés à cette occasion, l'axe Paris-Toulouse est désormais convenablement armé pour faire face à la demande de trafic.

Comme sur beaucoup de radiales, celui-ci tend à diminuer insensiblement en s'éloignant de Paris. De plus de 90 trains en moyenne journalière et les deux sens réunis, entre Orléans et Vierzon, le débit réel passe à 80 environ entre Vierzon et Limoges, à un peu plus de 70 au sud de Limoges, à 55 au sud de Brive. La dérivation à Vierzon vers Bourges et Montluçon d'une partie des flux originaires de la région parisienne, le poids des principales agglomérations, de Limoges et Brive surtout, permettent de situer la nature des relations entre Paris et Toulouse, l'équilibre entre le transport des voyageurs et celui des marchandises, ainsi que la forte similitude de la répartition sur les diverses sections de ces deux types de flux.

Le service des voyageurs se caractérise par la coexistence de courants internationaux et nationaux. Les premiers sont acheminés, entre Paris et la frontière espagnole par quatre rapides quotidiens dans chaque sens ; seule la rame Talgo peut s'adapter à la voie espagnole plus large et poursuivre jusqu'à Barcelone ; dans les autres cas le changement de train constitue une nécessité absolue ; par ailleurs, compte tenu du temps de parcours élevé, les deux relations nocturnes sont très utilisées et, du reste, l'autonomie de ce flux franco-espagnol est bien démontrée par l'absence d'arrêt en territoire français, même à Toulouse, pour certains de ces trains. S'y superpose un trafic national, de plus en plus important à partir de Toulouse, car orienté vers la capitale ; aussi le nombre de relations augmente-t-il régulièrement en se rapprochant de Paris : 7 au départ de Toulouse, 8 à partir de Brive, 9 de Limoges. D'un peu plus de 6 000 voyageurs les deux sens réunis entre Montauban (fin du tronc commun où se confondent les relations Toulouse-Paris et Toulouse-Bordeaux) et Cahors, les flux dépassent 8 000 voyageurs entre Brive et Limoges, 10 000 entre Limoges et Vierzon, atteignent 15 000 entre Vierzon et Les Aubrais en raison de la greffe du courant provenant de Montluçon et Bourges. Pendant deux décennies, sur ce grand axe, les fameux "Capitole" à la livrée rouge ont triomphé, roulant dès 1971 à 200 km/h sur certaines sections et effectuant le parcours Paris-Toulouse en 6 heures. Mais ils sont désormais sévèrement concurrencés par les TGV : d'ores et déjà, chaque jour et dans chaque sens trois rames bleues et argent qui circulent sur l'itinéraire Paris-Montparnasse-Bordeaux, ramènent la durée du trajet à 5 heures. Aussi, à terme, l'extension prévisi-

L'axe Paris-Toulouse : le contraste entre l'interminable traversée rectiligne de la Beauce et la sinuosité du tracé dans le Limousin et le Quercy : les courbes descendent parfois en dessous des 500 m de rayon.

Sur Paris-Bordeaux, un express traversant la Vienne aux environs de Châtellerault.

ble du réseau TGV Atlantique risque-t-elle de tarir le courant Toulouse-Paris acheminé par la ligne classique établie par Brive et Limoges, qui ne peut être profondément améliorée. Dans le domaine du transport des marchandises, qui lui n'est pas menacé et qui pourrait d'ailleurs profiter d'un allègement du service des trains de voyageurs, se retrouve la même lente croissance du trafic à partir de Montauban : les tonnes transportées, en moyenne les deux sens réunis, passent de près de 9 000 au sud de Brive à 10 000 au nord de Limoges, à près de 13 000 entre Vierzon et Les Aubrais. Ces flux qui ne sont pas énormes sont eux aussi de grande amplitude : ils s'écoulent, entre l'Espagne ou la région toulousaine et l'agglomération parisienne, sur des centaines, parfois largement plus d'un millier de kilomètres.

Ce type d'activité se retrouve sur l'autre grande radiale du sud-ouest.

L'axe Paris-Bordeaux-Irun : la desserte du sud-ouest atlantique et de la péninsule ibérique

Voici une autre artère internationale essentielle, parcourue pendant des décennies par de nombreux trains classiques, souvent prestigieux. Véritable électrochoc, l'arrivée des TGV en 1990 a bouleversé les conditions d'exploitation.

Cette ligne offre un tracé beaucoup plus favorable que la précédente, dans la mesure où elle court à travers les plaines et plateaux du sud du bassin parisien et du bassin aquitain, tout en se rapprochant insensiblement de l'océan. Au sud-ouest d'Orléans et jusqu'à Tours elle suit le large et calme couloir du val de Loire avant d'aborder la principale difficulté du parcours : la voie ferrée, pour pouvoir profiter de l'horizontalité du plateau de Sainte-Maure, doit gravir à la sortie de l'agglomération tourangelle une rampe qui, sur 4 kilomètres, atteint le taux de 10 mm/m. Jusqu'à Bordeaux, à travers les plaines et collines de la Touraine, du Poitou ou des Charentes, le tracé présente d'autant moins de difficultés que les vallées sont partiellement mais judicieusement utilisées : ainsi celles de la Vienne, du Clain, de la Dronne, de l'Isle ou de la Dordogne. Le seul tunnel de longueur notable, celui de Livernant, entre Angoulême et Coutras, permet à la ligne de passer du bassin de la Charente dans celui de la Dordogne et de la Garonne. Au sud de la grande cité girondine est abordée l'immense plaine landaise ; l'absence totale de relief explique la longueur des alignements, les plus développés du réseau : de Bordeaux à Morcenx, sur 108 kilomètres ne se remarque qu'une seule courbe, de très grand rayon, à Lamothe, qui sépare deux splendides lignes droites de 40 et 66 kilomètres (1). Après la traversée des calmes pays du bas-Adour et après Bayonne la ligne serpente le long de la Côte d'Argent où se succèdent plages et secteurs rocheux, avant d'atteindre, de part et d'autre de la Bidassoa et de la frontière, le complexe Hendaye-Irun.

La voie ferrée Paris-Bordeaux a bénéficié très tôt de l'électrification, intégralement réalisée dès 1938 en courant 1 500 volts et caractérisée sur la ligne des Landes par les majestueuses ogives dressées par la Compagnie du Midi ; en revanche, elle a longtemps souffert d'une signalisation qui n'autorisait pas un débit considérable : en particulier le block PD (Paul et Ducousso), datant du début du siècle, présentait toujours ses cages de section ronde ou carrée, durant les années 1950, au sud de Bordeaux ; désormais le block automatique lumineux règne de bout en bout. Par ailleurs la capacité de transport de la double voie est renforcée par de nombreux garages actifs, dans chaque sens et, en particulier entre Les Aubrais et Bordeaux, par des IPCS, installations permanentes de contre sens, qui permettent le report des circulations d'une voie sur l'autre, en cas d'incident ou de travaux par exemple.

Depuis 1990, avec la mise en service des TGV du réseau Atlantique sur la branche Aquitaine, les conditions d'exploitation de l'axe Paris-Bordeaux-Irun sont profondément modifiées. Actuellement, au sud de Tours, les TGV roulent sur la ligne classique, améliorée pour permettre le plus souvent possible la vitesse de 220 km/h. En revanche entre Paris et Tours ils peuvent dévorer en moins d'une heure les 231 kilomètres, grâce à une ligne nouvelle qui à plus d'un titre rappelle celle qui relie la capitale à Lyon

Sa disposition générale correspond à un "Y", c'est-à-dire à une fourche dont les deux éléments se séparent à Courtalain, à 122 kilomètres de Paris, la branche Bretagne étant plus courte que celle d'Aquitaine (2). Les deux voies, banalisées, qui naissent dans les emprises du dépôt de Montrouge-Châtillon, non loin de la gare Montparnasse, sont alimentées en courant 25 000 volts et bénéficient du même type de dispositifs de sécurité que la première ligne nouvelle : signalisation pour l'essentiel en cabine et commande centralisée des aiguillages et de la circulation depuis un PAR (Poste d'Aiguillage et de Régulation) installé à Paris-Montparnasse. Conçue elle aussi en donnant la priorité au tracé sur le profil, cette ligne ne connaît pas de déclivité supérieure à 20 mm/m, taux très acceptable puisque n'y roulent que les TGV. Par ailleurs la puissance de traction des moteurs synchrones permet d'autoriser la vitesse de 300 kilomètres/heure sur l'essentiel d'un parcours, établi à travers la plaine de Beauce, les collines et plateaux du Hurepoix et de la Touraine. Pour limiter l'importance du remembrement agricole, la ligne nouvelle a le plus souvent possible été jumelée avec des infrastructures existan-

tes. C'est le cas lorsque sur 20 kilomètres la ligne longe l'autoroute A 10 puis, un peu plus loin, la ligne ancienne de Brétigny à Tours par Vendôme. Le schéma d'ensemble des voies principales, enfin, montre que les intersections à niveau des itinéraires ont été évitées, grâce à de nombreux sauts-de-mouton, aussi bien à Courtalain que dans les zones de raccordement aux artères classiques du Mans et de Tours-Saint-Pierre-des-Corps.

Ainsi, et dans l'attente du prolongement de la ligne nouvelle au sud de Tours, deux axes à grand trafic relient la capitale à la cité tourangelle. L'irruption récente des TGV a considérablement modifié la structure et le mode d'acheminement du trafic sur l'ensemble du grand axe international.

Comment se présentait jusqu'en 1990 la trame de la circulation ferroviaire ?

L'activité était forte de Paris à la frontière espagnole, même si les flux tendaient à diminuer insensiblement du nord au sud : 150 trains les deux sens réunis en moyenne quotidienne entre Les Aubrais et Saint-Pierre-des-Corps, 120 entre cette gare et Poitiers, 100 autour d'Angoulême, 64 entre Lamothe et Dax, 54 au-delà. Par ailleurs, convois de marchandises et de voyageurs s'équilibraient. Dans la seconde catégorie se retrouvaient, comme sur l'artère Paris-Toulouse, une demi douzaine de trains rapides et express de chaque sens à vocation nationale, reliant entre elles et surtout à Paris les principales cités du parcours, dans des sillons horaires prenant particulièrement en compte la desserte de Bordeaux : le "Drapeau" puis l'"Aquitaine" ou "l'Etendard" ainsi que des rapides Corail, aptes à 200 km/h, couvraient les 581 km du trajet en 4 heures pour les plus performants d'entre eux. Ils coexistaient, là aussi, avec des trains internationaux prestigieux, comme le "Sud-Express" ou la "Puerta Del Sol", roulant souvent la nuit, et qui reliaient Paris à Madrid ou à Lisbonne, sous réserve d'un changement d'essieux à la frontière, vu la différence d'écartement des voies. Aussi, les flux étaient-ils denses entre Paris et Bordeaux, avec 23 000 voyageurs transportés en moyenne journalière entre Les Aubrais et Saint-Pierre-des-Corps, ou près de 15 000 entre Poitiers et Angoulême, tandis qu'ils tendaient à s'effilocher au sud de la métropole girondine : 9 500 voyageurs entre Lamothe et Dax, 4 700 entre Dax et Bayonne, différence provoquée par la diffluence à Dax, en fin de tronc commun, de la ligne de Pau et Tarbes.

La mise en service des TGV n'a naturellement pas pesé directement sur le volume du trafic des marchandises, même si les conditions de son écoulement ont pu en être modifiées : facilités plus grandes au nord-est de Tours à cause de l'allègement du service des voyageurs provoqué par la création de la ligne nouvelle, en revanche complications sur l'artère classique, au sud de Tours en raison du nombre beaucoup plus élevé des trains de voyageurs. Les tonnages transportés se caractérisent d'abord par leur importance et leur augmentation régulière du sud vers le nord puisqu'ils représentent seulement 7 000 tonnes, les deux sens réunis, au sud de Dax ; ils atteignent 13 000 tonnes avant Bordeaux, 24 000 tonnes entre Poitiers et Saint-Pierre-des-Corps, 37 000 tonnes entre Saint-

---

(1) La seconde est, il est vrai, contrariée à Labouheyre par une courbe à peine marquée.

(2) Dans la zone des tunnels, non loin de Paris, la vitesse est limitée à 260 km/h ; à la bifurcation de Courtalain les rames "Aquitaine" et "Bretagne" ralentissent à respectivement 270 et 220 km/heure.

Au sud de Bordeaux, sur Paris-Hendaye, apparaît la caténaire de l'ancienne compagnie du Midi avec ses ogives et ses suspensions inclinées. Ici, un train Corail quittant Hendaye.

Pierre-des-Corps et Les Aubrais. Par ailleurs, le trafic est très diversifié : par exemple, aux alentours de Blois, circulent des wagons ou des rames chargés de produits métallurgiques lorrains, de véhicules automobiles provenant de la région parisienne, de matériaux extraits des carrières du nord des Deux-Sèvres (trafic en provenance de Thouars et Saumur qui se greffe à Saint-Pierre-des-Corps sur le grand axe), de céréales destinées au port de La Rochelle-Pallice ; se retrouvent aussi des productions agricoles, légumes et fruits entre autres, des pays de la moyenne Garonne ou de la Péninsule Ibérique. Mais il est vrai que pour ces derniers flux la concurrence routière se révèle très efficace ; désormais, à Hendaye-Irun, les exportations ferroviaires vers l'Espagne et le Portugal – de produits industriels surtout – l'emportent sur les importations traditionnelles, d'agrumes entre autres, réduites à la portion congrue. Il n'est dès lors pas étonnant qu'au sud de Tours le courant nord-sud soit toujours le plus chargé, assurant 60% du trafic environ.

Si comme sur d'autres axes l'évolution du trafic des marchandises est constante mais lente, pour celui des voyageurs l'année 1990 a constitué une cassure très prononcée, avec une ligne nouvelle, des trains révolutionnaires, beaucoup plus nombreux et beaucoup plus rapides.

En effet, dans le cadre du réseau Atlantique, qui englobe aussi les relations Paris-Rennes-Brest et Paris-Nantes, dans chaque sens circulent en moyenne quotidienne 15 rames TGV entre Paris et Bordeaux, dont plusieurs sans arrêt, tandis que grâce à des mouvements supplémentaires et aux arrêts de certaines rames Paris-Bordeaux, Poitiers et Angoulême bénéficient d'une desserte par respectivement 11 et 10 TGV ; certains TGV poursuivent leur route au-delà de la capitale girondine : 3 atteignent Arcachon, Hendaye ou Tarbes, trois se retrouvent à Toulouse. Les temps de parcours sont spectaculairement améliorés, les gains étant de l'ordre d'une heure entre la capitale d'une part, Bordeaux et Toulouse de l'autre ; plusieurs villes, non desservies directement par le TGV, en tirent cependant de grands bénéfices grâce à de judicieuses correspondances : La Rochelle offre un bon exemple, puisque la réduction de la durée de la relation avec la capitale est également de l'ordre de l'heure. En 1993, après l'électrification de l'antenne Poitiers-La Rochelle, les TGV atteindront Niort et La Rochelle, raccourcissant encore la durée du parcours.

Bien entendu sur l'axe Paris-Irun des trains classiques subsistent : circulations régulières, de nuit surtout, trains d'agence ou de pélerinage qui se dirigent vers Lourdes, convois internationaux dont la trame n'a pas été sensiblement modifiée, avec les mêmes dénominations prestigieuses. Immédiat, le succès des TGV et leur multiplication entraînent un accroissement du nombre de voyageurs et de la densité de la circulation des trains, donc du trafic général. Entre Tours et Paris, l'accaparement par la ligne nouvelle des flux TGV Aquitaine, qui représentent une quarantaine de rames en moyenne quotidienne les deux sens réunis, a permis d'alléger la charge de l'itinéraire classique Saint-Pierre-des-Corps-Les Aubrais, de l'ordre d'une trentaine de trains. Mais au sud de Tours, le problème reste entier et ne pourrait que s'aggraver, en raison de l'enrichissement prévisible de la trame des TGV et de l'accroissement des échanges franco-ibériques, de marchandises entre autres, dans le cadre de la communauté européenne. Aussi, pour soulager l'artère actuelle et améliorer encore les temps de parcours, le principe du prolongement de la ligne nouvelle au sud de Tours est-il d'ores et déjà retenu. A terme ce sont les relations de Paris non seulement avec Bordeaux qui seront encore améliorées, mais aussi celles de la capitale avec l'ensemble du centre-ouest et du sud-ouest : l'électrification de la ligne Paris-La Rochelle va dans ce sens, tout comme le projet d'une ligne nouvelle doublant la relation Bordeaux-Toulouse et permettant d'atteindre cette dernière ville en 3 heures depuis Paris.

Poitiers-La Rochelle : une radiale diffluente d'importance moyenne

Se débranchant au sud de Poitiers du grand axe radial, cette artère dessert Niort et à La Rochelle atteint l'océan. Longue de 147 kilomètres elle offre la particularité d'être à voie unique sur une faible partie de son développement, entre Lusignan et Saint-Maixent (28 kilomètres). Avant la création de la SNCF, la section Poitiers-Niort, où se situe ce tronçon, n'avait qu'une importance secondaire puisque le trafic provenant de La Rochelle était au moins en partie acheminé vers la capitale par l'itinéraire Thouars-Saumur-Chartres.

Le volume actuel du trafic est très modéré : les deux sens réunis et en moyenne quotidienne en effet 25 trains roulent, avec une nette prédominance des circulations réservées aux voyageurs. Les flux de marchandises, légèrement supérieurs à 2 000 tonnes, sont alimentés surtout par l'activité du port de La Rochelle-Pallice : bois exotiques, hydrocarbures aux arrivages, céréales à l'exportation entre autres. Le transport des voyageurs, lui, est de 50% plus important entre Niort et Poitiers, où il est de l'ordre de 3 000 personnes : ce constat correspond à l'attraction déjà souvent constatée de la capitale, vers laquelle se dirigent la plupart des voyageurs fréquentant la gare de Niort.

Prévue pour juillet 1993, la mise en service des TGV sur cette radiale va entraîner une sensible amélioration de la desserte, avec un gain d'une heure entre Paris et La Rochelle, obtenu par le relèvement de la vitesse (160 km/h autorisés sur une grande partie de la ligne Poitiers-Niort) et aussi par la suppression des changements de train à Poitiers ; la cité maritime sera alors reliée à la capitale en moins de 3 heures. Par ailleurs, l'électrification en courant 25 000 volts améliorera les conditions de traction des trains de marchandises, dans les domaines de la charge maximale et du coût en particulier.

C'est donc un total rajeunissement que connaît actuellement la ligne Poitiers-La Rochelle, concrétisé entre autres par la modernisation de la signalisation : installation du BAPR (Block Automatique à Permissivité Restreinte) sur les tronçons à double voie entre Poitiers et La Rochelle, commande centralisée de la circulation, depuis Niort, de la section à voie unique Lusignan-Saint-Maixent.

Au total, les perspectives de développement du corridor ferroviaire Paris-Bordeaux et de son prolongement méridional, qui jouent un rôle très important actuellement, sont donc très favorables, et dans un cadre pas seulement national : il n'est pas utopique d'estimer qu'au début du siècle prochain les TGV relieront Paris et l'Europe du nord-ouest à Madrid, et dans les meilleures conditions.

LES GRANDES RADIALES DE L'OUEST : PARIS-NANTES ET PARIS-RENNES-BREST-QUIMPER

En l'absence de vocation internationale les deux axes essentiels de l'ouest présentent de nombreuses analogies avec les artères maîtresses du sud-ouest : grande longueur, desserte d'agglomérations très importantes mais de régions dans l'ensemble peu industrialisées, transformation rapide et profonde de l'écoulement du trafic provoqué par l'irruption, dès 1989, des TGV.

Autre ressemblance, la présence d'un tronc commun entre Paris et Le Mans qui, lui aussi, traverse une partie du plateau de Beauce, après avoir serpenté au milieu des vallonnements boisés de l'Ile-de-France. Sensiblement plus long (211 kilomètres) que la ligne Paris-Les Aubrais, il bénéficie depuis longtemps de l'électrification (en 1937) et du block automatique lumineux, tandis que la double voie est renforcée par de nombreux garages actifs. Le tracé est de qualité puisque, rares, les déclivités ne dépassent pas 8 mm/m : elles marquent, en particulier, dans les collines du Perche, le franchissement de la ligne de partage des eaux entre les vallées de l'Eure et de la Sarthe, c'est-à-dire entre les bassins de la Seine et de la Loire. Jusqu'en 1989 le trafic, moins étoffé qu'entre Paris et Les Aubrais, était tout de même très important, dans la mesure où 110 trains en moyenne journalière, les deux sens réunis, acheminaient entre Chartres et Le Mans près de 25 000 voyageurs et près de 15 000 tonnes de marchandises. Le tronc commun concentrait alors la totalité des échanges ferroviaires entre la région parisienne et les régions armoricaines. Or l'arrivée en 1989 des TGV a influencé plus fortement son activité qu'un an plus tard les TGV aquitains n'ont marqué l'artère Paris-Les Aubrais : en effet, ici, la ligne nouvelle qui a accueilli l'intégralité des TGV a capté la plus grande partie du trafic voyageurs des deux axes, alors qu'entre Etampes et Les Aubrais subsiste l'essentiel des flux qui circulent entre Paris, Limoges et Toulouse. C'est ainsi que, désormais, le nombre de convois quotidiens est tombé entre Chartres et Le Mans à une moyenne de 80 (dont 40 de voyageurs) avec seule-

La ligne Paris-Le Mans à Courville, à la traversée caractéristique de la plaine céréalière de Chartres. Libérée du trafic à longue distance par le TGV, cette ligne se consacre désormais essentiellement au fret, au trafic "Grande Couronne" et au cabotage sur Chartres-Le Mans.

ment 8 000 voyageurs transportés, dont une partie par des trains de nuit ; le trafic des marchandises domine donc très nettement maintenant, écoulé dans de bien meilleures conditions. Les deux radiales qui divergent au Mans sont de longueurs très différentes : 411 kilomètres pour la ligne de Brest, 185 kilomètres pour celle de Nantes, c'est-à-dire 622 kilomètres pour l'artère Paris-Brest, 396 pour la liaison Paris-Nantes. De plus la première donne naissance à Rennes (374 kilomètres de Paris) à la ligne de Quimper : si pendant longtemps des trains Paris-Quimper ont circulé par Nantes, c'est l'itinéraire tracé par Rennes, plus court de 30 kilomètres, qui est désormais le plus suivi, et en particulier depuis l'arrivée en Bretagne des TGV.

L'artère Le Mans-Nantes offre un profil de très bonne qualité, puisque tracée dans la vallée de la Sarthe jusqu'à Angers, au-delà dans celle de la Maine puis sur la rive droite de la Loire. Au moment de l'électrification, réalisée en 1983 en courant 25 000 volts, plusieurs courbes ont été rectifiées afin de permettre l'élévation des vitesses maximales à 220 km/h pour les TGV et 200 km/h pour les autres trains. Doté également du block automatique lumineux, cet axe peut donc accueillir un trafic important. Or le débit réel est géographiquement très contrasté : entre Le Mans et Angers, les deux sens réunis et en moyenne quotidienne, ne roulent qu'une soixantaine de

trains, qui transportent 12 000 voyageurs et seulement un peu plus de 2 000 tonnes de marchandises ; en revanche, entre Angers et Nantes sont décomptés 90 trains, qui acheminent à peu près le même nombre de voyageurs, mais 10 000 tonnes de marchandises.

C'est que la section Angers-Nantes est en fait un tronc commun où se confondent les courants venant de Paris mais aussi de Tours et Lyon. Pour les flux de voyageurs l'absence de modification quantitative s'explique par la compensation que le trafic de la transversale Lyon-Nantes apporte à la perte, sur la radiale, du courant Paris-Angers. L'organisation du service sur l'ensemble de l'axe Paris-Nantes, elle, est dominée depuis 1989 par la circulation de TGV fréquents, puisqu'au nombre de 14 par jour et par sens, et rapides car couvrant le trajet en deux heures ! Grâce à l'électrification du tronçon Savenay-Le-Croisic, certains d'entre eux ont cette dernière gare comme origine ou destination, ce qui assure la desserte d'un secteur balnéaire très dynamique autour de La Baule, ainsi que de l'agglomération de Saint-Nazaire où les industries génèrent un trafic de déplacements professionnels non négligeables.

Le transport des marchandises est plus que quadruplé en aval d'Angers par rapport au courant radial amont, en raison de l'apport de la transversale provenant de Tours qui supporte en effet un lourd trafic (voir plus loin).

La ligne Le Mans-Rennes-Brest offre quelques différences, en particulier par son tracé et son profil. Ce dernier, en effet, sans vraiment être en dents de scie, n'en est pas moins marqué par de nombreuses déclivités contraires. C'est qu'en dehors du bassin de Rennes la voie ferrée ne peut suivre le cours d'aucune rivière importante ; elle doit au contraire sinuer dans les collines du Maine ou dans celles du Trégorrois et des monts d'Arrée, coupant alors de courtes mais nombreuses et profondes vallées perpendiculaires. Par rapport à cette artère de Bretagne-nord celle de Bretagne-sud est jusqu'aux abords de Lorient moins accidentée car elle peut suivre le cours de la Vilaine entre Rennes et Redon, puis s'infiltrer à l'intérieur des landes de Lanvaux ; au-delà de Lorient, se retrouvent les rias et leurs flancs abrupts, et donc un tracé plus difficile.

De profil plus heurté et au trafic plus lourd, l'artère Le Mans-Rennes a été électrifiée dès 1966, en courant monophasé 25 000 volts. Un quart de siècle plus tard, et dans la perspective de l'arrivée des TGV à Brest et Rennes, les caténaires ont été déroulées au-dessus des doubles voies qui divergent dans la capitale bretonne. Depuis 1992 et l'achèvement des travaux, et grâce à l'électrification du court tronçon Savenay-Redon, les TGV peuvent rouler sans encombre sur l'axe de la Bretagne-nord, depuis Rennes, sur celui de Bretagne-sud depuis Rennes et Nantes. La modernisation de ces deux artères s'est également traduite par l'installation, au plan de la signalisation, du Block Automatique à Permissivité Restreinte, tout à fait adapté à des flux de densité moyenne.

Car tel est le trafic des deux axes : dans les deux sens réunis et en moyenne quotidienne, le nombre de trains, qui tend à diminuer vers les gares terminales, se situe entre seulement la trentaine et la cinquantaine, avec une prédominance marquée des convois de voyageurs. Ce type de transport se caractérise par l'importance de la desserte de Rennes et par l'ampleur des échanges estivaux provoqués par la forte fréquentation des plages bretonnes, aussi bien du nord que du sud ; les TGV et les rames classiques sont alors multipliés. En moyenne quotidienne, la capitale bretonne bénéficie du même niveau de prestations que Nantes : 17 TGV dans chaque sens la relient à Paris et en un peu plus de deux heures ; depuis 1991, grâce à l'interconnexion réalisée à Massy, deux liaisons directes sont établies entre Rennes et Lyon, en quatre heures trois

quarts environ ! A l'ouest de Rennes, la desserte des lignes de Bretagne nord et de Bretagne sud est de type comparable, basée sur 4 à 5 relations TGV journalières de chaque sens ; profitant d'une durée du trajet de l'ordre de 4 heures, les Brestois peuvent désormais sans difficulté séjourner à Paris de midi à 19 heures en partant peu avant 7 heures et en revenant avant minuit. Les effets stimulants du TGV sont manifestes : de Quimper à Rennes les flux quotidiens, les deux sens réunis, s'épaississent sans cesse pour atteindre plus de 6 000 voyageurs ; à l'est de Rennes, en raison de l'addition du trafic des deux branches et de celui propre à la grande agglomération bretonne, le courant atteint 15 000 voyageurs.

Pour les mêmes raisons le volume du transport des marchandises, sur l'artère Le Mans-Rennes, avec plus de 11 000 tonnes les deux sens réunis en moyenne quotidienne, surclasse celui de la ligne Le Mans-Angers ; par ailleurs, à la différence des flux de voyageurs les tonnages acheminés diminuent radicalement à l'ouest de Saint-Brieuc et de Lorient, à cause surtout de la faiblesse de l'industrialisation de la Bretagne occidentale.

Comme le sud-ouest du pays les régions de l'ouest bénéficient de nos jours d'une desserte haut de gamme, grâce aux TGV, rapides et nombreux. Alors que, comme la section Paris-Les Aubrais le tronc commun classique Paris-Le Mans joue toujours un rôle très important, en raison de la circulation des trains de marchandises et de convois de voyageurs classiques, la ligne nouvelle connaît une forte activité : dès sa naissance près du Mans la branche bretonne a concentré les rames TGV bleues et argent jaillissant des lignes de Rennes et de Nantes ; elles rejoignent à Courtalain l'axe provenant de Tours : l'addition de ces puissants courants se traduit par la circulation quotidienne moyenne, entre Le Mans et la jonction, de 30 TGV dans chaque sens, entre Courtalain et Paris de plus de 45 rames en raison de l'apport de la branche Aquitaine. Avec, les deux sens réunis, le transport de plus de 35 000 voyageurs en moyenne journalière dans sa partie en tronc commun la ligne nouvelle se classe parmi les toutes premières artères de notre réseau.

Dans la structure de la trame ferroviaire française les lignes radiales occupent une place tout à fait essentielle, mais non exclusive.

Aménagée partout où le tracé le permettait pour la grande vitesse, la ligne Le Mans-Nantes accueille les TGV-A dont on voit un croisement à la Pointe-Bouchemaire.

Lyon-Nantes, une des transversales les plus connues, mais les TGV d'interconnexion écrèment progressivement son trafic à longue distance.

LES AXES TRANSVERSAUX

Longtemps méconnues, les lignes transversales jouent cependant un rôle important. Dans le cadre d'un aménagement judicieux du territoire, certaines d'entre elles ont bénéficié ces dernières décennies d'améliorations spectaculaires, comme l'électrification. Aussi leur rôle précis mérite-t-il d'être cerné, dans le contexte de l'expansion des TGV qui d'ores et déjà tend à modifier certaines de leurs missions.

Moins nombreuses que les radiales, elles assument un trafic en moyenne moins dense, en particulier dans le domaine du transport des voyageurs, alors que ne se remarque pas le même type de diminution régulière des flux à partir de l'une des deux origines. Mais certaines d'entre elles acheminent des courants de marchandises qui par leur volume égalent ceux relevés sur les grands axes s'échappant de la capitale : la relation Valenciennes-Thionville, c'est-à-dire la grande transversale nord-est, est un excellent exemple.

L'ARTÈRE VALENCIENNES-THIONVILLE

Chacun des deux importants centres industriels de Thionville et de Valenciennes se trouve intégré dans un bassin minier et métallurgique, actuellement en totale déliquescence, où la densité des voies ferrées évoque une véritable nébuleuse. Aussi est-ce entre Aulnoye et Longuyon, sur 192 kilomètres, entre la sortie du bassin du Nord-Pas-de-Calais et l'entrée dans celui de Lorraine, que l'axe transversal qui ne s'éloigne jamais beaucoup de la frontière belge se révèle pleinement autonome et bien inscrit dans le paysage, avec de part et d'autres confluences et diffluences de lignes.

Sans présenter de difficultés majeures, le tracé est marqué par de nombreuses courbes et de fréquentes déclivités qui ne sont, il est vrai, jamais spectaculaires. C'est qu'au siècle dernier les Compagnies du Nord et de l'Est, qui ne devaient pas faire circuler des trains prestigieux sur cette relation, ont dû composer avec une topographie rarement favorable : si, entre Longuyon et Charleville, peuvent être suivies les vallées du Chiers puis de la Meuse, par contre entre Charleville et Hirson, la ligne doit franchir, entre Ardennes et Thiérache, un secteur de hautes collines qui séparent les vallées de la Meuse et de l'Oise : sur 59 kilomètres se dénombrent 34 courbes marquées ; deux d'entre elles, près de Liart et d'Hirson, déterminent un angle dont la valeur dépasse celle de l'angle droit ! Les rampes, elles, sont nombreuses et parfois longues ; elles ne dépassent jamais le taux de 10 mm/m.

De tout temps, le rôle économique de cette artère a été essentiel puisqu'elle a dû dès l'origine supporter des échanges massifs de marchandises lourdes comme le minerai de fer, le charbon ou les produits métallurgiques. Aussi très tôt la SNCF, pour alléger les dépenses de traction, a-t-elle songé à l'électrification, laquelle, avant 1945 n'était guère envisageable, pour des raisons d'ordre stratégique, avec la proximité d'une frontière sensible et l'opposition des militaires considérant la traction électrique comme trop vulnérable. Compte tenu de l'excellence des résultats obtenus sur les lignes de Savoie, c'est le courant industriel monophasé 25 000 volts qui fut choisi. Dès la mise sous tension complète, en 1954, la constitution de lourds convois tractés par les puissantes CC 14000, 14100 et BB 12000, à cabine de conduite centrale, permet une exploitation beaucoup plus rentable. Par ailleurs la ligne, dotée

de voies et de faisceaux de garage, bénéficie dans son intégralité du block automatique lumineux. S'il est vrai que la modernisation des postes d'aiguillage n'a pas, pour des raisons d'économie, suivi de près l'électrification, l'équipement de cet axe transversal lui permet de faire face à un trafic important. Exprimé en nombre de trains, celui-ci ne semble pas énorme puisqu'en moyenne quotidienne et les deux sens réunis, 65 à 100 circulations sont décomptées, ce qui ne représente environ que le tiers des convois roulant entre Etampes et Les Aubrais. Mais la nature des flux se révèle ici très particulière, avec une prédominance écrasante du trafic des marchandises, acheminé par des trains très lourds.

Actuellement les tonnages journaliers transportés entre Aulnoye et Longuyon sont de l'ordre de 30 000 tonnes, c'est-à-dire autant qu'entre Mantes et Rouen, et plus qu'entre Paris et Lille. Par ailleurs un sensible déséquilibre se manifeste entre les deux sens de circulation, le courant ouest-est l'emportant avec près de 60% de l'ensemble des acheminements. Or il y a moins de 20 ans, cette artère, qui assumait un trafic de l'ordre de 50 000 tonnes, se classait alors au premier rang des voies ferrées françaises, les flux de sens contraire s'équilibrant à peu près. Quels sont les éléments d'explication ? A son apogée, qui correspondait à celle de la sidérurgie, la ligne Valenciennes-Thionville jouait un rôle tout à fait capital : elle reliait en effet les deux principales régions d'industrie lourde

Image-symbole de l'"artère Nord-Est" Valenciennes-Thionville : un train de minerai derrière une machine monophasée à cabine centrale.

françaises, celles du Nord-Pas-de-Calais et de Lorraine, installées l'une sur un puissant bassin houiller, l'autre, sur d'importantes mines de fer, et qui en raison de leur complémentarité avaient absolument besoin l'une de l'autre. Aussi, en l'absence de voie d'eau à grand gabarit, pendant des décennies, une noria de très nombreux trains-cargos capables de recevoir une charge utile de 2 500 tonnes va-t-elle sans arrêt fonctionner entre les deux bastions industriels ; les rames amenaient inlassablement en Lorraine le charbon du Nord, à l'inverse alimentaient les hauts fourneaux du Nord en minerai de fer lorrain. Mais depuis une vingtaine d'années la distribution des cartes n'est plus la même : en fonction d'un large contexte international, la sidérurgie française dans son ensemble a considérablement décliné, tandis que les courants d'approvisionnement en matière première se modifiaient au profit par exemple du minerai de fer canadien ou africain, de meilleure qualité et moins cher, importé par la voie maritime : le développement de la "sidérurgie sur l'eau", à Dunkerque entre autres, n'a pu qu'accélérer le dépérissement de la métallurgie lourde intérieure, qui elle-même dépend désormais du minerai étranger ; d'où la primauté maintenant du courant ouest-est, largement en provenance du port de Dunkerque. Actuellement le trafic après avoir donc sensiblement diminué reste important, marqué par des flux plus diversifiés en raison de la politique de reconversion industrielle menée sur les deux bassins ; mais les produits pondéreux représentent toujours une part très notable, avec une progression sensible des hydrocarbures. Si donc au plan des marchandises, la transversale du nord-est continue d'assumer des responsabilités essentielles, le trafic des voyageurs, lui, reste situé à un niveau très bas, de l'ordre globalement de 2 000 personnes en moyenne journalière ; seulement deux trains à grand parcours circulent dans chaque sens dont une relation Calais-Bâle à vocation internationale entre l'Angleterre et la Suisse. C'est que la demande de transport entre Nord et Lorraine n'a jamais été considérable, alors que sur une ligne de tracé parfois difficile et encombrée par de nombreux et lents convois les performances des rapides et express ont toujours été moyennes : par exemple plus de 5 heures sont nécessaires pour couvrir le trajet Lille-Strasbourg, ce qui correspond à une moyenne d'à peine 100 km/h. Il est permis d'estimer que la mise en service des TGV Nord puis ultérieurement des TGV Est, interconnectés, devrait encore amoindrir le trafic des voyageurs. Celui-ci, sur la transversale nord-est, pourrait ne plus alors représenter qu'un intérêt local ou régional, exception faite des trains directs Paris-Luxembourg qui l'empruntent de Charleville-Mézières à Longuyon.

LA LIGNE NANCY-DIJON

D'orientation à peu près méridienne, cet axe joue un rôle comparable à celui du précédent, dans la mesure où il unit la Lorraine métallurgique à l'ensemble de la France du sud-est. Long de 229 kilomètres, le parcours offre un tracé et un profil rarement favorables. En effet, sauf lorsqu'elle longe la Meuse sur une trentaine de kilomètres au sud de Neufchâteau, la ligne doit serpenter entre de hautes collines, comme celles du Bassigny, et traverser le plateau de Langres qui sépare les bassins de la Meuse et de la Saône ; aussi les courbes et les déclivités sont-elles nombreuses.

Alors qu'elle croise à Culmont-Chalindrey la radiale Paris-Mulhouse, non dotée de caténaires, la transversale Nancy-Dijon bénéficie, elle, de l'électrification, en courant 25 000 volts, justifiée par le tracé tourmenté et par le trafic lourd qui la caractérise. Comme la double voie est de plus équipée en block automatique lumineux, le débit théorique est satisfaisant.

Exprimé en nombre moyen de circulations quotidiennes, les deux sens réunis, le trafic réel est d'une part élevé, puisqu'il se situe entre 75 et 110 trains, et par ailleurs marqué par une augmentation constante en se rapprochant de Dijon. C'est qu'à Merrey la transversale reçoit l'embranchement en provenance de Contrexéville et Vittel, à l'activité orientée vers le sud, tandis qu'à Culmont-Chalindrey vient se greffer sur elle un courant acheminé depuis Chaumont par l'artère Paris-Mulhouse mais en fait originaire de la région du Nord et s'écoulant par Reims et Châlons-sur-Marne.

Comme dans le cas de la transversale Nord-Est, ce n'est pas le transport des voyageurs qui explique l'importance globale du trafic. En effet il ne se traduit que par environ 3 000 voyageurs acheminés en moyenne quotidienne, les deux sens réunis, entre Toul et Culmont-Chalindrey ; au sud de cette gare de bifurcation les flux sont plus étoffés avec 4 500 voyageurs : c'est qu'alors ils sont renforcés par l'apport de la rocade jalonnée par Reims et Chaumont (trois trains directs dans chaque sens relient quotidiennement Reims à Dijon). Au nombre seulement de 3 par sens en service journalier de base les rapides et express sont des trains de grand parcours qui joignent Metz ou Nancy à Marseille et Nice.

Le trafic des marchandises constitue l'activité essentielle. Comme sur la transversale nord-est roulent de lourds trains-cargos, entre les usines de la Lorraine métallurgique d'une part, les villes et centres industriels du couloir rhodanien et du littoral méditerranéen de l'autre. A Dijon ils viennent densifier les flux qui empruntent l'artère Paris-Lyon-Marseille. Aussi les tonnages transportés sont-ils considérables, oscillant entre 30 et 35 000 tonnes quotidiennes.

En raison du poids de la production métallurgique lorraine le sens nord-sud, avec près des deux tiers du trafic, l'emporte très nettement. Par ailleurs au sud de Culmont-Chalindrey les flux sont plus denses en raison de l'apport de la transversale champenoise, et de l'acheminement par Gevrey et Dijon des wagons chargés d'eau minérale de Contrexéville et Vittel, roulant sur l'axe Nancy-Dijon à partir de Merrey.

Formant à peu près un angle droit de part et d'autre de la nébuleuse ferroviaire lorraine, les deux axes transversaux Valenciennes-Thionville et Nancy-Dijon fonctionnent indépendamment du grand carrefour ferroviaire parisien. Celui-ci est très largement ceinturé par une série de rocades beaucoup plus proches.

Sur Nancy-Dijon, le trafic fret l'emporte sur les voyageurs : ici un convoi dans le secteur de Merrey.

LA "SUPER CEINTURE" DU BASSIN PARISIEN

De Tours à Chaumont et Culmont-Chalindrey en passant par Le Mans, Mézidon, Rouen, Amiens, Tergnier, Reims et Châlons-sur-Marne, une ligne à double voie court sur les pourtours du Bassin Parisien, à une distance de la capitale évoluant d'un peu plus de 100 à 300 kilomètres. Le plus souvent autonome, cette super ceinture se compose en fait de plusieurs sections qui possèdent chacune leur vie propre : leur trafic, variable, n'est jamais très important.

La transversale Tours-Mézidon-Rouen

Sans rencontrer d'obstacle majeur, le tracé de cette ligne n'en est pas moins souvent sinueux. En effet elle ne peut profiter des facilités offertes par les vallées que sur de courtes distances, au nord du Mans le long de la Sarthe, ou sur la rive de la Risle entre Bernay et Glos-Montfort. Ailleurs elle doit franchir des secteurs de modelé ondulé pour passer de la vallée de la Loire dans celles du Loir puis de la Sarthe ; entre Alençon et Argentan elle longe le massif qui porte la forêt d'Ecouves dont l'altitude de 417 mètres constitue l'une des hauteurs les plus marquées de l'ouest français, avant d'entrer dans la verdoyante Normandie.

Cette artère qui dessert des régions avant tout de vocation agricole n'a jamais acheminé un trafic volumineux. Aussi l'absence d'électrification n'est-elle pas un grave handicap, alors que le block manuel unifié permet un écoulement satisfaisant d'une trame de trains jamais très dense : en moyenne quotidienne et les deux sens réunis, le nombre de circulations, jamais sensiblement inférieur à 25, ne dépasse 35 que sur les deux sections où la transversale se trouve en tronc commun, c'est-à-dire entre Surdon et Argentan où elle se confond sur la radiale Paris-Granville, entre Mézidon et Serquigny, où elle utilise les voies de l'axe Paris-Cherbourg.

Entre Tours et Mézidon trois paires de relations express journalières desservant au passage l'agglomération d'Alençon constituent l'armature de la trame.

Rouen-Amiens : une transversale courte mais active

121 kilomètres seulement séparent les gares principales de Rouen et d'Amiens. Si globalement le tracé de la ligne à double voie qui les unit est favorable sa partie centrale est marquée par quelques difficultés, seulement moyennes, qui résultent de la traversée de la dépression du pays de Bray et des bourrelets qui la dominent, orientés de manière perpendiculaire. Par ailleurs la ligne recoupe deux radiales, de faible importance : à Serqueux celle de Paris à Dieppe, à Abancourt celle de Paris au Tréport.

Depuis la mise en service du TGV Paris-Sud-Est, de nombreux trains classiques pour Marseille et Nice sont amorcés à Nancy ou Metz. Ici, un Nice/Toulouse-Metz au départ de Neufchâteau. En contrebas, un des moignons de lignes fermées qui constituaient l'"étoile de Neuf-château".

Avant la création de la SNCF, cette artère était exploitée par la Compagnie du Nord, qui entretenait ainsi une tête de pont sur la Seine et acheminait jusqu'au port de Rouen un trafic important. Durant les dernières décennies les données de base n'ont pas changé, opposant à un faible trafic de voyageurs des flux de marchandises notables, entre le bassin industriel du Nord-Pas-de-Calais et l'ensemble portuaire de la Basse-Seine. Actuellement le nombre de voyageurs décomptés en moyenne journalière, les deux sens réunis est inférieur à 1 000 ce qui s'explique par la minceur de la demande de transport entre deux régions peuplées mais qui n'ont jamais entretenu des relations très denses, et le niveau de l'offre, avec des relations effectuant le trajet Rouen-Lille en 2 h 30 environ, soit à la vitesse moyenne d'à peine 100 km/heure. Par contre, les tonnes transportées, elles, sont de l'ordre de 8 000, avec près de 60% du total s'écoulant d'Amiens vers Rouen. Ces courants expliquent la circulation de 25 à 30 trains quotidiens, les deux sens réunis, parmi lesquels les lourds convois de marchandises sont de loin les plus nombreux.

C'est en raison de la nature de ce trafic que la SNCF prit la décision d'électrifier en courant 25 000 volts une liaison ferroviaire, essentielle entre deux secteurs industriels très actifs, qui évite aux flux de marchandises le détour par les lignes surchargées de la région parisienne. Avec la pose des caténaires, effectuée en 1984, l'installation du Block Automatique à Permissivité Restreinte procure des conditions d'exploitation maintenant satisfaisantes.

Amiens-Culmont-Chalindrey-Dijon : une rocade aux larges potentialités

Sur 398 kilomètres, d'Amiens à Culmont-Chalindrey, se développe harmonieusement une rocade en arc de cercle, en position intermédiaire entre le carrefour parisien d'une part, les deux importantes transversales Valenciennes-Thionville et Nancy-Dijon de l'autre.

Tracée pour l'essentiel à l'intérieur du Bassin Parisien, cette artère ne présente pas de difficulté notable. Soit, en effet, elle traverse des plaines comme celles de Picardie entre Amiens et Tergnier ou de Champagne de part et d'autre de Reims, soit elle profite de vallées bien orientées : celle de la Marne en amont de Saint-Dizier est d'autant plus intéressante qu'elle offre une bonne voie de pénétration du plateau de Langres. Par ailleurs la rocade recoupe plusieurs radiales, à Tergnier celle de Bruxelles, à Laon celle, très secondaire, d'Hirson, tandis qu'elle se trouve en tronc commun de Châlons-sur-Marne à Blesme avec l'axe Paris-Strasbourg, de Chaumont à Culmont-Chalindrey avec la ligne Paris-Mulhouse.

L'équipement global est assez homogène : la double voie est constante ; en dehors de la section Châlons-sur-Marne-Blesme-Saint-Dizier l'électrification est absente, alors que le block manuel unifié règne sur l'ensemble du parcours, sauf sur les tronçons Reims-Blesme et Chaumont-Culmont-Chalindrey, dotés du block automatique lumineux.

Il n'est pas possible d'évoquer une circulation intense. En effet, les deux sens réunis et en moyenne quotidienne, le

104

nombre de trains, sauf sur les deux troncs communs, n'excède jamais 40, alors qu'entre Saint-Dizier et Chaumont il descend à 25. Entre Reims et Châlons-sur-Marne une partie du trafic s'écoule par Epernay, au prix d'un léger allongement du trajet mais en bénéficiant de la traction électrique. C'est que sur cet itinéraire les courants de transport des voyageurs sont peu importants : entre Amiens et Reims, les deux sens confondus, le nombre moyen de voyageurs n'atteint pas 1 000 unités, tandis qu'au sud-est de Reims, sur les tronçons où la transversale est autonome le trafic reste en dessous de 1 500 voyageurs. La rocade traverse en effet des contrées très peu peuplées et où les grandes villes, rares et très éloignées les unes des autres, ont entre elles peu de relations en raison de la très forte attraction parisienne ; de plus les liaisons les plus rapides et les plus confortables entre le nord du pays et le couloir rhodanien s'établissent naturellement par les gares de la capitale. Aussi la desserte locale est-elle ici dominante, même si quelques trains à grand parcours sont identifiables, comme 4 relations directes dans chaque sens entre Reims et Dijon qui à partir de Culmont-Chalindrey roulent sur la transversale Nancy-Dijon.

Le trafic des marchandises, lui, est plus important. Il est alimenté par la production céréalière des plaines du nord et du nord-est du Bassin Parisien, de la Picardie à la Champagne, ainsi que par l'activité des camps militaires, nombreux en particulier à proximité de la section Tergnier-Châlons-sur-Marne. De plus un courant de transit est repérable, qui permet entre Amiens et Dijon de soulager les axes radiaux et la grande ceinture parisienne. Aussi les tonnages transportés,

sans représenter une masse énorme, sont-ils toujours supérieurs à 3 500 tonnes, en moyenne quotidienne et les deux sens réunis, pour atteindre 6 000 tonnes entre Reims et Châlons-sur-Marne, 7 000 tonnes entre Amiens et Tergnier.

Cette longue rocade est donc loin d'atteindre son point de saturation. Sa sous-utilisation relative actuelle constitue en fait pour la SNCF un atout, dans la mesure où elle peut permettre de faire convenablement face à une augmentation du trafic ferroviaire entre le nord et le sud-est de la France que pourrait provoquer la mise en service du tunnel sous la Manche. Electrifiée, dotée intégralement du block automatique lumineux la transversale Amiens-Culmont-Chalindrey-Dijon pourrait alors exprimer totalement ses potentialités en évitant l'engorgement des lignes radiales et du carrefour parisien. Vers le couloir rhodanien convergent donc plusieurs itinéraires et entre autres la transversale Strasbourg-Lyon.

LA TRANSVERSALE STRASBOURG-LYON

Si elle est animée par une vie spécifique de bout en bout, cette artère n'en offre pas moins une étonnante diversité par les régions traversées, la nature de son équipement et son mode d'exploitation.

Longue de 470 kilomètres et jalonnée par les cités de Mulhouse, Belfort, Besançon, Bourg-en-Bresse, elle parcourt d'abord dans sa plus grande longueur la plaine d'Alsace, en se prêtant aux grandes vitesses (les 200 km/h peuvent être atteints sur la majeure partie du trajet Strasbourg-Mulhouse) grâce à la platitude du profil et à l'extrême qualité du tracé, caractérisé par de très longs alignements et des courbes de

Un turbotrain Strasbourg-Lyon aux environs de Belfort. Tout comme les rames Corail qui assurent cette liaison, ces engins thermiques circulent sous caténaire sur la plus grande partie du parcours. La prochaine disparition des deux courts hiatus électriques permettra une exploitation de la liaison sous caténaire de bout en bout.

très grand rayon. Entre Vosges et Jura la trouée de Belfort a de tout temps été utilisée par d'importants axes de circulation ; c'est ainsi qu'au plan ferroviaire la section Mulhouse-Belfort, longue de 49 kilomètres, constitue un tronc commun à la radiale Paris-Bâle et à la transversale. Au sud-ouest de Belfort, redevenue autonome, celle-ci doit affronter des difficultés. En effet si elle évite de pénétrer dans le massif jurassien proprement dit, elle doit suivre jusqu'à Besançon la vallée du Doubs, couloir à la fois encaissé, étroit et sinueux ; au-delà de la cité bisontine il lui faut épouser le rebord abrupt et accidenté de la montagne du Jura, dans les régions du "Vignoble" et du Revermont. Il n'est donc pas étonnant que tracé et profil soient souvent médiocres, avec par exemple des déclivités qui peuvent atteindre 15 mm/m, de multiples courbes de rayon souvent court, et une douzaine de tunnels en amont de Besançon. Au sud de Bourg-en-Bresse, à la surface du plateau des Dombes et dans la zone de confluence de l'Ain et du Rhône la topographie redevient calme : elle le reste jusqu'à Lyon.

L'armement de cette ligne est loin d'être homogène, et d'abord dans le domaine du nombre de voies ; en effet, si la double voie équipe la majeure partie du parcours, le tronçon Mouchard-Saint-Amour, long de 84 kilomètres, est lui à voie unique. Il n'est par ailleurs équipé que du block manuel, alors que le Block Automatique Lumineux se retrouve sur le reste de la transversale. De même, bien avancée, l'électrification n'est pas totale puisqu'elle exclut, en attendant l'échéance de 1995, les sections Franois-Arc-et-Senans, et Mouchard-Saint-Amour dont la mise sous caténaire est prévue. Enfin, entre Bourg-en-Bresse et Lyon, deux itinéraires coexistent : la ligne directe qui court à travers le plateau des Dombes, mise à voie unique, ne bénéficie que d'un équipement minimal : depuis l'électrification des lignes Dijon-Modane et Lyon-Genève, c'est par Ambérieu que sont acheminés les trains directs Lyon-Strasbourg.

Exprimé en nombre de circulations quotidiennes, les deux sens réunis, le trafic est lui aussi très inégal. Il est très important aux deux extrémités de la transversale, parce qu'alors plusieurs types de flux se superposent. En fait le courant Strasbourg-Lyon est très minoritaire, aussi bien entre Strasbourg et Mulhouse (de 130 à 140 trains au total), Mulhouse et Belfort (100 trains) qu'entre Bourg et Ambérieu (140 trains) ou Ambérieu-Lyon (110 trains) ; lorsqu'il se retrouve autonome il montre une relative minceur : si près de 70 convois sont dénombrés entre Belfort et Besançon, le débit réel tombe à 25 convois entre Franois et Arc-et-Senans, à 17 entre Lons-le-Saunier et Saint-Amour ; la ligne directe Lyon-Bourg-en-Bresse n'est sillonnée, elle, que par 16 circulations. Par ailleurs, si en nombre, les trains de voyageurs et de marchandises s'équilibrent lorsque le trafic est important, en revanche, la seconde catégorie devient faible sinon inexistante sur les sections les moins chargées : 2 convois de marchandises seulement entre Franois et Arc-et-Senans, ou entre Lons-le-Saunier et Saint-Amour ! C'est que pour l'acheminement des flux de marchandises

entre Alsace et région lyonnaise la transversale Strasbourg-Lyon proprement dite n'est que partiellement utilisée, jusqu'au sud de Besançon, à la bifurcation de Franois : les deux sens réunis et en moyenne quotidienne le trafic est de l'ordre de 28 000 tonnes entre Strasbourg et Mulhouse ; 18 000 tonnes entre Mulhouse et Belfort ; entre Belfort et Besançon, où le courant est bien individualisé plus de 12 000 tonnes sont transportées. Mais au-delà de la capitale bisontine les trains de marchandises dans leur ensemble transitent par Dôle et le nœud dijonnais, pour profiter pleinement à la fois des avantages de l'électrification et des possibilités de remaniement des rames offertes par le grand triage proche de Gevrey. Ainsi s'explique la faiblesse extrême du trafic des marchandises entre Franois et Saint-Amour.

En revanche les relations offertes aux voyageurs empruntent, elles, l'itinéraire direct, avec le léger détour par Ambérieu qui implique 16 kilomètres supplémentaires, mais sur des lignes très bien tracées. Par sa densité le service de base est satisfaisant, avec dans chaque sens six trains aux sillons horaires bien répartis dans la journée. Mais sur des sections de ligne souvent difficiles les turbotrains, qui assurent la majeure partie du trafic, ne peuvent atteindre des temps de parcours dignes des records puisque, de l'ordre de 5 heures, ceux-ci correspondent à une vitesse moyenne inférieure à 100 kilomètres/heure... Il va de soi que l'arrivée des TGV sur cette transversale, accompagnée de la création de sections de lignes nouvelles, représenterait un progrès considérable : il serait d'autant plus apprécié qu'il concernerait un axe à la vocation nationale mais aussi internationale, reliant l'Europe rhénane au monde rhodanien et méditerranéen. Toujours est-il qu'actuellement les flux ne sont pas considérables puisque, s'ils dépassent 8 000 personnes dans la plaine d'Alsace en raison de la superposition de divers courants, ils sont inférieurs à 3 500 personnes entre Besançon et Saint-Amour, lorsque le courant Strasbourg-Lyon est individualisé. Mais il est certain que le proche achèvement de l'électrification de l'itinéraire Franois-Saint-Amour, qui verra le remplacement des RTG par des rames Corail réversibles, revitalisera l'ensemble de l'itinéraire, emprunté alors par plusieurs trains de fret reliant l'Alsace au couloir rhodanien.

La moitié méridionale de la France est striée par plusieurs axes transversaux. Si le trafic supporté par les lignes Nantes-Bordeaux et Bayonne-Toulouse n'est que d'envergure moyenne, en revanche les relations Nantes-Lyon et surtout Bordeaux-Marseille acheminent des flux de volume souvent comparable à ceux de nombreuses radiales importantes.

NANTES-LYON

S'allongeant sur 650 kilomètres, la transversale Nantes-Lyon, aux fonctions diversifiées traverse et relie entre elles des régions très variées : Bretagne, plaines d'Anjou, de la Touraine et du Bourbonnais, contrefort nord-est du Massif Central, pays rhodaniens. Son importance vient autant de sa position ouest-est médiane par rapport à l'ensemble du pays, qui l'amène à recouper plusieurs radiales importantes, avec qui elle se

Un Lyon-Nantes entre Roanne et Saint-Germain-des-Fossés.

confond parfois, que du poids humain et économique des agglomérations desservies : Nantes et bien sûr Lyon comptent parmi les grandes métropoles françaises, tandis que plus d'une demi-douzaine d'ensembles urbains d'au moins 50 000 habitants jalonnent le parcours.

Le tracé de la ligne est pour le moins contrasté : en effet, dans sa partie occidentale et centrale, jusqu'à Saint-Germain-des-Fossés, elle peut suivre un réseau homogène de larges et longues vallées, celle de la Loire d'abord puis au-delà de Tours celle du Cher ; à partir de Saincaize, près de Nevers (dont la ville et la gare, situées sur la radiale Paris-Clermont-Ferrand, ne sont pas desservies directement par les trains de la transversale), elle peut remonter l'ample et tranquille sillon suivi par l'Allier. Tracé et profil sont donc alors très favorables. Mais, au-delà de Saint-Germain-des-Fossés, la topographie devient hostile dans la mesure où la voie ferrée, de direction générale nord-ouest/sud-est, doit franchir des lignes de relief d'orientation méridienne. Aussi les conditions d'exploitation sont-elles beaucoup plus difficiles : la ligne escalade les monts de la Madeleine jusqu'au tunnel de Saint-Martin-Sail-les-Bains, long de 1 380 mètres, avant de descendre vers la Loire ; de même le souterrain des Sauvages, long de 3 kilomètres, marque dans les monts du Beaujolais la ligne de partage des eaux, à 600 mètres d'altitude, entre les bassins de la Loire et du Rhône. Très sinueuse, la voie ferrée est également pénalisée par de fortes rampes, qui entre Amplepuis et Tarare atteignent le taux très sévère de 25 mm/m, entraînant souvent le doublement des engins de traction au cœur des monts du Beaujolais.

Intégralement à double voie, la transversale Nantes-Lyon ne bénéficie pas d'un équipement homogène. Elle n'est en effet électrifiée que partiellement, entre Nantes et Tours, entre Saincaize et Saint-Germain-des-Fossés (en courant 25 000 volts). Dans le domaine de la signalisation le block manuel unifié équipe encore la section Saint-Pierre-des-Corps-Vierzon, tandis que le block automatique, très largement répandu, est installé sous la forme du BAL proprement dit entre Vierzon et Saint-Germain-des-Fossés et sur le tronc commun Nantes-Angers.

D'une extrémité à l'autre, le trafic n'est jamais négligeable. Exprimé en nombre quotidien moyen de trains, les deux sens réunis, il représente au moins 40 circulations entre Roanne et Lyon, pour atteindre le nombre de 75 entre Vierzon et Bourges, 90 entre Nantes et Angers ; autre tronc commun, la section Saincaize-Saint-Germain-des-Fossés achemine plus de soixante trains.

Cette inégalité du débit réel correspond à la vocation de cette transversale, qui accueille des courants s'établissant de bout en bout, mais aussi des flux d'amplitude plus restreinte. Ainsi Nantes et Lyon sont reliées quotidiennement par une demi-douzaine de trains express et rapides dont une relation nocturne qu'il s'agisse de turbotrains ou de rames Corail dont l'origine et la destination peuvent être fixées au-delà des limites de la transversale, à Rennes ou Quimper par exemple.

Or les temps de parcours de l'ordre de 6 h 40, ne correspondent qu'à une moyenne d'à peine 100 kilomètres/heure ; c'est qu'ils sont pénalisés par le grand nombre des arrêts intermédiaires, proches de la dizaine, rendus nécessaires par la présence de villes importantes ou moyennes, qu'il faut desservir, alors même qu'entre les agglomérations extrêmes la nature des relations et la distance ne génèrent pas de flux considérables. Aussi, l'impact des courants circulant, par exemple, entre Nantes et Tours, Tours, Bourges et Nevers, Nevers, Roanne et Lyon est-il proportionnellement marquant. Dans ces conditions le nombre moyen des voyageurs transportés ne peut qu'être géographiquement inégal ; il est élevé sur les troncs communs avec plus de 7 000 personnes entre Saint-Germain-des-Fossés et Saincaize, près de 12 000 entre Angers et Nantes, plus modéré ailleurs pour se situer aux alentours de 3 000 voyageurs entre Tours et Vierzon ou entre Bourges et Saincaize.

Une interrogation doit ailleurs être formulée à propos de l'acheminement des courants à grande distance entre Rhône et Loire-Atlantique. D'ores et déjà, grâce aux TGV Nantes-Paris et Paris-Lyon, il est possible en transitant par la capitale d'effectuer le trajet Nantes-Lyon en environ 5 heures, c'est-à-dire en gagnant plus d'une heure trente ; avec la création de liaisons TGV directes et l'essor de l'interconnexion au sud du carrefour parisien, le temps de parcours peut être ramené aux alentours de 4 heures : tout en conservant un trafic régional important, la transversale Nantes-Lyon risque donc, pour les relations diurnes au moins, de perdre une partie de son rayonnement au plan national.

Le trafic des marchandises, lui, présente une structure assez différente. En effet les écarts d'intensité des flux, d'une section à l'autre, sont moins nets, puisque ces derniers oscillent entre 7 000 et 10 000 tonnes en moyenne quotidienne, les deux sens réunis ; une exception de taille il est vrai, le tronçon Saumur-Saint-Pierre-des-Corps, où les 20 000 tonnes sont dépassées en raison des expéditions massives des produits des carrières du nord des Deux-Sèvres. Ensuite les courants achemi-nés sur les troncs communs Nantes-Angers et Saincaize-Saint-Germain-des-Fossés n'émergent pas, à cause de la relative faiblesse du trafic des marchandises sur les radiales Nantes-Paris et Clermont-Ferrand-Paris. Par ailleurs l'extrême difficulté de l'itinéraire direct par Tarare a amené la SNCF à détourner par Saint-Etienne les convois de marchandises circulant entre Roanne et Lyon. Enfin, les flux, généralement équilibrés entre les deux sens, sauf entre Angers et Tours, en raison des expéditions depuis Saumur dans les deux directions des tonnages massifs provenant des carrières du Thouarsais, résultent presque toujours de la superposition de courants très variès ; ainsi roulent chaque jour plusieurs trains, par exemple entre les gares de triages de Saint-Pierre-des-Corps, Vierzon, Clermont-Ferrand, Sibelin, Miramas. Plus nettement encore que pour le transport des voyageurs, cette transversale assume un rôle de liaison moins entre les régions extrêmes qu'entre des ensembles urbains et industriels disséminés dans le centre du pays, où les productions lourdes sont rarement abondantes.

NANTES-BORDEAUX

Au-delà des deux grandes métropoles régionales de Nantes et de Bordeaux, cette artère à double voie unit l'ensemble des pays armoricains au sud-ouest français. De plus elle traverse des régions à vocation diversifiée, agricole, aquacole, touristique, qui sont assez peuplées, parsemées de nombreuses villes petites et moyennes. Non électrifiée, dotée le plus souvent du block manuel régional, très ancien, elle comporte peu d'ouvrages d'arts importants : non loin de Bordeaux a été percé le seul tunnel, long de 1 300 mètres, sous la colline de Lormont ; beaucoup plus remarquable est le pont de Saint-

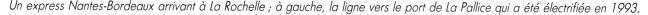

Un express Nantes-Bordeaux arrivant à La Rochelle ; à gauche, la ligne vers le port de La Pallice qui a été électrifiée en 1993.

André-de-Cubzac : métallique, d'une hauteur de 40 mètres il enjambe la Dordogne en s'appuyant au nord sur une barre calcaire ; le raccordement avec la rive méridionale, très basse, s'effectue grâce à un long viaduc en courbe, métallique puis en maçonnerie ; l'ensemble de l'ouvrage, conçu par Gustave Eiffel et exécuté par l'ingénieur Gérard, terminé en 1889, dépasse 2 300 mètres de développement.

Le trafic de cet axe sous-utilisé ne peut être considéré comme important : sauf sur les troncs communs Nantes-Clisson (origine de la ligne de Cholet) et Saintes-Beillant (origine d'une ligne se dirigeant vers Angoulême) le nombre de trains en moyenne quotidienne et les deux sens confondus ne dépasse jamais 40. Si le transport des voyageurs domine, il ne se situe qu'entre 2 800 et 3 500 voyageurs, soit environ le quart du débit de la grande artère voisine Paris-Bordeaux de part et d'autre d'Angoulême. Les courants de marchandises sont relativement beaucoup moins denses, qui frôlent les 2 000 tonnes seulement entre Saintes et Bordeaux, pour tomber en-dessous du millier de tonnes entre La Roche-sur-Yon et La Rochelle.

Plusieurs raisons expliquent le niveau modéré du trafic général, et d'abord la modicité des relations de toutes sortes entre Nantes et Bordeaux, villes beaucoup plus rivales que complémentaires. De plus les prestations offertes aux voyageurs sont de niveau seulement moyen. En effet le tracé de la ligne n'est guère favorable : au siècle dernier ce sont des compagnies comme celles de la Vendée et des Charentes qui l'ont construite ; leurs moyens financiers modestes les ont amenées à éviter les grands travaux, en épousant le plus possible les formes d'un relief jamais vigoureux mais parfois vallonné ; ainsi s'expliquent de nombreuses courbes et des rampes dont le taux atteint parfois, sur de courtes distances il est vrai, 10 mm/m. Ainsi non moins de 24 courbes, de rayon souvent de l'ordre de seulement 500 mètres se décomptent entre La Roche-sur-Yon et Luçon, dont les gares sont distantes de 36 kilomètres seulement ! Dans ces conditions les vitesses maximales autorisées ne peuvent être élevées : elles ne dépassent que rarement 130 km/heure et sur environ le tiers du parcours la vitesse autorisée est inférieure à 120 km/heure. De plus la voie ferrée effectue de larges détours, comme entre La Rochelle et Luçon, ou entre La Roche-sur-Yon et Nantes ; il n'est donc pas étonnant, alors que la distance à vol d'oiseau et par la route entre Nantes et Bordeaux est de respectivement 275 kilomètres et 332 kilomètres, que par le chemin de fer elle atteigne 376 kilomètres ! Enfin le nombre des agglomérations de plus de 25 000 habitants situées sur le trajet entraîne d'autant plus la desserte par tous les trains que le volume du courant entre les deux grandes cités terminales ne justifie pas la mise en circulation de relations sans arrêt. En raison de la combinaison de ces divers facteurs les 4 trains réguliers de chaque sens couvrent le parcours au mieux en 4 heures, c'est-à-dire à moins de 100 km/heure de vitesse moyenne. Par ricochet l'irruption des TGV sur les deux grandes radiales encadrantes ne peut que dévaloriser davantage le service offert sur la transversale ouest. Toujours est-il qu'actuellement elle

continue de jouer un rôle très utile de liaison entre les pays de l'ouest et du sud-ouest, concrétisé par des voitures directes ou des rames complètes qui au-delà de Nantes et Bordeaux poursuivent leur route jusqu'à Quimper, Brest ou Rennes, jusqu'à Toulouse, Marseille, Nice et au-delà. On notera par ailleurs que le trafic est marqué par une sensible recrudescence estivale, en raison de la forte vocation balnéaire et touristique du littoral atlantique.

Dans le domaine des marchandises l'atonie d'ensemble du trafic s'explique d'abord par la faiblesse de l'industrialisation des régions traversées, et la très nette prédominance, dans l'activité du port de La Rochelle-Pallice, des échanges avec les pays du Bassin Parisien.

En outre, depuis 1989, l'acheminement par les axes lourds électrifiés Nantes-Tours et Tours-Bordeaux, ainsi que par le grand triage de Saint-Pierre-des-Corps des wagons échangés entre les nœuds ferroviaires nantais et bordelais accentue la primauté relative du transport des voyageurs sur l'itinéraire direct.

LA "MAGISTRALE" SUD : BORDEAUX-MARSEILLE

Par son développement kilométrique, l'intensité et la nature de son trafic l'artère Bordeaux-Marseille mérite d'être considérée comme l'un des axes essentiels et, à tout le moins, comme la principale ligne transversale de notre réseau.

Son importance est d'abord en relation avec son rôle de liaison entre l'ouest et le sud-ouest du pays d'une part, de l'autre les régions méditerranéennes, françaises, mais aussi espagnoles et italiennes toutes proches. Par ailleurs, même si les foyers d'industrie lourde sont relativement rares, le trafic ferroviaire ne peut qu'être stimulé par l'ampleur du phénomène urbain : alors que Bordeaux, Toulouse et Marseille dépassent chacune 500 000 habitants, huit autres agglomérations desservies par la transversale sont peuplées de plus de 30 000 habitants.

Le tracé et le profil d'ensemble sont extrêmement favorables. Tout en s'installant prudemment à l'abri des débordements du fleuve, la voie ferrée tire profit jusqu'à Toulouse de l'ample couloir qu'offre la vallée de la Garonne. Plus à l'est le franchissement du seuil de Naurouze, entre bassins aquitain et méditerranéen, est aisé : c'est un large corridor aux pentes contraires faibles (la ligne de partage des eaux se situe à moins de 200 mètres d'altitude) qui sépare les hauteurs de la Montagne Noire et des Corbières, avancées du Massif Central et des Pyrénées. Aussi les voies de communication à grand trafic ont-elles toujours sillonné ce boulevard ; il est significatif de constater, au niveau de l'obélisque de Riquet, le parallélisme, à quelques centaines de mètres au plus les uns des autres, du canal du Midi, de la route nationale 113, de l'autoroute A 64-E 80, et bien entendu de la voie ferrée : celle-ci conserve alors un profil excellent puisque le taux des déclivités n'est jamais supérieur à 5 mm/m. A l'est de Narbonne la ligne court à travers la plaine du Bas-Languedoc, très allongée, avant de rejoindre à Tarascon la radiale maîtresse Paris-Marseille.

La ligne Bordeaux-Montauban longeant le canal latéral à la Garonne à Malause.

Aussi, sur les 682 kilomètres de développement de la transversale les grands ouvrages d'art sont-ils naturellement rares : pont et viaduc de Langon sur la Garonne, ponts de Moissac sur le Tarn, de Tarascon sur le Rhône, courts tunnels à La Réole et près de Moissac, souterrains d'Ensérune, entre Narbonne et Béziers, de Beaucaire près de Tarascon.

La qualité du tracé explique que les vitesses autorisées soient de haut niveau et qu'en particulier les 160 km/heure puissent être atteints sur plus des deux tiers du parcours. Seule la section Valence-d'Agen-Moissac, très sinueuse, constitue de ce point de vue le maillon le plus faible de la ligne, qui doit alors se frayer un passage entre la Garonne et les rebords des collines et plateaux de la rive nord. Le bon écoulement du trafic est désormais facilité par un équipement technique de haute qualité. En effet depuis 1980 la mise sous tension de l'artère Bordeaux-Montauban, c'est la totalité de l'itinéraire Bordeaux-Marseille qui se trouve électrifié en courant 1 500 volts. De même le block automatique règne maintenant sans partage, sous la forme la plus élaborée, celle du BAL, sauf entre Langon et Lavilledieu, près de Montauban où fonctionne le BAPR (Block Automatique à Permissivité Restreinte). Comme par ailleurs les possibilités de garage ont été développées, avec entre autres l'utilisation de triages déclassés, comme à Béziers, la "Magistrale sud" est armée pour faire face à un trafic massif.

Le relevé du nombre de trains circulant en moyenne quotidienne, les deux sens réunis, est éloquent. Jamais inférieur à 50, il oscille de 50 à 60 entre Bordeaux et Montauban, se situe autour de 90 entre Toulouse et Narbonne pour culminer de 140 à 170 entre Narbonne et Nîmes. De plus, énorme différence avec les artères Valenciennes-Thionville et Nancy-Dijon, l'équilibre entre convois de voyageurs et de marchandises est remarquable : il correspond à la nature des échanges dans cette moitié sud de la France.

Toujours important, le trafic des voyageurs tend à augmenter d'ouest en est : supérieurs en effet à 6 000 voyageurs en moyenne quotidienne, les deux sens réunis, entre Bordeaux et Montauban, les flux approchent les 12 000 personnes entre Toulouse et Narbonne pour ensuite dépasser 14 000 voyageurs entre Narbonne et Béziers et frôler les 20 000 entre Nîmes et Tarascon. Les éléments d'explication sont de plusieurs ordres. D'abord s'écoulent de forts courants d'une extrémité à l'autre entre Bordeaux et Marseille, dont d'ailleurs les origines et les destinations peuvent être localisées bien au-delà, dans la France de l'ouest ou sur la Côte d'Azur et la Riviera. Ensuite viennent se superposer des flux allogènes, de deux types : la section Montauban-Toulouse-Narbonne est sillonnée par les trains reliant Paris à Barcelone, à la Catalogne et au Levant espagnol, tandis qu'à l'est de Narbonne le trafic est régulièrement gonflé par les apports successifs des flux qui s'établissent entre les agglomérations de Béziers, Sète, Montpellier et Nîmes d'une part, Marseille et Paris par l'axe rhodanien de l'autre. La métropole toulousaine, ne modifie pas sensiblement la répartition des courants, dans la mesure où les flots de voyageurs qui fréquentent la gare Matabiau se répartissent avec équité entre les directions de Bordeaux et de Marseille.

Le service offert par la SNCF sur la transversale sud, très nettement amélioré depuis 1980, est maintenant de qualité dans différents domaines, et, d'abord dans celui de la fréquence. En moyenne quotidienne, en effet, circulent quatre trains allers et retours entre Bordeaux et Marseille, un Nantes-Nice ; à cette trame de base, renforcée en fin de semaine et en période estivale, en raison de l'activité balnéaire et touristique souvent forte des régions desservies, viennent s'ajouter entre Toulouse et Marseille une relation Hendaye-Nice, et quatre liaisons Bordeaux-Toulouse, certaines étant prolongées jusqu'à Montpellier. Par ailleurs les vitesses moyennes sont satisfaisantes, proches la plupart du temps de 110 kilomètres/heure entre Bordeaux et Marseille ; depuis 1990 une amélioration spectaculaire a été apportée par la mise en circulation d'un rapide qui, ne desservant en cours de route que Toulouse et Montpellier, couvre le trajet en un peu moins de 5 heures 20, soit à une vitesse moyenne très proche de 130 kilomètres/heure. Bien répartis dans la journée ces trains permettent entre autres, sans voyager de nuit, depuis Bordeaux, Toulouse, Montpellier ou Marseille de disposer de l'après-midi dans n'importe quelle autre de ces cités. Si dans le contexte actuel le plafond des possibilités semble à peu près atteint, l'arrivée prévisible du TGV sur l'ensemble de l'itinéraire, au-delà de l'an 2000, accompagnée de la construction de sections de ligne entièrement nouvelles, représenterait un nouveau bond en avant, très spectaculaire.

Le trafic des marchandises, au plan général, se rapproche beaucoup par sa densité et sa répartition géographique de celui des voyageurs. C'est ainsi que, toujours massif, il se traduit par près de 12 000 tonnes transportées en moyenne journalière et les deux sens confondus, entre Bordeaux et Montauban, avant d'atteindre 20 000 tonnes entre Toulouse et Narbonne ; à l'est de cette gare le volume des flux est très proche des 20 000 tonnes.

En l'absence de puissants bassins industriels comparables à ceux du nord et du nord-est du pays, ces flux importants s'expliquent par la superposition de courants extrêmement variés. Nombreuses et souvent très peuplées, les agglomérations qui jalonnent l'ensemble de l'itinéraire, et qui regroupent au total 3 000 000 d'habitants, doivent recevoir les innombrables produits, alimentaires ou énergétiques entre autres, indispensables à leur vie et à leurs activités. Par ailleurs les importations et exportations des complexes portuaires de Sète, Bordeaux-Le Verdon et surtout Marseille-Etang-de-Berre entraînent le chargement et le déchargement de très nombreux wagons. De même le trafic ferroviaire est stimulé par l'approvisionnement et la production des zones industrielles de Bordeaux, Toulouse ou Marseille-Fos. Il est également renforcé

par l'orientation commerciale très marquée de l'agriculture des régions traversées, à la base des expéditions de fruits et légumes dans les gares de la moyenne Garonne, de céréales autour de Toulouse, de produits viticoles dnas le Bas-Languedoc... Mais s'ajoutent des flux de transit non négligeables. A la différence de ce qui a été constaté au plan du transport des voyageurs, c'est surtout la section Narbonne-Nîmes qui supporte les échanges entre France et Espagne du nord-est ; en effet les marchandises acheminées par l'artère Narbonne-Port-Bou, de l'ordre de 11 000 tonnes, et où se retrouvent maintenant les produits manufacturés et de toute nature échangés entre l'Espagne de l'est et l'Europe rhénane, circulent essentiellement sur le grand axe rhodanien Dijon-Lyon-Tarascon. Solidement amarrée aux radiales Paris-Bordeaux, Paris-Toulouse et Paris-Marseille-Nice, prolongée vers le nord-ouest par la transversale Bordeaux-Nantes, la magistrale sud constitue bien un axe ferroviaire vital de la moitié méridionale de la France. Son rôle est encore renforcé par l'apport à Toulouse d'une autre transversale moins importante mais cependant active.

LA TRANSVERSALE PYRÉNÉENNE BAYONNE-TOULOUSE

Longue de 321 kilomètres, cette artère est à voie unique sur ses cinquante premiers kilomètres ; c'est seulement à Puyoô, qu'elle retrouve, en rejoignant la relation Bordeaux-Dax-Tarbes, une double voie.

Son profil est très inégal. Alors même que la montagne pyrénéenne est toute proche, la voie ferrée peut à l'ouest de Lourdes descendre la vallée du Gave de Pau, à l'est de Montréjeau suivre jusqu'à Toulouse le cours de la Garonne ; le taux des rampes ne dépasse pas alors 10 mm/m. En revanche dans son tiers central la ligne offre un profil très difficile, car elle doit nécessairement escalader le plateau de Lannemezan pour passer du bassin de l'Adour dans celui de la Garonne. Aussi entre Tournay et Lannemezan les trains qui se dirigent vers Toulouse doivent-ils affronter la très dure et célèbre rampe de Capvern : en 19 kilomètres celle-ci efface une dénivellation de 360 mètres, supérieure donc à la hauteur de la Tour Eiffel, au prix d'un taux de 33 mm/m sur plus de 10 kilomètres. Il n'est donc pas étonnant que, pour faciliter la traction et l'écoulement du trafic, la Compagnie du Midi ait songé très tôt à l'électrification, favorisée par la proximité des centrales hydroélectriques pyrénéennes : dès 1917, la section Pau-Tarbes-Montréjeau est équipée en 12 000 V-16-2/3 Hz, un type de courant qui laisse la place en 1923 au 1500 V continu sur la totalité de la transversale. A l'heure actuelle la ligne Bayonne-Toulouse, dont le débit a été amélioré par l'installation du block manuel unifié, est armée pour assurer une desserte convenable des régions du Piémont pyrénéen.

Si moins de 20 trains circulent en moyenne quotidienne et les deux sens réunis entre Bayonne et Puyoô, ailleurs leur nombre oscille entre 25, sur la section Lannemezan-Montréjeau, et 50 ; les convois de voyageurs constituent environ les trois

En bordure du Gave de Pau, la transversale Bayonne-Toulouse : une grande ligne avec des parcours en milieu presque montagneux.

quarts du trafic global. Non négligeable cependant, le transport des marchandises se concrétise par des flux variant de 2 500 à 6 000 tonnes environ. Il s'agit avant tout de courants locaux qui de part et d'autre de la portion centrale de la ligne s'écoulent entre le port de Bayonne, la région bordelaise, l'ensemble industriel de Lacq, l'agglomération toulousaine et les gares situées à l'est de Tarbes : l'alumine destinée à Artix, le soufre de Lacq, les lingots d'aluminium fabriqués à Artix sont de bons exemples.

Le trafic des voyageurs, lui, présente la même densité de Puyoô à Toulouse, de l'ordre de 5 000 voyageurs tandis que sont décomptés moins de 1 500 voyageurs sur la courte section Bayonne-Puyoô. Les 10 à 15 relations qui, en moyenne journalière, sillonnent dans chaque sens la ligne assument en fait des missions fort diversifiées. La fonction transversale proprement dite est marquée par deux liaisons aller-retour quotidiennes entre Hendaye, Toulouse, Marseille, avec pour le rapide nocturne prolongement jusqu'à Nice et Rome ; mais sur

la section Puyoô-Tarbes s'écoulent également des flux de type radial entre Paris et Bordeaux d'une part, Pau, Lourdes et Tarbes de l'autre : desservie par 3 TGV de chaque sens, cette gare se retrouve désormais à 5 heures quarante environ de celle de Paris-Montparnasse. De plus la ligne doit faire face à des pulsions saisonnières ou ponctuelles en raison de l'activité des stations de sport d'hiver, et surtout de l'importance du centre de pèlerinage de Lourdes, vers lequel convergent chaque année plus de 600 trains spéciaux.

Si donc le carrefour ferroviaire parisien, rouage essentiel, est l'origine de nombreux axes radiaux qui constituent l'ossature du réseau, ce dernier s'articule aussi autour d'artères transversales dont le rôle est d'autant plus important qu'elles se développent loin de la capitale.

L'analyse du fonctionnement au plan régional de cette complexe mécanique ferroviaire va permettre de mieux comprendre la complémentarité des diverses catégories de lignes.

LE NORD
ET LE NORD-EST

L'axe Amiens-Calais à Wimereux : le tracé escalade les bombements crayeux de l'Artois au prix de rampes souvent difficiles.

Au plan ferroviaire, le nord et le nord-est de la France, de la mer du Nord à la frontière suisse, sont couverts par les ex-réseaux Nord et Est de la SNCF aujourd'hui fusionnés sous l'appellation Nord-Est.

Proches des frontières les plus vulnérables du pays, ces régions, dans l'Europe contemporaine, sont largement ouvertes aux influences extérieures : les voies ferrées qui les traversent ont souvent une vocation internationale. Il s'agit là de pays très variés : vastes plaines d'Artois ou de Picardie, relief accidenté des régions des côtes de Lorraine, montagne vosgienne. La population est très inégalement répartie : clairsemée en Champagne sèche ou sur le plateau de Langres, elle est très dense en Flandre ou dans la plaine d'Alsace. C'est que les ressources économiques sont elles-mêmes très diverses : toutes les plaines sont loin, au plan agricole, d'être aussi riches que celles d'Alsace ou d'Artois, tandis que sur le charbon et le minerai de fer se sont édifiés, dans le Nord-Pas-de-Calais et en Lorraine septentrionale, de puissants bastions industriels. Durement frappées par la récession, ces régions n'en restent pas moins actives et très peuplées.

Elles sont toutes deux sillonnées par de très nombreuses voies ferrées, dont le dense écheveau évoque l'image de véritables nébuleuses ferroviaires, caractérisées chacune par l'émergence de nombreux nœuds qui sous-tendent la trame des lignes. Ces deux ensembles complexes pèsent lourdement sur l'architecture générale du réseau ferré : d'importantes lignes radiales comme Paris-Lille ou Paris-Strasbourg relient les deux bassins industriels à la capitale, alors que la grande transversale Valenciennes-Thionville les unit. Le dispositif principal est complété par d'autres radiales comme Paris-Calais, Paris-Bruxelles et Paris-Mulhouse-Bâle, et par plusieurs transversales : la rocade Amiens-Tergnier-Reims-Culmont-Chalindrey contourne les régions centrales du bassin parisien, tandis que les lignes Nancy-Dijon et Strasbourg-Mulhouse assurent des liaisons essentielles.

Enfin, comment ne pas remarquer, comme ailleurs, le dépérissement ou la disparition de nombreuses lignes régionales à vocation purement rurale. Mais la vigueur du trafic sur la plupart des lignes exploitées, là aussi concentré sur les axes les mieux équipés, montre le rôle capital que continue de jouer le chemin de fer dans des régions très marquées par l'industrie lourde, même déclinante, et au premier chef concernées par la marche en avant de l'Europe. La mise en service à la fin de 1993 du tunnel sous la Manche et du TGV Nord, la probabilité du TGV Est ne peuvent manquer de valoriser la voie ferrée.

LE RÉSEAU DANS LE NORD DE LA FRANCE

Exception faite de l'Ile-de-France, la région du nord est celle de notre pays où la densité des voies ferrées est la plus forte. L'ancienneté et l'ampleur de l'urbanisation, l'essor industriel basé sur le textile et la métallurgie, les facilités de la topographie sont les éléments d'explication essentiels. Dès 1993, le lancement du TGV Nord va revitaliser le système ferroviaire.

UNE TRAME GÉNÉRALE DENSE ET DE QUALITÉ

Environ 200 kilomètres seulement séparent la région parisienne de la frontière belge, la mer du Nord du massif ardennais. Sur la superficie restreinte ainsi délimitée, constellée de plusieurs dizaines de villes importantes ou moyennes, les voies ferrées courent en tous sens, et en particulier à la surface du bassin minier et industriel du Nord-Pas-de-Calais.

Mais l'architecture d'ensemble du réseau ferré est relativement simple. En effet, du carrefour parisien s'échappent deux grandes radiales, vers Bruxelles et vers Lille ; cette dernière assume des fonctions complexes dans la mesure où sur la plus grande partie de son parcours elle constitue en fait un tronc commun : à Amiens-Longueau et à Arras s'en détachent respectivement les lignes de Calais et de Dunkerque. Par ailleurs, alors que la nébuleuse du nord est traversée dans son axe longitudinal nord-ouest sud-est par l'amorce, depuis Dunkerque, de la transversale Valenciennes-Thionville, deux autres axes transversaux s'éloignent, du carrefour d'Amiens, vers Rouen d'une part, vers Tergnier, Reims et Culmont-Chalindrey de l'autre. Cette trame de base est complétée par de nombreuses artères de niveau secondaire, comme les radiales du Tréport ou de Laon-Hirson, et les multiples lignes qui irriguent le bassin industriel du Nord. Les deux premières lignes citées sont à double voie et dotées du block manuel jusqu'à Laon et Beauvais. Au-delà elles ont été mises à voie unique. A Abancourt l'artère Paris-Le Tréport coupe la transversale Amiens-Rouen équipée, elle, pour faire face à un trafic important.

Lorsqu'elles existent, les grandes vallées ne sont pas négligées par les voies ferrées : la ligne Paris-Bruxelles remonte longtemps la vallée de l'Oise, l'artère Amiens-Calais suit jusqu'à la mer celle de la Somme, tandis que la percée de la Sambre permet au nord-est d'Aulnoye une pénétration aisée en Belgique. Mais l'absence de vallée a été rarement préjudiciable, dans la mesure où s'étalent à perte de vue plaines et plateaux : c'est ainsi que les collines de l'Artois ne constituent en rien un obstacle, alors que, en revanche, la ligne Amiens-Rouen doit traverser perpendiculairement à son axe la boutonnière du Pays de Bray, dominée par deux lignes de collines. Dans la plupart des cas les lignes les plus chargées du nord de la France bénéficient d'un équipement de haut de gamme : électrification (en courant 25 000 volts), block automatique

lumineux, voies de garage actif, installations permanentes de contre-sens (IPCS). Toutefois, parmi les axes principaux, la relation Calais-Amiens-Tergnier, non électrifiée et seulement dotée du block manuel, se trouve pour l'instant moins favorisée : l'essor du trafic transmanche par le tunnel pourrait exiger éventuellement sa mise à niveau technique afin d'éviter la saturation des autres grandes artères.

Si la nébuleuse ferroviaire du Nord-Pas-de-Calais représente une force d'attraction considérable, plusieurs carrefours ferroviaires qui n'en sont guère éloignés n'en jouent pas moins un rôle autonome et original.

TROIS GRANDS CARREFOURS AUTONOMES : AMIENS, TERGNIER, AULNOYE

Ces trois grands nœuds, qui jalonnent les deux principales lignes radiales traversant le nord du pays, assument chacun des missions importantes et spécifiques.

Comme les carrefours Orléans-Les Aubrais et Tours-Saint-Pierre-des-Corps, celui d'Amiens est en fait double, dans la mesure où la gare de Longueau, située à 4 kilomètres de celle d'Amiens, joue un rôle essentiel.

Au cœur de la plaine picarde, à égale distance des régions parisienne et lilloise, non loin de Rouen et de la basse Seine, et près d'une ville ancienne et peuplée, il était normal que se développe un grand nœud ferroviaire. Son rayonnement ne pouvait qu'être favorisé par la convergence de vallées comme celles de la Somme mais aussi de l'Ancre, de l'Avre et de la Noye. Aussi six lignes actives, auxquelles il faut ajouter l'antenne à voie unique de Doullens, convergent-elles vers le carrefour d'Amiens-Longueau : si les deux sections de l'axe Paris-Lille bénéficient de l'équipement optimal, la transversale venant de Rouen, électrifiée, n'est dotée que des signaux du BAPR, alors que le sous-équipement relatif des artères de Calais et Tergnier est déjà connu ; enfin la ligne Amiens-Paris par Montdidier n'est plus que l'ombre de ce qu'elle était à l'époque où elle acheminait de nombreux trains de charbon du nord : mise à voie unique, elle n'est plus que partiellement exploitée.

Les facilités offertes par le relief, l'intérêt de légèrement raccourcir l'itinéraire Paris-Lille ont fait la fortune de la petite bourgade de Longueau, installée près de la confluence de la Somme et de l'Avre, et devenue une véritable "ville cheminote" avec ses cités construites par la Compagnie du Nord ; même si, initialement, en l'absence d'un raccordement direct, le rebroussement de tous les trains à Amiens était obligatoire, la création d'un important triage à la convergence de plusieurs lignes très actives assura son avenir ferroviaire. Actuellement et après de nombreux remaniements et agrandissements, le plan général du nœud de Longueau figure un triangle : aux bifurcations qui marquent les pointes nord-est et

Sur Paris-Laon, un certain nombre d'express sont assurés en rames de type "RRR" ; ici, la ligne aux abords de Laon dont on aperçoit la cathédrale.

sud-est ont été édifiés des sauts-de-mouton complexes évitant tout cisaillement d'itinéraires importants ; c'est ainsi en particulier qu'au sud la double voie de Calais se détache de l'axe Paris-Lille ; au nord-ouest, cette ligne est rejointe par le raccordement reliant Amiens aux artères de Lille et Tergnier. A l'intérieur de ce triangle s'inscrit le triage, déclassé, dont la structure en fourche est très originale : à côté du faisceau de réception de 6 voies, celui de débranchement comprend deux groupes, de 17 et 20 voies, dont les têtes sud se greffent sur la ligne de Paris alors que les extrémités opposées se rattachent aux voies courant vers Amiens ou vers Lille (1). Seuls le dépôt et les ateliers s'étendent à l'extérieur du triangle, plus précisément à l'est de l'itinéraire direct Paris-Lille.

La gare d'Amiens, à l'écart de la principale zone de bifurcations, est cependant mieux lotie que celle d'Orléans et de Tours puisqu'elle ne se retrouve pas en impasse, mais sur le tracé de la radiale Paris-Calais et de la transversale de Rouen. Dominée par l'altière tour Perret, elle compte neuf voies à quai, dont il est vrai quatre en cul-de-sac, orientées vers la ligne de Paris. Pendant longtemps, un petit triage, affecté au Régime Accéléré (RA) a fonctionné à proximité ; il est aujourd'hui désaffecté.

A l'ouest de l'agglomération, la gare Saint-Roch, elle, contrôle la bifurcation des deux lignes à double voie de Calais et de Rouen.

Le trafic acheminé par le carrefour d'Amiens-Longueau, lourd et complexe, est dominé par l'activité de transit. Ce n'est pas que les échanges induits par une agglomération de 160 000 habitants soient négligeables : les flux de voyageurs sont globalement supérieurs de 20% à ceux constatés à Orléans ; ici aussi, les mouvements pendulaires en relation avec la capitale sont importants, d'autant que la durée du trajet ne dépasse que de peu une heure. Mais ce sont les courants interrégionaux et internationaux qui expliquent la densité d'ensemble de la circulation ferroviaire autour d'Amiens : près de 150 trains en moyenne quotidienne et les deux sens réunis sur la ligne de Paris, 120 sur celle de Lille, 60 sur celle de Calais, une trentaine sur celles de Rouen et Tergnier.

Au plan du transport des voyageurs le rôle du carrefour est assez simple. Il doit en effet organiser, en fin de tronc commun issu de la capitale, la séparation des courants Paris-Lille et Paris-Calais ; la bifurcation de Boves, avec saut-de-mouton, au sud-est de la gare de Longueau, s'en charge. Alors que tous les express et rapides de la ligne de Calais marquent l'arrêt en gare d'Amiens, ceux de l'artère de Lille, qui regroupent les deux tiers des 22 000 voyageurs du tronc commun, empruntent tous l'itinéraire direct, en marquant simplement parfois

(1) *Un faisceau de relais de 4 voies a été aménagé au nord du triage, sur l'itinéraire Lille-Rouen.*

116

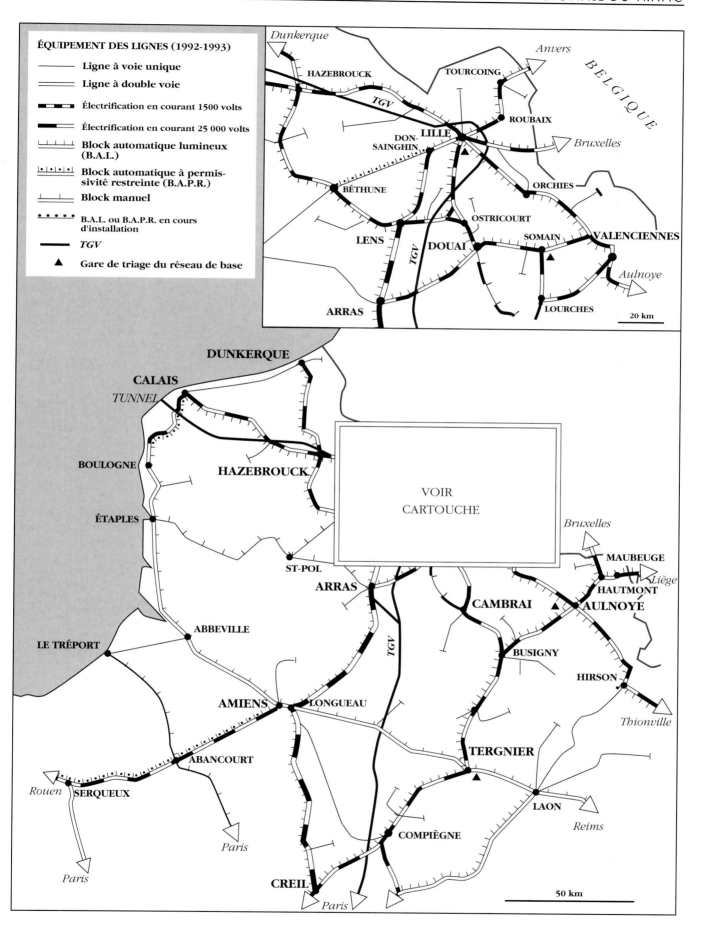

ÉQUIPEMENT DES LIGNES (1992-1993)

- Ligne à voie unique
- Ligne à double voie
- Électrification en courant 1500 volts
- Électrification en courant 25 000 volts
- Block automatique lumineux (B.A.L.)
- Block automatique à permissivité restreinte (B.A.P.R.)
- Block manuel
- B.A.L. ou B.A.P.R. en cours d'installation
- TGV
- ▲ Gare de triage du réseau de base

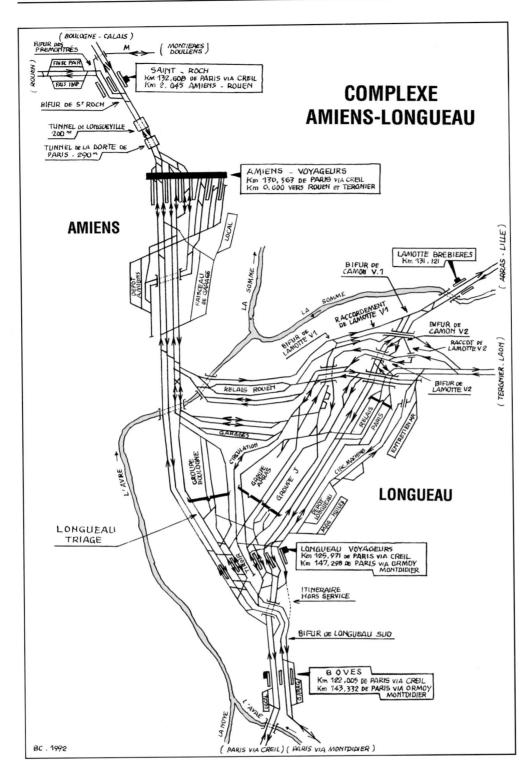

COMPLEXE AMIENS-LONGUEAU

Page ci-contre : une vue aérienne du nœud de Longueau, à comparer avec le schéma ci-contre à gauche.

l'arrêt en gare de Longueau, où des navettes, comme aux Aubrais ou à Saint-Pierre-des-Corps, assurent la correspondance avec la grande ville proche de quelques kilomètres. Mais au moins la moitié des express et rapides traversent en pleine vitesse le complexe. Plus classiquement, les trains régionaux ou locaux de l'ensemble des lignes de l'étoile partent de la gare d'Amiens elle-même, ou y aboutissent. Sur ses quais, de multiples possibilités de correspondance se présen-tent, par exemple pour les voyageurs désirant se rendre de Rouen à Lille.

Il va de soi que la mise en service du TGV Nord, en 1993, ne va pas directement avantager Amiens, dans la mesure où la ligne nouvelle est tracée plusieurs dizaines de kilomètres à l'est ; mais les perspectives offertes par le tunnel sous la Manche peuvent soit provoquer la valorisation de la ligne de Ca-lais, soit entraîner la construction d'une seconde ligne TGV

qui, elle, desservirait Amiens. Ainsi l'avenir n'est-il pas trop sombre pour la capitale picarde.

L'enchevêtrement des flux de marchandises est plus complexe. Avec 25 000 tonnes en moyenne quotidienne, les deux sens réunis, le tronc commun Paris-Longueau supporte là-aussi un trafic volumineux, mais la section Longueau-Arras le dépasse, avec 28 000 tonnes ; par ailleurs, si la ligne de Calais est proportionnellement moins active que pour le service des voyageurs, avec seulement 5 000 tonnes, en revanche avec respectivement 5 500 tonnes et 8 000 tonnes les artères de Tergnier et Rouen connaissent une activité nettement plus soutenue. Plusieurs éléments d'explication doivent être évoqués : Boulogne et Calais, par le poids de leur population et les échanges de passagers transmanche, génèrent surtout un fort trafic de voyageurs ; la ligne Amiens-Tergnier, qui constitue l'amorce de la rocade aboutissant à Châlons-sur-Marne et accueille des trains de fret, contribue à soulager les voies ferrées de la région parisienne. L'artère Rouen-Amiens, pour les courants de marchandises, assure de denses liaisons entre le nord de la France et les ports de la basse Seine. Aussi dans le domaine du fret le tronc commun Paris-Longueau est-il moins fréquenté que celui qui, entre Arras et Longueau, regroupe les flux radiaux et bas-normands, en provenance ou à destination des lignes de Paris et de Rouen.

En moyenne journalière environ 80 convois de marchandises transitent par le carrefour ferroviaire picard. Mais celui-ci fonctionne avant tout comme un grand nœud de bifurcations, qui oriente des trains formés ailleurs. En effet, dans le cadre du plan Etna, le triage de Longueau, longtemps très dynamique avec plus de 2 000 wagons expédiés chaque jour, s'est retrouvé déclassé et voué à des tâches purement locales. Il a été victime de son équipement moins sophistiqué et de sa disposition en fourche assez peu pratique, de la disparition du trafic du charbon, de la proximité de gares de triage puissantes et très opérationnelles à Lille-Délivrance, Somain, Sotteville et dans la région parisienne. Toujours est-il que sur les faisceaux de la gare de Longueau de nombreux relais ou escales s'effectuent chaque jour ; ils confirment le rôle très important de plaque tournante de ce carrefour ferroviaire double d'Amiens-Longueau, au rôle indiscutablement original aussi bien pour l'acheminement des voyageurs que pour celui des marchandises.

80 kilomètres seulement séparent Amiens d'un autre grand carrefour de la région du nord, celui de Tergnier ; il marque l'intersection de la grande radiale Paris-Bruxelles et de la transversale Amiens-Culmont-Chalindrey.

Installé dans la partie orientale de la Picardie, non loin des plaines de Champagne, ce nœud ferroviaire ne dessert pas de grande ville puisque la localité, qui n'est pas un important centre routier, ne compte que 15 000 habitants. Mais, dans une région de plaines et de plateaux, le site se devait d'attirer les voies ferrées grâce aux facilités offertes par la vallée de l'Oise et une dépression perpendiculaire où coule le canal de Saint-Quentin.

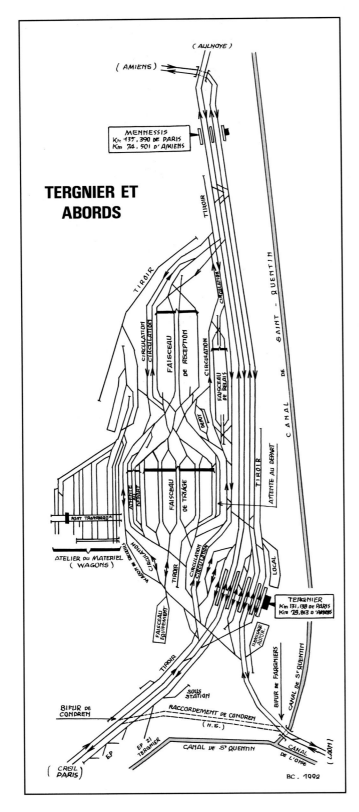

TERGNIER ET ABORDS

coupe à un niveau inférieur, à plusieurs kilomètres au nord de la gare, l'axe radial Paris-Bruxelles qui, lui, bénéficie de l'équipement technologique le plus développé ; les deux lignes sont donc indépendantes. Par ailleurs la gare des voyageurs comporte 8 voies à quai, toutes de passage, tandis que, allongée sur plusieurs kilomètres, la gare de triage est particulièrement vaste avec, du nord au sud, faisceaux de réception et de relais de respectivement 14 et 18 voies, puis de débranchement de 34 voies ; à la différence de celui de Longueau, ce triage a pu profiter de tous les perfectionnements de ces dernières décennies. Le dispositif ferroviaire est complété par un dépôt et par des ateliers très actifs qui, regroupant 600 cheminots, se consacrent surtout à l'entretien, la réparation et la transformation des wagons de marchandises.

L'importance actuelle du carrefour de Tergnier se comprend assez mal si ne sont prises en compte que les lignes qui y aboutissent. Certes la radiale Paris-Bruxelles supporte un trafic dense, concrétisé par environ 130 trains en moyenne quotidienne, les deux sens réunis ; mais seulement 35 à 40 convois circulent sur la transversale reliant Amiens à Reims et Culmont-Chalindrey. Et de fait la gare ne joue pour le trafic des voyageurs qu'un rôle effacé ; elle se contente d'offrir quelques possibilités de correspondance entre les trains locaux qui roulent sur les quatre sections de ligne, alors même que sur la transversale les trains à grand ou même à moyen parcours sont rares, et que sur l'axe radial, dans l'immense majorité des cas, les express et rapides à destination ou en provenance de Saint-Quentin, Maubeuge, de Belgique, des Pays-Bas et de l'Allemagne, traversent sans arrêt la gare de Tergnier. Signalons qu'avec près de 15 000 voyageurs en moyenne quotidienne, les deux sens réunis, la ligne Paris-Aulnoye surclasse la transversale, 12 à 15 fois moins fréquentée. Proportionnellement le carrefour exerce un rayonnement beaucoup plus important pour la circulation des marchandises. Comme celui d'Amiens-Longueau il est traversé par l'une des deux grandes artères radiales unissant régions parisienne et du Nord, et est situé à peu près, lui aussi, à égale distance de ces deux ensembles géographiques. De plus deux gares de bifurcation, au nord et au sud de Tergnier, assurent la greffe sur l'axe majeur de lignes qui amènent ou retirent des parts de trafic : à Busigny naît l'embranchement qui atteint la partie orientale du bassin industriel du Nord ; à Longueil-Sainte-Marie, près de Verberie, se détache l'artère qui rejoint la ligne de Laon à Ormoy-Villers, l'important triage du Bourget et la Grande Ceinture parisienne. Aussi les faisceaux de la gare de Tergnier ont-ils naturellement vocation à recevoir en escale de nombreux trains en simple transit.

L'activité de la gare de triage est elle-même marquée par cette situation géographique. Faisant partie, dans le cadre du plan Etna, de la famille des triages complémentaires, elle a expédié en moyenne quotidienne en 1991, 820 wagons. Elle joue un rôle important de trait d'union entre le bassin industriel du nord et la Belgique d'une part, la région parisienne, le sud-est et l'est du pays de l'autre : amenés par les lignes d'Aulnoye, de Valenciennes-Busigny et d'Amiens, les wagons sont

Objet des soins attentifs de la Compagnie du Nord, qui a bâti à proximité des cités cheminotes vastes et pour l'époque remarquables, la gare de Tergnier a toujours bénéficié d'installations largement dimensionnées. Actuellement la double voie Amiens-Reims, non électrifiée et dotée du block manuel,

répartis entre les artères de Creil, du Bourget et de Reims. Tergnier est tout naturellement en relation directe avec les grands triages septentrionaux de Lille-Délivrance, Somain et Aulnoye ; mais des trains sont expédiés aussi vers les gares de Villeneuve-Saint-Georges et Le Bourget, Sotteville, Woippy (près de Metz), Gevrey, ou en arrivent.

A plus d'un titre le carrefour d'Aulnoye présente des similitudes avec celui de Tergnier : agglomération de taille réduite, de l'ordre de 10 000 habitants, croisement d'un axe radial et d'une transversale, prépondérance écrasante du transit.

Non loin de la frontière belge et du massif ardennais, le site d'Aulnoye, qui n'est pas exceptionnel, n'a guère attiré les grands axes routiers. Mais la voie ferrée Paris-Bruxelles a tout naturellement suivi la vallée de la Sambre, orientée vers la Belgique, tandis que dans des régions mollement vallonnées l'artère transversale Valenciennes-Hirson-Charleville-Mézières, pour aller au plus court, se devait de couper perpendiculairement près d'Aulnoye l'axe international.

Cette intersection se traduit de manière très spectaculaire, au sud-ouest de la localité, par un pont qui permet à la transversale d'enjamber la radiale. Dans ces conditions c'est le long de l'artère Paris-Bruxelles que se concentrent les diverses installations du nœud, elles aussi amples et développées : à proximité de la gare des voyageurs, qui dispose de 7 voies de passage à quai, s'étale le triage, fort de faisceaux de réception et de débranchement de respectivement 8 et 33 voies, flanqué d'un faisceau de relais de 6 voies ; à l'est du complexe apparaissent ateliers et dépôt. Alors qu'au nord-est de la gare, un saut-de-mouton permet une liaison sans problème entre le triage et la voie Paris-Bruxelles, au sud-ouest deux raccordements à double voie chacun relient la grande ligne transversale à la gare de voyageurs et au triage. Enfin, à une dizaine de kilomètres du complexe d'Aulnoye lui-même, la bifurcation d'Hautmont joue un rôle de satellite particulièrement actif, puisqu'elle ponctue la séparation des deux lignes à double voie qui se dirigent vers Mons et Bruxelles d'une part, vers Charleroi et Liège de l'autre ; en l'absence de saut-de-mouton, les itinéraires Paris-Liège et Bruxelles-Paris doivent se couper à niveau.

Dans le carrefour d'Aulnoye, et à ses abords, la circulation est intense. Sur l'axe transversal Valenciennes-Thionville roulent en moyenne journalière, et les deux sens réunis, près de 100 convois. Plus des deux tiers transportent du fret ; beaucoup, empruntant les raccordements, font escale sur les voies de la gare d'Aulnoye. Si, sur cette transversale, la trame des trains de voyageurs n'est ni très dense, ni d'une exceptionnelle qualité, il en va tout autrement sur l'axe radial international. Son trafic se caractérise en effet, lui, par un remarquable équilibre entre convois de marchandises et de voyageurs : entre Busigny et Aulnoye, ces derniers représentent exactement la moitié des 120 trains circulant en moyenne quotidienne, les deux sens réunis. Au-delà d'Hautmont, le volume d'activité des deux branches belges, celles de Bruxelles et de Liège, se situe à peu près au même niveau, avec de 80 à 90 mouvements.

L'analyse des flux de voyageurs et des tonnages de fret transportés sur les diverses lignes confirme ces constats. La grande radiale surclasse la transversale pour les flux de voyageurs (10 000 voyageurs en moyenne quotidienne, les deux sens réunis, contre moins de 2 000) ; après Hautmont la branche bruxelloise l'emporte très nettement, avec près des trois quarts du trafic. Les nombreuses possibilités de correspondance entre les quatre branches de l'étoile et l'arrêt de nombreux trains de grand parcours donnent à Aulnoye un niveau de desserte exceptionnel pour une localité de cette importance.

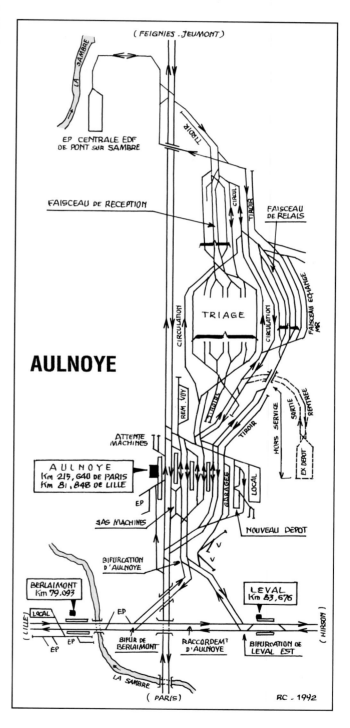

Pendant des décennies, dans le domaine des marchandises, la transversale Nord-Est l'a nettement emporté. Mais le déclin de l'extraction du minerai de fer et du charbon en France métropolitaine, ainsi que l'effondrement de la sidérurgie lorraine l'ont durement frappée, tandis qu'au contraire le trafic de la radiale a été stimulé dans un contexte résolument européen, par le développement des échanges de notre pays avec le Bénélux et l'Allemagne. Aussi, au niveau d'Aulnoye, les 30 000 tonnes acheminées sur la transversale ne dépassent-elles que d'assez peu le fret transporté sur l'axe international ; au nord d'Hautmont, les deux artères pénétrant en territoire belge supportent des charges comparables.

Si, pour une grande part, les flux transportés sur les deux grands axes orthogonaux ne se mélangent pas, les quelques échanges entre eux, la ventilation des courants entre les deux branches belges et la desserte du bassin industriel français de la Sambre, autour de Maubeuge, expliquent l'activité du triage d'Aulnoye : classé comme celui de Tergnier "complémentaire", il a expédié en 1991 et en moyenne quotidienne 680 wagons ; en dehors de la zone il n'échange des trains directs, pour l'essentiel, qu'avec les gares de triage du nord et du nord-est du pays.

L'activité des carrefours d'Amiens-Longueau, Tergnier et Aulnoye est donc largement conditionnée par le fonctionnement de la nébuleuse ferroviaire du Nord-Pas-de-Calais, qu'il s'agit de décrire et d'analyser.

LA NÉBULEUSE FERROVIAIRE DU NORD-PAS-DE-CALAIS

A part l'Ile-de-France et, à un moindre degré la Lorraine sidérurgique, aucune région française n'est desservie par un réseau ferré aussi dense que celui du bassin industriel du Nord-Pas-de-Calais.

Réunis, les deux départements du Nord et du Pas-de-Calais comptent 4 000 000 d'habitants ; le quart de cette population se retrouve dans la conurbation lilloise. Cette très forte concentration humaine, la seconde du pays après celle de la région parisienne, est ancienne, en relation avec une économie active et prospère dès le Moyen-Age. Au XIXe siècle et au début du XXe, l'essor de l'extraction de la houille provoque la montée en puissance et l'apogée des activités industrielles, basées sur la métallurgie lourde et le textile et servies par la proximité de ports bien équipés comme Calais et Dunkerque. Par ailleurs, la vitalité économique, de l'autre côté d'une frontière totalement artificielle, de la Flandre belge et du bassin industriel de Wallonnie, a joué un rôle d'entraînement important.

Dans une région extrêmement plate, les voies ferrées, dès le XIXe siècle, ont proliféré, pour relier entre elles les villes et usines du bassin, unir ce dernier aux ports, à la région parisienne, à la Belgique et à la Lorraine métallurgique, qui avait besoin de son charbon et qui en échange lui apportait son minerai de fer. D'où un foisonnement de lignes, d'embranchements particuliers investissant les usines, cernant les terrils, atteignant dans les secteurs de Lens, Béthune ou Somain, une particulière complexité.

Mais est venu le temps du reflux : timide au début, il s'est accéléré dans les années 70 pour se transformer en véritable effondrement de pans entiers de l'activité industrielle. Il est exact que de timides reconversions ont partiellement pallié l'effondrement des piliers traditionnels de l'économie du Nord de la France. Mais, quantitativement, le trafic ferroviaire a beaucoup souffert de la fin de l'extraction du charbon, du déclin de la sidérurgie, de la crise de l'industrie textile de l'ensemble lillois. Le rail a dû s'adapter à ces mutations. Actuellement il continue de jouer un rôle important dans l'acheminement de flux de marchandises moins denses mais cependant volumineux, tandis que grâce à la mise en œuvre de solutions nouvelles, il contribue efficacement à satisfaire la très forte demande de déplacement des personnes.

Toujours est-il que les infrastructures ferroviaires ont beaucoup évolué ces dernières années pour tenir compte d'un contexte économique nouveau.

Des installations qui restent denses

Sur l'ensemble du bassin industriel du Nord-Pas-de-Calais, le réseau ferré a depuis une quinzaine d'années subi une réelle cure d'amincissement. De nombreuses lignes SNCF ou appartenant aux houillères ne sont plus en service, qu'elles aient été simplement neutralisées, ou déferrées : c'est le cas dans les triangles Lille-Douai-Valenciennes ou Lille-Lens-Ostricourt. Dans les gares de la SNCF les installations ont été simplifiées, comme à Lens ou Valenciennes, avec réduction ou mise en impasse de voies de service : les opulents faisceaux d'antan ont bien maigri. En ce qui concerne l'énorme réseau indépendant des houillères, les très nombreuses lignes qui assuraient la desserte des "fosses", lavoirs et ports fluviaux privés ont presque toutes été déferrées à la suite de l'arrêt total de l'extraction du charbon dans le Nord-Pas-de-Calais ; seuls subsistent quelques courts tronçons transférés à la SNCF sous le régime des voies-mères pour continuer à desservir des entreprises étrangères aux charbonnages mais auparavant desservies par leurs soins. Mais le réseau ferré reste globalement important et bien structuré, adapté à des conditions nouvelles. Il s'inscrit dans un quadrilatère jalonné par Hazebrouck, Tourcoing, Valenciennes et Arras.

Les lignes d'accès à ce complexe ferroviaire, relativement peu nombreuses, sont dans l'ensemble très bien équipées, étant pour la plupart électrifiées et dotées du block automatique lumineux. Avec la région parisienne, la liaison essentielle est assurée par l'axe Paris-Longueau-Arras, qui se divise en deux branches, vers Lille et le centre du bassin industriel d'une part, vers sa partie occidentale et Dunkerque de l'autre. Une seconde relation dessert plus particulièrement le secteur oriental du bassin : électrifiée, mais équipée seulement du block manuel, une ligne à double voie se débranche à Busigny de l'artère Paris-Bruxelles et atteint Valenciennes via Cambrai. Longtemps vitale et restant très importante, la jonction

avec la Lorraine industrielle s'effectue grâce à la grande transversale Valenciennes-Thionville. Aussi, bien qu'en retrait, le nœud d'Aulnoye peut-il être considéré comme l'une des clés d'entrée dans le complexe ferroviaire du nord. Essentielle est également la liaison avec les ports les plus proches : au nord et au nord-ouest d'Hazebrouck deux artères se dirigent vers Dunkerque et Calais ; alors que la première bénéficie depuis longtemps d'un équipement "haut de gamme", la SNCF a décidé, dans la perspective du tunnel sous la Manche, d'améliorer le débit potentiel de la seconde ; c'est ainsi qu'entre Hazebrouck et Calais, après les signaux du block automatique, l'électrification sera une réalité en juin 1993. Enfin les voies ferrées franchissant la frontière ne présentent pas les caractéristiques techniques les meilleures, qui ne se retrouvent que plus à l'est sur l'artère Aulnoye-Bruxelles.

A l'intérieur même de la nébuleuse ferroviaire, trois axes, eux aussi très bien équipés, forment l'ossature de la trame : deux, orientés du nord-ouest au sud-est, dessinent un fuseau entre Hazebrouck et Valenciennes : l'itinéraire nord est tracé par Lille, le second, qui suit l'axe du bassin houiller, par Béthune, Lens, Douai et Somain. Perpendiculairement, la ligne Paris-Lille effectue un léger crochet vers l'est pour desservir Douai, afin d'atteindre la capitale de la Flandre française.

Le dispositif de base est complété par les lignes Arras-Lens, Lille-Lens, Busigny-Valenciennes, elles aussi à double voie et électrifiées.

A partir de cette armature, s'organise la desserte du bassin industriel autour de Lille : des lignes de la SNCF, le plus souvent en impasse, à voie unique et non électrifiées, donnent elles-mêmes naissance aux faisceaux d'échange des très nombreux embranchements particuliers. Mais, dans cette région industriellement sinistrée, le réseau n'est vraiment plus que l'ombre de ce qu'il était il y a seulement 20 ans.

La trame ferroviaire de la région industrielle du Nord est soustendue par une dizaine de carrefours qui organisent et contrôlent la circulation des trains.

A la périphérie, trois nœuds commandent l'accès à la nébuleuse.

Entre Tergnier et Aulnoye, la gare de Busigny gère la bifurcation des lignes de Bruxelles et de Valenciennes par Cambrai ; cette dernière, à double voie et électrifiée, constitue l'itinéraire le plus court entre la région parisienne et le secteur oriental du bassin industriel du Nord. Sur l'artère Paris-Lille, le nœud d'Arras se situe à la fin, lui aussi, d'un tronc commun puisque de la grande radiale se détache la ligne de Dunkerque établie par Lens et Hazebrouck, et également électrifiée. Enfin, au nord-ouest, le carrefour d'Hazebrouck assume des missions plus complexes dans la mesure où il marque la rencontre, d'une part, des artères de Dunkerque et de Calais, de l'autre, de Lille et d'Arras. Ainsi, point de passage obligé, la gare oriente vers l'un ou l'autre port les trains provenant des deux grands axes qui traversent la région industrielle du Nord et, au-delà, de la Lorraine métallurgique, et réciproquement. Ces trois nœuds présentent des points communs : s'ils offrent aux convois de marchandises des possibilités de garage et

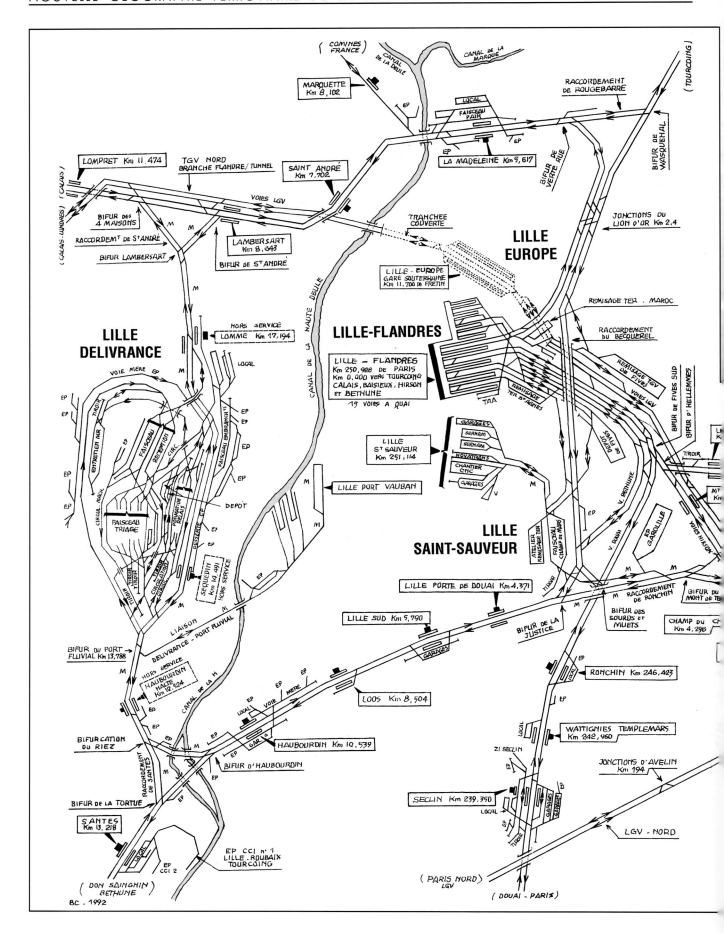

d'escale, ils ne possèdent pas de gare de triage tandis que l'absence totale de sauts-de-mouton aux diverses bifurcations, pose parfois de délicats problèmes d'exploitation.

A l'intérieur de l'ensemble industriel lui-même, émerge le puissant carrefour ferroviaire lillois. Sa structure est d'abord marquée par l'existence d'une ligne de ceinture, électrifiée et à double voie, recoupée ou partiellement empruntée par les artères qui convergent vers la gare principale des voyageurs. Celle-ci, en impasse comme celles de Tours ou de Marseille Saint-Charles, et dont la façade peut sembler manquer d'ampleur et de majesté, compte 15 voies à quai, partiellement abritées par une vaste marquise métallique. A proximité sont regroupés la gare des marchandises, le petit triage du Champ-de-Mars (1), le dépôt de Fives ; non loin de là les ateliers d'Hellemmes, qui regroupent plus de 1 100 cheminots, entretiennent et réparent locomotives électriques, voitu-

---

(1) *Triage de Régime Accéléré (RA), il a disparu en tant que tel dans le cadre du plan Etna et ne joue plus qu'un rôle purement local.*

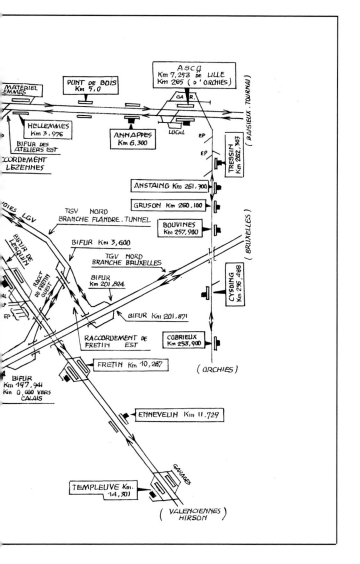

res Corail ; bientôt ils auront en charge les rames du TGV Nord et Transmanche ; ils comptent parmi les plus importants de France. Loin du cœur urbain, l'ancien et grand triage de Lille-Délivrance est greffé sur la ligne de ceinture : de nombreux raccordements permettent des liaisons aisées avec toutes les lignes de l'étoile. Il possède des moyens non négligeables, avec un faisceau de réception fort de 15 voies, accessible pour les trains venant du sud par une voie en forme de raquette, comme à Gevrey, un faisceau de débranchement de 37 voies, un groupe de 20 voies affectées à la formation et au relais ; toutefois, plus que de l'absence d'un faisceau de départ il souffre d'un équipement technique un peu dépassé et de la longueur relativement insuffisante de ses voies : le plus souvent 600 mètres contre 800 à 900 mètres dans les triages les plus modernes.

Globalement, les installations du nœud lillois sont puissantes. Sans les égaler d'autres carrefours sont dotés d'infrastructures appelées à jouer un rôle important.

Plusieurs agglomérations peuplées et industrialisées sont en même temps des sites de bifurcation. Aussi leurs installations ferroviaires comportent-elles des gares de voyageurs aux nombreuses voies à quai de passage (5 à Lens, 7 à Valenciennes, 9 à Douai), des faisceaux permettant le classement des wagons en provenance ou à destination de l'ensemble urbain ou de son étoile de voies ferrées (celui de Douai compte 23 voies), des relais-traction. A Douai, le raccordement à double voie, dit de Saint-Eloi, permet une liaison sans rebroussement entre les lignes d'Arras et de Somain-Valenciennes. Mais trois nœuds jouent un rôle particulier.

Entre Douai et Valenciennes, c'est-à-dire au cœur du complexe industriel bâti sur le charbon, la gare de triage de Somain est particulièrement importante. Située sur l'axe longitudinal méridional Hazebrouck-Valenciennes, elle est remarquablement reliée à la ligne Paris-Bruxelles par la relation tracée via Cambrai et Busigny. Dotée de faisceaux de réception de 13 voies, de débranchement de 32 voies, d'attente au départ de 6 voies, elle contrôle avec le triage de la Délivrance l'ensemble de la circulation des wagons de marchandises isolés dans le bassin industriel du Nord ; les autres triages, souvent anciens, ont été déclassés et n'assument plus que des fonctions locales. Ce processus de concentration se retrouve dans le domaine des dépôts : c'est en effet à Lens que fonctionne le seul dépôt propriétaire d'engins de la région du Nord-Pas-de-Calais : avec en charge plus de 300 locomotives, électriques surtout, il se situe à l'échelle de la SNCF au premier rang. Enfin, en rase campagne ou à peu près, entre Lille et Douai, s'étale le triangle d'Ostricourt : sur ses trois branches, toutes à double voie et électrifiées, s'écoulent les flux Paris-Lille, Lille-Lens, Valenciennes-Douai-Dunkerque : en l'absence de saut-de-mouton le passage quotidien, globalement de 190 mouvements, peut créer parfois de réelles difficultés.

Cette intensité du trafic dans le triangle d'Ostricourt est à l'image de la densité de la circulation ferroviaire dans l'ensemble du nord industriel.

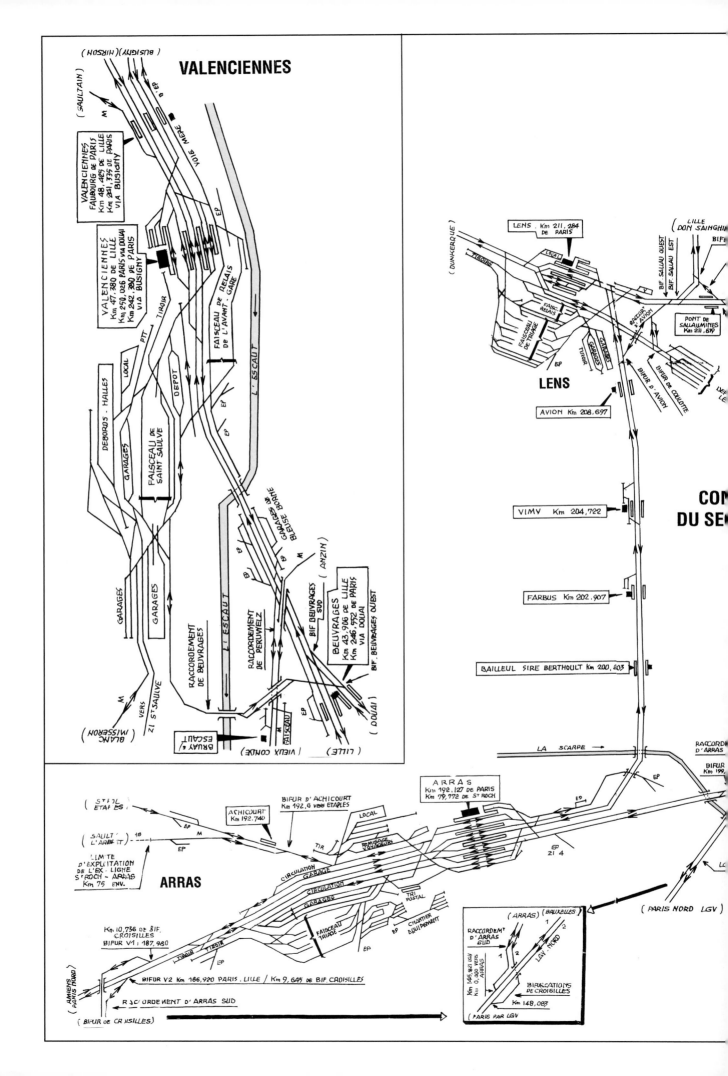

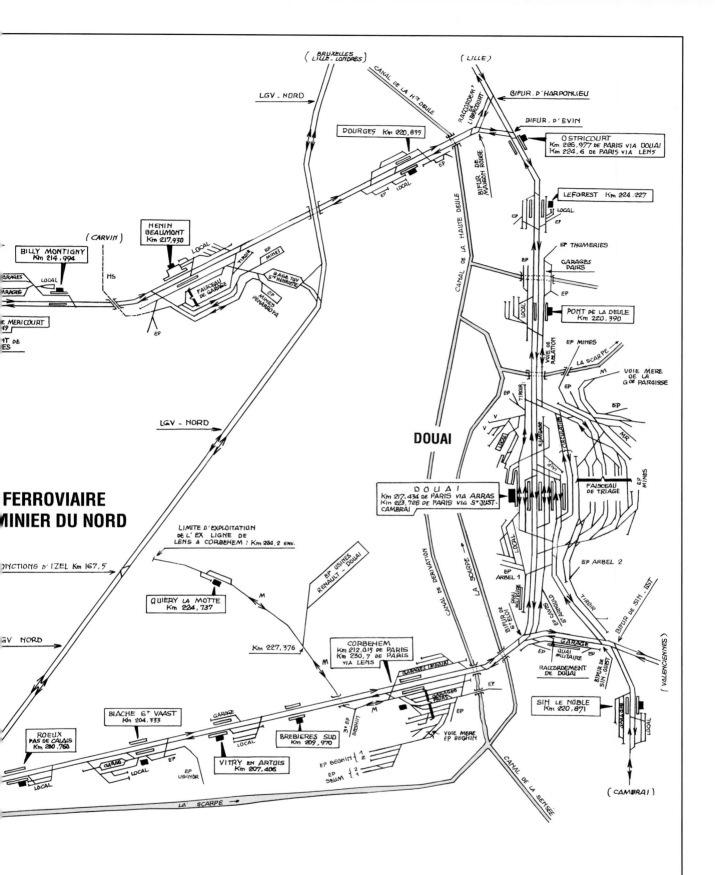

Tous les matins se succèdent en gare de Lille-Flandres les arrivées de trains régionaux ; l'ampleur de ce trafic de migrations domicile-travail n'est pas sans rappeler, à une échelle plus réduite, l'ambiance des gares parisiennes.

Une circulation générale intense

En moyenne quotidienne et les deux sens réunis, les diverses lignes sont sillonnées par de très nombreux trains. Le tableau ci-dessous est évocateur :

Section de ligne	Nombre de trains	Section de ligne	Nombre de trains
Lille-Hazebrouck	102	Douai-Somain	119
Lille-Ostricourt	132	Lille-Valenciennes	80
Ostricourt-Douai	155	Valenciennes-Aulnoye	95
Lens-Ostricourt	95	Arras-Lens	90
		Arras-Douai	96

Les artères composant l'étoile de Lille comptent parmi les plus chargées. Egalement très fréquentés sont les deux axes longitudinaux du bassin industriel, unissant Hazebrouck et Valenciennes soit par Lille, soit par Lens et Douai, ainsi que les deux branches de pénétration depuis Paris et Longueau, qui divergent à Arras. Il n'est donc pas étonnant que la densité la plus forte se relève sur des sections qui constituent des troncs communs : le tronçon le plus lourdement chargé, entre Douai et Ostricourt, supporte les trains de la radiale Paris-Lille

et de la relation transversale Hazebrouck-Lens-Somain-Valenciennes.

Parmi ces convois les trains de marchandises sont plus nombreux sur les lignes qui courent sur l'ancien bassin houiller, comme entre Lens et Ostricourt, ou entre Douai et Somain ; ailleurs leur circulation est la plupart du temps très dense, mais quelque peu masquée par le grand nombre de trains de voyageurs de grandes lignes, TER régionaux, qui par exemple représentent les trois quarts de la trame entre Lille et Ostricourt.

Des flux de voyageurs variés et importants

Outre le passage des TGV dès 1993, les lignes du Nord-Pas-de-Calais sont sillonnées par des trains nombreux et très divers. Le trafic rapide et express se concentre sur l'axe majeur Paris-Lille. Depuis la capitale des Flandres, le nombre de voyageurs transportés en moyenne quotidienne, les deux sens réunis, augmente régulièrement : de près de 9 500 personnes entre Lille et Douai, il atteint 12 700 personnes entre Arras et Longueau, après s'être enrichi à Arras d'un flux minoritaire, en provenance de Dunkerque et Lens, qui passe de 1 000 à 2 000 personnes en se rapprochant de l'artère principale. La liaison entre Lille et Paris est d'ores et déjà de grande qualité, puisqu'en service de base circulent près d'une quinzaine de trains, qui couvrent le trajet de 258 kilomètres en un peu plus

Deux autres aspects du service voyageurs dans le Nord : trafic estival et balnéaire ci-dessus à Etaples-Le Touquet et migrations sur Paris depuis la grande couronne ci-dessous à Pont-Sainte-Maxence, sur la ligne de Saint-Quentin.

de deux heures seulement. En revanche, trois heures environ sont nécessaires pour depuis la capitale gagner Dunkerque, plus éloigné il est vrai (312 kilomètres). Par ailleurs c'est par la capitale que s'établissent les échanges entre Flandre et régions de l'est et du nord-est : la qualité d'ensemble des radiales explique autant que la faiblesse de la demande et la médiocrité de ses possibilités techniques la minceur des courants qui s'écoulent sur la transversale Lille-Thionville-Metz : à grand parcours puisque reliant par exemple Calais à Bâle, les trains sont peu nombreux et lents : grâce au TGV direct, Lille ne se retrouve qu'à quatre heures trente environ de Lyon ; mais par la transversale du nord-est plus de cinq heures sont nécessaires pour effectuer le parcours Lille-Strasbourg, beaucoup plus court (170 kilomètres en moins)...

Les relations avec la Belgique, elles, se caractérisent d'abord par leur densité, avec 7 allers-retours en service de base journalier entre Lille et Anvers, une douzaine entre Lille et Tournai (1) ; mais elles sont peu rapides car les arrêts sont nécessairement fréquents en milieu très urbanisé.

Le nombre et l'importance des villes dans le bassin industriel du Nord induit un trafic de banlieue certes loin d'égaler celui de la région parisienne, mais néanmoins considérable, le premier en province par son volume. Très ancien, il a bénéficié successivement de l'électrification de la plupart des lignes, de la modernisation du matériel roulant, marquée par la mise en service des TER (Trains Express Régionaux) et de la signature en 1984 d'une très fructueuse convention entre la SNCF et la région Pas-de-Calais ; elle s'intéresse en particulier au renouvellement d'un matériel récemment modernisé, comprenant entre autres des voitures à étage. Actuellement, la trame englobe l'ensemble de la région du Nord, puisque le schéma organise la desserte de Boulogne, Calais, Dunkerque ou Aulnoye. C'est autour de Lille que ces trains régionaux sont les plus nombreux, sur les axes Lille-Valenciennes, Lille-Douai et Lille-Lens, Lille-Hazebrouck. Ils transportent des flux pendulaires de voyageurs le plus souvent denses, qui par exemple en moyenne quotidienne et les deux sens réunis dépassent souvent 5 000 personnes, comme entre Lille et Valenciennes. Moins fournis, des courants extérieurs à l'agglomération lilloise sont repérables, entre Lens et Valenciennes ou entre Arras et Hazebrouck par exemple.

Au total l'addition des flux régionaux et de grandes lignes explique la primauté très nette de l'artère Arras-Douai-Lille, où sont recensés de 10 à 15 000 personnes. L'intensité du trafic se concrétise de manière spectaculaire en gare de Lille : celle-ci, qui se situe par son activité au 4e rang des gares françaises de province, reçoit et expédie en tout en moyenne quotidienne près de 350 trains.

Il est enfin évident que la mise en service du TGV va révolutionner le trafic voyageurs dans toute la région.

Les courants de marchandises correspondent globalement, mais avec de notables différences.

---

(1) A Tournai des correspondances aisées sont offertes en direction de Bruxelles.

Un trafic de marchandises en déclin mais toujours important

Après le sommet de 1974, le volume du transport des marchandises sur l'ensemble du réseau de la SNCF a diminué de plus de 40% en une quinzaine d'années. Au-delà des vicissitudes globales de l'économie et des effets de la concurrence routière, ont joué les profondes transformations de l'industrie, dans le domaine du textile et de la métallurgie en particulier : déclin de la production d'acier, chute brutale puis arrêt de l'extraction de la houille et quasi extinction du minerai de fer lorrain, encore fourni par une seule mine survivante pour quelques années encore. Aussi était-il inévitable que l'activité ferroviaire d'une région où l'industrie lourde traditionnelle était très fortement implantée, souffre beaucoup.

C'est ainsi qu'au départ ou à l'arrivée dans les gares, les tonnages ont le plus souvent considérablement diminué. La comparaison des flux acheminés sur les diverses lignes est tout à fait éloquente : la chute du trafic est particulièrement marquée au cœur du bassin houiller, en raison de la fermeture des puits de mine et de nombreuses unités sidérurgiques.

Evolution des tonnages transportés en moyenne quotidienne entre 1974 et 1990			
Section de ligne	Baisse	Section de ligne	Baisse
Douai-Somain	57%	Somain-Busigny	61%
Douai-Ostricourt	49%	Lens-Arras	29%
Douai-Arras	41%	Lens-Ostricourt	42%
Valenciennes-Somain	30%	Lens-Hazebrouck	42%
Valenciennes-Aulnoye	28%		

En revanche, l'évolution du trafic est moins négative et plus nuancée sur les artères qui courent à la périphérie du bassin houiller, et en particulier autour de la métropole lilloise : la diminution des tonnages n'est que de 20% entre Hazebrouck et Dunkerque, tandis qu'entre Lille et Valenciennes l'activité est restée stable, pour augmenter de 33% entre Lille et Hazebrouck. C'est que, dans le cadre d'une politique concertée, l'activité industrielle a su se renouveler partiellement en se diversifiant, surtout en s'éloignant quelque peu du cœur du bassin charbonnier ; par ailleurs, le trafic des produits pétroliers s'est à peu près maintenu, alors que le transport de charbon à coke et de minerai de fer importé par la voie maritime a en partie pallié l'effondrement des productions nationales. Actuellement, avec les régions parisienne et de la Lorraine industrielle, l'ensemble ferroviaire du nord représente toujours l'un des points d'ancrage essentiels du trafic des marchandises du réseau français. Sur les diverses lignes, les tonnages transportés, les deux sens réunis et en moyenne quotidienne, restent très massifs, en raison de la prépondérance des produits lourds.

A l'intérieur même du périmètre du bassin industriel le vo-

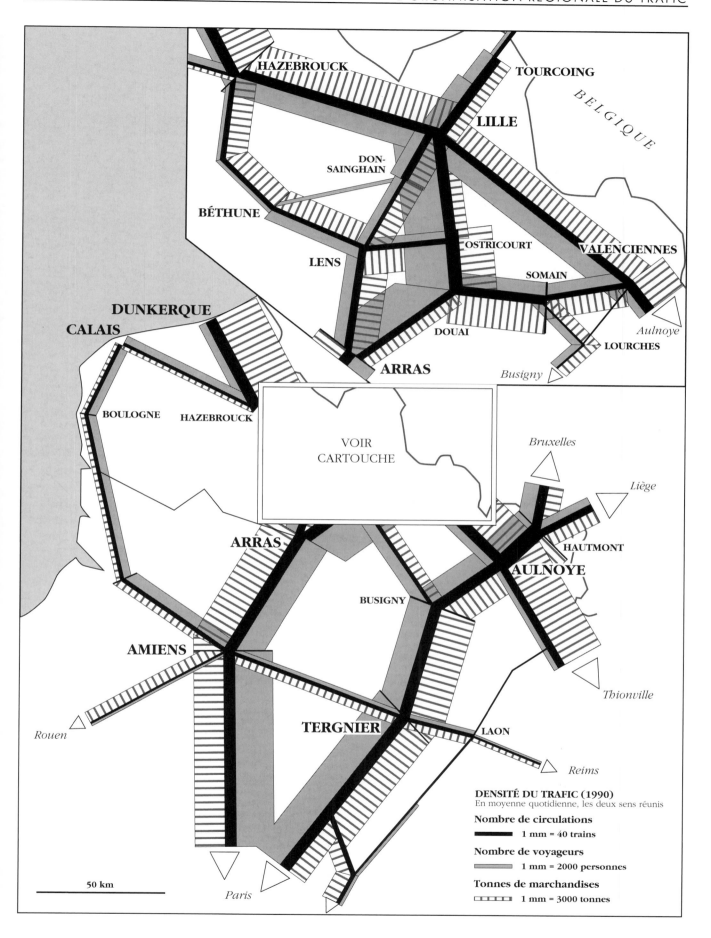

DENSITÉ DU TRAFIC (1990)
En moyenne quotidienne, les deux sens réunis

Nombre de circulations
1 mm = 40 trains

Nombre de voyageurs
1 mm = 2000 personnes

Tonnes de marchandises
1 mm = 3000 tonnes

50 km

131

Bien que ce trafic ait fortement régressé, l'artère Nord-Est achemine toujours des trains lourds de minerai : ici, une rame vide revenant de Lorraine et retournant au chargement à Dunkerque, de passage au Poirier, près de Valenciennes.

lume des chargements et déchargements reste considérable : au centre du bassin houiller et métallurgique, les gares GMF (Gares Multifonctions) d'Hénin-Beaumont, non loin de Lens, et de Douai assurent un trafic annuel de respectivement 1 600 000 et 1 900 000 tonnes ; celle de Tourcoing, près de Lille, atteint le niveau de 3 700 000 tonnes. Ces trois gares se classent parmi les 40 plus importantes de France par le volume de leur activité, celle de Tourcoing consacrant une large part de son activité au trafic international. Le fait que dans chaque cas les tonnages reçus l'emportent assez nettement sur les expéditions, est en rapport avec le déclin des chargements traditionnels de charbon, de produits de la sidérurgie, alors même que les usines de la région doivent s'approvisionner ailleurs, parfois au-delà des mers, en charbon à coke, en minerai ; par ailleurs le rail participe activement à la satisfaction des multiples besoins d'une énorme conurbation et d'une région active dans les domaines des carburants, des matériaux de construction, des produits chimiques, des engrais entre autres. Il faut également insister sur la variété globale du trafic : à côté en effet des trains lourds chargés de houille, minerai, tôles et poutrelles, circulent dans le cadre de l'activité du SERNAM des wagons expédiant les marchandises vendues par correspondance par celles des grandes firmes spécialisées de Roubaix-Tourcoing restées fidèles au rail. Par ailleurs les trains

du transport combiné aboutissent à la gare de Lille-Saint-Sauveur.

A ces flux générés par la région industrielle du Nord elle-même, s'ajoutent les courants de transit. Alors que les échanges entre région parisienne et Belgique s'effectuent surtout par Aulnoye et à un moindre degré Tourcoing, ce sont ici les relations qui s'établissent entre Dunkerque et la Lorraine industrielle qui dominent très nettement. Traversant obligatoirement l'ensemble ferroviaire du Nord, elles s'intègrent dans l'organisation générale d'un trafic dense et diversifié.

Chaque jour plusieurs centaines de convois de fret sillonnent les lignes de la région du Nord. Les plus nombreux sont des trains complets et directs, c'est-à-dire qui ne fréquentent pas les gares de triage. Soit ils sont en provenance ou à destination des multiples embranchements particuliers du complexe ferroviaire du nord lui-même, qu'il s'agisse des usines installées sur le bassin houiller ou de celles de l'agglomération lilloise ; soit ils relient l'ensemble industrialo-portuaire de Dunkerque à la région parisienne ou surtout à la Lorraine métallurgique, voire à l'Alsace, en roulant sur la grande transversale Valenciennes-Longuyon-Thionville.

Mais le trafic par wagons isolés reste important, et donc nécessite le passage par des triages. Dans le cadre du plan Etna deux gares de triage du réseau principal subsistent dans la région du Nord, celles de Somain et de Lille-Délivrance. Les faisceaux de voie de gares comme celles de Lens, Béthune, Douai ou Valenciennes continuent de jouer un rôle, actif mais secondaire, de classement des wagons destinés aux chantiers et embranchements locaux ou aux lignes de l'étoile, ou d'escale et de relais pour les trains de passage. Leur activité est subordonnée à celle des deux grands triages.

Le volume du trafic des deux gares se situe à peu près au même niveau : 911 wagons expédiés en moyenne quotidienne en 1991 à Lille-Délivrance, 970 à Somain. Mais la nature de l'activité est différente, dans la mesure où le premier de ces deux triages gère surtout le trafic de l'agglomération lilloise, très varié : aussi échange-t-il des trains avec des triages proches, comme Aulnoye, Woippy ou Le Bourget, mais aussi éloignés comme Saint-Pierre-des-Corps, Hourcade, Saint-Jory, Gevrey, Sibelin ou Miramas. Le travail du triage de Somain, lui, est plus spécialisé et ramassé, en relation avec les besoins et la production de l'industrie lourde installée sur le bassin houiller ; aussi les convois formés ou reçus sont-ils davantage à destination et en provenance des triages du nord, du nord-est et de l'est du pays comme Tergnier, Aulnoye, Woippy ou Hausbergen.

Dans ces conditions, les tonnages massifs transportés sur les lignes de la région du nord, à partir des nombreux embranche-ments particuliers et gares, se concentrent sur les lignes les mieux équipées ; elles relient entre elles, soit les principales agglomérations, soit mènent aux gares de triage, soit rattachent la nébuleuse ferroviaire au reste du réseau français. Aussi, exprimé en tonnes transportées en moyenne quotidienne, les deux sens réunis, le trafic est-il supérieur à 15 000 tonnes sur la plupart des lignes de l'étoile de Lille : 24 000 tonnes sur la ligne Lille-Hazebrouck, 18 000 entre Lille et Valenciennes et entre Lille et Lens par Don Sainghin. Plus au sud, l'artère qui court le long de l'axe longitudinal du bassin houiller est toujours très chargée, avec en particulier 20 000 tonnes recensées entre Lens et Ostricourt, plus de 23 000 sur le tronçon Ostricourt-Douai-Somain. Ce sont le plus souvent des convois lourds, véritables trains cargos, qui assurent ces échanges.

Indépendamment des liaisons avec le réseau ferré belge par Tourcoing, qui connaît une activité non négligeable (2 500 000 tonnes, les deux sens réunis, transitent chaque année par Tourcoing), les quatre portes d'entrée et de sortie de la nébuleuse du nord, au plan national, sont toutes très utilisées. En effet, entre Valenciennes et Aulnoye sont acheminées 30 000 tonnes, avec légère prépondérance du courant se dirigeant vers la Lorraine ; à l'ouest de Valenciennes la ligne de Lille l'emporte de peu sur celle de Somain ; en comparai-

Les carrières du secteur de Caffiers remettent à la SNCF des tonnages considérables acheminés par trains "super lourds".

La gare maritime de Calais accueille encore des trains en correspondance avec les ferries pour l'Angleterre en attendant les TGV trans-manche.

son le rôle de la ligne Busigny-Cambrai, qui ne supporte que 7 000 tonnes semble mineur ; ce flux constitue cependant plus du quart de l'activité de la grande artère Paris-Aulnoye-Bruxelles au sud de Busigny. A Arras, contrairement à ce qui a été constaté dans le domaine des voyageurs, c'est la ligne de Lens et Dunkerque qui l'emporte, et très nettement (20 000 tonnes contre 10 000 sur celle de Douai). Enfin, à Hazebrouck, les flux sur les deux axes de Lille et Lens sont d'ampleur comparable, avec un léger avantage au premier (24 000 tonnes contre 19 000) ; au nord-ouest de la gare, ils se répartissent très différemment, au bénéfice écrasant de l'artère de Dunkerque qui achemine 37 000 tonnes contre seulement 4 000 à celle de Calais.

Comme pour le trafic des voyageurs, et sans doute d'une manière moins spectaculaire, la mise en service du tunnel sous la Manche ne va pas manquer d'apporter des modifications à la nature et au mode d'acheminement des flux de marchandises (voir plus loin). Ceux-ci vont connaître plus particulièrement des mutations aux abords des ports.

LA DESSERTE DES PORTS

Sur une distance à vol d'oiseau d'environ 65 kilomètres s'échelonnent trois agglomérations, celles de Boulogne, Calais et Dunkerque, qui comptent respectivement 50, 80 et près de 200 000 habitants. Ce sont avant tout des ports, celui de Dunkerque se classant au troisième rang national derrière Marseille et Le Havre. Pour le trafic transmanche avec l'Angleterre, Boulogne et Calais sont géographiquement les mieux placés ; en revanche Dunkerque est kilométriquement le plus proche à la fois de la région lilloise et de l'ensemble industriel qui s'est développé sur le bassin houiller. Tous trois ont la chance d'être situés à la fois sur ou à proximité du détroit du Pas-de-Calais, où la circulation maritime est l'une des plus denses au monde, et non loin de quelques-uns des foyers économiques les plus puissants et les plus développés de l'Europe, qu'il s'agisse de la région de Londres ou des pays rhénans.

Les liaisons ferroviaires avec l'arrière-pays se révèlent de valeur très inégale. Boulogne ne peut en effet communiquer avec le périmètre industriel du Nord que par Calais ; or, la ligne Amiens-Calais, non électrifiée, présente en outre un profil difficile entre Boulogne et Calais, avec des rampes qui atteignent comme près de Caffiers, le taux de 8 mm/m ; il s'agit en effet de franchir le bombement crayeux de l'Artois. L'artère Calais-Hazebrouck, elle, court à travers la plaine de Flandre. En liaison avec le tunnel sous la Manche, les deux sections Boulogne-Calais et Calais-Hazebrouck seront dotées dès l'été 1993 de l'électrification et du BAL. Cet équipement

Dunkerque est pour la SNCF le port du Nord le plus intéressant par le trafic qu'il génère : ci-dessus les grands silos à céréales du quai de Grande-Synthe ; ci-contre, le refoulement d'une rame avant son embarquement sur un ferry-boat ; en bas, une vue du faisceau Sollac sur fond de paysage sidérurgique.

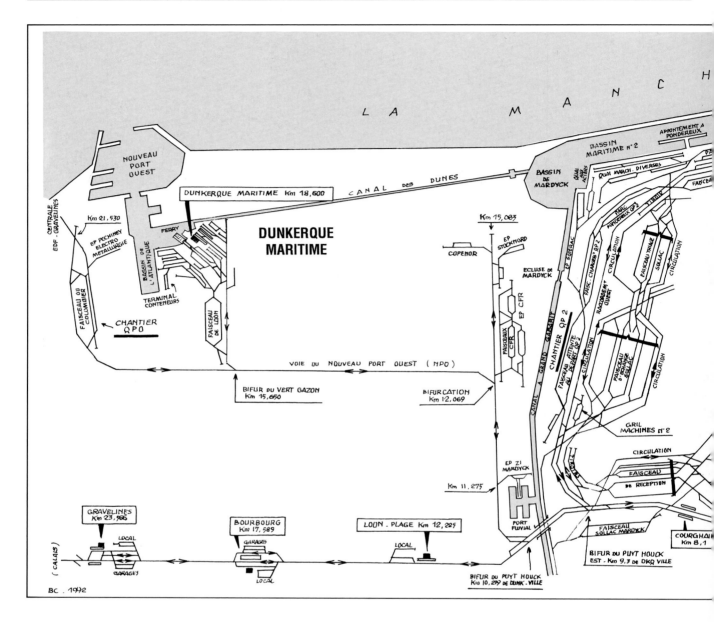

de qualité, la ligne Hazebrouck-Dunkerque en bénéficie depuis longtemps, en raison de sa mission prioritaire d'acheminement d'un trafic important et lourd.

Si les infrastructures du centre ferroviaire de Dunkerque sont impressionnantes, ce n'est pas en raison du nombre d'artères convergentes puisque de part et d'autre de l'axe d'Hazebrouck n'affluent que les lignes à voie unique venant de Calais et de Leffrinckoucke. Mais l'essor d'un important complexe industrialo-portuaire, marqué en particulier par l'implantation de la firme sidérurgique Usinor, a nécessité extension et densification des emprises ferroviaires. Le contraste est grand entre la modestie relative des installations réservées aux voyageurs, qui fréquentent une gare dotée de seulement cinq voies à quai, et l'ampleur des chantiers affectés au service des marchandises : devenu insuffisant, l'ancien triage des Dunes a été doublé après 1960 par une vaste gare de triage moderne, qui s'étale à Grande-Synthe, à l'ouest de l'agglomération, entre le port et la ligne de Calais ; elle comporte du nord au sud les

trois faisceaux classiques de réception (14 voies), de débranchement (32 voies) et d'attente au départ (12 voies). A partir de ces groupes de voies rayonnent les voies mères qui desservent les divers bassins du port, de plus en plus récents et imposants vers l'ouest, et les embranchements particuliers, le plus souvent très proches des quais et très ramifiés, comme ceux des firmes Total ou Usinor.

Par les tonnages chargés et déchargés le complexe ferroviaire de Dunkerque se classe au second rang national, juste derrière celui de Thionville. En 1990, le volume total du trafic a atteint près de 12 800 000 tonnes, avec une sensible prédominance des expéditions qui représentent près des deux tiers de l'ensemble. Aussi sur l'axe Dunkerque-Hazebrouck est-ce le sens nord-sud qui l'emporte, puisqu'il accapare plus des deux tiers des 37 000 tonnes transportées en moyenne quotidienne, les deux sens réunis. Si la gare de Grande-Synthe, dans le cadre du plan Etna, ne figure plus dans le dispositif de base de la SNCF, elle n'en continue pas moins de jouer

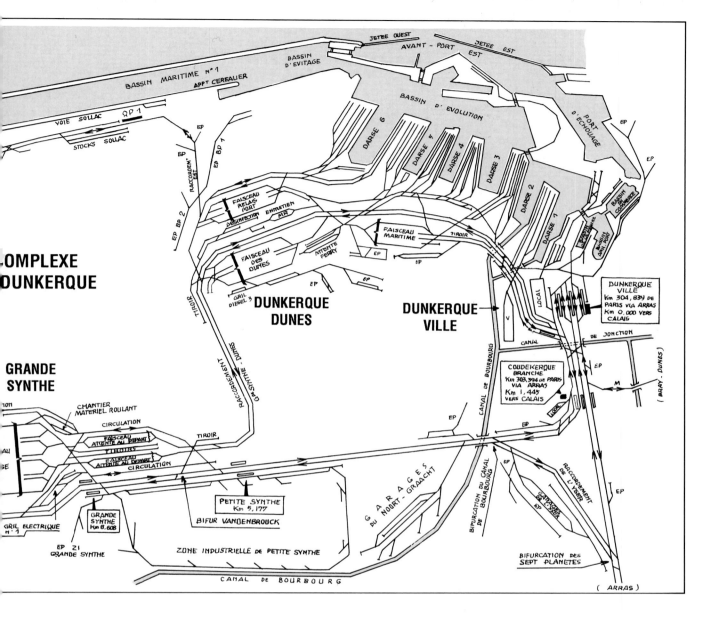

un rôle essentiel dans la répartition des wagons, leur récupération sur l'ensemble du complexe dunkerquois, leur classement et la formation des trains. Chaque jour plus d'une soixantaine de convois partent ou arrivent à destination ou en provenance de la région du Nord, de la Lorraine industrielle par la grande transversale Valenciennes-Thionville, de la région parisienne. Le trafic par trains entiers, souvent très lourds, est largement développé, favorisé par le transport sur de longues distances de grandes quantités de marchandises lourdes comme minerai de fer, charbon à coke, produits pétroliers ou chimiques.

En l'absence d'une voie d'eau à grand gabarit, ce qui le pénalise par rapport à Rotterdam ou à Anvers, le port de Dunkerque, grâce à une liaison autoroutière satisfaisante et à une voie ferrée aux potentialités élevées, peut continuer de figurer parmi les grands organismes portuaires de l'Europe du nord-ouest. Le trafic des voyageurs, s'il est assez important au plan régional, dans le cadre du schéma Nord-Pas-de-Calais, est pro-

portionnellement faible dans le domaine des grandes lignes : 1 000 voyageurs en moyenne quotidienne, les deux sens réunis entre Dunkerque et Hazebrouck. Il est vrai que les relations offertes avec Paris sont de moins bonne qualité qu'entre Lille et la capitale.

Les installations ferroviaires de Calais et Boulogne sont, pour les voyageurs, de niveau au moins comparable à celles de Dunkerque, avec des gares comptant respectivement 5 et 6 voies à quai, ainsi que deux gares maritimes (de 4 voies à quai à Calais) qui participent activement aux échanges avec l'Angleterre. En revanche les emprises affectées au service des marchandises sont beaucoup plus modestes. A Calais le travail de classement est effectué sur le nouveau faisceau dit de Fréthun-Local, proche du terminal "Eurotunnel" ; il remplace le faisceau de "Calais-Manœuvres", et le faisceau de "rivière neuve", qui longe la ligne de Boulogne et servait de petite gare de triage, a pratiquement disparu aujourd'hui. Une voie de liaison évitant la gare de Calais-Ville permet une desserte satisfaisante des voies du port. Au sud de la bifurcation majeure du nœud le raccordement des Fontinettes, à double voie, évite tout rebroussement aux trains de fret qui circulent entre Boulogne et Hazebrouck, ainsi qu'à certains TER Boulogne-Lille.

A Boulogne la régulation locale du trafic de marchandises est confiée au faisceau d'Outreau. Comme à Calais un raccordement à voie unique, qui ici emprunte le long tunnel de l'Ave Maria (1 967 mètres), assure une seconde relation avec les installations portuaires ; celles-ci étaient plus variées qu'à Calais, avec le port de commerce, la gare de la marée, le secteur des aéroglisseurs disparu en 1991.

Autour des deux ports, le trafic des marchandises n'atteint qu'un niveau moyen, reposant sur les échanges maritimes et une activité industrielle qui reste d'un volume modéré. La plus forte part des arrivages et expéditions de Calais s'effectue par la ligne d'Hazebrouck (4 000 tonnes en moyenne quotidienne, les deux sens réunis, contre seulement moins de 3 000 à celle de Boulogne) ; en revanche au sud de Boulogne les flux atteignent 4 500 tonnes, ce qui montre l'attraction exercée par le bassin parisien. En outre, Boulogne reçoit pour l'exportation des farines venant d'Ile-de-France et de Champagne, et du ciment, alors que le port confie au rail du coke allemand pour l'acierie d'Outreau, toute proche.

Au plan du transport des voyageurs le caractère seulement moyen des prestations, sur cette radiale Paris-Calais, a déjà été souligné : l'absence de l'électrification explique largement la durée du trajet, au moins égale à trois heures la plupart du temps. Le poids de l'agglomération boulonnaise, mais aussi et surtout celui du trafic transmanche expliquent qu'entre Amiens et Boulogne le trafic "grandes lignes" avec près de 5 000 voyageurs, en moyenne quotidienne et les deux sens réunis, soit plus de deux fois supérieur à celui constaté sur la section Boulogne-Calais. Il est vrai que les flux sont autour des deux villes renforcés par des échanges à caractère régional qui s'insèrent dans le schéma Nord-Pas-de-Calais, tandis que Calais reste l'origine d'express qui atteignent Bâle via Lille, Nancy et Strasbourg.

Toujours est-il que le passage en vitesse sur la radiale des célèbres Flèche d'Or et VSOE (Venise-Simplon-Orient-Express) a longtemps conféré à cette ligne très marquée par les échanges avec l'Angleterre un incontestable prestige.

La trame serrée des lignes du nord de la France, particulièrement dense entre l'Artois et la frontière belge, s'ordonne donc traditionnellement autour des grandes radiales Paris-Bruxelles, Paris-Lille et à un moindre degré Paris-Calais, et d'axes transversaux actifs comme Amiens-Rouen, Amiens-Tergnier et surtout l'amorce de l'artère Valenciennes-Thionville. Par ailleurs, les radiales Paris-Le Tréport et Paris-Hirson n'acheminent que des courants très modestes, qui s'amenuisent en s'éloignant de la capitale : au-delà de Beauvais et de Laon le nombre quotidien moyen de voyageurs transportés, les deux sens réunis, descend au dessous de 500, celui des tonnes de fret au dessous de 200. Il s'agit là de lignes à caractère seulement régional. Au plan économique général, et plus spéciale-

ment dans le domaine ferroviaire, une gigantesque mutation avec la mise en service du TGV Nord et du tunnel sous la Manche se prépare.

LA RÉVOLUTION DU TGV NORD ET DU TUNNEL SOUS LA MANCHE

En 1993, grâce au tunnel sous la Manche et à une ligne nouvelle les bolides TGV relieront Paris à Lille et à Londres, pourront atteindre Bruxelles. Malgré la relative faiblesse des distances parcourues, les temps de parcours connaitront des progrès au moins aussi spectaculaires qu'entre Paris et Lyon ou entre Paris et Bordeaux. Par ailleurs la jonction près de Lille de trois branches nouvelles se prolongeant à terme jusque dans les capitales anglaise et belge va se révéler d'un intérêt essentiel au cœur de l'Europe du nord-ouest ; elle établira des liaisons ultra rapides entre non seulement de très grandes villes mais aussi des régions très actives, et des pays économiquement développés et puissants. Le nord de la France deviendra ainsi un carrefour ferroviaire international de première grandeur.

Même s'il s'agit de grands travaux complémentaires, ligne nouvelle du TGV Nord et tunnel sous la Manche représentent des réalisations cyclopéennes de nature fort différente.

Lancé en 1987, le projet de la ligne du TGV Nord a pu s'appuyer sur les deux expériences de l'artère nouvelle, entre Paris et Lyon, du TGV Sud-Est, et de la ligne à deux branches du TGV Atlantique, mise en service partiellement dès 1989. Et, de fait les caractéristiques techniques sont très voisines.

Le point de départ de la ligne nouvelle, Gonesse, entre Saint-Denis et Creil, est situé à 16 kilomètres de la gare de Paris-Nord : la distance par la ligne nouvelle sera donc de 321 kilomètres de Paris à Calais, de 207 kilomètres de Paris à Lille (contre respectivement 296 et 258 kilomètres par les deux lignes classiques). Longue de 305 kilomètres de Gonesse à Calais, la ligne à double voie, électrifiée en courant de 25 000 volts, bénéficie à travers les plaines de Picardie, de l'Artois et de Flandre, d'un tracé et d'un profil très favorables. Son équipement autorisera la vitesse de 300 km/h sur la plus grande partie du parcours, tandis que le trafic sera contrôlé et les aiguillages commandés depuis un poste central installé à Lille. Le fait de longer sur 130 kilomètres l'autoroute A1, en dehors des économies de terrain ainsi réalisées, et de l'absence de remembrement agricole, permettra au TGV, comme sur la ligne Atlantique, de bénéficier d'une excellente publicité.

La puissante originalité du TGV Nord consiste dans son articulation autour d'un triangle capital, aménagé au sud-est de Lille : trois raccordements à double voie, dotés de sauts-de-mouton, autoriseront à terme les liaisons à grande vitesse, et sans intersection à niveau des divers itinéraires, entre Paris et Londres, Londres et Bruxelles, Paris et Bruxelles. Mais à l'heure actuelle, la construction d'une ligne nouvelle en Angleterre, afin d'assurer la continuité des liaisons TGV, ne constitue pas une certitude absolue dans un avenir rapproché.

Aussi la capitale de la Flandre française, déjà centre ferroviaire de premier ordre, va-t-elle bénéficier de liaisons de très

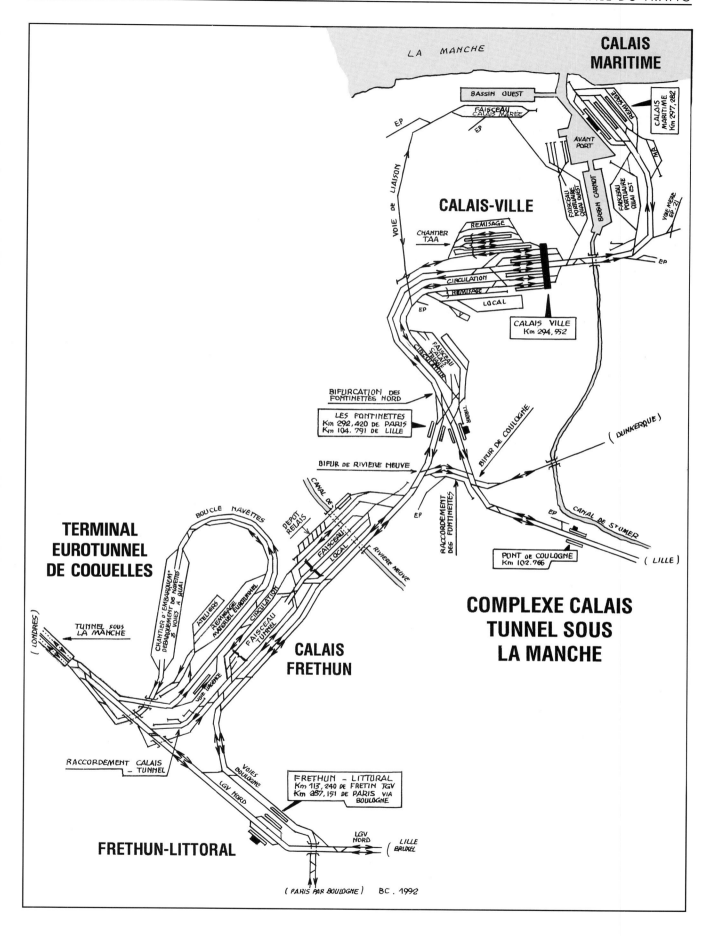

L'entrée du tunnel sous la Manche : TGV, trains classiques et navettes porte-véhicules routiers vont s'y succéder dès 1994.

grande qualité avec quelques-unes des métropoles de poids de l'Europe du nord-ouest. Initialement prévue à l'extérieur de l'agglomération, la ligne nouvelle traversera son centre, en souterrain, desservant une gare de passage dont le modernisme tranchera violemment avec l'aspect quelque peu désuet de la gare actuelle. Autre installation née du néant, la gare picarde : prévue en rase campagne et à ce titre très contestée, cette gare se situerait sur l'artère TGV Nord, à égale distance des villes d'Amiens et Saint-Quentin, près d'une route nationale et d'un futur croisement autoroutier : comme 400 000 personnes habiteront dans un cercle de rayon de 90 kilomètres autour d'elle, son avenir semble assuré, au-delà de brocards à vrai dire compréhensibles.

Comme les autres lignes TGV, cet axe est raccordé aux artères classiques du réseau. Outre le point d'ancrage de Gonesse, des raccordements sont prévus à Arras sud et nord et à Cassel (entre Hazebrouck et Dunkerque).

Par sa nature même, le tunnel sous la Manche, qui accueillera la branche britannique du TGV Nord, est puissamment original. Il a nécessité des travaux énormes et la mise en œuvre de moyens impressionnants : creusement de gigantesques puits comme à Sangatte (55 mètres de diamètre, 60 mètres de profondeur), forage des souterrains par trois énormes tunneliers. Le tunnel proprement dit, long de 49 400 mètres, exactement, se compose en fait de trois souterrains : une galerie de service, de 4,5 mètres de diamètre, s'intercale entre deux tunnels de 7,30 mètres de diamètre, qui abritent chacun une voie. Bien entendu électrifiée en courant de 25 000 volts la ligne bénéficie, comme en surface, d'une signalisation très sophistiquée, garantie d'un débit potentiel important : 15 trains dans chaque sens pourront circuler chaque heure, à une vitesse maximale se situant entre 130 et 160 km/h.

Des installations spectaculaires ont été aménagées de part et d'autre, à Shakespeare Cliff entre Folkestone et Douvres, et à Coquelles près de Calais. Du côté français la jonction de l'axe nouveau avec le réseau classique s'effectue au sud-ouest de Calais, sur la ligne de Boulogne. De gigantesques travaux ont été nécessaires pour aménager les raccordements à la sortie du souterrain, le départ vers Lille de la ligne TGV, ainsi que la liaison en triangle avec l'artère de Boulogne et le nouveau complexe ferroviaire de Calais-Fréthun tout proche ; un faisceau de 9 voies dit "tunnel" permet de régulariser le trafic de fret import-export, tandis qu'un autre, fort de 10 voies, dessert le terminal Eurotunnel de Coquelles, conçu pour le chargement sur navettes et le déchargement des véhicules routiers : un tracé en boucle des voies d'accès évite aux rames tout rebroussement. La construction d'un dépôt-relais, pour les échanges de locomotives, et de sauts-de-mouton évitant de fâcheux cisaillements à niveau, complètent le tableau des nouvelles infrastructures.

Mais les transformations du nœud ferroviaire de Calais sont encore plus profondes, dans la mesure où l'ensemble des signaux et appareils de voies est maintenant commandé par un PRCI très important de 725 itinéraires, et où la modernisation de la ligne Calais-Hazebrouck est effectuée sous le double signe de l'électrification et du block automatique lumineux. Sur l'artère radiale la pose de caténaires, d'ores et déjà prévue jusqu'à Boulogne, pourrait éventuellement s'étendre jusqu'à Amiens, en fonction du développement du trafic.

C'est que les lignes du TGV Nord et le tunnel sous la Manche, dès leur mise en service, doivent attirer des flux extrêmement denses.

En effet, les trois axes nouveaux, qui relieront quelques-unes des régions les plus peuplées de l'Europe occidentale, offriront des relations beaucoup plus rapides qu'actuellement : Lille ne sera plus qu'à 1 heure de Paris, Calais à 1 h 30. Lorsque les lignes nouvelles prévues ou souhaitables seront réalisées en territoires anglais et belge, il ne faudra qu'environ 3 heures pour se rendre de Paris à Londres, 1 h 20 entre Paris et Bruxelles, 2 h 30 entre Londres et Bruxelles. La mise en place d'un véritable service cadencé sur ces diverses relations alliera donc les avantages de la fréquence et de la rapidité ; elle va rendre d'autant plus attractive cette nouvelle et révolutionnaire offre de transport ferroviaire que les TGV desserviront les centres d'agglomérations trop proches les unes des autres pour que la concurrence de l'avion soit dangereuse. Grâce, d'ailleurs, aux possibilités offertes par l'interconnexion en région parisienne, au voisinage des raccordements en triangle de Lille pourront se croiser en pleine vitesse des rames Nantes-Bruxelles, Bruxelles-Bordeaux ou Londres-Marseille, en attendant des relations directes entre les pays de la mer du Nord et les métropoles espagnoles ou italiennes.

Mais le tunnel sous la Manche accueillera deux autres types de trafic. Dans le domaine du transport des voyageurs, des navettes spécialisées, indéformables, composées de wagons à deux niveaux, d'un gabarit exceptionnellement généreux, accueilleront les véhicules routiers, automobiles particulières, autocars et poids lourds ; en noria incessante, ces rames circuleront sous la mer, entre les deux terminaux de chargement et de déchargement aménagés à Coquelles, près de Calais, et en Angleterre : l'addition des deux courants prévisibles, TGV et navettes, pourrait après la première montée en puissance, vers l'an 2000, stabiliser les flux moyens quotidiens, les deux sens réunis, sous le tunnel, autour de 50 000 voyageurs. Or, rouleront également dans les souterrains des convois de marchandises qui, au-delà des deux rampes d'accès, emprunteront non pas les lignes TGV mais le réseau classique. Le trafic de fret assuré par le rail entre France et Angleterre, à partir du moment où n'existera plus de fâcheuse discontinuité, est appelé à grandir rapidement. Certes, des obstacles doivent être franchis, comme le problème du gabarit plus restreint admis sur les voies britanniques ; les solutions devraient consister à améliorer les infrastructures en Angleterre et à concevoir des wagons de type "multifret" aptes à circuler des deux côtés du tunnel. Le trafic combiné rail-route devrait particulièrement profiter des nouvelles possibilités, grâce à la création de terminaux spécialisés dans la région de Londres mais aussi à Birmingham, Liverpool ou Manchester, qui se-

A proximité du tunnel, le croisement provisoire entre la voie étroite de service et celle de la ligne nouvelle vers Paris-Nord.

Des trains de travaux sur la troisième ligne nouvelle française : avec la ligne à grande vitesse Nord, à laquelle va bientôt s'ajouter le prolongement Rhône-Alpes de la ligne Paris-Sud-Est, la France reste le leader européen en matière de construction de nouvelles lignes de chemin de fer.

raient en relation directe avec les grands chantiers du continent, de Valenton par exemple. Moins spectaculaires que ceux des voyageurs, les flux de marchandises empruntant le tunnel seront importants puisque rapidement ils devraient atteindre, les deux sens réunis, un débit quotidien moyen de 22 000 tonnes, acheminées par une quarantaine de trains.

Au total plus de 200 convois, TGV, navettes, trains de marchandises, circuleront chaque jour, les deux sens réunis, dans le tunnel dont le débit réel correspondra donc à celui des artères les plus chargées du réseau français. Mais se pose inévitablement la question des retombées sur les voies ferrées de chaque côté de la Manche.

En Angleterre la société "British Rail" et les pouvoirs publics hésitent, en raison du côut et de l'état catastrophique des finances de l'Etat, à engager des travaux lourds pour améliorer les relations entre le secteur de Douvres-Folkestone et Londres ; la ligne nouvelle qui paraît à terme devoir s'imposer n'est pas encore, en 1993, programmée.

Des progrès plus importants et plus rapides sont prévus du côté français. Outre le rajeunissement des installations du nœud calaisien, la greffe de l'axe nouveau du TGV Nord, amenant les courants parisien et bruxellois, représente un atout décisif au plan du trafic des voyageurs, pour la mise en valeur du tunnel. La modernisation de la ligne classique Boulogne-Calais-Hazebrouck, avec électrification et pose des signaux du block automatique lumineux, va favoriser à la fois les échanges de personnes entre Boulogne, Calais et l'ensemble du Nord-Pas-de-Calais, l'écoulement des flux de marchandises sur le continent, depuis et vers le tunnel sous la Manche.

Si les procédures administratives sont achevées à temps, la Belgique mettra en chantier dès septembre 1993 une ligne nouvelle entre la frontière française et Bruxelles. Dans l'at-tente de l'ouverture de la ligne nouvelle prévue pour 1996, l'électrification de la section Lille-Baisieux en France, prévue pour mai 1993, et de Baisieux-Tournai en Belgique permettra à titre transitoire l'accès à Bruxelles des TGV venant de Londres et, plus tard, de ceux en provenance de Paris ; mais, sur cette dernière relation, le service se fera par trains classiques sur l'itinéraire actuel peut-être jusqu'en 1995.

Il est bien sûr trop tôt pour préjuger du développement du trafic ferroviaire transmanche à l'ère du tunnel. Toujours est-il qu'en France de nombreuses potentialités existent pour éviter tout goulot d'étranglement en cas d'essor considérable de ces échanges : le réseau TGV va se développer et grâce à l'interconnexion en région parisienne démontrer ses énormes possibilités : une liaison nouvelle et directe de type TGV entre Paris et Calais est d'ores et déjà envisagée. Pour tous les types de trafic, voyageurs et fret, l'électrification de la section Boulogne-Amiens, de la rocade à double voie Longueau-Tergnier-Reims-Chaumont-Culmont-Chalindrey dégagerait en cas de besoin des perspectives très encourageantes : elle amènerait l'établissement d'une liaison à forte capacité entre le tunnel et le nord de la France d'une part, le sud-est du pays de l'autre, tout en dégageant le carrefour parisien et ses voies ferrées déjà très chargées. Le trafic des marchandises, plus particulièrement, pourrait bénéficier des potentialités des gares de triage du nord du pays : les faisceaux de Lille-Délivrance, Somain, Aulnoye, Tergnier ou Longueau sont aptes à jouer un rôle plus ample qu'actuellement aussi bien pour les opérations de triage proprement dit que pour les relais et escales des nombreux trains complets. Mais il ne s'agit là que de perspectives lointaines et très hypothétiques.

Très souvent proches, les lignes et les centres ferroviaires du nord-est et de l'est du pays n'en présentent pas moins de sensibles différences et une grande diversité.

Un convoi lourd vers Loxéville, sur la radiale Paris-Strasbourg

L'EST ET LE NORD-EST DE LA FRANCE

Entre la région parisienne, la Bourgogne et les frontières du nord-est et de l'est s'organisent quelques-unes des régions françaises les plus actives et les plus peuplées comme l'Alsace, la porte de Bourgogne ou la Lorraine métallurgique. De plus, la proximité de la Suisse et surtout des régions de l'Allemagne comptant parmi les plus dynamiques ne peuvent que stimuler les échanges, ferroviaires en particulier. Mais dans le vaste ensemble délimité figurent aussi des secteurs peu peuplés, faiblement industrialisés, sans production agricole quantitativement ou qualitativement de poids : la Champagne sèche, l'Argonne, les contreforts occidentaux des Vosges, le plateau de Langres font partie de cette catégorie. Aussi le maillage du réseau ferré est-il de densité très inégale. Il est vrai que, ces dernières décennies, les fermetures de lignes et les réductions d'installations ont été particulièrement nombreuses : c'est très souvent parce que n'existent plus les impératifs stratégiques qui dès le XIXᵉ siècle avaient provoqué un pullulement d'artères sans grande justification économique, un foisonnement de raccordements de toute nature et un surdimensionnement des équipements des gares. Aussi la simplification de la trame a-t-elle été dans ce secteur du pays particulièrement drastique.

L'ARCHITECTURE GÉNÉRALE DU RÉSEAU

Globalement, la densité des voies ferrées est beaucoup moins forte que dans le nord du pays : une ligne droite imaginaire longue de 140 kilomètres, tracée entre La Ferté Gaucher, à la limite de la grande banlieue parisienne, et Chaumont, ne recoupe aucune ligne ouverte au trafic des voyageurs ; une autre joignant Châlons-sur-Marne à Onville, se développant sur 110 kilomètres, ne rencontre aucune voie ferrée !

Pourtant le réseau bénéficie d'une structure solide. Par rapport à l'ouest ou au centre du pays, le poids des transversales équilibre ici celui des radiales. Ces dernières sont pourtant importantes : deux d'entre elles, orientées ouest-est, relient Paris à Belfort, Mulhouse et Bâle, à Nancy et Strasbourg ; à Epernay s'élance vers le Luxembourg via Reims et Longuyon un autre axe radial. Mais quatre transversales jouent un rôle actif et parfois capital : essentielle est l'artère Valenciennes-Thionville, qui ne s'éloigne jamais beaucoup de la frontière ; dans le nord-est du bassin parisien, court la rocade Amiens-Culmont-Chalindrey tracée par Reims, Châlons-sur-Marne et Chaumont. D'orientation méridienne, les lignes Strasbourg-Mulhouse, avec prolongement vers Belfort et Besançon ainsi

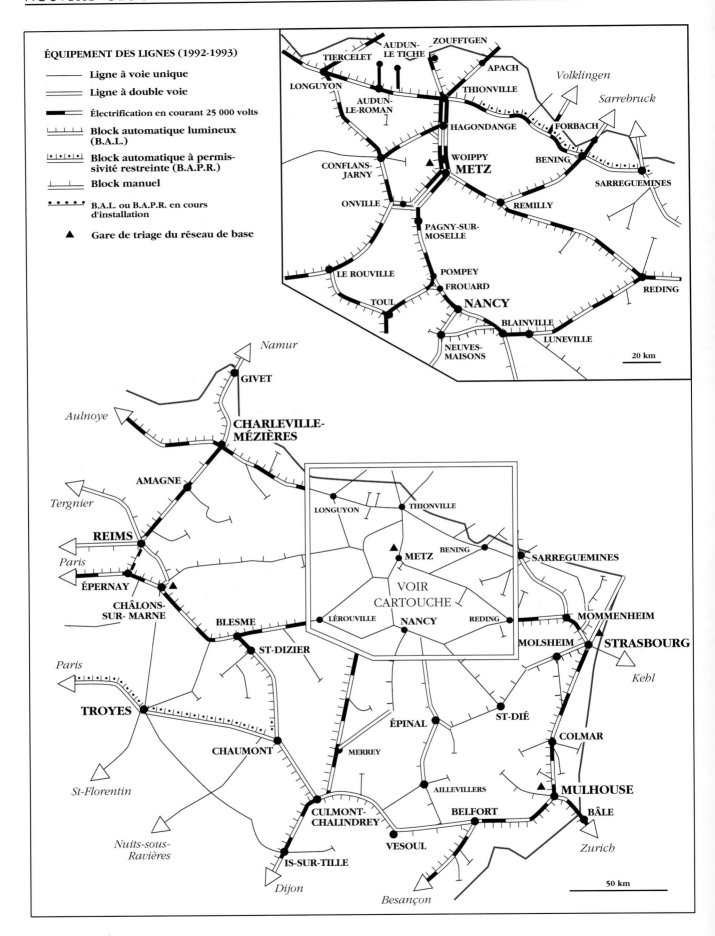

ÉQUIPEMENT DES LIGNES (1992-1993)

Ligne à voie unique

Ligne à double voie

Électrification en courant 25 000 volts

Block automatique lumineux (B.A.L.)

Block automatique à permissivité restreinte (B.A.P.R.)

Block manuel

B.A.L. ou B.A.P.R. en cours d'installation

▲ Gare de triage du réseau de base

Coincée entre les sites sidérurgiques et les collines environnantes, la gare de Longwy.

que Nancy-Dijon, unissent l'est de la France au sud-est du pays et à l'Europe alpine.

C'est classiquement à l'intersection de ces grands axes que se sont développés les principaux carrefours ferroviaires.

Comme dans le nord, apparaît en Lorraine industrielle une nébuleuse de première grandeur, autour des mines de fer et de charbon, des hauts fourneaux et des aciéries. Elle s'étale de Longuyon à Réding, de Lérouville à Thionville et englobe la zone Bening-Forbach : Metz et Nancy en sont les pôles principaux. Plus à l'est, au contact de l'Allemagne rhénane, le nœud ferroviaire de Strasbourg, puissamment structuré, figure parmi les plus actifs du pays. Deux autres grands carrefours qui ne sont pas plus importants sont plus complexes car composés de plusieurs éléments : celui de la porte de Bourgogne est traversé par plusieurs flux d'envergure dont la circulation s'organise autour de Mulhouse et Belfort. Au cœur de la Champagne, autour de l'axe Paris-Strasbourg, des courants variés se rencontrent, qui se nouent autour des trois centres ferroviaires de Reims, Epernay et Châlons-sur-Marne. Par ailleurs au sud de la Lorraine la gare de bifurcation de Culmont-Chalindrey, à l'intersection des lignes Paris-Mulhouse et Nancy-Dijon, commande une relation essentielle entre la France de l'est et les pays rhodaniens. Par ailleurs, aux confins de l'Ar-

denne, le carrefour de Charleville-Mézières, lui aussi, se caractérise par la primauté du trafic d'une grande transversale, ici l'axe Valenciennes-Thionville.

Enfin, en raison de la structure très contrastée du réseau ferré, souvent peu dense, les nœuds secondaires sont relativement plus rares que par exemple dans l'ouest français : Troyes, Chaumont ou Epinal n'en jouent pas moins un rôle intéressant.

LA NÉBULEUSE DE LA LORRAINE INDUSTRIELLE

Forte différence avec ce qui a été constaté dans le nord de la France, la nébuleuse ferroviaire de Lorraine, qui correspond, au plan ferroviaire, à l'ensemble de la région SNCF de Metz-Nancy, étend ses ramifications dans des régions accidentées. Les confins nord-est du Bassin Parisien sont caractérisés, au plan de la topographie, par les "côtes" ; lignes de relief d'orientation méridienne dominante, échancrées par de rares percées, elles influencent le tracé des principales vallées, comme celle de la Moselle. De plus les mines de charbon, proches de la Sarre, et surtout celles de minerai de fer, qui ont fixé pour l'essentiel les activités sidérurgiques, se localisent souvent dans des secteurs de modelé difficile. Aussi le chemin de fer a-t-il dû faire face à des contraintes souvent très

fortes pour desservir convenablement mines et usines, et permettre leur essor. Toujours est-il que sa trame est particulièrement forte dans un ensemble peuplé, où Metz - et surtout Nancy - atteignent la dimension de capitales régionales.

Les infrastructures

L'axe Thionville-Metz-Nancy constitue la colonne vertébrale de l'ensemble ferroviaire de la Lorraine métallurgique. Son ossature est complétée par plusieurs lignes également très bien équipées, c'est-à-dire électrifiées (en courant de 25 000 volts) et dotées du block automatique lumineux. Symétriquement, l'artère transversale venant du Nord se divise à Longuyon en deux branches vers Thionville et vers Nancy ; plus au sud, la grande radiale se dédouble à Lérouville pour desservir soit Metz, soit Nancy et Strasbourg. Par ailleurs depuis Metz une ligne à grand trafic s'élance vers l'est ; à Re-

milly elle se dédouble en direction de Forbach et de la Sarre d'une part, de Reding de l'autre où elle retrouve l'axe radial Paris-Strasbourg.

Aussi les gares de bifurcation citées plus haut jouent-elles un rôle essentiel, puisqu'elles contrôlent l'ensemble du trafic entrant dans la nébuleuse ou en sortant. A la différence de la région du nord, où les "portes d'entrée" ferroviaires sont souvent des villes d'ampleur au moins moyenne, ici elles correspondent à des localités de faible importance, qui n'atteignent jamais 20 000 habitants. Leur rôle au plan ferroviaire n'en apparaît que plus éminent.

Au nord-est de la nébuleuse, l'implantation du nœud ferroviaire de Longuyon ne doit guère aux facilités offertes par le relief, dans la mesure où les vallées qui convergent sont sinueuses et escarpées. Quatre lignes se rencontrent dans la gare, toutes électrifiées et équipées du block automatique

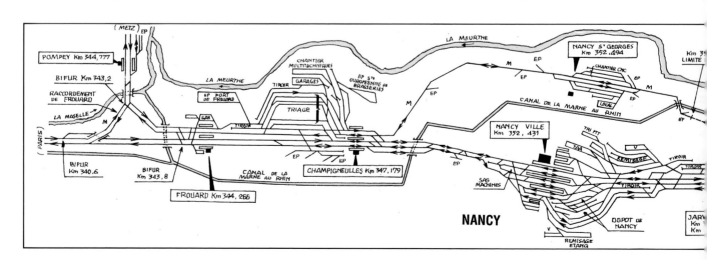

lumineux. Elles se dirigent par la vallée de la Chiers soit vers Valenciennes et le nord du pays, soit vers Longwy et le Luxembourg ; une troisième utilise la vallée de la Crusnes pour s'élancer vers Thionville, tandis qu'une dernière, celle de Conflans-Jarny, offre des prolongements vers Metz et Nancy. Les installations de la gare, qui n'ont pu s'étendre en raison d'un relief très escarpé, sont modestes, avec seulement 4 voies à quai et un faisceau d'une demi-douzaine de voies. Mais la fonction de bifurcation est attestée et renforcée par l'existence d'un raccordement direct entre les artères de Longwy et Valenciennes, lequel évite aux relations directes entre Paris et le Nord d'une part, Longwy et le Luxembourg de l'autre, de rebrousser en gare même de Longuyon.

Au sud-ouest du complexe ferroviaire de Lorraine, le nœud de Lérouville offre des caractéristiques différentes. Située immédiatement à l'est du bombement qui marque la transition entre bassin parisien et le pays des côtes lorraines, et est franchi par la voie ferrée grâce aux rampes de Loxéville, la gare de Lérouville organise la séparation entre les deux grandes radiales Paris-Strasbourg et Paris-Metz. Alors qu'à Longuyon aucun saut-de-mouton ne facilite l'écoulememnt du trafic, en grande partie à cause des contraintes imposées par la topographie, à Lérouville des ouvrages d'art bien conçus permettent la séparation et le croisement sans cisaillement à niveau des divers courants ; de plus un raccordement à double voie entre les lignes de Metz et de Nancy permet sans rebroussement aux convois qui circulent entre la région de Metz et l'artère de Dijon d'éviter l'itinéraire tracé par Frouard, souvent très encombré.

A l'est le nœud de Reding est certes plus proche de Strasbourg que de Metz ou de Nancy. Mais il ponctue la fin du tronc commun originaire de la métropole alsacienne, qui se divise en deux branches, orientées chacune vers l'une des deux capitales lorraines, elles aussi électrifiées et dotées du block automatique lumineux. L'absence de saut-de-mouton se révèle parfois gênante pour l'écoulement d'un trafic assez considérable.

A l'intérieur même de la nébuleuse, quatre ensembles peuvent se discerner : les deux complexes nancéen et messin, les deux réseaux desservant les bassins houiller et ferrugineux.

De Lérouville au-delà de Lunéville la grande radiale Paris-Strasbourg, orientée est-ouest, constitue l'axe de l'ensemble ferroviaire nancéen. Son profil est excellent dans la mesure où elle est tracée dans la vallée de la Meuse et, après le franchissement du seuil de Foug, dans celles de la Moselle puis de la Meurthe.

Plusieurs gares de bifurcation encadrent le nœud de Nancy lui-même : à l'ouest la transversale sud-nord en provenance de Dijon, électrifiée et dotée du BAL, vient se greffer sur la radiale à Toul : un triangle de voies ferrées met en relation la transversale soit avec Nancy et Metz par Frouard, soit Metz par Lérouville. Toul était l'origine d'une ligne de dédoublement de l'artère radiale qui évitait Nancy en remontant la vallée de la Moselle, et rejoignait l'itinéraire principal près de Blainville. Depuis l'électrification de l'axe Paris-Strasbourg, cette ligne, à double voie, privée de caténaires, a été peu à peu vouée à un rôle secondaire ; elle est aujourd'hui en grande partie neutralisée et exploitée pour la seule desserte locale entre Frouard et Maron ainsi qu'au départ de Toul, sur 2 kilomètres.

A l'est de Nancy, les gares de Blainville et de Lunéville marquent le point de départ des lignes d'Epinal et de Saint-Dié, la première seulement étant à double voie. A Blainville, près de la bifurcation , s'étale un triage important, fort de deux faisceaux : un de réception de 14 voies et un de débranchement de 40 voies ; mais l'éloignement relatif de Nancy (une vingtaine de kilomètres), la longueur souvent insuffisante des voies et un niveau d'équipement deux fois moins performant environ qu'à Woippy, ne l'ont pas favorisé lorsque le plan ETNA a été mis en œuvre...

Autour de Nancy, la très intense circulation des trains est rendue malaisée par l'absence de toute section quadruplée (avec comme palliatif partiel la banalisation des deux voies principales entre Nancy et Frouard) et de saut-de-mouton à la bifurcation de Frouard, laquelle contrôle la jonction des lignes Paris-Strasbourg et Metz-Nancy ; un raccordement en triangle, entre Frouard et Pompey, établit une liaison directe entre les lignes de Metz et de Toul-Paris. Depuis l'électrification, la totalité du trafic, trains de marchandises inclus, entre Frouard et l'artère de Strasbourg, se concentre sur ce seul axe Frouard-

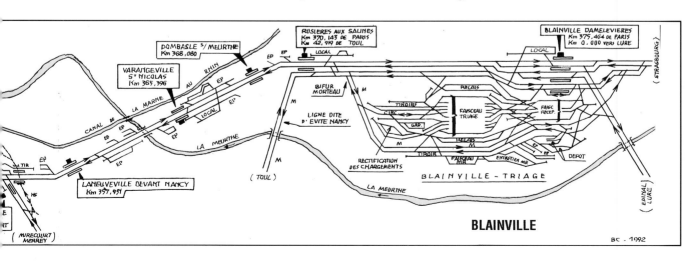

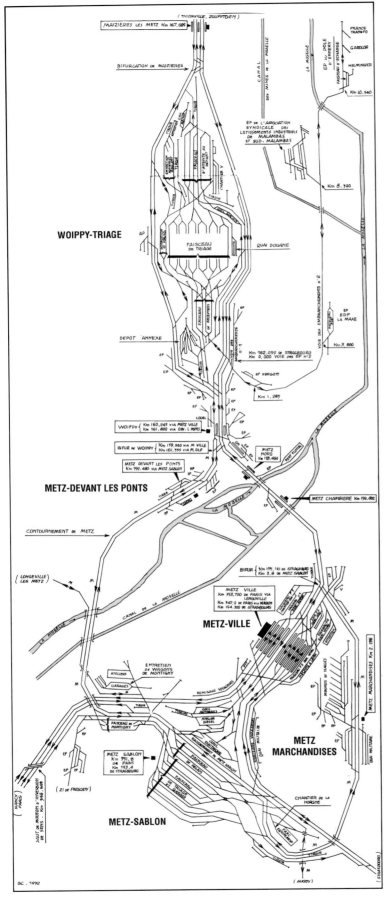

Nancy-Blainville-Lunéville. Aussi la gare de Nancy-Ville, déjà handicapée par la faiblesse du nombre de ses voies à quai (cinq seulement de passage, plus deux courtes en impasse côté est et autant côté ouest), ne peut-elle éviter l'engorgement que grâce à l'existence de deux voies extérieures de circulation, où roulent entre autres les convois de fret. A l'intérieur même de l'agglomération la gare de marchandises de Nancy-Saint-Georges, desservie par l'ex-ligne à voie unique qui reliait Jarville à Champigneulles, est l'origine de très nombreux embranchements particuliers. La petite gare de triage de Jarville, elle, est maintenant déclassée.

A une cinquantaine de kilomètres au nord, le carrefour messin est plus puissamment structuré.

Cette étoile ferroviaire ne compte que 3 branches. Mais parmi les trois lignes, électrifiées et dotées du BAL, deux, celles de Thionville et de Pagny-sur-Moselle sont quadruplées en raison de l'intensité de la circulation. De plus celle de Remilly est un tronc commun avec dans cette gare, sans saut-de-mouton, la séparation des artères de Béning et Forbach, et de Reding et Strasbourg. Au sud de Metz, à proximité de la vallée de la Moselle, se développe dans la trouée du Rupt de Mad l'étonnant complexe de bifurcation d'Onville-Novéant-Pagny-sur-Moselle. S'étendant sur une dizaine de kilomètres, il permet, grâce à plusieurs sauts-de-mouton, la superposition sans problème de huit itinéraires, tous importants : Metz-Nancy, Paris-Metz, Longuyon-Nancy, Longuyon-Lérouville, et bien entendu les quatre courants de sens opposé.

A la différence de celle de Nancy, la gare de voyageurs de Metz est largement dimensionnée : conçue avant 1914 par les Allemands, elle se caractérise par un bâtiment impressionnant qui peut être considéré comme lourd ou majestueux. Chacune des 11 voies à quai, de passage dont deux ont récemment été établies pour le trafic régional, est desservie par deux quais, le plus haut et le plus large affecté aux voyageurs, l'autre à l'acheminement des bagages. L'exploitation est facilitée par l'existence de deux lignes de dérivation qui lui évitent d'être traversée par les trains de marchandises. Non loin de la gare s'étalent dépôt, chantier des marchandises, ateliers de Montigny et triage des Sablons ; celui-ci, malgré ses faisceaux de réception et de débranchement de respectivement 10 et 38 voies, est éclipsé depuis 1966 par la mise en service de l'intégralité du triage de Woippy : il joue cependant un rôle complémentaire utile pour la rotation du matériel vide et la desserte locale.

Le triage de Woippy mérite d'être considéré non seulement comme très moderne mais aussi comme le plus puissant de France. Se développant au nord de Metz sur 5 200 mètres, encadré par les voies principales de la relation quadruplée Metz-Thionville, il comprend les trois faisceaux classiques, ici particulièrement vigoureux : du sud au nord se succèdent faisceaux de réception de 17 voies, de débranchement de 48 voies, de départ de 14 voies ; un faisceau de formation de relais de 8 voies complète le dispositif. La longueur utile des voies, de 750 à 900 mètres, le modernisme des postes d'aiguillage et de triage, où l'informatique est très présente, l'installa-

Le triage de Woippy, près de Metz, est désormais le plus important de France. La vue ci-contre du faisceau de débranchement montre la diversité des marchandises qui y transitent.

La sidérurgie et l'extraction du minerai de fer avaient motivé la constitution d'une "toile d'araignée" de lignes électrifiées en 25 000 V, y compris plusieurs voies uniques ouvertes au seul trafic fret ; ci-dessus, un aperçu de la ligne Fontoy-Audun-le-Tiche et, ci-dessous, Audun-le-Roman, avec la voie unique de Villerupt se raccordant à l'artère Nord-Est où circule un convoi venant de Dunkerque.

tion du "tir au but" confèrent à Woippy une capacité théorique de triage de plus de 4500 wagons par jour, et en font l'un des plus beaux fleurons du complexe ferroviaire lorrain.

Les deux bassins miniers, proches de la frontière, qui ont fixé l'essentiel de l'industrie lourde, sont comme celui du Nord-Pas-de-Calais desservis par un réseau ferré dense, où les lignes de la SNCF constituent l'armature et où courent des voies privées gérées par les Sociétés qui exploitent mines et usines. Comme dans le Nord, et pour le même type de raisons, les infrastructures ferroviaires ont considérablement fondu depuis une quinzaine d'années. Le ralentissement ou l'arrêt de l'extraction de la houille ou du minerai de fer, la démolition de hauts fourneaux et d'aciéries, ont entraîné le déclin ou la fin de l'activité de certaines antennes, en particulier de part et d'autre de l'axe Longuyon-Thionville : outre le déclassement et la dépose de plusieurs lignes, comme au sud de Tucquegnieux, sur l'artère Audun-le-Roman-Valleroy, quelques tronçons ont été désélectrifiés, autour de Villerupt par exemple. La diminution générale au trafic et sa concentration sur le triage très bien équipé de Woippy, ont entraîné l'amincissement parfois drastique des faisceaux de certaines gares, avec mise en impasse de nombreuses voies.

Séparés par quelques dizaines de kilomètres seulement, les deux sous-ensembles industriels sont installés dans des régions de topographie difficile : d'où des lignes au tracé tourmenté et présentant des rampes parfois sévères, que l'électrification a contribué à maîtriser, près de la frontière luxembourgeoise en particulier.

Soudé à celui de la Sarre allemande, le bassin de Forbach Saint-Avold est desservi par deux lignes à double voie qui se croisent à Béning, dont la gare est ainsi le cœur du dispositif, avec entre autres des faisceaux de garage et de classement des wagons qui atteignent au total une quarantaine de voies. L'un des axes, reliant Thionville à Sarreguemines, électrifié de Thionville à Béning, assume des missions avant tout régionales. En revanche le second, qui établit la jonction entre Metz et Sarrebruck, a une vocation internationale affirmée puisqu'il s'insère dans l'itinéraire Paris-Francfort.

Le bassin métallurgique fondé sur le minerai de fer, à l'ouest de la vallée de la Moselle, était strié par un réseau ferré plus complexe. Les axes majeurs serpentaient au milieu des puits de mine et usines, en suivant les vallées, le plus souvent sinueuses et encaissées. Celle de la Moselle est empruntée par l'artère quadruplée Thionville-Metz. Celles de deux de ses affluents, la Fentsch et l'Orne, véritables rues d'usines, sont suivies respectivement par les lignes très bien équipées reliant Thionville à Longuyon et Hagondange à Conflans-Jarny. Les artères Longuyon-Longwy par la vallée de la Chiers (1) et Longuyon-Pagny sur Moselle par Conflans-Jarny complètent cette ossature. Avant la déconfiture de la sidérurgie, s'en détachaient des lignes, le plus souvent à voie unique qui, par exemple, depuis Audun-le-Roman, atteignaient Tiercelet et Tucquegnieux ; grâce aux multiples embranchements, les sites industriels qui n'étaient pas implantés sur les lignes principales étaient reliés à l'ensemble du réseau ; ceux du groupe sidérurgique Sacilor-Sollac constituaient parfois, par leur ampleur, individuellement de véritables réseaux privés. Si aucune gare de triage ne s'étale à l'intérieur de ce vaste périmètre industriel, plusieurs gares possèdent des infrastructures importantes qui pour le trafic des marchandises leur permettent de jouer au plan local ou régional un rôle actif : le total des voies de garage, de service et de relais atteint 15 voies à Hagondange, 40 à Conflans-Jarny, 43 à Longwy. Dans cette dernière gare les faisceaux de voies se courbent pour s'inscrire dans un cadre topographique rendu difficile par l'étroitesse et l'encaissement de la vallée de la Chiers. Désormais, dans la plupart des cas, ces installations ne jouent plus de rôle actif. Le nœud de Thionville mérite un sort particulier. Situé à proximité immédiate de grands complexes industriels, il contrôle, en plus, le départ de plusieurs lignes vers Metz (quadruplée) mais aussi Longuyon, Sarreguemines, le Luxembourg et l'Allemagne via Apach et Coblence. Aussi une gare de voyageurs dotée de 5 voies à quai avec 2 voies de passage indépendantes pour les trains de marchandises, des faisceaux totalisant près d'une quarantaine de voies, un important dépôt gestionnaire d'une imposante cavalerie électrique confèrent-ils à ce nœud, en l'absence certes d'une véritable gare de triage, une stature de grand carrefour.

Si le trafic des voyageurs est dense, celui des marchandises reste encore l'élément essentiel du trafic.

---

(1) Cette ligne possède elle aussi une vocation internationale puisqu'elle est empruntée par les trains Paris-Luxembourg.

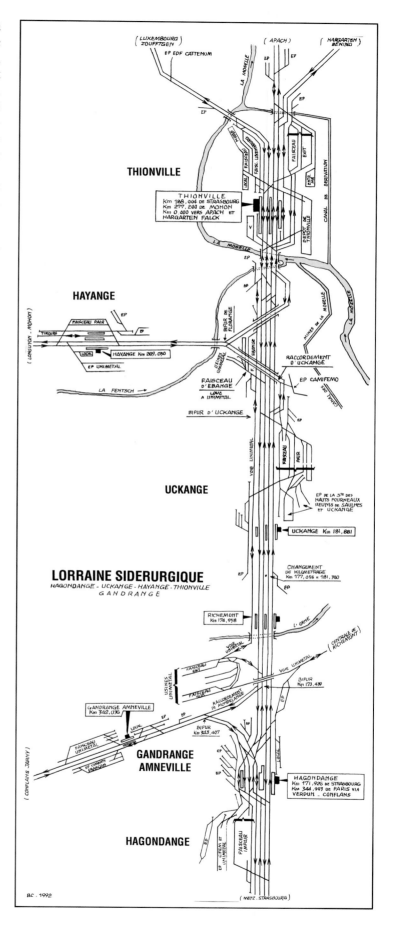

Malgré sa forte régression, le trafic diffus demeure important ; ici un convoi aux environs de Commercy, sur Nancy-Bar-le-Duc.

L'ampleur du trafic des marchandises

Dans le classement des principales gares de marchandises du réseau de la SNCF, 9 gares de la Lorraine industrielle se situent parmi les 20 premières et celle de Thionville se retrouve au second rang. Par ailleurs c'est la Région de Lorraine qui se classe la première au plan des échanges ferroviaires aussi bien pour les tonnages expédiés que pour les tonnages reçus. Si globalement le trafic tend à diminuer depuis une quinzaine d'années, il reste vigoureux en tendant à se diversifier. Proportionnellement la baisse de l'activité ferroviaire en Lorraine métallurgique a été beaucoup plus forte que celle constatée au plan national puisque de 1980 à 1990 elle a représenté une chute de près de 70% ! Le phénomène s'explique par le fait que la région, compte tenu de sa vocation première, a été frappée en plein fouet par le déclin accéléré de l'extraction de la houille - et surtout du minerai de fer - ainsi que de la production sidérurgique. Dans ces domaines se sont produits de véritables effondrements, avec par exemple une baisse des expéditions de minerai de fer de l'ordre de 85%.

Pourtant le trafic reste considérable. Il se situe actuellement, en additionnant les tonnages chargés et déchargés, au niveau de près de 40 000 000 de tonnes. Les expéditions l'emportent, avec les trois cinquièmes de l'ensemble. Charbon, produits sidérurgiques c'est-à-dire poutres, fers à béton, couronnes de fil, tôles, rails, minerais et ferrailles viennent en tête du classement, alors que produits chimiques et engrais, hydrocarbures, matériaux de construction se comportent plus qu'honorablement. Il n'est donc pas étonnant que la Lorraine industrielle reste le principal bastion du trafic des marchandises.

Phénomène constaté ailleurs, ce ne sont pas les gares urbaines comme celles de Nancy ou Metz qui accaparent les plus forts tonnages. Elles cèdent les premières places aux gares proches des mines, des hauts fourneaux et des aciéries, qui reçoivent ou expédient des tonnages considérables, acheminés par des rames de wagons spécialisés. Comme le montre le classement suivant, c'est le secteur sidérurgique proche du bassin ferrugineux qui l'emporte nettement, avec la plupart des premières places. C'est là où se regroupent les usines les plus puissantes.

Les principales gares lorraines
Chiffres de 1991 tonnages reçus et expédiés additionnés

Thionville-Ebange	4 704 000 t
Pont-à-Mousson	2 908 000 t
Creutzwald	2 866 000 t
Hagondange	1 517 000 t
Dieulouard	1 448 000 t
Longwy	1 370 000 t
Pont-Saint-Vincent	529 000 t

Le bassin houiller et ses usines viennent ensuite, l'activité étant concentrée dans les gares de Creutzwald et Cocheren. Le secteur de Nancy est représenté par les gares de Dieulouard et Pont-Saint-Vincent, de manière très significative éloignées de l'agglomération elle-même.

D'autres courants viennent se superposer au trafic hexagonal généré par l'ensemble industriel lorrain, et en particulier le trafic international, important en raison de la proximité de la frontière et de régions très actives du Luxembourg et de l'Alle-

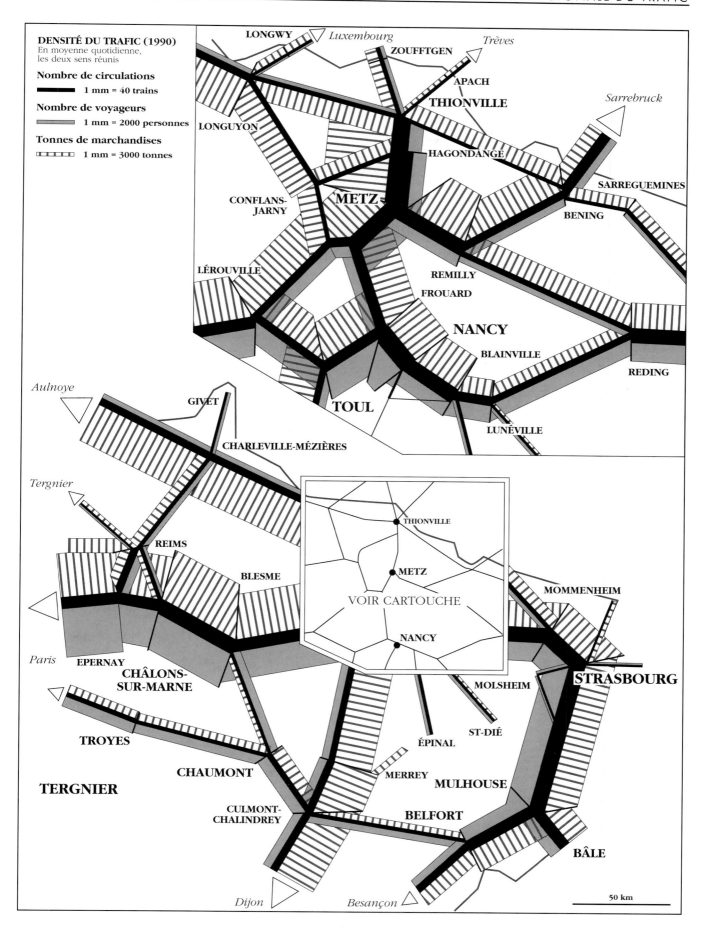

DENSITÉ DU TRAFIC (1990)
En moyenne quotidienne,
les deux sens réunis

Nombre de circulations
1 mm = 40 trains

Nombre de voyageurs
1 mm = 2000 personnes

Tonnes de marchandises
1 mm = 3000 tonnes

LONGWY
Luxembourg
Trèves
ZOUFFTGEN
APACH
THIONVILLE
Sarrebruck
LONGUYON
HAGONDANGE
SARREGUEMINES
CONFLANS-JARNY
METZ
BENING
LÉROUVILLE
REMILLY
FROUARD
NANCY
BLAINVILLE
REDING
Aulnoye
GIVET
TOUL
LUNÉVILLE
CHARLEVILLE-MÉZIÈRES
Tergnier
THIONVILLE
REIMS
METZ
BLESME
MOMMENHEIM
VOIR CARTOUCHE
NANCY
Paris
EPERNAY
STRASBOURG
CHÂLONS-SUR-MARNE
MOLSHEIM
ST-DIÉ
TROYES
ÉPINAL
CHAUMONT
MERREY
MULHOUSE
TERGNIER
CULMONT-CHALINDREY
BELFORT
BÂLE
Dijon
Besançon
50 km

Metz, important nœud ferroviaire au cœur d'un secteur largement électrifié. Ci-dessus un train complet d'essence à la traversée de Metz-Ville.

magne, en particulier dans le domaine de la métallurgie. C'est ainsi que les marchandises échangées, produits lourds le plus souvent, représentent annuellement près de 2 500 000 tonnes au point-frontière d'Apach, sur l'itinéraire Thionville-Coblence, 3 000 000 de tonnes à Forbach, sur l'itinéraire Metz-Sarrebruck-Francfort, plus de 4 000 000 de tonnes à Zoufftgen, sur l'artère Thionville-Luxembourg.

Si ces courants internationaux naissent partiellement en Lorraine industrielle ou en partent, ils peuvent le plus souvent en dépasser le cadre et s'établir avec en particulier la France du sud-est et les pays voisins. De même, en raison de sa position géographique, la nébuleuse ferroviaire lorraine se trouve sur le passage de flux de marchandises s'écoulant entre le nord de la France ou la région parisienne d'une part, l'Alsace et les pays rhénans de l'autre.

La juxtaposition d'un trafic régional qui reste très fort et de flux de transit vigoureux induit une circulation intense des trains de fret, dont il faut préciser les modalités d'organisation. Sur l'ensemble de la Lorraine industrielle, plus de 250 points de desserte "fret", incluant les gares de marchandises classiques, et près de 600 embranchements particuliers reçoivent les wagons à décharger ou à charger. Au nombre quotidiennement de plusieurs centaines, les rames de wagons qui y parviennent ou en partent appartiennent à deux catégories : les

trains complets sont de loin les plus nombreux ; soit ils circulent à l'intérieur même de la nébuleuse, entre houillères de la région de Forbach et centrales thermiques, par exemple, ou entre unités sidérurgiques parfois proches ; soit leur provenance ou leur destination sont lointaines, qu'il s'agisse de gares de la région parisienne ou de ports comme Dunkerque ou Le Havre. D'autres trains complets traversent la nébuleuse, sans adjonction ou retrait, en ne faisant que de courtes escales sur les faisceaux de relais, par exemple entre l'Ile-de-France et l'Alsace. Des convois directs, étrangers à la Lorraine industrielle, circulent également entre triages, par exemple ceux de la région parisienne, Le Bourget ou Villeneuve-Saint-Georges, et Hausbergen près de Strasbourg.

Mais, même en déclin, le trafic diffus, c'est-à-dire en wagons isolés, persiste. Il exige bien entendu l'intervention de gares de triage.

Dans le cadre du plan Etna, marqué par une forte concentration, deux triages subsistaient : au sud-est de Nancy, celui de Blainville, intégré dans la famille des chantiers complémentaires, a expédié en moyenne quotidienne 480 wagons en 1991 ; son rôle concernait essentiellement la régulation du trafic dans le sud du bassin industriel lorrain, autour de Nancy. Mais, avant d'être fermé en 1993, il faisait plutôt pâle figure auprès du grand triage de Woippy. Avec 2 210 wagons expédiés par jour celui-ci se classe très nettement au premier rang français ; non seulement il organise la rotation des wagons dans le cœur de la Lorraine sidérurgique, de Forbach à Longuyon, mais encore il contrôle des flux importants qui s'écoulent dans l'ensemble de la France du nord et du nord-est ; il est en relation avec Allemagne et Bénélux mais aussi avec l'ensemble des grands triages de l'Hexagone : en 1992 il reçoit en service quotidien normal 31 trains, formés hors de la Lorraine, par exemple à Lille-Délivrance, Sotteville, Hourcade, Gevrey, Sibelin ou Miramas ; 29 convois sont expédiés dans toutes les directions, et en particulier dans ces triages. Disposant d'un potentiel théorique considérable, l'un des premiers d'Europe, la gare de Woippy est un élément moteur irremplaçable du complexe ferroviaire lorrain.

Trafic interne, échanges avec l'extérieur de la Lorraine, flux de transit : la circulation des trains de marchandises ne peut être qu'intense sur les lignes de la nébuleuse : en moyenne quotidienne et les deux sens réunis plus d'une cinquantaine de convois sont décomptés entre Metz et Frouard, près d'une centaine sur l'axe radial Toul-Frouard-Nancy-Blainville ; c'est la section Metz-Thionville, proche du cœur du complexe métallurgique qui se révèle la plus chargée, avec plus de 150 circulations entre Woippy et Hagondange. Plusieurs courts troncs communs sont également très utilisés : près de 70 convois à Novéant (courants Lérouville-Metz et Longuyon-Nancy), près de 80 à Remilly (courants Metz-Bening et Metz-Reding).

Aussi les tonnages transportés sont-ils eux-mêmes considérables, caractérisés par la prépondérance des produits lourds, minerai de fer venu de Dunkerque ou des ports du Bénélux, houille du bassin de Forbach ou d'au-delà des frontières, production de la sidérurgie, produits pétroliers. L'analyse de la carte des densités de trafic montre l'importance de l'activité sur les grandes artères d'accès : en moyenne quotidienne et les deux sens réunis, en fin de tronc commun, 24 000 tonnes sont enregistrées à Reding, 29 000 à Longuyon sur l'artère de Valenciennes et à Toul sur celle de Dijon, 35 000 à Lérouville sur l'axe radial. Dans la nébuleuse elle-même c'est dans le nord autour de Thionville et Metz que les tonnages sont les plus massifs, avec près de 40 000 tonnes sur le tronc commun Metz-Remilly, 55 000 entre Thionville et Woippy ! La carte montre aussi l'éclatement très articulé du trafic autour de Thionville ou de Longuyon, la complexité des échanges entre Onville et Pagny-sur-Moselle, et le rôle du nœud de Lérouville : il répartit les courants de la grande radiale entre les lignes de Metz et de Nancy, au léger bénéfice de la première, et achemine, grâce au raccordement en triangle, une partie (près de 10 000 tonnes) des échanges entre Lorraine sidérurgique et sillon rhodanien, un itinéraire qui rejoint à Toul celui provenant de Metz par Frouard.

Proportionnellement moins dense, le transport des voyageurs, dans la nébuleuse, n'en est pas moins complexe. Un certain décalage de son centre de gravité vers le sud de l'ensemble peut s'observer.

Un convoi de ferroutage au passage à Conflans-Jarny ; dans cette gare convergent la ligne Longuyon-Onville et celle d'Hagondange.

Des flux de voyageurs de types variés

Les lignes de Lorraine sont parcourues aussi bien par de grands rapides internationaux que par des TER classiques dont les rames du service régional "Métrolor".

C'est qu'à l'échelle de l'Europe occidentale la Lorraine se trouve en position de carrefour entre des secteurs aussi actifs et peuplés que la région parisienne et celle du nord de la France, les pays du Bénélux et l'Allemagne, l'Alsace et la Suisse. De plus elle est elle-même très peuplée, puisque regroupant près de 3 000 000 d'habitants. Deux grandes agglomérations émergent, celle de Metz (190 000 habitants) et surtout celle de Nancy (300 000 habitants) ; mais l'ensemble des vallées, de la Moselle et de ses affluents, abrite plusieurs dizaines de villes, le plus souvent à vocation industrielle très affirmée, comptant chacune au moins une dizaine de milliers d'habitants.

Au plan du trafic des trains rapides et express, le grand axe radial Paris-Nancy-Strasbourg l'emporte nettement. A l'est de la bifurcation de Lérouville (1) les 16 000 voyageurs transportés, en moyenne quotidienne et les deux sens réunis, sur le tronc commun, se retrouvent dans la proportion de près des deux tiers sur la ligne de Nancy dont la gare assure un trafic propre qui la classe au 10e rang des gares françaises de pro-

vince, au même niveau que celles de Nantes ou Rouen. Au-delà de Nancy le flux, supérieur à 7 000 voyageurs, s'explique par le poids de Strasbourg mais aussi par l'importance de la relation internationale Paris-Vienne par Strasbourg, Stuttgart et Munich. La gare de Metz, elle, assure un trafic particulier à l'agglomération moins lourd, mais joue un rôle de plaque tournante plus affirmé que celle de Nancy, au plan national mais aussi international : en effet se retrouvent le long de ses quais non seulement des rapides et express aux horaires conçus pour la Lorraine elle-même, mais aussi des trains franchissant les frontières sur des itinéraires soit radiaux comme Paris-Francfort, soit transversaux comme Calais-Bâle ou Bruxelles-Bâle. De ce fait les flux de grandes lignes sont-ils à la fois variés et denses autour de Metz, plafonnant à 2 000 voyageurs en moyenne quotidienne, les deux sens réunis, sur la ligne de Nancy, pour dépasser 5 000 voyageurs sur celle de Thionville. A Lérouville, en fin du tronc commun né à Paris, et à la différence de ce qui a été constaté pour les marchandises, c'est l'artère de Nancy et Strasbourg qui l'emporte avec 60% ; mais la ligne de Metz accueille tout de même près de 6 000 voyageurs. A Remilly, les courants Metz-Forbach et Metz-Strasbourg s'équilibrent, avec une légère prépondérance du second.

Comme dans le Nord-Pas-de-Calais la forte urbanisation de la Lorraine industrielle explique le fort trafic assuré par des trains locaux et régionaux. Dès 1972 est né le service "Métrolor", par convention entre la SNCF et les départements de Moselle et Meurthe-et-Moselle. Son objectif était la mise en place

---

(1) Comme pour la répartition des convois de marchandises la gare de Lérouville joue un rôle important mais passif, les trains formés à Paris franchissant sans arrêt les installations.

Bar-le-Duc, point d'escale pour de nombreux rapides et express des lignes Paris-Metz et Paris-Nancy-Strasbourg.

d'une desserte dense et cadencée sur l'axe essentiel Thionville-Metz-Nancy. Très rapidement le service Métrolor a transporté 10 000 voyageurs par jour. Devant le succès de l'opération a été créé en 1975 et 1976 le service Métrovosges, irriguant les lignes Nancy-Epinal-Remiremont et Nancy-Saint-Dié. Depuis 1989 c'est la Région Lorraine qui s'est fortement impliquée ; rénovation des rames existantes, acquisition de rames neuves, deux voies nouvelles aménagées en gares de Metz et Nancy permettent désormais, autour des dessertes Métrolor et Métrovosges, de couvrir l'ensemble de la Lorraine d'un réseau TER complet et homogène, depuis le Luxembourg jusqu'aux confins des Vosges, de Bar-le-Duc à Sarrebrück. La prépondérance, au plan de ces courants régionaux, de l'axe Thionville-Metz-Nancy explique que ce soit ce corridor, toutes catégories de trains confondues, qui supporte le trafic le plus lourd, de l'ordre de plus de 10 000 voyageurs en moyenne quotidienne.

Comme dans le nord de la France, les voies ferrées qui sillonnent la Lorraine industrielle sont, pour la plupart, très fréquentées. La juxtaposition des flux de marchandises et de voyageurs se traduit, en moyenne quotidienne et les deux sens réunis par 150 circulations environ entre Metz et Remilly, près de 180 entre Nancy et Blainville, plus de 200 entre Nancy et Frouard, 250 entre Woippy et Hagondange : d'où de réels problèmes de saturation.

Aussi, la région, active et peuplée, proche de l'Allemagne rhénane et du cœur de la Communauté Européenne, ne pouvait-elle rester à l'écart du phénomène TGV. Dès le printemps 1992, le principe de création d'un TGV Est, desservant la métropole mais se prolongeant directement ou indirectement en Allemagne, a été retenu par les autorités gouvernementales des deux pays. Sa réalisation représentera pour la Lorraine, au plan général, un atout majeur, tout en contribuant à désengorger les voies ferrées existantes, grâce à la construction d'une ligne nouvelle à deux branches, et donc à améliorer l'ensemble de la circulation.

Le TGV Est entraînera d'autres transformations en améliorant considérablement les conditions de desserte de l'Alsace et en premier lieu de son principal carrefour ferroviaire, Strasbourg.

L'ACTIVITÉ FERROVIAIRE EN ALSACE ET A SES ABORDS

Le trafic assuré par le chemin de fer en Alsace et à proximité, à l'image de l'activité générale est à plus d'un titre original. Non par sa forte intensité, qui s'explique aisément par la densité de la population, la vitalité de l'économie, la position de carrefour, mais plutôt en raison de la situation géographique de la plaine d'Alsace, intégrée dans le monde rhénan et qui, en raison de son orientation méridienne, joue le rôle de trait d'union entre l'Europe du nord-ouest d'une part, la Suisse et l'Italie de l'autre, mais aussi entre l'Allemagne centrale et les pays rhodaniens. Par ailleurs, l'écran formé à l'ouest par le massif vosgien oblige les voies de communication, et en particulier les voies ferrées, lorsqu'elles viennent du Bassin Parisien, à le contourner soit par le nord, soit par le sud. Aussi

est-ce non pas au centre de la plaine d'Alsace mais dans ses parties méridionale et septentrionale que se sont développées les villes les plus puissantes et les carrefours les plus actifs, Mulhouse et surtout Strasbourg. Enfin, comme dans une notable partie de la Lorraine industrielle, la présence allemande de 1870 à 1918 s'est traduite par l'ampleur des infrastructures et la majesté sinon la massivité des bâtiments ; au plan technique, la circulation des trains à droite et non à gauche a été conservée : sur les axes principaux, à proximité des anciens points-frontières, des sauts-de-mouton de changement de sens, comme celui d'Imling près de Sarrebourg, évitent tout problème d'exploitation.

Le trafic ferroviaire s'ordonne autour de deux pôles majeurs, celui de Strasbourg et celui, dédoublé, de la porte de Bourgogne, constitué par Mulhouse et Belfort. Ils sont reliés par une ligne à grande capacité et très fréquentée.

Le corridor alsacien

Tracée près de l'axe méridien de la plaine d'Alsace, l'artère Strasbourg-Mulhouse bénéficie d'un profil et d'un tracé d'une exceptionnelle qualité, comportant entre autres plusieurs alignements longs chacun de plus d'une dizaine de kilomètres, reliés par des courbes de très grand rayon : aussi la vitesse de 200 km/heure est-elle autorisée sur la plus grande partie du parcours. L'électrification, le block automatique lumineux, des installations permanentes de contre-sens et de nombreux garages à entrée directe autorisent un débit élevé. De fait, en moyenne quotidienne et les deux sens réunis, plus de 130 circulations sont recensées, parmi lesquelles les trains de voyageurs représentent une majorité, mais faible. Le transport de plus de 10 000 voyageurs et de 28 000 tonnes de marchandises classe cette relation parmi les axes majeurs de la SNCF.

Ce trafic est étonnamment varié. En effet dans le domaine des voyageurs se superposent des flux nationaux, comme les 6 allers-retours journaliers entre Strasbourg et Lyon, et internationaux, comme les trains reliant Bruxelles ou Luxembourg à Rome ou à Milan. Mais aux côtés de ces liaisons express ou rapides se développe une trame de plus en plus dense de relations régionales, assurées par des rames Corail, TER, aptes désormais à rouler à 200 km/heure ; ces relations unissent dans de bonnes conditions les agglomérations de Strasbourg et Mulhouse, mais encore desservent les villes petites ou moyennes qui jalonnent le parcours, comme Sélestat ou Colmar.

Le trafic du fret, lui aussi, est hétérogène. Se succèdent ou se croisent dans ce corridor ferroviaire la potasse et les engrais de la haute Alsace, les marchandises chargées ou déchargées dans le port de Strasbourg, mais aussi les fabrications de la métallurgie lorraine ou les produits pétroliers provenant des ports de la mer du Nord. Il faut ajouter des trafics variés, comme celui des conteneurs, qui en moyenne quotidienne représente 6 à 8 trains par sens. Le poids de ces deux dernières catégories de marchandises justifie la part très prépondérante du courant nord-sud, qui représente près des deux tiers des tonnages acheminés globalement. Il faut toutefois remar-

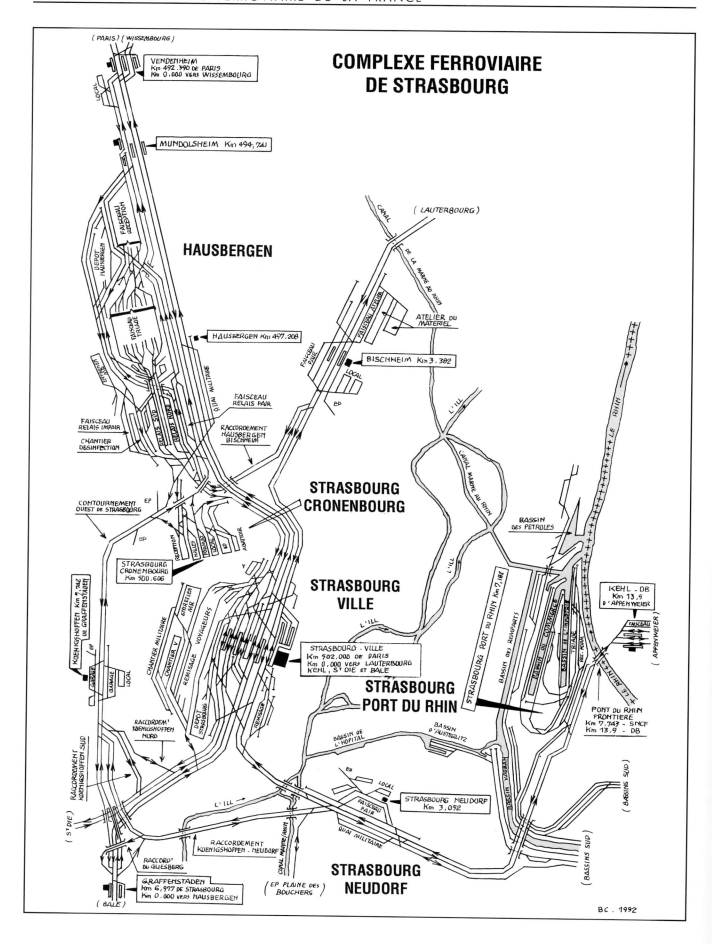

COMPLEXE FERROVIAIRE DE STRASBOURG

(PARIS) (WISSEMBOURG)

VENDENHEIM
Km 492.390 DE PARIS
Km 0.000 VERS WISSEMBOURG

MUNDOLSHEIM Km 494,741

HAUSBERGEN

(LAUTERBOURG)

ATELIER DU MATERIEL

HAUSBERGEN Km 497.208

BISCHHEIM Km 3.382

FAISCEAU RELAIS IMPAIR

CHANTIER DESINFECTION

FAISCEAU RELAIS PAIR

RACCORDEMENT HAUSBERGEN BISCHHEIM

STRASBOURG CRONENBOURG

CONTOURNEMENT OUEST DE STRASBOURG

STRASBOURG CRONENBOURG
Km 500.606

STRASBOURG VILLE

BASSIN DES PETROLES

KOENIGSHOFFEN Km 7,742 DE GRAFFENSTADEN

CHANTIER MILITAIRE

GARAGE

STRASBOURG - VILLE
Km 502.000 DE PARIS
Km 0.000 VERS LAUTERBOURG
KEHL, S*t* DIE et BALE

KEHL - DB
Km 13,5
D'APPENWEIER

(APPENWEIER)

STRASBOURG PORT DU RHIN

RACCORDEM*t* KOENIGSHOFFEN NORD

PONT DU RHIN FRONTIERE
Km 7,747 - SNCF
Km 13,9 - DB

BASSIN DE L'HOPITAL

BASSIN D'AUSTERLITZ

RACCORDEMENT KOENIGSHOFFEN SUD

(S*t* DIE)

RACCORDEMENT KOENIGSHOFFEN - NEUDORF

STRASBOURG NEUDORF
Km 3,052

QUAI MILITAIRE

RACCORD*t* DU GLIESBERG

GRAFFENSTADEN
Km 6,977 DE STRASBOURG
Km 0.000 VERS HAUSBERGEN

(BALE)

(EP PLAINE DES BOUCHERS)

STRASBOURG NEUDORF

(BASSINS SUD)

(BASSINS SUD)

BC . 1992

158

quer que dans cette partie du couloir rhénan un trafic de transit nettement plus important est assuré par l'axe ferroviaire parallèle, tracé de l'autre côté du Rhin entre Mannheim et Bâle par Karlsruhe et Fribourg.

Dans ces conditions les gares les plus importantes qui sont situées sur les 106 kilomètres séparant Strasbourg et Mulhouse, et en particulier celles de Sélestat et Colmar, ne jouent qu'un rôle local : trafic généré par l'agglomération, garage des trains les plus lents, commande de lignes secondaires à voie unique ; c'est ainsi que de Sélestat s'élancent les artères de Molsheim et de Lièpvre, de Colmar celles de Volgelsheim et d'Ensisheim en direction du Rhin, de Metzeral vers le cœur du Massif vosgien.

Ce dernier, dans sa partie centrale et méridionale, à la fois la plus large et la plus haute, n'est plus franchi par aucune voie ferrée, depuis la fermeture au trafic de la section Lièpvre-Lesseux de la ligne Saint-Dié-Sélestat ; le long tunnel de Sainte-Marie-aux-Mines (6 870 mètres), percé pour recevoir une double voie, accueille maintenant une route à péage. C'est au nord et au sud de la montagne vosgienne, en l'évitant donc dans la mesure du possible, que s'insinuent les grands axes ferroviaires qui atteignent les deux principaux carrefours alsaciens.

Le grand carrefour strasbourgeois

Par l'ampleur de ses installations et du trafic qu'il assume le nœud de Strasbourg mérite d'être perçu comme la principale plaque tournante de la France de l'est, plus que Metz ou Nancy si ces carrefours sont considérés isolément.

● L'envergure des infrastructures

Malgré la proximité du Rhin et de la frontière allemande, en dépit de celle du massif vosgien, moins élevé il est vrai qu'au sud, Strasbourg est le centre d'une étoile homogène de voies ferrées.

Les deux principales lignes sont celle de Mulhouse et Bâle, qui se dirige vers le sud, et celle de Nancy-Paris. Cette dernière, en raison de l'écran opposé par la montagne vosgienne, se dirige initialement vers le nord et décrit un vaste arc de cercle pour bénéficier du Seuil de Saverne, franchi au prix de rampes, d'ailleurs modérées, et du percement du tunnel d'Arzviller. L'équipement est de haut niveau, avec caténaires de 25 000 volts, et block automatique lumineux entre autres. Au départ de Strasbourg, cet axe radial est un tronc commun d'où se détachent successivement à Vendenheim la ligne de Haguenau et Wissembourg, à double voie jusqu'à Haguenau, et à Mommenheim, à 23 kilomètres de la gare de Strasbourg, celle de Sarreguemines, à double voie et également non électrifiée. Plus importante est la bifurcation de Reding, à 68 kilomètres de Strasbourg, dont le rôle a déjà été évoqué puisque, à la soudure des ensembles ferroviaires alsacien et lorrain, elle commande la répartition du trafic provenant de Strasbourg entre les itinéraires de Nancy-Paris et de Metz-Thionville, tous deux dotés du meilleur équipement.

Entre Strasbourg et Reding le trafic est intense, puisqu'en moyenne quotidienne et les deux sens réunis il atteint 170 mouvements, dont 90 trains de voyageurs, entre Vendenheim et Mommenheim ; à l'ouest de Reding il se répartit à peu près équitablement entre les deux branches, sillonnées chacune par une soixantaine de circulations.

L'étoile strasbourgeoise se trouve complétée par trois artères dont l'une, très courte et électrifiée a une vocation internationale puisque, au-delà de la voie unique du pont de Kehl, elle se soude au réseau allemand. Les deux autres, non électrifiées et à double voie, se dirigent au nord-est vers Lauterbourg, au sud-ouest vers Molsheim et Epinal (au-delà de Rothau la ligne est à voie unique).

Comme à Toulouse ou à Bordeaux, c'est la principale gare des voyageurs, ici celle de Strasbourg-Ville, qui constitue le cœur du système ferroviaire strasbourgeois, puisque deux groupes de lignes convergent vers elle au nord et au sud. Elle peut d'ailleurs être évitée par les trains de marchandises grâce à une ligne de dédoublement, à double voie et électrifiée, tracée quelques kilomètres à l'ouest. Dans les deux zones de bifurcations qui l'encadrent de nombreux sauts-de-mouton facilitent les liaisons entre les diverses lignes et la gare centrale des voyageurs, mais aussi la gare des marchandises de Cronenbourg et le triage d'Hausbergen.

Centre nerveux du trafic des voyageurs la gare de passage de Strasbourg-Ville, bien située par rapport au cœur de l'agglomération, aux bâtiments et marquises majestueux, est dotée comme celle de Lyon-Perrache de 9 voies à quai auxquelles s'ajoutent 2 voies en impasse côté nord. Six voies d'entrée au nord et au sud, deux voies de circulation extérieures, un dense réseau d'appareils de voie, et donc de nombreuses possibilités de liaisons simultanées, facilitent l'exploitation. A proximité immédiate s'étalent faisceaux de garage des rames de voitures de voyageurs et dépôt ; celui-ci se classe par l'importance de sa cavalerie parmi les 15 plus importants du réseau national.

Au plan du transport des marchandises c'est le grand triage d'Hausbergen qui joue le rôle essentiel. Sa situation est excellente dans la mesure où il se développe le long de l'artère majeure Strasbourg-Reding ; proche du cœur du complexe, il est par ailleurs bien relié aux diverses lignes. Du nord au sud se succèdent les trois faisceaux classiques de réception, de 18 voies, de débranchement, de 40 voies, et de départ, de 11 voies ; 2 groupes de 4 voies chacun sont affectés aux trains en escale. Après d'importants travaux terminés il y a une quinzaine d'années, avec mise en service, entre autres, d'un poste ultra moderne et du freinage automatique, Hausbergen est devenu très compétitif et fait incontestablement partie de la famille des grands triages de la SNCF.

Trois éléments complètent l'infrastructure du complexe strasbourgeois :

Non loin de la gare centrale, celle de Cronenbourg est exclusivement affectée au trafic des marchandises. Longtemps triage de régime accéléré, elle n'est plus vouée qu'aux opérations de chargement et de déchargement, effectuées sous halles ou dans des cours de débord.

Les ateliers de Bischheim assurent la maintenance des rames TGV Atlantique et Sud-Est.

Par ailleurs, le long de la ligne de Lauterbourg ont été construits les ateliers de Bischheim, qui avec 800 cheminots comptent parmi les plus importants du réseau ; leur mission est capitale : elle consiste à assurer la maintenance et la réparation des rames TGV en service ; d'ores et déjà la prise en charge du matériel Sud-Est et Atlantique mobilise la totalité de leur capacité.

Enfin, à l'est de l'agglomération, s'étendent les installations - quais et bassins - du port autonome de Strasbourg. Ils sont desservis à partir de la ligne de Kehl, par un réseau très digité qui s'articule autour de plusieurs faisceaux s'étalant entre la ville, plusieurs canaux et le Rhin ; à proximité immédiate sont implantées de nombreuses usines et entrepôts, reliés par des embranchements particuliers aux voies de la SNCF.

Le niveau de l'activité, dans ce vaste complexe ferroviaire, est à la mesure des infrastructures.

● *L'ampleur du trafic*

Une agglomération de près de 400 000 habitants, un port très actif, des industries nombreuses et diversifiées, une position de carrefour, voilà des éléments qui ne peuvent que générer un important trafic de marchandises.

Et, de fait, les tonnages transportés sur les lignes de l'étoile sont massifs. La section la plus chargée, celle de Vendeheim à Mommenheim, supporte des flux de l'ordre de 32 000 tonnes, en moyenne quotidienne et les deux sens réunis. Des trois lignes issues de ce tronc commun, celle qui relie Mommenheim à Sarreguemines, et l'artère de Nancy à l'ouest de Reding, avec chacune 9 000 tonnes, sont très nettement domi-

nées par l'axe Reding-Remilly, qui atteint 16 000 tonnes ; c'est qu'il relie l'Alsace à la partie essentielle de la Lorraine sidérurgique, dont le poids de la production explique la prédominance du sens ouest-est, qui accapare près des deux tiers de l'ensemble. ALors que le corridor Strasbourg-Mulhouse, avec 28 000 tonnes, assume lui aussi un trafic lourd, les autres lignes se retrouvent très nettement en retrait : celle de Lauterbourg n'atteint qu'un peu plus de 5 000 tonnes, celles d'Haguenau et Molsheim sensiblement moins.

Ces courants globalement importants sont en rapport d'abord avec le trafic induit par l'agglomération, son port, ses industries. C'est ainsi que dans le classement des cinquante premières gares de marchandises françaises, en 1990, figurent celles de Strasbourg-Cronenbourg et de Strasbourg-Port du Rhin, avec respectivement 2 000 000 et 1 300 000 tonnes ; produits alimentaires (la bière, entre autres), métallurgiques et pétroliers tels ceux de la raffinerie de Reichstett, située quelques kilomètres au nord de Strasbourg, matériaux de construction, engrais chimiques constituent l'essentiel de cette activité. Mais, par sa position dans le saillant de la France de l'est et la proximité immédiate de la frontière, le nœud de Strasbourg joue un rôle important dans le domaine de l'import-export : les gares-frontières de Lauterbourg et de Kehl assurent un trafic de l'ordre de 1 400 000 et 1 450 000 tonnes, avec prédominance globale des importations. Enfin le complexe ferroviaire strasbourgeois est un point de passage obligé pour un trafic de transit de grande amplitude entre la Lorraine industrielle, les foyers industriels des pays du Bénélux et les ports de la mer du Nord d'une part, la haute Alsace, la Suisse et l'Italie

Un "TER 200" passant à 200 km/h devant le Haut-Kœnigsbourg, sur la ligne de la plaine d'Alsace. Ci-dessous, un train de fret passant le col de Saverne, sur la ligne Paris-Strasbourg.

Sur la ligne Strasbourg-Saint-Dié-Epinal, de nombreux trains régionaux font la navette entre la capitale alsacienne et Rothau ou Saales.

de l'autre ; d'autres courants sont décelables, comme ceux qui s'établissent entre région parisienne et Allemagne méridionale, Allemagne rhénane et pays rhodaniens. Ces flux se caractérisent, entre autres, par l'impact de marchandises lourdes comme les produits pétroliers ou métallurgiques.

L'acheminement de ces tonnages est permis par une organisation classiquement double, avec trains complets et convois intertriages. Les premiers, en passe de devenir les plus nombreux, comme sur l'ensemble du réseau, roulent aussi bien sur des itinéraires nationaux, comme entre Strasbourg et la région parisienne, ou entre Bâle et la Lorraine métallurgique, qu'internationaux comme entre Anvers et la Suisse. Le nœud strasbourgeois, et en particulier les voies spécialisées du triage d'Hausbergen, jouent un rôle important de régulation, avec chaque jour escale et opérations de relais concernant plusieurs dizaines de trains.

Ce triage d'Haubsergen, dans le cadre du plan ETNA, contrôle avec celui de Mulhouse-Nord le trafic des wagons diffus dans l'ensemble de l'Alsace, et plus particulièrement dans le Bas-Rhin. Avec 1 035 wagons, expédiés en moyenne quotidienne en 1991, il se classe au dixième rang national. Son activité consiste à ordonner la circulation des wagons isolés dans le périmètre du carrefour strasbourgeois, depuis la raffinerie de Reichstett jusqu'au port autonome en passant par la gare de Cronenbourg, et à établir les indispensables relations avec les autres triages du réseau. Si les liaisons sont denses avec des gares proches comme celle de Woippy (deux trains expédiés quotidiennement vers Woippy, quatre reçus), Hausbergen échange inlassablement des wagons avec des triages parfois très éloignés comme Somain, Sotteville, Hourcade, Gevrey, Sibelin et Miramas. Au total les 19 trains reçus des autres grands triages de la SNCF, les 12 expédiés journellement montrent l'importance à la fois du triage d'Hausbergen et des flux de marchandises qui se nouent autour du carrefour strasbourgeois.

Le trafic des voyageurs est lui aussi important, comme le montrent les chiffres : en moyenne quotidienne et les deux sens réunis 280 trains environ roulent sur les voies d'accès ou de sortie de la gare de Strasbourg-Ville, qui par son activité globale se situe au cinquième rang national dans le classement des gares de province ; devancée par celles de Marseille, Nice, Lyon Part-Dieu et Lille elle précède par exemple celles de Bordeaux, Toulouse ou Nantes. Aussi sur les diverses lignes convergentes les flux sont-ils dans l'ensemble denses : ils dépassent les 10 000 voyageurs entre Strasbourg et Mulhouse pour atteindre 12 500 personnes sur l'axe radial, jusqu'à Saverne. Sur les autres artères les courants, beaucoup moins vigoureux, dépassent cependant 2 200 personnes sur

Parmi les nombreuses lignes régionales en étoile autour de Strasbourg, celle de Wissembourg illustrée par ce TER abordant la bifurcation où s'embranche la ligne de Winden, à Wissembourg et, ci-dessus, des autorails EAD à Bitche, sur la ligne de Sarreguemines par Lemberg.

la ligne d'Haguenau, atteignent les 2 000 personnes sur celles de Molsheim et de Kehl.

Comme au départ des autres grandes villes françaises, ce sont les relations avec la capitale qui représentent le courant le plus fort. Encore faut-il remarquer que si elle reste dans l'absolu excellente, la qualité de la desserte semble maintenant relativement amoindrie face aux progrès fulgurants apportés par le TGV sur le sud-est et le réseau Atlantique. Et pourtant en moyenne journalière 12 trains express et rapides sont mis en service dans chaque sens, qui couvrent le plus souvent le trajet en moins de 4 heures... L'importance des liens avec Paris apparaît clairement à Reding, où en fin de tronc commun la ligne de Metz et Thionville, amorce de la grande transversale du nord-est, ne recueille que le tiers du trafic.

En direction du sud la gare de Strasbourg est tête de ligne d'une importante relation transversale, qui l'unit à Lyon et, au-delà, aux régions méditerranéennes. En l'absence d'une électrification intégrale et en raison d'une topographie parfois difficile les prestations offertes par la demi-douzaine d'allers-retours en turbotrains ou rame Corail ne sont pas exceptionnelles, dans la mesure où les meilleurs temps sont proches de 5 heures, c'est-à-dire correspondent à une vitesse moyenne d'environ 100 km/heure. Plusieurs rames, de jour et de nuit, poursuivent leur route jusqu'à Marseille ou Nice.

En raison de la position géographique de Strasbourg, les échanges internationaux alimentent largement le trafic "grandes lignes" du carrefour. Ils sont caractérisés par le croisement ou la concordance, entre Reding et la gare centrale de Strasbourg, de deux flux très différents : d'orientation ouest-est, l'itinéraire Paris-Stuttgart-Munich-Vienne est suivi dans chaque sens par trois ou quatre rapides quotidiens ; ils peuvent se retrouver, sous la halle métallique de la gare de Strasbourg-Ville, aux côtés d'autres trains internationaux, au nombre de 3 ou 4 également, qui joignent Bruxelles, Calais ou Luxembourg à Bâle, Rome ou Milan. D'autres relations entre la capitale alsacienne et de grandes cités de l'Allemagne moyenne complètent la richesse de la palette européenne du centre ferroviaire strasbourgeois.

Mais cette agglomération de près de 400 000 habitants, au cœur d'une région densément peuplée, génère un trafic local et régional de première grandeur. Hors la région parisienne, la banlieue ferroviaire de Strasbourg se classe par le volume des trajets quotidiens au second rang en France derrière celle de Lille ; c'est ainsi, par exemple, que les deux sens réunis 22 trains en moyenne quotidienne roulent entre Strasbourg et Haguenau, 36 entre Strasbourg et Molsheim. Sur les lignes de Saverne et de Mulhouse les trains locaux s'insèrent entre les convois de marchandises et de voyageurs de grandes lignes. D'ailleurs les missions de l'axe méridien Strasbourg-Mulhouse sont rendues de plus en plus complexes par l'essor, grâce à un conventionnement avec la Région Alsace, et les deux départements du Haut et Bas-Rhin, d'un service qui succède à celui de Métralsace, créé en 1980, et qui se révèle plus dense et plus rapide : désormais chaque jour ouvrable et dans chaque sens 6 TER relient Strasbourg à Mulhouse ; circulant à 200 km/heure ils ramènent le temps de parcours à un peu plus de 3/4 d'heure.

Les conditions générales de desserte de la capitale alsacienne ne manqueront pas d'être bouleversées lorsque les TGV feront leur apparition. La réalisation d'une ligne TGV Rhin-Rhône, actuellement seulement projetée, stimulerait le trafic méridien entre l'Allemagne et le couloir rhodanien, et valoriserait le carrefour strasbourgeois. Mais celui-ci serait plus directement avantagé par la mise en service du TGV Est, qui réduirait de plus d'une heure la durée du parcours entre Paris et Strasbourg, et améliorerait considérablement les relations entre la capitale, la France de l'est d'une part, les grandes villes de l'Allemagne centrale et méridionale de l'autre.

Page ci-contre, la gare de Strasbourg où se rencontrent quotidiennement les engins de la DB et de la SNCF.

Ci-dessus, croisement de deux rapides devant une mine de potasse, sur la ligne Strasbourg-Mulhouse, près de Lutterbach. Ci-contre, dans le même secteur, un train complet de potasse. Noter, comme sur tout le réseau d'Alsace-Lorraine, la circulation des trains à droite.

Le carrefour double Mulhouse-Belfort

Le sud de la plaine d'Alsace et la trouée de Belfort, ou Porte de Bourgogne, constituent un carrefour naturel de tout premier ordre. Entre les massifs des Vosges, de la Forêt Noire et du Jura, en effet, la rencontre de plusieurs plaines et couloirs permet l'établissement de relations aisées entre l'Alsace, les pays rhodaniens et la Suisse septentrionale et centrale. Aussi routes et autoroutes, lignes ferroviaires à forte capacité sillonnent-elles ce secteur de convergence naturelle des voies de communication.

Les deux gares de Belfort et Mulhouse-Ville sont séparées par une section de ligne de 49 kilomètres. Bien tracée dans une région basse et à peu près plate, elle bénéficie de l'électrification ainsi que du block automatique lumineux. Cet équipement permet de faire face sans difficulté majeure à un trafic important, de l'ordre d'une centaine de trains en moyenne journalière, les deux sens réunis, dont la moitié assurent le service des voyageurs.

A l'extrémité orientale de ce tronc commun où se confondent les itinéraires Paris-Bâle et Lyon-Strasbourg, rayonne le nœud de Mulhouse. Vers lui convergent trois artères très bien équipées, celles de Strasbourg et Belfort et celle de Bâle, dont l'équipement technique est semblable ; une ligne à voie unique électrifiée relie Mulhouse à Neuenbourg, en Allemagne tandis qu'une antenne s'enfonce à l'ouest dans la vallée vosgienne de la Thur ; au nord de l'agglomération la zone des mines de potasse est desservie par de nombreux embranchements. La structure du carrefour se caractérise par l'existence d'une ligne de ceinture, à double voie, qui permet une séparation non totale mais marquée du trafic des marchandises et des voyageurs. Ce dernier est concentré sur la gare de Mulhouse-Ville, installée dans le sud de l'agglomération : elle est largement dimensionnée, avec 8 voies à quai et deux voies d'évitement empruntées entre autres par les convois de marchandises de la ligne de Belfort. Sur la ligne de dérivation se regroupent le dépôt et le grand triage de Mulhouse-Nord qui, moins par l'ampleur de ses faisceaux (9 voies pour celui de réception, 31 pour celui de débranchement) que par la qualité de ses équipements électroniques, figure parmi les plus performants du réseau.

A l'autre extrémité du tronc commun le carrefour de Belfort possède une envergure un peu moins grande dans la mesure où il ne possède pas de gare de triage de niveau national, tandis que la gare des voyageurs n'est dotée que de 5 voies à quai. Mais le rôle de bifurcation est important, en raison de la rencontre de l'axe radial en provenance de Paris et de Culmont-Chalindrey, et de la transversale née à Lyon et tracée par Besançon. C'est celle-ci, électrifiée (en courant 25 000 volts) et dotée du block automatique lumineux, qui est de loin la mieux équipée : la ligne de Paris, à double voie, est toujours exploitée sous le signe de la traction Diesel et du block manuel. Par ailleurs, plus éloigné que celui de Mulhouse de la frontière, le nœud de Belfort n'en possède pas moins une vocation internationale, même atténuée, grâce à la ligne à voie unique qui, via Delle, s'élance vers Berne.

Le fonctionnement de cette plaque tournante de Belfort est influencé par la situation de la gare ; seuls les trains de l'artère radiale peuvent marquer l'arrêt sans devoir changer de sens, alors que ceux qui assurent les relations Lyon-Strasbourg doivent rebrousser ; il est vrai qu'un raccordement à double voie permet aux convois ne desservant pas Belfort de s'affranchir de cette contrainte.

Au total, de part et d'autre du tronc commun Mulhouse-Belfort, la densité du trafic est le plus souvent forte : en moyenne quotidienne et les deux sens réunis 45 circulations sillonnent la ligne de Paris, 86 celle de Lyon, 120 celle de Bâle, 140 celle de Strasbourg, les trains de voyageurs représentant environ la moitié des mouvements. Il peut sembler surprenant que l'activité constatée sur le tronc commun (100 convois) ne soit pas la plus élevée, alors qu'elle est la résultante de l'addition des flux Paris-Mulhouse-Bâle et Lyon-Strasbourg. C'est qu'à Mulhouse un troisième courant se décèle, plus important, à la fois perpendiculaire et tangent à la section Belfort-Mulhouse, reliant Strasbourg et l'ensemble de l'Alsace à Bâle et à la Suisse.

Aussi, malgré le poids des agglomérations de Belfort et de Mulhouse, respectivement peuplées de 60 000 et 220 000 habitants, la fonction de transit joue un rôle tout à fait déterminant.

Dans le domaine des voyageurs le trafic local et régional est important, surtout dans la plaine d'Alsace ; il est cependant éclipsé par le nombre et la variété des trains de grand parcours. En gare de Mulhouse, en effet, se succèdent quotidiennement plusieurs dizaines de rapides et express qui assurent plusieurs types de relations : 4 à 5 d'entre eux dans chaque sens relient Paris à Bâle et, pour certains, à Zurich ; deux trains renforcent la trame entre Paris et Mulhouse. Sur le tronc commun Belfort-Mulhouse roulent également, au nombre d'une demi-douzaine, les rames Corail ou les turbotrains Strasbourg-Lyon. A ce propos le raccordement qui permet une liaison directe entre les gares de Mulhouse-Ville et Mulhouse-Nord est désormais mis à profit afin d'éviter à certains trains Lyon-Strasbourg de rebrousser en gare des voyageurs. Enfin, également sans changement de sens, celle-ci est fréquentée par les relations Strasbourg-Bâle, assurées par des trains internationaux de grand parcours ou les nouveaux TER 200. Enfin, la liaison France-Suisse par Delle et Delemont, qui n'a jamais été primordiale, ne joue plus qu'un rôle limité, dans le domaine du fret.

La hiérarchie des diverses lignes en fonction de leur trafic, exprimé en nombre de voyageurs transportés en moyenne journalière, les deux sens réunis, est dans ces conditions sans surprise : l'artère de Strasbourg l'emporte avec plus de 10 000 voyageurs, devant le tronc commun Mulhouse-Belfort (7 000 voyageurs), les lignes Mulhouse-Bâle (6 000), Belfort-Besançon (plus de 5 000) et Belfort-Culmont-Chalindrey (moins de 3 500) ; il est donc original de constater, fait rare, que la liaison avec la capitale ne s'impose pas : le moindre niveau de qualité des prestations offertes entre Paris et Mulhouse, par rapport au service sur l'axe Paris-Strasbourg et sur-

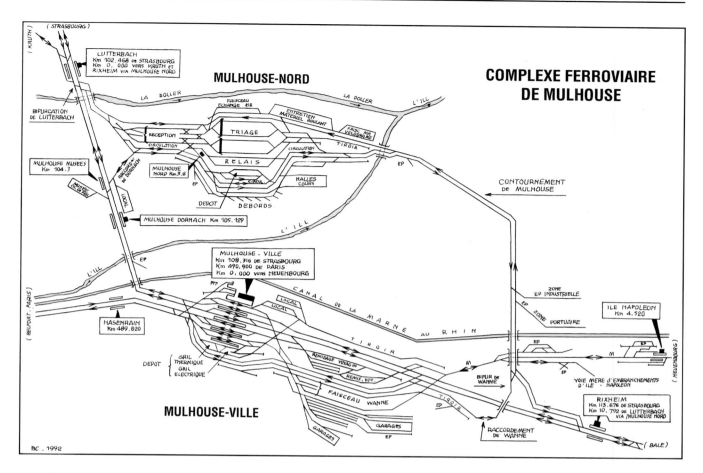

Vue aérienne de la gare de Mulhouse-Ville.

tout au départ de Besançon grâce aux TGV, explique le phénomène au moins autant que la densité des échanges entre les pays rhénans.

Au plan des flux de marchandises des constats du même ordre s'imposent. Le trafic local est important, avec par exemple les expéditions de potasse et d'engrais depuis la région de Mulhouse, ou les arrivées et expéditions générés par les usines du groupe Peugeot implantées à l'Ile Napoléon près de Mulhouse et à Montbéliard, desservi par la ligne de Besançon, à une vingtaine de kilomètres au sud de Belfort. Mais les échanges à grande distance pèsent très lourd, entre région parisienne, sud de l'Alsace et Suisse, entre pays rhénans et rhodaniens, entre Europe du nord-ouest, Suisse et Italie. Dans ces conditions, alors que le nœud de Belfort contrôle la séparation des flux du tronc commun (18 000 tonnes en moyenne journalière, les deux sens réunis) entre la radiale et la transversale de Lyon, au très net bénéfice de la seconde (12 000 tonnes contre un peu plus de 4 000) (1), le carrefour de Mulhouse, comme pour le transport des voyageurs, connaît une activité plus complexe, avec des échanges lourds entre les trois grandes lignes ; le poids du trafic méridien explique que les sections Mulhouse-Bâle et Mulhouse-Strasbourg acheminent respectivement 20 et 28 000 tonnes. Si les trains directs et complets sont nombreux, le grand triage de Mulhouse-Nord joue un rôle essentiel : les 859 wagons expédiés en moyenne journalière en 1991 correspondent à des échanges avec de nombreux triages du réseau de base, parfois très éloignés comme ceux de Lille-Délivrance, Saint-Pierre-des-Corps ou Miramas.

Au plan du transport des personnes et des marchandises, l'Alsace et la Porte de Bourgogne représentent actuellement un vaste carrefour, complexe et très actif. Les progrès de l'unité européenne ne peuvent que conforter ce rôle, en raison d'une situation remarquable au cœur du vieux continent, à proximité d'ensembles économiques particulièrement dynamiques, en France mais aussi en Allemagne, Suisse ou Italie. Le trafic ferroviaire, grâce à la qualité des infrastructures actuelles, doit participer brillamment à cet essor. La mise en service d'axes nouveaux empruntés par les TGV, aussi bien entre Paris-Strasbourg et l'Allemagne du sud qu'entre le corridor rhénan, le sillon rhodanien et les pays méditerranéens ne pourra que renforcer cette éminente vocation de plaque tournante.

LES CARREFOURS CHAMPENOIS ET ARDENNAIS

Les secteurs les plus actifs du nord-est du pays, Lorraine industrielle et Alsace, sont reliés au nord de la France et à la région parisienne par la transversale Valenciennes-Thionville et les radiales Paris-Strasbourg et Paris-Mulhouse. Disposés en arc de cercle, plusieurs carrefours, de Charleville-Mézières à Troyes en passant par les nœuds du cœur de la Champagne,

---

(1) La SNCF privilégie les acheminements par les itinéraires électrifiés et les grands triages : d'où l'attraction du nœud dijonnais.

Reims, Epernay et Châlons-sur-Marne, n'assument pas de missions essentielles ; ils n'en participent pas moins utilement à l'organisation des échanges entre l'Ile-de-France, le nord et le nord-est de la France.

Non loin de la frontière belge, près de la Meuse et en bordure du massif ardennais, très boisé et difficilement pénétrable, le nœud de Charleville-Mézières présente plusieurs particularités.

S'il se situe très classiquement à l'intersection de deux lignes, l'ex-radiale Paris-Givet-Namur aujourd'hui exploitée en antenne de Charleville à Givet et la transversale Valenciennes-Thionville, la première originalité réside dans le fait que c'est cette dernière qui est la plus importante. Par ailleurs le complexe ferroviaire était à l'origine très étalé, allongé sur une quinzaine de kilomètres le long de la Meuse : c'est ainsi qu'au sud-est avait été édifiée, à Lumes, une vaste gare de triage dont les trois grands faisceaux habituels représentaient un total de 66 voies, dont 44 pour le faisceau de débranchement, et qui était d'ailleurs aidé par le modeste chantier de Vrigne-sur-Meuse, installé quelques kilomètres à l'est. Après la mise en sommeil de cette annexe, le triage de Lumes, qui au temps de sa splendeur expédiait quotidiennement près de 1 200 wagons s'est à son tour retrouvé déclassé, dans le cadre du plan ETNA, victime entre autres d'un équipement dépassé : voies trop courtes, absence de freins de voie entre autres.

Désormais le cœur du complexe est constitué par l'ensemble des deux gares de Charleville-Mézières et de Mohon. Sur un peu plus de trois kilomètres, des infrastructures très utilisées se succèdent du sud au nord : le triangle de Mohon marque la rencontre des deux lignes à double voie et électrifiées de Thionville et de Reims et Paris ; un raccordement direct permet une liaison aisée, sans rebroussement, entre ces deux artères. A proximité immédiate de la gare de Mohon, dont le rôle n'est que local, fonctionne un important dépôt ; longtemps l'un des plus actifs du nord-est il est spécialisé dans la gestion de la cavalerie électrique, en particulier des BB 12 000 dont le nom est étroitement associé à l'électrification de l'axe Valenciennes-Thionville : sa position à distance à peu près égale de ces deux pôles assure à ce dépôt de Mohon des missions essentielles. A proximité immédiate, un second triangle de voies ferrées facilite la circulation des trains entre la ligne Valenciennes-Thionville et celle de Reims d'une part, l'artère de Givet et la gare de Charleville-Mézières de l'autre. La ligne internationale de Givet, à double voie mais non électrifiée, s'enfonce dans le massif ardennais en s'efforçant de suivre les méandres encaissés de la Meuse, qu'elle doit parfois court-circuiter au prix de nombreux ponts et tunnels. La gare de Charleville-Mézières, elle, dotée de 5 voies à quai, de passage, offre la particularité de ne pouvoir recevoir les trains de la ligne d'Hirson et Valenciennes que sur ses deux premières voies. Ainsi, comme celle d'Aulnoye, cette gare de voyageurs n'est pas située sur la grande transversale du nord-est, qui est pourtant ici la ligne principale.

Dans l'ensemble du complexe la circulation, contrôlée de-

Ci-dessus, un train de la ligne
Paris-Bâle aux environs de
Troyes.

Ci-contre, sur la relation
Charleville-Givet, un des
autorails EAD rénovés dans le
cadre de la convention
"Champagne-Ardenne".

Charleville-Mézières, gare située sur l'artère Nord-Est et reliée à Paris via Reims et Epernay.

puis 1988 par un PRCI (Poste Relais à Commande Informatisée) est dense : en moyenne quotidienne et les deux sens réunis roulent près de 70 convois sur les deux sections de la grande transversale, près de 40 sur la ligne de Reims, près de 30 sur celle de Givet.

Ce trafic se justifie moins par l'impact d'une agglomération de 60 000 habitants que par l'ampleur des flux de transit, surtout dans le domaine du fret. Très faibles sur l'artère de Givet, de l'ordre de 8 000 tonnes sur celle de Reims, les marchandises transportées, en moyenne quotidienne et les deux sens réunis, atteignent 32 000 tonnes sur la transversale avec prépondérance du courant se dirigeant vers la Lorraine, qui accapare environ près des deux tiers de l'ensemble. Les trains-cargos qui circulent ainsi entre régions du Nord et de la Lorraine métallurgique, au nombre d'une cinquantaine au total, ne sont pas remaniés lors de leur passage dans le nœud ardennais ; certains fréquentent cependant les voies de la gare de Lumes en escale et pour les opérations classiques de relais. Cet ex-grand triage continue par ailleurs de jouer un rôle mineur, en organisant la desserte dans les gares de l'étoile de Charleville-Mézières. Il convient de noter que le raccordement direct de Mohon permet d'utiliser entre Lorraine sidérurgique et région parisienne un second itinéraire, un peu plus long que celui établi par Lérouville, mais lui aussi intégralement électrifié.

Au plan du transport des voyageurs l'atonie de la transversale du nord-est a déjà été évoquée. Aussi en gare de Charleville-Mézières les trains de grand parcours sont-ils rares ; ils assurent la relation Calais-Strasbourg-Bâle, ou encore relient, via Reims, Paris à Longwy et Luxembourg ; mais en raison de sa situation géographique la gare joue un rôle actif de correspondance grâce à la mise en route de nombreux trains régionaux et locaux, en particulier sur la ligne de Givet. Toujours est-il qu'en raison de l'impact des flux Paris-Longwy-Luxembourg ce sont les lignes de Reims et de Longuyon qui supportent les courants les plus forts (3 000 voyageurs par jour, en moyenne, les deux sens réunis, contre moins de 2 000 sur l'artère de Valenciennes). En tout état de cause ce trafic des voyageurs, non négligeable, est nettement surclassé par celui des marchandises autour du carrefour de Charleville-Mézières.

Au cœur de la Champagne, non loin de la région parisienne trois nœuds ferroviaires, Reims, Epernay et Châlons-sur-Marne, disposés en triangle et complémentaires, fonctionnent en symbiose sur le grand axe Paris-Strasbourg ou à proximité.

Au-delà de leurs fonctions locales ils concourent activement au bon écoulement des flux entre la capitale, la région du Nord, d'une part, la France de l'est et du sud-est de l'autre. La voie ferrée Paris-Strasbourg joue dans ce secteur géographique le rôle principal. Electrifiée (25 000 volts), dotée du block automatique lumineux, de garages actifs et partiellement d'installations permanentes de contre-sens, elle possède des potentialités considérables. Elle suit étroitement de Paris à Vitry-le-François le cours sinueux de la Marne, ce qui lui permet à proximité d'Epernay de traverser sans problème le front de la côte calcaire de l'Ile-de-France.

Les autres lignes ne bénéficient pas d'un équipement de niveau comparable. En effet les deux artères Tergnier-Reims-Châlons-sur-Marne, courant à travers les plaines nues de la Champagne sèche, et Trilport-Reims, qui remonte la vallée de l'Ourcq, sont à double voie mais non électrifiées ; seule la section Reims-Châlons-sur-Marne est dotée du block automatique lumineux. La relation Reims-Charleville-Mézières, également à double voie, qui bénéficie du BAL dans sa portion méridionale, puis du block manuel, est électrifiée de bout en bout. Mais c'est la ligne Reims-Epernay qui présente la plus forte originalité : primitivement à double voie, elle fut mise à voie unique lors des travaux d'électrification, dans une perspective d'économies. Le tunnel de Rilly, long de

Epernay : la bifurcation en triangle où la ligne de Reims se sépare de celle de Nancy/Metz ; au premier plan, le franchissement de la Marne par la ligne de Reims.

3 441 mètres a été foré sous la barre calcaire de la Montagne de Reims. La brièveté du trajet (31 kilomètres), les potentialités d'une voie sous caténaire et dotée du BAL, l'existence de plusieurs gares de croisement et la commande centralisée de la circulation déterminent un débit théorique correspondant globalement aux besoins. Des lignes à voie unique, certaines en impasse, complètent le réseau au cœur de la Champagne, par exemple entre Bazancourt et Sommepy, ou de Saint-Hilaire-au-Temple vers Verdun. Elles desservent des silos céréaliers ou des camps militaires.

Chacun des trois nœuds du triangle champenois possède sa personnalité. Le paradoxe apparent réside dans le fait que le plus classique et le plus complet, celui de Reims, se trouve à l'écart de la grande radiale Paris-Strasbourg. Il se trouve cependant placé au cœur d'une étoile à cinq branches. Les voies ferrées convergent vers la gare de voyageurs, bien placée, non loin de la Vesle, près du centre de l'agglomération ; plus que les 7 voies à quai, toutes de passage, c'est l'armature de section incurvée, en béton et non en métal, de la marquise couvrant les quais qui lui confère une réelle originalité. Au nord-est du complexe, près de la jonction des lignes de Tergnier, Charleville et Châlons-sur-Marne, s'étalent les faisceaux du triage de Bétheny, aujourd'hui voué à un rôle purement local.

Sur l'axe majeur Paris-Strasbourg, le nœud d'Epernay abrite d'abord des ateliers qui se consacrent à la maintenance et à la réparation du matériel moteur électrique. Mais il contrôle aussi et surtout la bifurcation donnant naissance à la ligne de Reims ; alors que celle-ci est à voie unique au nord d'Ay ses deux raccordements avec l'artère de Strasbourg, qui dessinent un triangle, sont, eux, à double voie.

Plus à l'est le carrefour de Châlons-sur-Marne n'est guère impressionnant par le nombre de voies ferrées convergentes : l'artère à double voie venant de Reims est la seule ligne affluente importante, dans la mesure où celle de Troyes n'assume qu'une fonction secondaire. Mais, entre les deux artères de Reims et de Paris s'allongent les faisceaux de deux chantiers de triage, voués dans l'ancien système au Régime Ordinaire et au Régime Accéléré, qui désormais constituent dans le cadre du plan Etna un triage complémentaire.

Et de fait, au plan des échanges de marchandises dans le triangle champenois, c'est le nœud de Châlons-sur-Marne qui joue le rôle principal, en assurant les missions bien connues d'escale et de relais, et en raison de l'activité de son triage : celui-ci qui a expédié en moyenne journalière 692 wagons en 1991, échange des trains avec les triages d'Hausbergen et Woippy, Aulnoye et Somain, Le Bourget et Villeneuve, Gevrey

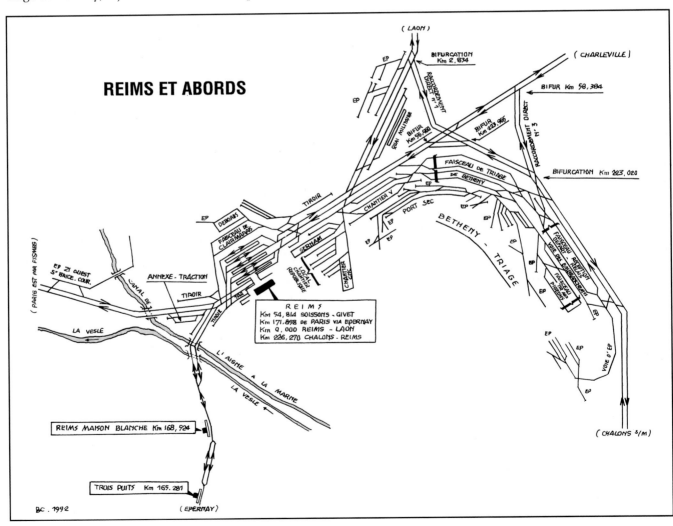

172

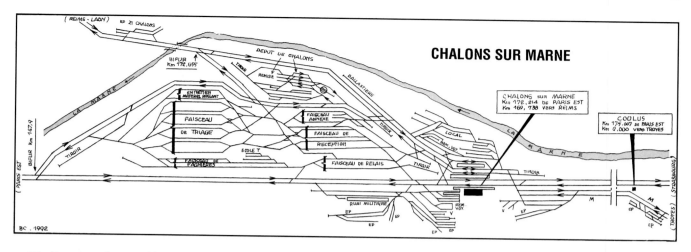

CHALONS SUR MARNE

et Sibelin : c'est dire qu'il bénéficie de sa remarquable situation à l'intersection des axes Paris-Strasbourg et Tergnier Culmont-Chalindrey-Dijon, pour réguler efficacement les échanges entre région parisienne, Lorraine et Alsace, entre le Nord et les pays rhodaniens.

C'est en Champagne l'artère radiale Paris-Strasbourg qui achemine le trafic le plus lourd, avec 42 000 tonnes transportées en moyenne quotidienne entre Châlons-sur-Marne et Blesme, à l'origine de la ligne à double voie de Chaumont, qui à Culmont-Chalindrey rejoint l'axe transversal Nancy-Dijon. La bifurcation est dotée d'un saut-de-mouton ; les deux tiers du trafic sont constitués par les produits métallurgiques expédiés vers la région parisienne par la Lorraine. Autour de Reims, l'activité est soutenue sur toutes les lignes (1), sauf sur celle de Paris par la vallée de l'Ourcq ; en effet, c'est par Epernay que circulent les flux entre Paris et Reims, afin de profiter d'un itinéraire intégralement électrifié jusqu'à Reims et au-delà, jusqu'à Charleville-Mezières et Longuyon. La charge de la voie unique Epernay-Reims explique que les courants en provenance de Tergnier, primitivement eux aussi acheminés par cette ligne, le soient maintenant, au moins partiellement, par la liaison directe Reims-Châlons-sur-Marne, exploitée en traction diesel.

Le transport des voyageurs est organisé dans le triangle champenois et alentours d'une manière comparable. Globalement le trafic de transit l'emporte, en dépit des flux autonomes générés par les agglomérations de Châlons-sur-Marne (60 000 habitants) et surtout de Reims (200 000 habitants) : sur le grand axe radial les courants sont toujours très importants : ils frôlent les 25 000 personnes, en moyenne quotidienne et les deux sens réunis, en aval d'Epernay pour, à l'est de cette gare diminuer dans la mesure où la ligne de Reims prélève environ 20% du total ; c'est qu'elle assure, au détriment de celle de la vallée de l'Ourcq, l'intégralité des relations entre Paris d'une part, Reims et Charleville de l'autre ; le poids de Reims est prouvé par une diminution sensible du trafic au nord de l'agglomération (moins de 3 000 voyageurs).

Un train garé sur la voie d'évitement de Germaine entre Epernay et Reims. Sur cette ligne à fort trafic, la voie unique ne facilite pas l'exploitation.

L'activité est encore plus modérée sur l'axe Tergnier-Châlons-sur-Marne, avec moins de 1 500 personnes transportées.

Au total la circulation des trains dans l'ensemble champenois est à la fois importante et de densité inégale : proche de 30 sur l'itinéraire Tergnier-Reims-Châlons, proche de 40 entre Reims et Charleville le nombre moyen quotidien de mouvements atteint 145 à l'ouest d'Epernay, 170 à l'est de Châlons-sur-Marne ; l'impact de la Lorraine métallurgique explique que les convois de marchandises soient les plus nombreux. Mais c'est sur la ligne Epernay-Reims que se situent les problè-

(1) *Sur chacune des 4 lignes d'Epernay, Tergnier, Charleville et Châlons-sur-Marne le trafic est compris entre 5 500 et 8 000 tonnes quotidiennes.*

173

Ecrasée par les tours de la centrale nucléaire, la gare de Nogent-sur-Seine desservie par les trains Paris-Troyes.

mes d'exploitation les plus ardus. Le report en effet sur cette section de l'ensemble des trains de voyageurs et de marchandises roulant entre Paris et Reims, Reims et Châlons se justifie économiquement par le bénéfice de l'électrification ; mais la trame des trains qui se succèdent sur cette voie unique, au nombre de 53 en moyenne journalière les deux sens réunis, peut-être beaucoup plus serrée en période de pointe (jusqu'à 80 circulations), entraînant alors d'inévitables engorgements et donc retards. Aussi, la SNCF a-t-elle été amenée à utiliser souvent les itinéraires, d'ailleurs plus courts, à double voie mais privés de caténaires, Reims-Trilport par la vallée de l'Ourcq et Reims-Châlons par Saint-Hilaire. Mais l'évolution récente du trafic permet aujourd'hui à la ligne Epernay-Reims de faire face désormais sans problème majeur à ses missions. Dans le cadre d'une valorisation de la rocade Amiens-Châlons-sur-Marne, liée à l'essor du trafic transmanche provoqué par la mise en service du tunnel, l'électrification de cet axe transversal pourrait être envisagée.

Au sud de la Champagne, le carrefour de Troyes reste impressionnant sur une carte, dans la mesure où convergent vers lui 7 voies ferrées. Si au temps de la splendeur de la Compagnie de l'Est elles possédaient toutes deux voies, pour des raisons d'ordre stratégique surtout, cinq d'entre elles se retrouvent à voie unique ; elles se dirigent vers Châlons-sur-Marne, Vitry-le-François, Châtillon-sur-Seine, Sens et Saint-Florentin ; seule cette dernière conserver un mince service de voyageurs. Les installations du nœud lui-même ont également connu une cure d'amaigrissement, avec simplification des emprises de la gare des voyageurs et du triage de la Chapelle-Saint-Luc, qui ne joue plus qu'un rôle très local.

En fait, Troyes constitue une étape sur la ligne radiale Paris-Mulhouse-Bâle qui suit la vallée de la Seine, et dont le trafic est en majeure partie étranger à cette agglomération ; l'impact de celle-ci n'est cependant pas négligeable puisque sur cette artère parcourue par une cinquantaine de trains en moyenne quotidienne, les deux sens réunis, près de 8 000 tonnes de

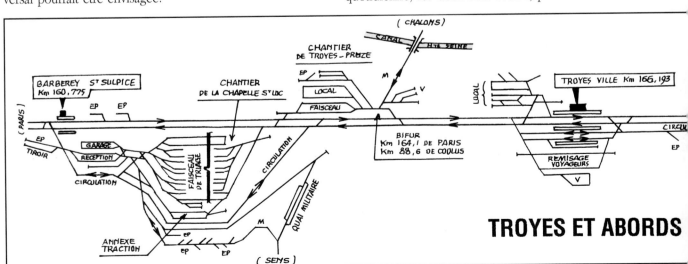

TROYES ET ABORDS

marchandises et plus de 6 000 voyageurs sont recensés à l'ouest de Troyes, contre près de 6 000 tonnes et moins de 5 000 voyageurs à l'est. C'est montrer l'ampleur des échanges avec la capitale, distante de 170 kilomètres seulement. Egalement sur l'axe Paris-Bâle, le nœud de Culmont-Chalindrey offre des caractéristiques totalement différentes.

LE CARREFOUR DE CULMONT-CHALINDREY

Au plan géographique rien ne prédisposait les deux bourgades de Culmont et Chalindrey à devenir l'un des principaux nœuds ferroviaires de l'est de la France. Aucune vallée importante ne traverse cette région du plateau de Langres, haute et de relief buriné et difficile ; d'ailleurs aucun centre routier ne s'est installé dans ce site. Mais les vicissitudes de l'histoire locale ont amené au siècle dernier la Compagnie de l'Est à bâtir une très importante gare de bifurcation, au croisement de deux axes essentiels qui devaient naturellement se rejoindre dans ce secteur.

Par sa structure et sa fonction le carrefour de Culmont-Chalindrey s'apparente à celui de Saint-Germain-des-Fossés. En effet les deux bourgades réunies ne comptent guère plus de 5 000 habitants ; aussi ne peuvent-elles induire un trafic important. Mais l'activité de transit est développée dans la mesure où la gare marque l'intersection de la radiale Paris-Mulhouse et de la grande transversale électrifiée Nancy-Dijon, elle aussi dotée du block automatique lumineux.

Aussi les emprises du nœud sont-elles très développées, même si n'a été implanté aucun triage. Alors que la gare des voyageurs, qui comprend 5 voies à quai de passage, est traversée par la ligne radiale, l'artère de Dijon vient se greffer sur celle-ci dans l'enceinte même de la gare ; en revanche celle de Nancy se détache de l'axe Paris-Mulhouse à quelques kilomètres à l'est, à Chaudenay, par l'intermédiaire d'un saut-de-mouton. La gare des voyageurs grâce à un raccordement direct, à double voie, peut être évitée par les trains circulant entre Nancy et Dijon. Deux sauts-de-mouton, dont l'un, en encorbellement et en maçonnerie est particulièrement spectaculaire, facilitent la liaison entre la gare de voyageurs et la ligne de Paris d'une part, celle de Dijon de l'autre. Entre les

voies principales de cette dernière s'allonge un faisceau de relais réservé aux convois de marchandises en escale. Enfin le nœud est doté d'un important dépôt, qui figure parmi les dix premiers du réseau par l'ampleur de sa cavalerie propre, et qui accueille mécaniciens et engins thermiques ou électriques venus de Paris, de Dijon, de Nancy ou de Mulhouse.

C'est que le trafic de transit est important : en moyenne journalière et les deux sens réunis près de 100 trains, dont les 4/5e sont des convois de marchandises, circulent sur la transversale. Sur la radiale près de 80 trains roulent à l'ouest de Culmont-Chalindrey, près de 40 à l'est : ceux qui transportent des voyageurs sont presque aussi nombreux que les convois de fret.

Dans l'absolu les flux de voyageurs sont d'envergure comparable sur les deux grands axes, se situant entre 3 000 et 5 500 personnes en moyenne quotidienne et les deux sens réunis. L'existence d'un courant, certes minoritaire, entre la Champagne et la Bourgogne empruntant la ligne Blesme-Chaumont explique la primauté du tronc commun Chaumont-Culmont-Chalindrey et le renforcement du trafic sur la section Chalindrey-Dijon de la transversale. Dans le domaine des marchandises le même type de convergence des flux venant de Paris et de Châlons-sur-Marne se relève à Chaumont, là aussi au bénéfice de la radiale. Mais la supériorité de la transversale se révèle ici écrasante : environ 35 000 tonnes circulent entre Lorraine et pays de la Saône, dans le sens nord-sud pour les deux tiers d'entre elles, en raison de l'impact de la métallurgie lorraine, contre seulement un peu plus de 4 000 tonnes et moins de 6 000 tonnes sur les sections Culmont-Belfort et Chaumont-Troyes de la radiale. Un quart de ces courants nord-sud-est en provenance ou à destination de la "ligne des eaux minérales" de Vittel qui diverge à Merrey de la ligne de Nancy.

Il est aisé alors de saisir l'extrême importance du rôle de bifurcation du nœud de Culmont-Chalindrey. Sur ses raccordements, sur ses voies s'organise l'intersection des grands courants est-ouest et nord-sud ; mais les trains de voyageurs et de marchandises qui suivent l'itinéraire Châlons-sur-Marne-Chaumont traversent également le carrefour. Le nombre des convois de marchandises explique l'ampleur de la fonction de relais, dont profitent plusieurs dizaines d'entre eux chaque jour. Les trains de voyageurs, eux, sont davantage étrangers à ce nœud, dans la mesure où beaucoup d'entre eux ne marquent pas l'arrêt en gare ; quand ils le font c'est beaucoup plus pour assurer d'intéressantes correspondances entre les 4 branches de l'étoile que pour desservir la localité.

Le rôle capital de ce carrefour de Culmont-Chalindrey apparaît d'autant plus nettement qu'entre Paris et l'artère Belfort-Besançon n'existe aucune liaison à forte potentialité entre l'est et le quart sud-est du pays en dehors de l'artère Nancy-Dijon. Dans un quadrilatère Troyes-Vitry-le-François-Epinal-Besançon les autres nœuds ferroviaires, comme Merrey ou Chaumont sont des satellites de celui de Culmont-Chalindrey, ou ne jouent plus qu'un rôle effacé : la gare de Neufchâteau, naguère centre d'une étoile de 6 branches n'assume plus, que

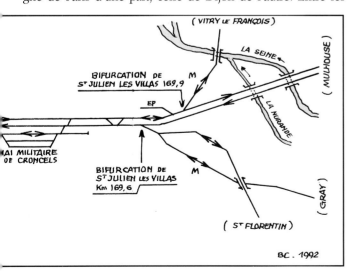

Un train complet d'eau de Vittel sur la ligne Nancy-Culmont-Chalindrey par Mirecourt et Merrey.

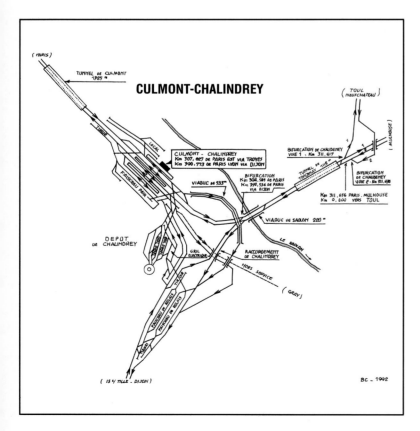

des fonctions de relais, tandis que les gares de Port d'Atelier et de Lure sur la radiale Paris-Belfort, d'Aillevillers entre Lure et Epinal marquent simplement l'origine ou la séparation de lignes à voie unique.

Exception faite de la vigueur du carrefour de Culmont-Chalindrey, le réseau ferré dans l'est de la France se caractérise actuellement par une médiocre densité et une activité seulement moyenne hors de la Lorraine industrielle, de l'Alsace et de ses abords. Mais vient se greffer le phénomène TGV. Maintenant décidée dans son principe, la construction du TGV Est devrait apporter comme ailleurs une amélioration considérable des conditions d'acheminement des voyageurs, et, plus indirectement du trafic des marchandises, qui bénéficiera de nouvelles facilités horaires. Une gare de bifurcation située entre Nancy et Metz devrait être à l'origine de deux branches distinctes, se dirigeant l'une vers Francfort et Berlin, l'autre vers Strasbourg, Munich et Salzbourg. Par ailleurs la réalisation du TGV Rhin-Rhône stimulerait les relations entre l'Alsace et les plaines de la Saône, donc entre l'Allemagne et la France méditerranéenne. Très positivement perçue, cette entrée en scène des TGV dans l'est du pays ne va pas moins représenter, dans le domaine du trafic des voyageurs, une perte d'activité pour certaines lignes comme Paris-Belfort, et pour quelques carrefours comme celui de Culmont-Chalindrey, au bénéfice d'axes encadrants hautement performants.

LE QUART SUD-EST

La ligne Paris-Sud-Est dans le secteur de Tonnerre.

Par rapport à l'activité de l'ensemble du réseau celle des lignes et des gares du quart sud-est, c'est-à-dire situées au sud de l'artère Paris-Belfort et à l'est de l'axe Paris-Clermont-Ferrand-Nîmes, en incluant la liaison Nîmes-Narbonne-Perpignan, offre une très forte originalité.

D'abord, l'architecture générale de ce qui, pour l'essentiel, constitue le réseau Sud-Est de la SNCF, s'ordonne autour d'une très puissante colonne vertébrale constituée par l'axe majeur Paris-Lyon-Marseille. Mais plutôt qu'une ligne isolée, si bien équipée soit-elle, fonctionne un véritable corridor ferroviaire puisqu'entre Paris et Lyon s'individualisent la ligne classique tracée par Dijon, et l'artère nouvelle et directe des TGV ; au sud de Lyon deux lignes parallèles longent les deux rives du Rhône.

Par ailleurs, le poids du relief est ici plus lourd qu'ailleurs ; en France, les plaines de la Saône, le couloir rhodanien dominés par les hauteurs du Massif Central, du Jura et des Alpes, concentrent les flux de circulation. Mais dans les Alpes du Nord, actives et peuplées, l'ampleur et la profondeur des vallées permettent au rail de pénétrer au cœur de la chaîne. Au sud les plaines du Bas-Rhône et du Bas-Languedoc sont également sillonnées par d'importantes voies ferrées.

Autre caractéristique, le volume considérable du trafic. Renforcés par la concentration de la circulation sur quelques axes, le plus souvent méridiens, les flux sont très denses, en raison de la forte implantation humaine et du haut niveau, le plus souvent, de l'activité économique. C'est ainsi que Lyon et

Marseille, par l'importance de leur population, se classent au plan national immédiatement derrière Paris, tandis que des agglomérations comme celles de Dijon, Saint-Etienne, Grenoble, Montpellier, Toulon ou Nice exercent un rayonnement étendu au plan régional. Par ailleurs, en liaison avec un tourisme florissant, aussi bien estival qu'hivernal, les vallées alpines et le littoral méditerranéen sont à la fois actifs et peuplés. Au plan économique global, la région Rhône-Alpes se révèle à la fois l'une des plus puissantes et des plus dynamiques du pays, alors que le complexe marseillais figure dans le peloton des principaux ensembles portuaires européens. De plus, les voies ferrées de ce quart sud-est assurent des liaisons de caractère international, entre la France d'une part, la Suisse et l'Italie de l'autre ; la progression de l'unité européenne doit entraîner l'essor des relations entre les régions rhénanes et l'Espagne, entre celle-ci et l'Italie : dans ces deux cas de figure le couloir rhodanien et le littoral méditerranéen, forts de leurs axes de circulation à haute potentialité, sont des zones de passage obligées.

La structure ferroviaire d'ensemble du quart sud-est français, de type linéaire à dominante méridienne en raison de l'orientation rectiligne nord-sud du couloir rhodanien, s'ordonne en fait autour de trois grands carrefours, de structure et d'activité souvent complexes, organisés autour de Dijon, Lyon et dans la région du Bas-Rhône. Le plus souvent intense, la circulation ferroviaire a été remodelée à partir de 1981 avec la mise en service du TGV Sud-Est.

LE CARREFOUR BOURGUIGNON

La situation de Dijon, en bordure des plaines de la Saône, au nord du sillon rhodanien et non loin de la Suisse et de la trouée de Belfort, ne prédisposait pas la capitale des ducs de Bourgogne à devenir automatiquement un centre ferroviaire de toute première importance. En effet, vers l'ouest et le nord s'élèvent les hauteurs de la Côte-d'Or et du plateau de Langres : aucun couloir ne rend aisées les relations avec le centre du Bassin Parisien ; de même, entre Dijon et la Suisse, les chaînons compacts et continus du Jura constituent un obstacle notable. C'est donc un facteur d'ordre historique qui a joué un rôle décisif : avec d'autres, l'ingénieur dijonnais Darcy sut au siècle dernier, grâce à sa technicité et à son opiniâtreté, imposer par sa ville le tracé du grand axe Paris-Lyon, au prix d'ailleurs d'un détour et donc d'un allongement du parcours. La fortune ferroviaire de Dijon était alors faite, car ensuite vinrent naturellement se greffer plusieurs lignes importantes.

La vigueur des infrastructures actuelles

L'étoile de voies ferrées de Dijon ne brille pas spécialement par le nombre de ses branches, qui ne sont qu'au nombre de cinq, se dirigeant vers Paris, Lyon, Nancy, Vallorbe et la Saône via Saint-Amour et Ambérieu ; au départ de Dijon toutes ces lignes sont à double voie ; mais à l'est de Dole, et sauf entre Arc-Senans et Mouchard, celle de Vallorbe est à voie unique. Mais il s'agit d'artères qui toutes bénéficient du meilleur équipement puisqu'elles sont dotées du block automatique lumineux, de voies de garage à entrée directe, de quelques installations permanentes de contre sens. Dans ce domaine la ligne classique en provenance de Paris, aux longues sections quadruplées, ne possède entre Blaisy-Bas et Dijon, en raison de la topographie très difficile, que deux voies ; mais celles-ci sont depuis 1950 intégralement banalisées, c'est-à-dire utilisables sans restriction aucune dans les deux sens, en fonction du trafic et des décisions prises au "PC Bourgogne" de Dijon, qui commande effectivement signaux et appareils de voie. Par ailleurs, les cinq lignes sont électrifiées ; la situation géographique du complexe de Dijon en fait une zone de contact entre les deux grandes familles du 1 500 volts et du 25 000 volts : le premier type de courant alimente les caténaires des lignes de Paris, de Lyon, de Savoie et de Vallorbe jusqu'à Dole, le second les artères de Nancy, de Vallorbe et de Belfort au-delà de Dole.

Un autre type de contraste est offert par le tracé et le profil.

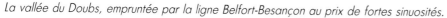

La vallée du Doubs, empruntée par la ligne Belfort-Besançon au prix de fortes sinuosités.

Tracées en plaine les lignes qui s'élancent vers Lyon, la Savoie, le Jura et à un moindre degré vers Culmont-Chalindrey offrent des conditions excellentes, avec des pentes très faibles et de longs alignements comme entre Dijon et Beaune ou entre Dijon et Saint-Jean-de-Losne. En revanche l'artère de Paris, qui ne peut utiliser la vallée de l'Ouche que sur quelques kilomètres, voit se succéder entre Dijon et Blaisy-Bas tranchées, remblais et ouvrages d'art variés, alors que la rampe de 8 mm/m est quasiment continue. C'est à ce prix qu'à partir de la tête nord du tunnel de Blaisy-Bas (4 100 mètres), la ligne peut basculer, au-delà de la ligne de partage des eaux, vers le cœur du Bassin Parisien.

Dans la zone d'influence du carrefour ferroviaire de Dijon, à des distances de l'ordre au plus de la centaine de kilomètres se retrouvent implantés des nœuds correspondant à des bifurcations souvent actives, et qui jouent parfois un rôle important de satellite.

Ce n'est certes pas le cas de Saint-Jean-de-Losne ou Auxonne, origines de courtes antennes à voie unique, ni même d'Is-sur-Tille : jalonnant la ligne de Culmont-Chalindrey, cette gare est l'origine des lignes à voie unique de Châtillon et de Gray, aujourd'hui en déclin ; des activités de triage lui ont longtemps conféré un rôle hors de proportion avec la taille de la bourgade. Au sud de Dijon, sur l'axe Dijon-Lyon, la bifurcation de Chagny a un tout autre impact. Là, en effet, se détache de "l'artère impériale", une ligne à double voie qui profite de la vallée de la Dheune ; non électrifiée mais dotée jusqu'à Santenay du block automatique lumineux, elle se divise à Montchanin en deux branches atteignant l'une Nevers, l'autre Paray-le-Monial, à double voie et dotées du block manuel unifié. La gare de Chagny offre la particularité d'être disposée en fourche ; un triangle de voies permet la liaison entre les voies à quai non situées directement sur l'axe Dijon-Lyon, et la ligne de Montchanin, ainsi que sur celle-ci le passage sans rebroussement des trains directs.

Longtemps isolé du cœur de la Bourgogne, en raison de son relief accidenté et de l'orientation vers le nord des principales vallées, le Morvan est maintenant traversé par la ligne nouvelle du TGV Sud-Est et desservi par un éventail de trois lignes à voie unique, de direction méridienne ; le tronc commun né en gare de Laroche-Migennes, où il se détache de la ligne classique Paris-Dijon, se divise à Cravant-Bazarnes en deux branches, vers Avallon et Clamecy où se séparent les lignes de Nevers et Corbigny. Grâce à la gare construite à Montchanin, l'agglomération du Creusot-Montceau-les-Mines bénéficie de la desserte TGV. Dijon, bel et bien court-circuité, est tout de même relié à cet axe nouveau par un raccordement unissant Pasilly à Aisy, quelques kilomètres au nord-ouest de Montbard, sur l'artère classique. Aussi les TGV peuvent-ils depuis Paris atteindre sans encombre la capitale bourguignonne, et poursuivre leur route vers l'est.

Par ailleurs, aux confins de la Bourgogne et de la Franche-Comté, donc non loin de Dijon, s'étale un ensemble de nœuds ferroviaires dont aucun n'est de tout premier ordre, mais qui fonctionnent en symbiose entre eux et avec le carrefour dijonnais.

Par son tracé à travers les pâturages de moyenne montagne, la ligne Besançon-Le Locle n'est pas sans rappeler certaines lignes du nord du Massif Central.

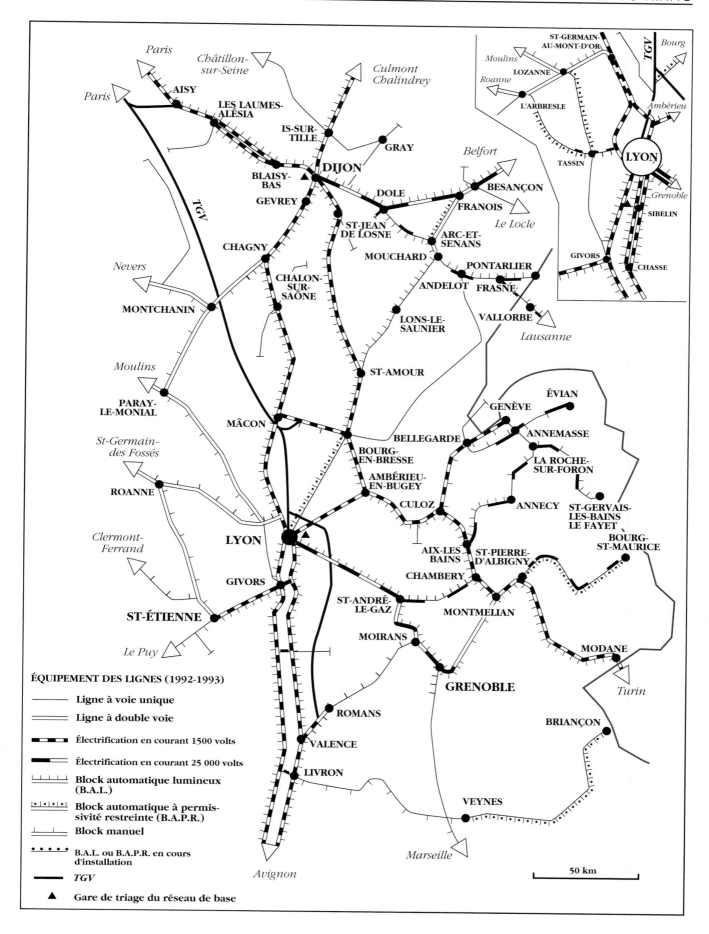

ÉQUIPEMENT DES LIGNES (1992-1993)

— Ligne à voie unique

═ Ligne à double voie

▬▬ Électrification en courant 1500 volts

▬ Électrification en courant 25 000 volts

╫╫ Block automatique lumineux (B.A.L.)

•|•|• Block automatique à permissivité restreinte (B.A.P.R.)

╫ Block manuel

•••• B.A.L. ou B.A.P.R. en cours d'installation

▬ TGV

▲ Gare de triage du réseau de base

La bifurcation d'Aisy : les TGV Dijon-Paris y abandonnent l'artère classique et ses vitesses relativement modestes pour poursuivre leur route à 270 km/h vers Paris.

L'agglomération de Dole, qui s'étend au sud-est de Dijon entre la Saône et le Doubs, près de la vaste forêt de Chaux, marque au plan ferroviaire la fin d'un tronc commun né à Dijon. Divergent en effet la ligne de Besançon et Belfort, à double voie et électrifiée (en 25 000 volts), qui remonte la vallée du Doubs, et celle de Vallorbe, également électrifiée mais partiellement à voie unique. Pendant longtemps, la gare de Dole, équipée de 6 voies de passage, dont 4 à quai, a joué un rôle important de relais de locomotives, en raison de la transition du 1 500 volts au 25 000 volts ; l'apparition des locomotives bi-courant a amoindri puis annulé cette fonction. Désormais, l'ensemble de la gare est électrifié en courant 25 000 volts, avec suppression en 1991 des installations de commutation. Par ailleurs, la courte antenne Dole-Tavaux, longue de 7 kilomètres, qui aboutit à une importante usine du groupe Solvay, a été électrifiée en 1992. La mission reste donc la gestion d'une importante bifurcation, qui ne comporte pas de saut-de-mouton.

Plus à l'est, les installations ferroviaires de Besançon, où en particulier la gare de voyageurs compte 5 voies à quai, de passage, correspondent à la desserte d'une agglomération de 150 000 habitants ; en effet, l'antenne de Devecey et la ligne du Locle, également à voie unique et au profil très dur en raison de la traversée des chaînons du Jura, ne présentent qu'un intérêt d'ordre local. En revanche, à la bifurcation de Franois, à 7 kilomètres au sud-ouest de Besançon, se séparent la ligne de Dole, section de la relation Dijon-Belfort-Mulhouse, et celle d'Arc-et-Senans également à double voie et se dirigeant vers Mouchard, Bourg et Lyon.

Formant un triangle avec les nœuds de Dole et Besançon-Franois, le nœud double Arc-et-Senans/Mouchard, installé de part et d'autre de la Loue, est original. Si la localité d'Arc-et-Senans est chargée d'histoire (les célèbres Salines), elle n'est, comme celle de Mouchard, que très peu peuplée. Mais, distantes de 6 kilomètres, les deux gares, qui chacune se trouvent à la jonction de deux lignes, délimitent un tronc commun à double voie et électrifié où se confondent les deux grands itinéraires Dijon-Vallorbe et Besançon-Bourg-en-Bresse, c'est-à-dire Strasbourg-Lyon ; au sud de Mouchard, l'artère internationale de Vallorbe, mise à voie unique et électrifiée, s'arrache à la plaine pour escalader les premiers contreforts, abrupts, du Jura. Le plan de voies, en fourche, de la gare de Mouchard, traduit bien la primauté de la fonction de bifurcation.

Il va de soi que les infrastructures du carrefour dijonnais proprement dit sont d'une toute autre envergure.

La gare de Dijon-Ville, située au cœur de l'agglomération.

Les lignes de l'étoile convergent toutes vers la grande gare de voyageurs de Dijon-Ville. Alors qu'à son accès nord aboutit la seule artère de Paris, les autres se concentrent au sud de la gare et de l'agglomération. Cette dernière est contournée par la ligne de Nancy, qui décrit une large boucle avant de rejoindre celle de Vallorbe non loin de la gare de triage de Perrigny. Plusieurs sauts-de-mouton évitent tout cisaillement à niveau entre les itinéraires reliant la gare des voyageurs aux diverses artères ; d'autres sont à l'origine des raccordements qui unissent ces lignes aux deux gares de triage de Perrigny et de Gevrey.

L'exploitation de la gare des voyageurs n'est guère facilitée par la courbure générale des voies et des quais, qui correspond au coude effectué à Dijon par l'axe classique Paris-Lyon. Elle se trouve dotée de 11 voies à quai dont 8 de passage, tandis qu'une voie de circulation banalisée permet à de nombreux convois de marchandises de l'artère de Paris de traverser la gare sans gêner le service des voyageurs. De simples abris-parapluie recouvrent la partie centrale des quais d'une gare par ailleurs proche du cœur de l'agglomération.

Plusieurs kilomètres au sud s'étend l'un des complexes de triage les plus puissants de France, constitué de deux unités : pendant longtemps l'ensemble des opérations de triage a pu

être assuré par le chantier de Perrigny ; mais la progression du trafic a entraîné la SNCF, après 1945, à envisager la construction plus au sud, le long de la ligne de Lyon, d'un second triage, plus vaste et moderne, celui de Gevrey. Dans le cadre de l'organisation précédant le plan ETNA, pendant plusieurs décennies, le triage de Perrigny, plus exigu, s'est retrouvé affecté au traitement des trains du Régime Accéléré (RA), tandis que son vigoureux cadet s'est très rapidement classé au tout premier rang des triages du Régime Ordinaire (RO). Actuellement les deux gares, dont les missions ont été modifiées, représentent toujours un potentiel considérable. En effet, le triage de Perrigny se compose de 3 faisceaux accolés : un de relais, de huit voies, un de réception d'également 8 voies et un de débranchement de 26 voies. Les voies des deux derniers faisceaux sont de relativement faible longueur, comprise entre 400 et 600 mètres seulement. Plus au sud, le triage de Gevrey présente une disposition très classique, avec les trois faisceaux de réception, de débranchement et d'attente au départ se succédant du nord au sud ; ils sont puissamment structurés avec respectivement 15, 45 et 14 voies, dont la longueur est systématiquement de 800 mètres. Les moyens techniques les plus sophistiqués et les plus modernes sont ici réunis, comme le poste électronique de triage et le "tir au

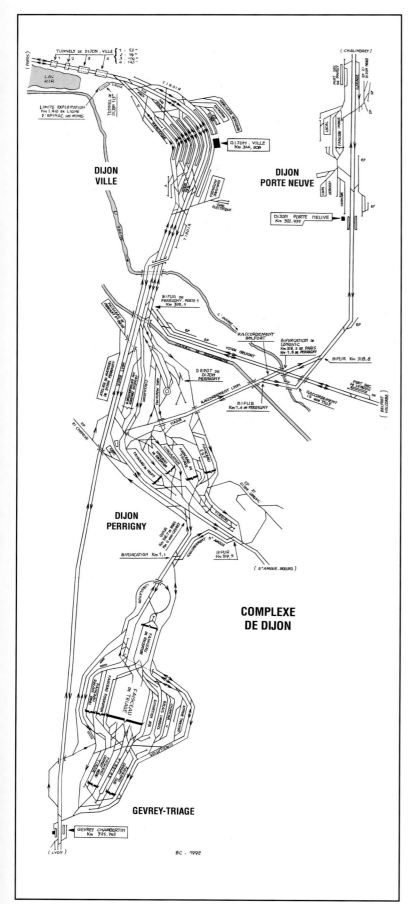

but". Au nord de la gare, une voie de raccordement en forme de raquette, permet aux trains de marchandises venant de Lyon, donc du sud, de pénétrer comme les autres sur le faisceau de réception par sa tête nord, sans donc gêner les opérations de débranchement qui sont amorcées dans sa partie sud, avec refoulement en direction de la butte et du faisceau de triage.

L'équipement du grand carrefour dijonnais est complété par la présence à Perrigny de l'un des quatre plus importants dépôts de la SNCF. Remarquablement situé entre la gare des voyageurs et les deux triages, il est propriétaire d'une "écurie" de plus de 250 locomotives électriques, des BB 8100, 22200 et 25500 aux récentes 26000. Seuls en France, les dépôts de Lens, de La Chapelle et d'Avignon possèdent de plus nombreux engins. Aussi retrouve-t-on les locomotives et conducteurs de Dijon aussi bien à Paris qu'à Metz, Marseille, Mulhouse ou Modane.

L'ampleur des infrastructures correspond à une activité de niveau extrêmement élevé.

L'intensité de la circulation ferroviaire autour du carrefour dijonnais

La tableau ci-dessous est tout à fait éloquent.

Nombre de circulations sur les lignes du complexe dijonnais			
Section de ligne	Itinéraire	Nbre de circula-tions	Dont nbre de trains de voyageurs
Dijon-Les Laumes Gevrey-Chagny	Paris-Dijon Dijon-Lyon et	187	94
	Dijon-Montchanin	221	94
Chagny-Montchanin	Dijon-Montchanin	36	25
Chagny-Chalon	Dijon-Lyon	206	89
Dijon-Is-sur-Tille	Dijon-Nancy	114	31
Dijon-Dole	Dijon-Vallorbe et Dijon-Belfort	115	63
Dole-Franois	Dijon-Belfort	80	44
Dole-Arc-et-Senans	Dijon-Vallorbe	43	31
Arc-et-Senans-Mouchard	Dijon-Vallorbe et Strasbourg-Lyon	69	54
Mouchard-Andelot	Dijon-Vallorbe	44	32
Mouchard-Lons-le Saunier	Strasbourg-Lyon	26	23
Dijon-Saint-Jean-de-Losne	Dijon-Chambéry	97	29

Chiffres de 1990, en moyenne quotidienne, les deux sens réunis.

Premier constat, celui de la nette prédominance de l'artère majeure Paris-Lyon-Marseille, sillonnée en moyenne, autour de Dijon, par environ 200 convois journaliers. Une demi-surprise : malgré la sévère concurrence de la ligne nouvelle du TGV, les trains de voyageurs représentent près de la moitié des mouvements.

Les deux importants chantiers fret de Dijon : ci-dessus Perrigny et, ci-dessous, Gevrey.

Par ailleurs, alors que les axes se dirigeant vers Nancy et Chambéry assurent un trafic considérable au départ de Dijon, sans diffluence notable sur de longues distances, les lignes de Dole et de Chagny, qui sont des troncs communs, donnent naissance à des flux d'épaisseur très variée : au sud de Chagny, c'est la ligne de Lyon qui l'emporte de manière écrasante, tandis qu'à l'est de Dole, celle de Besançon, moins nettement, domine cependant celle de Vallorbe. Par ailleurs, en apparence éloignée des principaux axes, la section Arc-et-Senans-Mouchard supporte un trafic important dans la mesure où elle constitue un court tronc commun emprunté par les itinéraires Paris-Vallorbe et Strasbourg-Lyon. Il faut d'ailleurs reconnaître que ce dernier courant n'est pas considérable ; quand il se retrouve en effet isolé, comme entre Franois et Arc-et-Senans ou au sud de Mouchard, il ne donne naissance qu'à moins d'une trentaine de circulations, excluant pratiquement les trains de marchandises.

Quotidiennement l'ensemble des cinq lignes qui convergent vers le carrefour dijonnais est sillonné par plus de 800 circulations ; cette intensité, en dehors des régions parisienne et lyonnaise, ne se retrouve nulle part ailleurs en France. Par ailleurs, si les trains de voyageurs représentent plus de 300 mouvements, nombre déjà très élevé, les convois de marchandises sont les plus nombreux.

L'analyse des courants de voyageurs et de marchandises explique cette activité bourdonnante.

La puissance des flux de marchandises

165 000 tonnes : c'est le total des tonnages transportés chaque jour, en moyenne quotidienne, sur l'ensemble des lignes de l'étoile dijonnaise (1). Il est vrai que le même calcul montre la supériorité du grand carrefour parisien, dans une proportion qui n'est d'ailleurs pas écrasante, d'environ un tiers. Mais le fait essentiel est que le nœud dijonnais dépasse tous les autres centres ferroviaires français, ceux de Lyon et Lille inclus, à la différence de ce qui peut être constaté pour les courants de voyageurs.

Chacune des 5 branches de l'étoile assure un trafic très important, comme le montre le tableau ci-après :

Tonnages transportés, en moyenne quotidienne (1990)

– Saint-Florentin-Dijon	18 200 tonnes
Dijon-Saint-Florentin	15 500 tonnes
– Dijon-Culmont-Chalindrey	11 200 tonnes
Culmont-Chalindrey-Dijon	22 500 tonnes
– Dijon-Dole	10 900 tonnes
Dole-Dijon	7 900 tonnes
– Dijon-Saint-Amour	17 200 tonnes
Saint-Amour-Dijon	10 900 tonnes
– Dijon-Chagny	27 000 tonnes
Chagny-Dijon	23 700 tonnes

Les constats sont nombreux : d'abord aucune de ces artères ne supporte des flux seulement moyens, dans la mesure où ceux de la voie ferrée la moins chargée, celle de Dole, sont cependant supérieurs à ceux des sections Rouen-Le Havre ou Paris-Le Mans. Par ailleurs, c'est au sud de Dijon que se situe le tronçon le plus chargé, reliant Dijon à Chagny : avec 50 700 tonnes il se situe au premier rang en France, hors la

---

(1) Beaucoup de ces tonnages, en transit, sont comptés deux fois.

Images du trafic fret autour de Dijon : page précédente, un train entier d'automobiles entre Les Laumes et Blaisy sur l'artère Paris-Lyon ; ci-dessus, chargement de grumes et de sciures à Lons-le-Saunier et, ci-contre, un train lourd vers Andelot, sur la ligne Dijon-Vallorbe.

partie orientale de la Grande Ceinture, devançant toutes les grandes radiales et transversales. Autre élément capital, l'égalité des tonnages transportés, 33 700, sur les axes Dijon-Paris et Dijon-Nancy depuis et vers la capitale de la Bourgogne. Il faut noter également la forte activité (28 100 tonnes) de la ligne Dijon-Saint-Amour, moins prestigieuse que l'"Artère impériale" mais dont le trafic est de l'ordre de celui de l'artère Paris-Lille entre Creil et Arras.

Une autre constatation s'impose, celle de la prépondérance des courants de sens nord-sud. Elle est plus particulièrement marquée entre Culmont-Chalindrey et Dijon, puisque ces flux sont deux fois plus forts que ceux se dirigeant vers le nord, mais se retrouve, bien que plus discrète, sur les lignes de Paris, Saint-Amour et Lyon. Sur la ligne de Dole, orientée différemment, le sens ouest-est l'emporte.

En fin des deux troncs communs issus de Dijon, la répartition est toujours très déséquilibrée : à l'est de Dole les trois-quarts des tonnages se retrouvent sur la ligne de Besançon-Belfort, au détriment de celle de Vallorbe. Au sud de Chagny, le déséquilibre est beaucoup plus important puisque l'artère de

Montchanin ne draîne que moins du dixième des flux qui circulent entre Chagny et Dijon.

En forte opposition, le trafic des marchandises est relativement faible à l'est de Dijon, sur l'axe Dole-Vallorbe, avec seulement 4 200 tonnes, et devient insignifiant sur la relation Strasbourg-Lyon lorsqu'elle est autonome puisque sur les sections Franois-Arc-et-Senans et Mouchard-Saint-Amour, l'activité se traduit par moins de 500 tonnes !

Ces flux, dans l'ensemble considérables, pourraient être liés à l'activité d'une agglomération qui compte 220 000 habitants. Or Dijon n'est pas le centre d'une région industrielle puissante et, pas plus que l'ensemble de la Bourgogne, ne peut générer de flux importants. L'ampleur exceptionnelle du trafic sur les lignes de l'étoile ne peut dès lors être provoquée que par l'énormité des courants de transit.

Celle-ci s'explique aisément : en raison de sa situation géographique, au contact du Bassin Parisien, des pays de l'est de la France et du couloir de la Saône et du Rhône, Dijon constitue un point de passage obligé pour les flux qui s'écoulent d'une part entre région parisienne, Lorraine industrielle et Alsace, région Rhône-Alpes, Bas-Rhône et Provence, Alpes du nord et Italie de l'autre. Le rôle du carrefour est renforcé par l'éloignement ou la médiocrité d'itinéraires extérieurs et concurrents : vers l'ouest, la ligne Paris-Nevers-Clermont-Ferrand représente l'axe radial le plus proche tandis que, vers l'est, le trafic lourd de marchandises entre Alsace et région lyonnaise ne peut emprunter la ligne directe tracée par Franois, Mouchard et Saint-Amour, souvent à voie unique et donc au débit médiocre ; il est détourné par Dijon, profitant alors de lignes électrifiées au large potentiel, et de l'efficacité du triage de Gevrey. Mais, en 1995, il est prévu d'équiper la section Franois-Saint-Amour en traction électrique, ce qui renforcerait le rôle de l'itinéraire le plus court.

Plusieurs courants principaux peuvent être distingués : les premiers relient la région parisienne aux ensembles lyonnais et du Bas-Rhône ; ils se caractérisent par une extrême variété des produits transportés, aussi bien industriels qu'agricoles, et une légère prépondérance des flux nord-sud. Les courants qui unissent la Lorraine industrielle aux mêmes deux ensembles sont presque aussi vigoureux ; le poids des productions de la métallurgie lorraine explique que la structure des échanges soit plus simple et dominée par le courant de direction nord-sud. La convergence à Dijon des flux des lignes de Paris et Nancy explique que, alors même que l'itinéraire tracé par Saint-Jean-de-Losne, Saint-Amour et Ambérieu opère un important délestage, le trafic soit cependant énorme, sans équivalent hors de la région parisienne, entre Dijon et Chagny. Moins denses mais cependant compacts des flux sont attirés par les Alpes du nord et l'Italie : ils sont en provenance ou à destination de l'Ile-de-France ou de la Normandie, mais aussi de la Lorraine industrielle avec des origines parfois plus lointaines, depuis le Nord-Pas-de-Calais et la Belgique par exemple. Au sud de la convergence dijonnaise le trafic est acheminé par la ligne de Saint-Amour et Ambérieu, dite de la Bresse, par le tronc commun Ambérieu-Culoz puis l'artère de

la Maurienne qui aboutit à la gare frontière de Modane. Croisant ces courants dans le carrefour dijonnais, se développent également des échanges entre le sud de l'Alsace et les régions lyonnaise et du Bas-Rhône : en fait ils s'établissent entre les pays rhodaniens et méditerranéens d'une part, le couloir rhénan et l'ensemble de l'Allemagne de l'autre.

Chaque jour plus de 450 trains de marchandises, en moyenne, roulent sur l'ensemble des cinq lignes de l'étoile de Dijon. Ils sont non seulement très nombreux, mais aussi étonnamment variés : à côté des convois hétérogènes qui sortent des triages, beaucoup sont des trains complets, circulant entre deux embranchements particuliers ; ils sont spécialisés dans le transport de tôles ou autres produits métallurgiques, dans celui des automobiles, en particulier depuis ou vers l'Italie, des hydrocarbures, des céréales, des conteneurs ou des semi-remorques. Les trains lourds et lents sont croisés par les rapilèges ou les convois express du transport combiné reliant par exemple Valenton à Marseille.

Comme sur l'ensemble du réseau ces convois sont désormais en majorité des trains complets et entiers ; traversent également en étrangers le carrefour dijonnais ceux qui relient des gares de triage éloignées, comme Villeneuve-Saint-Georges ou Le Bourget d'une part, Sibelin ou Miramas de l'autre. Si certains d'entre eux, autorisés à rouler à 120, 140 ou 160 km/h, ne marquent qu'un "arrêt minute" à Dijon-Ville, d'autres font escale sur les faisceaux spécialisés des gares de Perrigny et de Gevrey : alors peuvent se dérouler aisément les classiques opérations : espacement circulation, échange de locomotives ou de conducteurs, adjonction ou retrait de lots de wagons. L'énorme volume de la circulation ferroviaire autour de Dijon impose plus qu'ailleurs de se donner les moyens de réguler au mieux la circulation des trains de marchandises, qu'à leur entrée dans le complexe ils aient respecté leur sillon horaire ou, à fortiori, qu'ils soient en retard.

A côté de ce rôle important d'escale le triage de Perrigny, jadis très actif, ne joue plus dans le cadre du plan ETNA qu'un rôle local. En revanche son voisin et cadet, le triage de Gevrey, fait partie du groupe de tête des triages de base de la SNCF. En effet, avec 1 947 wagons expédiés en 1991 en moyenne quotidienne, il se situe au second rang, derrière Woippy, devançant par exemple les grands triages de Villeneuve-Saint-Georges, Sibelin ou Le Bourget. Le nœud de Dijon ne correspond pas à une importante région industrielle mais se situe à la rencontre d'itinéraires très suivis et de très long développement : aussi exerce-t-il pour l'acheminement des wagons isolés un rayonnement spatial très étendu ; chaque jour 29 trains arrivent des autres triages du réseau, 32 partent vers eux, qu'il s'agisse de gares aussi éloignées les unes des autres qu'Hausbergen, Lille-Délivrance, Sotteville, Saint-Pierre-des-Corps, Saint-Jory, Sibelin ou Miramas, sans oublier les triages parisiens.

Pièce maîtresse, donc du mécanisme de la circulation des wagons isolés à l'échelle du réseau, ce triage de Gevrey est le symbole de la puissance d'un carrefour dont le rôle est globalement essentiel.

Trains Corail, TGV et trains régionaux en correspondance à Dijon, plaque tournante du trafic voyageurs en Bourgogne/Franche-Comté.

Dijon plaque tournante du trafic des voyageurs

Comme pour l'acheminement des marchandises, et pour les mêmes raisons géographiques, Dijon se situe au point de rencontre de puissants courants de transport des voyageurs, dont l'origine et la destination sont souvent lointaines.

L'examen des densités de trafic sur les diverses lignes de l'étoile et de ses abords amène à formuler des remarques intéressantes.

Nombre de voyageurs transportés en moyenne quotidienne, par trains rapides et express, les deux sens réunis, en 1990 :

Saint-Florentin-Dijon	13 180
Raccordement TGV de Pasilly-Dijon	8 240
Chagny-Chalon-sur-Saône	14 680
Chagny-Montchanin	520
Dijon-Culmont-Chalindrey	4 570
Dijon-Dole	8 730
Dole (Franois)-Besançon	3 430
Dole-Vallorbe	4 480
Besançon (Franois)-Saint-Amour	3 230
Dijon-Saint-Amour	2 850

Il faut d'abord noter que l'essor considérable depuis 1981 des échanges par la ligne nouvelle du TGV, qui court-circuite Dijon, entre Paris et le couloir rhodanien, et qui se traduit en

1990 par 42 000 voyageurs transportés en moyenne quotidienne, les deux sens réunis, n'a pas étouffé le rôle du nœud dijonnais. L'activité reste en effet importante sur la ligne classique de part et d'autre de Dijon. Jusqu'à Aisy la juxtaposition du trafic TGV, qui ensuite se raccorde à la ligne nouvelle, et de l'activité de l'artère ancienne, qui d'ailleurs l'emporte nettement, surtout grâce au trafic nocturne, se traduit entre Montbard et Dijon par des flux supérieurs à 20 000 voyageurs. Par ailleurs la modération relative déjà relevée du trafic des voyageurs par rapport à celui des marchandises sur la ligne de Culmont-Chalindrey-Nancy, apparaît ici clairement. Mais elle renforce cependant le courant méridien au sud de Dijon et explique qu'entre Dijon et Chagny le courant représente plus de 15 000 voyageurs ; au-delà de Chagny la ligne de Lyon et Marseille l'emporte sans surprise de manière écrasante sur celle de Montchanin. A l'est de la capitale bourguignonne, l'autre tronc commun qui aboutit à Dole se partage beaucoup plus équitablement au-delà ; à la différence de ce qui a été constaté dans le domaine du fret, c'est ici la ligne de Vallorbe qui draîne le trafic le plus important. Moins active apparaît l'artère de Saint-Amour et Ambérieu, dont la vocation prioritaire est bien désormais l'acheminement des flux de marchandises. Autre distorsion par rapport à la circulation des produits, l'activité en proportion plus forte relevée sur l'itinéraire Besançon-Mouchard-Saint-Amour : elle se concrétise sur le

A Andelot, un autorail assurant une relation régionale débarque une majorité de scolaires : la clientèle-type avec les migrants domicile-travail de telles circulations.

court tronc commun Arc-et-Senans-Mouchard par des courants globaux de près de 8 000 voyageurs.

Les éléments d'explication sont nombreux : le principal n'est certes pas le poids d'une agglomération de 220 000 habitants qui n'est pas au centre d'une région très peuplée (1). Mais comme pour les marchandises les flux de transit sont nombreux et vigoureux, entre la capitale et le nord-est du pays d'une part, la Suisse, l'Italie et les régions du sud-est de la France de l'autre. Mais deux différences notables apparaissent : d'abord c'est par l'itinéraire le plus court, tracé par Mouchard, Saint-Amour et Bourg-en-Bresse, que circulent les trains de voyageurs reliant Strasbourg et Lyon, qui ignorent donc en principe le nœud dijonnais. Mais en fin de semaine le trafic supplémentaire peut être acheminé par Dijon. Par ailleurs, la ligne nouvelle du TGV, qui passe loin à l'ouest, accapare l'essentiel du trafic entre la capitale et les grandes cités du sud-est du pays. Par rapport au trafic des marchandises le déficit est donc sensible.

Mais le nœud dijonnais est loin d'être ignoré par le TGV : en gare de Dijon-Ville, s'arrêtent une quinzaine de TGV en moyenne quotidienne dans chaque sens, qui roulent entre Paris d'une part, Besançon, Chalon-sur-Saône, Vallorbe, Lausanne et Berne de l'autre. La réalisation de la liaison TGV Rhin-Rhône stimulerait le trafic puiqu'alors c'est par Dijon que s'établiraient les meilleures relations entre Paris, Belfort, Mul-

house, Bâle et Zurich. Cependant, les trains classiques, Corail ou autres, sont de loin les plus nombreux sur les voies du carrefour dijonnais. Certains relient la Lorraine au couloir rhodanien. Les autres sillonnent les lignes Dijon-Dole-Besançon ou Dole-Vallorbe, et surtout le grand axe classique Paris-Lyon-Marseille. Celui-ci achemine, en marge du TGV, des trains d'agence, des relations de jour qui, entre autres, desservent les villes petites ou moyennes situées sur le trajet, et de nombreuses relations de nuit : en général, la rapidité des relations TGV de soirée et de début de matinée diminue l'intérêt des voyages nocturnes ; mais ce qui est vrai pour la Suisse, relativement proche, ne l'est pas pour la France méditerranéenne et l'Italie.

Dans ces conditions, la gare de Dijon-Ville est très active et très fréquentée, malgré la perte des grandes relations classiques de jour entre Paris et la Côte d'Azur qui étaient assurées par des trains aussi prestigieux que le "Mistral".

Plus de 300 mouvements en moyenne quotidienne, voués au service des voyageurs, sont enregistrés au départ et à l'arrivée de la gare. La diversité des trains qui s'arrêtent le long des quais correspond au clivage classique entre convois locaux ou régionaux, et de grandes lignes. Mais l'originalité du rythme de vie de cette gare tient surtout à l'extrême importance du trafic nocturne. Se succèdent en effet ou se croisent au cœur de la nuit des trains qui assurent des relations hexagonales entre la capitale d'une part et de l'autre Marseille et la Côte d'Azur, les villes des vallées alpines ou du littoral languedocien ; mais d'autres relient Paris aux grandes cités transalpines comme Milan, Turin ou Rome, Venise ou Florence. La longueur de différents itinéraires, en effet, privilégie le voyage de nuit dans des rames traditionnelles, certes, mais classées Eurocity et de grand confort ; interdites sur la ligne nouvelle du TGV, elles doivent suivre les grands axes classiques et passent donc obligatoirement par Dijon. Mais, dès que pointe le jour, surgissent les TGV qui sillonnent les lignes de Besançon et de Vallorbe. Ils cohabitent en gare de Dijon avec des rames classiques qui, tout en s'effaçant devant les TGV qui "dévorent" les kilomètres sur l'artère nouvelle, continuent d'irriguer les régions du quart sud-est du pays.

Il va de soi que la rencontre, en gare, de trains assurant par exemple les relations Paris-Lausanne ou Besançon et Metz-Nice offre de nombreuses possibilités de correspondance, qui ajoutent à l'animation.

Le carrefour dijonnais joue donc un rôle irremplaçable : le trafic local, pourtant notable, s'efface devant la vigueur des flux de transit, aussi bien pour les voyageurs que pour les marchandises. Pour les premiers l'extension prévisible du réseau TGV ne peut que valoriser encore un peu plus le nœud, si entre autres la liaison Rhône-Rhin est réalisée, à moins qu'un barreau nouveau court-circuite Dijon par le sud. Mais, même si proportionnellement l'écoulement des flux de marchandises pèse le plus lourd, la mise en service de la ligne TGV nouvelle Paris-Lyon, évite Dijon n'a que partiellement diminué pour les voyageurs un rôle de plaque tournante qui reste capital.

(1) Grâce à la qualité d'ensemble du service offert à la clientèle, la gare de Dijon-Ville se classe au 13e rang des gares de province, devant par exemple celles de Rennes ou de Grenoble.

Une des lignes irriguant les vallées alpines : celle d'Annecy à Saint-Gervais ; la desserte du secteur est du ressort des BB 25000 de Chambéry.

LYON ET RHONE-ALPES

Seconde agglomération française, cœur de la région Rhône-Alpes qui compte parmi les plus dynamiques et les plus actives, Lyon, 200 kilomètres environ au sud du nœud dijonnais, est le centre d'une étoile de voies ferrées qui lui confèrent une vocation de très grand carrefour. Mais, plus nettement qu'autour de Dijon où l'itinéraire Strasbourg-Lyon est tangent à la partie centrale du dispositif ferroviaire, des axes très importants traversent ou desservent la région Rhône-Alpes sans passer par Lyon ; ils s'articulent autour de nœuds en relation directe avec le carrefour lyonnais. Ainsi les relations Paris-Genève, Paris-Savoie et Paris-Italie via Modane sont-elles établies sans desservir Lyon ; de même l'artère Valence-Grenoble joue un rôle de rocade par rapport à Lyon, qui se retrouve ainsi au centre d'un dispositif à la fois complexe et au trafic intense.

Dans ces conditions la description et l'analyse de l'activité ferroviaire de la région doivent faire une large part au carrefour lyonnais lui-même, avant de permettre de marquer l'originalité de ces nœuds périphériques, et de caractériser la desserte des Alpes françaises du nord. Mais il faut auparavant insister sur le rôle déterminant du relief qui, ici, offre des facilités mais aussi impose des contraintes plus fortes qu'ailleurs. Ainsi, en raison de sa position géographique entre la France du nord et de l'est, les pays rhénans et la Suisse d'une part, l'Italie du nord, la France méditerranéenne de l'autre, la région lyonnaise a toujours été le point de convergence d'importantes voies de communication. Mais le chemin de fer, plus sensible que la route aux accidents de la topographie, a dû composer avec un relief souvent difficile.

Les liaisons méridiennes ne rencontrent guère d'obstacles sérieux, grâce au couloir tracé par la Saône et le Rhône ; au nord de Lyon, les plaines de la Bresse et des Dombes renforcent les potentialités.

Entre Lyon et la frontière italienne un paradoxe apparaît : au cœur des Alpes du nord, qui constituent le secteur le plus élevé de l'ensemble de la chaîne, les glaciers ont dégagé de larges et profondes vallées, comme celles de la Maurienne et de la Tarentaise, qui facilitent la pénétration du massif tandis que le sillon alpin, dépression où court l'Isère, permet d'intéressantes liaisons orthogonales, parallèles à l'axe de la chaîne. Mais les relations entre les Alpes du nord et Lyon, elles, ne sont pas très aisées dans la mesure où la seule vallée de calibre notable, celle du Rhône, est peu hospitalière : son tracé général est très coudé tandis que le fleuve est parfois encaissé, parfois bordé de rives sablonneuses ou marécageuses peu sûres. Aussi est-ce au prix d'un léger détour par le nord qu'a été établie la principale liaison ferrée entre Lyon et la Savoie : elle se fraye un passage à travers les chaînons méridionaux du Jura grâce à la trouée, sinueuse et étroite il est vrai, offerte par la cluse des Hôpitaux entre Ambérieu et Culoz.

A l'ouest du sillon rhodanien, la bordure nord-est du Massif Central ne constitue pas, en apparence, une barrière aussi impressionnante que celle des Alpes. Or sa pénétration en est rendue pénible par la rareté des vallées utilisables : entre Mâcon et Valence, soit sur près de 200 kilomètres, seule la percée suivie par le Gier, entre monts du Lyonnais et du Vivarais, permet une liaison relativement aisée entre couloir rhodanien et bassin de la Loire ; aussi, les voies ferrées qui s'élancent vers l'ouest depuis Lyon présentent-elles des tracés et des profils souvent difficiles, plutôt inattendus au sein d'un ensemble de reliefs modérés.

Dans ces conditions, l'influence combinée des relations à assurer et de la topographie explique la disposition des principales lignes.

L'axe, qui reste essentiel, est constitué par l'artère maîtresse de l'ex-PLM, reliant Paris et Dijon à Marseille et à la Côte d'Azur ; longtemps unique au nord de Lyon, il se dédouble au sud, de part et d'autre du Rhône. Depuis 1981, la ligne nouvelle sillonnée par les TGV, entre Paris et Lyon, rejoint à Mâcon la vallée de la Saône ; augmentant sensiblement le débit théorique entre les deux grandes cités, elle se prolonge d'ores et déjà par une rocade de contournement par l'est de l'agglomération lyonnaise, via Satolas et son aéroport, et rejoindra en 1994 la ligne classique non loin de Valence, en attendant un prolongement éventuel vers le sud.

Bénéficient également d'un excellent équipement les lignes qui, depuis Lyon, se dirigent vers Ambérieu, Genève et la Savoie, vers Grenoble ; c'est ainsi qu'elles sont toutes électrifiées. Mais font aussi partie des artères maîtresses des axes qui ne sont pas tracés par Lyon. Si la relation Valence-Grenoble-Montmélian n'est pas dotée de caténaires, celles-ci équipent l'axe radial Dijon-Ambérieu-Culoz-Chambéry-Modane, véritable colonne vertébrale du réseau ferré dans les Alpes du nord ; entre Dijon et Bourg-en-Bresse, l'itinéraire tracé par la ligne classique Paris-Lyon jusqu'à Mâcon peut également être utilisé. Dès à présent est perçue l'extrême importance de la section Ambérieu-Culoz, tronc commun emprunté par les courants qui circulent entre Paris, Dijon, Lyon d'une part, Genève, les Alpes du nord et Modane de l'autre.

Dans le cadre de ce système ferroviaire complexe, Lyon continue de jouer un rôle capital.

LE GRAND CARREFOUR LYONNAIS

Le poids d'une agglomération de plus de 1 200 000 habitants génère automatiquement des flux denses et variés, et par ailleurs les installations ferroviaires de Lyon gèrent des flux de transit importants, en particulier sur l'axe majeur Paris-Marseille. Mais en fait, les missions du carrefour sont beaucoup plus diversifiées, comme l'ampleur des équipements le laisse pressentir.

L'importance des infrastructures

Malgré le handicap d'un relief qui ne favorise pas le départ des voies ferrées vers l'ouest, l'étoile lyonnaise se révèle complète.

L'axe classique Paris-Marseille ne s'écarte jamais depuis Chalon du cours de la Saône dont il suit la rive droite, puis du Rhône au sud de Lyon qu'il longe sur la rive gauche : à double voie au nord de Saint-Germain-au-Mont-d'Or et au sud de Chasse, il est électrifié, en courant 1 500 volts, est doté du block automatique lumineux et de nombreux garages actifs. En fait, l'existence au sud de Lyon d'une ligne de dédoublement qui court sur la rive droite du fleuve, améliore considérablement le débit potentiel d'autant plus que l'équipement de cette ligne est presque de même niveau que celui de l'axe principal, même si l'exploitation est moins souple que dans le cadre d'un véritable quadruplement.

Dévalant depuis les hauteurs du Mâconnais, la ligne nouvelle du TGV, elle, franchit la Saône près de Mâcon et, après avoir couru à l'orée de la plaine des Dombes, rejoint au nord de Lyon, près de Sathonay, la ligne venant de Bourg-en-Bresse : le contraste est saisissant entre l'équipement ultra sophistiqué et perfectionné de l'artère TGV et celui beaucoup plus rudimentaire (ligne mise à voie unique non électrifiée) d'une relation qui a souffert du détournement par Ambérieu du trafic entre Lyon et Bourg-en-Bresse. Greffée sur la ligne de Bourg, l'antenne à voie unique de Trévoux, en impasse, ne joue qu'un rôle strictement local, tout comme la ligne de Lyon à Meyzieu, exploitée désormais par la SNCF (auparavant par la Compagnie de l'Est de Lyon).

A l'ouest de Lyon se dresse une barrière de hauteurs qui, avec la colline de Fourvière, viennent dominer directement le cœur de la ville. Aussi la seule ligne qui met immédiatement le cap à l'ouest, celle de L'Arbresle, aux caractéristiques de ligne de banlieue, a-t-elle un tracé sinueux et difficile ; à voie unique, son électrification est à l'étude. Mais les deux artères à double voie, qui assurent des relations beaucoup plus importantes, se débranchent du grand axe méridien, soit au nord, soit au sud, afin de profiter d'une topographie plus favorable : à Saint-Germain-au-Mont-d'Or se détache la ligne de Lozanne qui, près de cette gare, donne à son tour naissance aux deux artères, également à double voie et non électrifiées, de Paray-le-Monial et de Roanne. Le profil de la première, tracée pourtant en milieu accidenté dans les monts du Lyonnais, du Beaujolais et du Charolais n'est pas trop difficile, dans la mesure où le taux des rampes ne dépasse pas 11 mm/m ; c'est qu'elle profite de vallées bien orientées comme celle de l'Azergues au départ de Saint-Germain-au-Mont-d'Or ; en revanche, l'exploitation de la seconde, qui est empruntée par les trains assurant les liaisons transversales Lyon-Nantes ou Lyon-Bordeaux, est rendue plus difficile en raison de rampes

Sur le pont de Givors, un train automoteur assurant une liaison Le Puy-Saint-Etienne-Lyon.

qui atteignent 25 mm/m, en particulier de part et d'autre du tunnel des Sauvages, long de plus de 3 kilomètres, qui marque la ligne de partage des eaux entre le Rhône et la Loire. Plus au sud, à Givors, prend naissance la ligne Lyon-Saint-Etienne. Serpentant dans l'étroite vallée du Gier avant de basculer dans celle du Furens aux abords de Saint-Etienne, elle offre un profil difficile ; mais malgré l'électrification et le block automatique lumineux, elle ne possède que des possibilités limitées à cause de la multiplicité des courbes de faible rayon. Ainsi, entre Givors et Saint-Etienne, se dénombrent 57 courbes de 500 mètres de rayon ou moins, en 37 kilomètres ; l'extrême ancienneté de la ligne, construite de 1828 à 1832 pour le transport du charbon stéphanois, est un élément d'explication.

A l'est de Lyon, jaillissent les lignes d'Ambérieu et de Grenoble. Elles offrent des similitudes comme la double voie, l'électrification, le block automatique lumineux ; mais leurs tracés sont de types différents : l'artère Lyon-Grenoble court dans une région de plateaux entre les bords du Rhône et Saint-André-le-Gaz, d'où part une antenne à voie unique mais électrifiée en direction de Chambéry ; ensuite elle s'infléchit vers le sud, en dessinant un angle droit, pour rejoindre à Moirans la ligne Valence-Grenoble ; c'est alors que les déclivités peuvent atteindre 16 mm/m, au franchissement de la dorsale qui sépare les plaines et plateaux de la région lyonnaise, et la vallée de l'Isère. Le tracé et le profil de la ligne Lyon-Ambérieu sont, eux, plus favorables dans la mesure où le chemin de fer ne s'éloigne jamais beaucoup des vallées du Rhône et de l'Ain.

A l'intérieur même du carrefour lyonnais plusieurs nœuds satellites jouent un rôle de bifurcation important, en liaison très étroite avec les grandes gares lyonnaises.

Si les lignes de Bourg-en-Bresse et d'Ambérieu viennent se souder à l'axe majeur méridien dans l'agglomération même, deux zones de jonctions se retrouvent en dehors, au nord et au sud.

A 20 kilomètres au nord de la gare de Lyon-Perrache, la gare de Saint-Germain-au-Mont-d'Or commande la bifurcation des lignes de Paris via Dijon et de Lozanne, c'est-à-dire de Roanne et Paray-le-Monial ; un saut-de-mouton facilite la divergence et la convergence de courants de circulation d'intensités différentes puisqu'en moyenne journalière et les deux sens réunis près de 180 mouvements sont recensés entre Saint-Germain-au-Mont-d'Or et Mâcon, contre une cinquantaine sur la ligne de Lozanne. Par ailleurs, pendant longtemps, a fonctionné une gare de triage, affectée au RO (Régime Ordinaire), dont les emprises étaient très développées : du nord au sud se succédaient en effet deux faisceaux dont un de réception de 13 voies, et un de débranchement de 35 voies. Ce triage perdit en 1970 une partie de son importance en raison de la mise en service, au sud de Lyon, de celui de Sibelin ; vingt ans après, le plan ETNA a porté un coup encore plus sensible au triage de Saint-Germain-au-Mont-d'Or, en ne lui conférant qu'un rôle local, tout en lui laissant une fonction classique de relais et d'escale.

Symétriquement, au sud de l'agglomération se développe autour de Givors et Chasse, de part et d'autre du Rhône, un puissant et complexe nœud de bifurcations. Du nord se pré-

193

sentent, sur la rive gauche du fleuve l'artère noble de Marseille, quadruplée, et sur la rive droite la ligne de dédoublement, à deux voies, née à Lyon-Perrache ; derrière une ligne de collines, serpente la ligne désormais à voie unique mais non électrifiée venant de Lozanne ; active avant l'électrification de l'axe Paris-Lyon dans la mesure où elle se situait sur l'itinéraire Nevers-Paray-le-Monial-Givors-Chasse, alors suivi par de nombreux trains de marchandises roulant entre Paris et les pays méditerranéens en évitant Lyon, elle est maintenant presque complètement délaissée. Au sud du carrefour se greffent les deux lignes Lyon-Marseille, tandis que de la vallée du Gier arrive celle provenant de Saint-Etienne. De multiples raccordements permettent des liaisons aisées entre ces diverses artères ; ils assurent surtout une circulation fluide entre l'artère de Saint-Etienne et les deux lignes de pénétration dans Lyon, et un reclassement des trains entre ces dernières et les deux axes parallèles de la moyenne vallée du Rhône. Il est inévitable que dans cette zone de convergence s'installent des gares de triage. Alors que celle de Badan, sur la rive droite, vite vieillie, a été mise à mort par la création de Sibelin, celle de Chasse, plus moderne et vouée au traitement des wagons du RA (Régime Accéléré) a été largement déchue de ses responsabilités par le plan ETNA et totalement neutralisée. De part et d'autre de la vallée du Rhône émergent des nœuds beaucoup plus modestes. A l'ouest de Lyon, la gare de Lozanne, aux installations simplifiées, marque l'intersection des lignes Saint-Germain-au-Mont-d'Or-Roanne et Paray-le-Monial-Givors ; proche, celle de L'Arbresle, qui jalonne l'artère de Roanne, se situe sur la relation de banlieue qui vient de Sain-Bel et aboutit à Lyon-Saint-Paul. Enfin de l'autre côté du Rhône, à l'intersection de la ligne de Grenoble et du contournement TGV de Lyon, plusieurs raccordements, près de Saint-Quentin-Fallavier vont permettre d'intéressants échanges entre les deux axes.

A ce propos, l'activité ferroviaire à l'est de Lyon est d'ores et déjà, profondément modifiée par la mise en service partielle de ce contournement TGV. A double voie, équipée comme l'axe TGV venant de Paris qu'elle poursuit vers le sud, longue de près de 120 kilomètres, cette section doit assumer plusieurs missions : desserte de l'aéroport de Satolas, décongestion du carrefour lyonnais grâce à l'emprunt du contournement par les TGV Paris-Grenoble, Paris-Chambéry et ultérieurement Paris-Méditerranée, afin de soulager le complexe lyonnais et le tronçon Lyon-Valence par Chasse et Vienne.

Trois éléments caractérisent la structure actuelle du complexe ferroviaire dans l'agglomération : la prépondérance des axes méridiens, le dédoublement de l'artère maîtresse Paris-Marseille, l'existence depuis l'arrivée du TGV de deux grandes gares de voyageurs comptant chacune parmi les principales du réseau.

Entre les gares de Collonges-Fontaines, au nord de Lyon, et de Lyon-Guillotière dans la partie sud de l'agglomération l'axe majeur, quadruplé de part et d'autre se divise en deux itinéraires. Le premier court sur la rive droite de la Saône, longe la gare et le dépôt de Lyon-Vaise, transperce grâce au tunnel de Saint-Irénée la colline de Fourvière et aboutit à la grande gare de Lyon-Perrache, installée entre Saône et Rhône, très près de leur confluent. Le second, tracé plus à l'est, traverse la Saône aux Grands Violets, passe en souterrain sous les hauteurs de Caluire avant de franchir le Rhône à Saint-Clair pour aboutir à la gare de Lyon-Part-Dieu et poursuivre jusqu'à celle de la Guillotière, où se rejoignent les deux itinéraires. C'est sur ces axes essentiels que viennent se souder les autres lignes. Bifurcations et gares, parfois confondues, déterminent les points d'ancrage du réseau ferré dans l'agglomération.

Très connue du grand public, proche du centre de la cité la gare de Perrache fut longtemps considérée comme le cœur du complexe lyonnais. Ce n'est pas qu'elle possède une allure vraiment majestueuse, avec des bâtiments sans grand cachet et sans envergure, avec des quais de largeur modeste (6 mètres). Mais c'est l'une des plus vastes gares de passage de France, avec 9 voies à quai renforcées par 2 voies extérieures affectées à la circulation des trains de marchandises et des locomotives haut-le-pied, ainsi que par 6 voies courtes en impasse réparties de chaque côté du bâtiment principal. De plus le très dense réseau d'appareils de voie, à l'ouest et à l'est des quais, permet de très nombreuses liaisons simultanées ; enfin si le tunnel de Saint-Irénée n'accueille que deux voies, à l'est 5 voies permettent l'entrée et la sortie des trains ; comme à Nîmes pour la ligne d'Alès, un rebroussement est

Passage à Lozanne d'un train Lyon-Nantes.

obligatoire pour les trains empruntant la ligne de la rive droite du Rhône ; il s'effectue sur le pont de la Saône.

Si la gare de Lyon Part-Dieu, encadrée par deux sections quadruplées, possède un nombre de voies à quai comparable (8) et également de multiples possibilités d'exploitation, elle n'en est pas moins tout à fait différente : conçue pour l'arrivée des TGV, construite sur le grand itinéraire est dans un secteur de l'agglomération à la fois lui aussi proche du centre mais en pleine expansion, elle a été mise en service en 1983. A la fois élégant et fonctionnel, le plan des bâtiments fait songer à un H : en effet deux bâtiments longitudinaux sont reliés par une galerie souterraine transversale, longue de 120 mètres et large de 65 ; elle regroupe la plupart des services offerts aux voyageurs, commande l'accès à chacun des 4 quais grâce à une batterie d'escaliers classiques ou mécaniques, de rampes ou d'ascenseurs. Protégés par des abris légers et élégants, les quais, larges, sont d'autant plus avenants que les chariots à bagage et autres petits véhicules utilitaires circulent sur des quais spéciaux intercalés, beaucoup plus étroits. Remarquable par son architecture d'ensemble, le choix des couleurs et des lumières, la répartition harmonieuse et rationnelle des services, cette gare de Lyon Part-Dieu, loin de faire écran à la vie de la cité, en facilite l'épanouissement grâce à un accès aisé aussi bien de l'est que de l'ouest.

Nouvelle venue dans la géographie ferroviaire lyonnaise, cette seconde grande gare de passage n'a pu se développer qu'au prix de la disparition d'une gare de marchandises et de tout service à la gare voisine des Brotteaux, même si son superbe et majestueux bâtiment a été conservé ; le secteur de ses anciennes voies à quai est désormais inclus dans l'avant-gare de la Part-Dieu, servant de remisage pour les voitures de voyageurs.

A 3 kilomètres au nord, la gare de Lyon-Saint-Clair, coincée entre le Rhône et les collines de Caluire, est moins une station de banlieue qu'une très importante gare de bifurcation, puisque le tronc commun en provenance de la gare de la Part-Dieu donne naissance à la ligne de Dijon et Paris, à celle du TGV d'où à Sathonay se débranche la ligne de Bourg-en-Bresse, et à celle d'Ambérieu ; les trains circulant sur l'artère de Sathonay, qui est en position médiane, sont répartis sur l'une ou l'autre des deux doubles voies encadrantes. De plus, au sud de Lyon-Saint-Clair, le long du Parc de la Tête-d'Or, des sauts-de-mouton permettent sans cisaillement à niveau le reclassement des circulations de même sens sur la section quadruplée Part-Dieu-Saint-Clair. La fluidité du trafic, dans cette zone particulièrement chargée (près de 300 mouvements en moyenne quotidienne, les deux sens réunis) est facilitée par un suivi très précis des trains et une gestion d'ensemble de la circulation depuis le poste PRS de Lyon Part-Dieu.

Au sud de cette gare, le nœud de voies ferrées de La Guillotière joue un rôle capital. C'est en effet d'abord un centre de bifurcations complexes : les deux itinéraires, tous deux quadruplés, provenant des gares de Perrache et de Part-Dieu se rejoignent avant que se séparent les artères de Marseille et

La façade de la grande et récente gare de Lyon-Part-Dieu.

de Grenoble ; de plus une liaison directe existe entre les deux grandes gares de voyageurs ; des sauts-de-mouton, ici aussi, rendent plus aisé le trafic. Mais la gare de Guillotière, c'est aussi le triage de Moulin-à-Vent, longtemps rouage essentiel du Régime Accéléré (RA), composé de 3 petits faisceaux de réception totalisant 11 voies, et d'un faisceau de débranchement de 30 voies ; il se consacre maintenant à des opérations de relais et à la desserte des embranchements rattachés, des halles mécanisées du SERNAM et des voies du port Edouard-Herriot. Un chantier d'entretien des rames TGV va y être bientôt installé.

Les autres chantiers de marchandises de l'agglomération sont comme ailleurs de plus en plus concentrés, et tendent comme à Paris à se dégager du cœur de l'agglomération : c'est ainsi que la gare de la Croix-Rousse a purement et simplement disparu. Au sud de la gare de Perrache, le long de la ligne de Saint-Etienne par la rive droite et jusqu'au confluent s'étend Lyon-Perrache II, un ensemble composé surtout de nombreux embranchements particuliers. Mais depuis 20 ans c'est au sud de l'agglomération que s'étendent les infrastructures affectées au chargement et déchargement des marchandises : près du Rhône le rail dessert les quais et bassins du port Edouard-Herriot, et près de Feyzin un important complexe pétrochimique

Bien cachée au cœur du Vieux Lyon, la gare banlieue de Saint-Paul, appelée à connaître un certain essor grâce à la réactivation des services péri-urbains vers Sain-Bel et Brignais.

dominé par une puissante raffinerie du groupe ELF. Le long de la ligne de Grenoble, s'étend maintenant une vaste zone industrielle, près de Vénissieux et Saint-Priest ; le chemin de fer est naturellement présent, grâce à de nombreux embranchements particuliers, à des chantiers de transport combiné rail-route très actifs, comme ceux des sociétés Novatrans et CNC (Compagnie Nouvelle de Conteneurs) équipés de deux portiques de 42 et 50 tonnes, à une vaste aire de débords.

Aussi n'est-il pas étonnant que, depuis la mise en retrait des chantiers de triage de Saint-Germain-au-Mont-d'Or et de la Guillotière, les deux grands triages de la région lyonnaise se retrouvent au sud de l'agglomération. Mis en sommeil en 1955, celui de Vénissieux a ressuscité par étapes, surtout après 1985, en liaison étroite avec l'expansion de la zone industrielle ; il est remarquable, moins par son étendue (deux faisceaux de réception de 8 voies et de débranchement de 21 voies), que par son très haut niveau technologique, caractérisé par le dispositif le plus récent de "tir au but", l'informatisation et l'automatisation de l'ensemble des opérations. L'écoulement du trafic est facilité par le triplement ou le quadruplement de la ligne en direction de Lyon.

Mais c'est à Sibelin que se situe le principal triage, l'un des plus importants du réseau de la SNCF. Mis en service en 1970, donc jeune, il s'allonge sur près de 5 kilomètres en bordure de l'autoroute A 7, non loin du Rhône et de la raffinerie de Feyzin, à une douzaine de kilomètres au sud de la gare de Perrache. Couvrant 72 hectares, ils se compose du sud au nord des trois grands faisceaux classiques de réception (16 voies), de débranchement (44 voies), d'attente au départ (12 voies). Bordé par l'artère Paris-Marseille, alors quadruplée, il lui est très bien relié grâce à deux sauts-de-mouton qui évitent tout cisaillement à niveau des itinéraires principaux. Sa situation est excellente, sur l'axe majeur du réseau, entre l'agglomération lyonnaise et les bifurcations de la zone de Givors-Chasse.

La circulation ferroviaire d'ensemble dans la région lyonnaise repose, comme ailleurs, sur l'activité des dépôts. Alors que le triage de Sibelin ne dispose que d'un simple relais de traction, deux dépôts constellent le complexe ; chacun d'eux est relativement spécialisé : alors que celui de Lyon-Vaise, au nord-ouest de Lyon-Perrache, gère une imposante armada de près de 120 autorails, celui de Vénissieux a en charge les locomotives électriques et Diesel ainsi que les turbotrains qui sillonnent autour de Lyon les lignes non électrifiées ; en revanche le dépôt de Lyon-Mouche ne joue plus maintenant de rôle actif. La palette des installations est complétée d'abord par les ateliers d'Oullins : situés le long de la ligne de Givors par la rive droite du Rhône, non loin du viaduc métallique de la Mulatière, ils se consacrent de nos jours uniquement aux révisions des locomotives électriques ; ils regroupent 1 230 cheminots. Par ailleurs, deux des gares de banlieue jouent un rôle particulier : celle de Saint-Paul, en impasse, est

Les deux gares nouvelles du secteur lyonnais : ci-dessus, Satolas-aéroport et ci-dessous Part-Dieu.

Les TGV poursuivant leur route au sud de Lyon passeront à Saint-Vallier jusqu'à l'ouverture du prolongement jusqu'à Valence de la ligne nouvelle Paris-Sud-Est.

l'origine de la ligne de l'Arbresle ; à deux kilomètres de là, la station de Gorge-de-Loup commande le raccordement qui unit cette artère au grand axe Lyon-Perrache-Dijon.

Tout naturellement le trafic sur les lignes de l'étoile lyonnaise est dense et augmente en se rapprochant du centre du carrefour : en moyenne quotidienne et les deux sens réunis 40 trains roulent entre l'Arbresle et Roanne, 70 entre Vénissieux et Saint-André-le-Gaz, sur la ligne de Grenoble, un peu plus de 100 entre Givors et Saint-Etienne, entre Lyon-Saint-Clair et Ambérieu ; l'axe nord-sud l'emporte, avec plus de 70 TGV entre Sathonay et Mâcon, 170 trains entre Saint-Germain-au-Mont-d'Or et Mâcon sur la ligne classique, 190 entre Chasse et Vienne, contre 60 sur l'artère de la rive droite, au sud de Givors. Mais à l'intérieur même du complexe lyonnais, 180 circulations sont recensées entre Vénissieux et Lyon-Guillotière, 240 entre Saint-Germain-au-Mont-d'Or et Collonges-Fontaines, 390 entre Sibelin et La Guillotière. La répartition entre convois de voyageurs et de marchandises est le plus souvent équilibrée ; pourtant les premiers représentent la quasi totalité du trafic sur la ligne de Roanne alors que les seconds, nombreux entre Givors et Saint-Etienne, bénéficient d'une quasi exclusivité sur l'artère de la rive droite du Rhône. L'ampleur et la diversité des flux, dans le domaine du fret comme dans celui du transport des personnes, expliquent la variété et l'intensité de la circulation ferroviaire d'ensemble.

---

(1) *Pour les lignes autres que celles du TGV, les flux de banlieue, constatés près de Lyon, et ceux de grandes lignes sont additionnés.*

L'ampleur du trafic des voyageurs

La densité du transport des voyageurs se traduit par l'épaisseur des flux qui s'écoulent sur la plupart des diverses lignes. Le grand axe méridien l'emporte très nettement, puisque les deux sens réunis et en moyenne quotidienne plus de 41 000 personnes sont dénombrées sur la ligne nouvelle TGV entre Lyon et Mâcon, près de 17 000 sur la ligne classique reliant les deux villes (1) ; au sud de Lyon, entre Chasse et Vienne, les flux dépassent les 35 000 voyageurs. Sur les autres artères, les courants sont moins denses : l'activité de celles d'Ambérieu et de Saint-André-le-Gaz-Grenoble est de niveau très voisin, de près de 11 000 personnes, tandis que près de 6 000 et plus de 7 000 voyageurs circulent sur respectivement les lignes de Tarare-Roanne et Saint-Etienne. Avec seulement un peu plus de 2 000 voyageurs, celles de Bourg-en-Bresse et de Lyon-Saint-Paul-l'Arbresle se retrouvent très en retrait.

Ces flux le plus souvent vigoureux se trouvent en relation avec un très important trafic de grandes lignes et un service de banlieue bien structuré et actif. C'est que l'agglomération de Lyon proprement dite, qui occupe une position capitale de carrefour, compte plus de 1 200 000 habitants ; elle se situe au centre d'une région elle-même très peuplée puisque dans un rayon d'une soixantaine de kilomètres autour de la place Bellecour vivent environ 2 500 000 personnes. Par ailleurs le dynamisme de la région Rhône-Alpes dans son ensemble ne peut que stimuler les diverses catégories de flux.

La mise en service des relations TGV, au début des années 80, s'est accompagnée d'une gigantesque mutation intra-muros, dans la mesure où la nouvelle gare de Lyon-Part-Dieu est devenue le pôle essentiel du trafic grandes lignes, alors que celle de Perrache se trouvait appelée à concentrer la plus grande partie du trafic de banlieue.

Ce trafic de grandes lignes se caractérise par la prédominance de l'axe méridien et l'essor des TGV, la pluralité des relations de type transversal, l'impact double des flux de transit et de ceux induits par l'agglomération elle-même.

La trame des trains de grand parcours desservant Lyon est particulièrement impressionnante et de qualité. En moyenne quotidienne et dans chaque sens, en effet, une vingtaine de TGV circulent entre Paris et Lyon, couvrant le trajet en deux heures ou un peu plus ; il s'agit là d'une desserte de type cadencé qui offre dans chaque sens au moins un départ par heure. Entre Lyon et le littoral méditerranéen les relations sont également très satisfaisantes, grâce à plusieurs relations TGV, renforcées par des trains classiques partant de Lyon ou de Dijon : Lyon se trouve ainsi reliée à Marseille par une dizaine de trains de chaque sens en période diurne. Si l'arrivée des TGV a porté un rude coup aux relations nocturnes entre Lyon et la capitale, en revanche celles-ci subsistent entre Paris et Méditerranée, mais sans marquer l'arrêt dans la grande cité rhodanienne.

Grenoble et Saint-Etienne, les deux autres grandes villes de la région Rhône-Alpes, profitent à un moindre degré de l'effet TGV : chaque jour en effet, plusieurs rames Sud-Est poursuivent vers elles leur route au-delà de Lyon, à une vitesse évidemment adaptée à des infrastructures anciennes ; Grenoble se retrouve ainsi à moins de 3 heures de Paris, comme Saint-Etienne.

Les bienfaits directs du TGV ne sont pas limités aux relations avec la capitale ; depuis plusieurs années en effet, des TGV sud-est roulent entre Lyon d'une part, Lille, Rouen, Rennes, Nantes et Tours de l'autre en empruntant la grande ceinture parisienne, mais sans desservir la capitale. Lyon se retrouve ainsi à moins de 5 heures de Nantes et de Rennes, à un peu plus de 4 heures de Rouen. Mais ce sont des trains classiques, turbotrains ou rames Corails, qui assurent l'essentiel des liaisons transversales au départ de Lyon : dans chaque sens, en service de base 4 trains dont 2 qui viennent ou poursuivent leur route en direction de Marseille et Nice, relient Lyon à Nancy et Metz, 6 à Strasbourg ; Nancy se retrouve ainsi à 4 h 30 environ de Lyon, Metz et la capitale de l'Alsace à 5 heures ou un peu plus. Egalement à grande distance sont les relations établies avec l'ouest et le sud-ouest du pays ; pour des raisons déjà évoquées elles ne brillent pas par leur rapidité puisque le temps de parcours moyen entre Lyon et Nantes se situe non loin de 7 heures, contre 7 h 30 environ pour le trajet Lyon-Bordeaux ; le service est assuré dans chaque sens par près d'une demi-douzaine de relations entre Lyon et la Loire-Atlantique, par seulement 4 entre Lyon et Bordeaux, dont une

Un express de la relation Lyon-Grenoble faisant arrêt à Bourgoin-Jallieu.

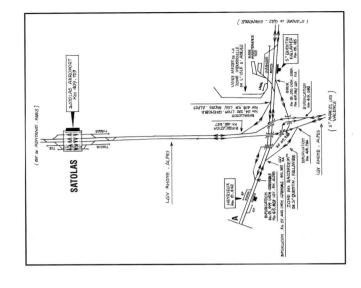

SATOLAS

SATHONAY-RILLEUX

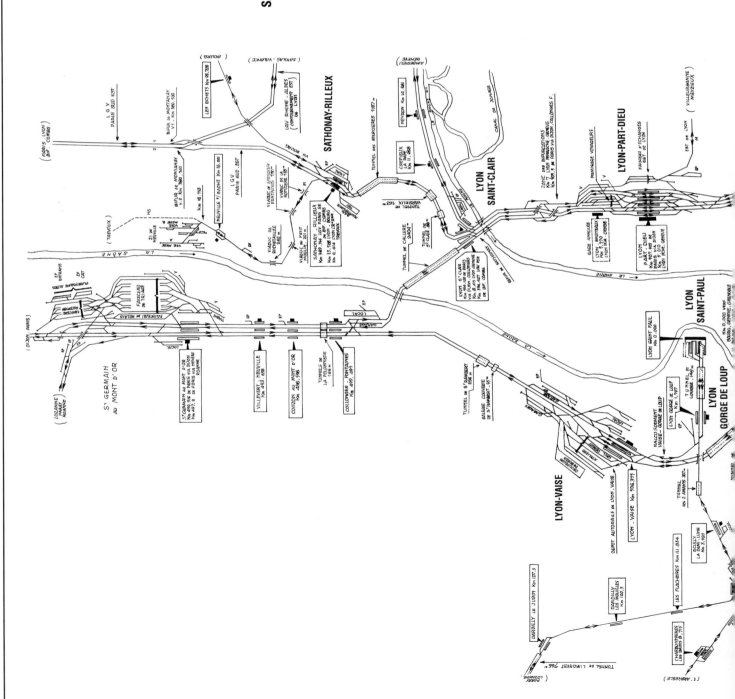

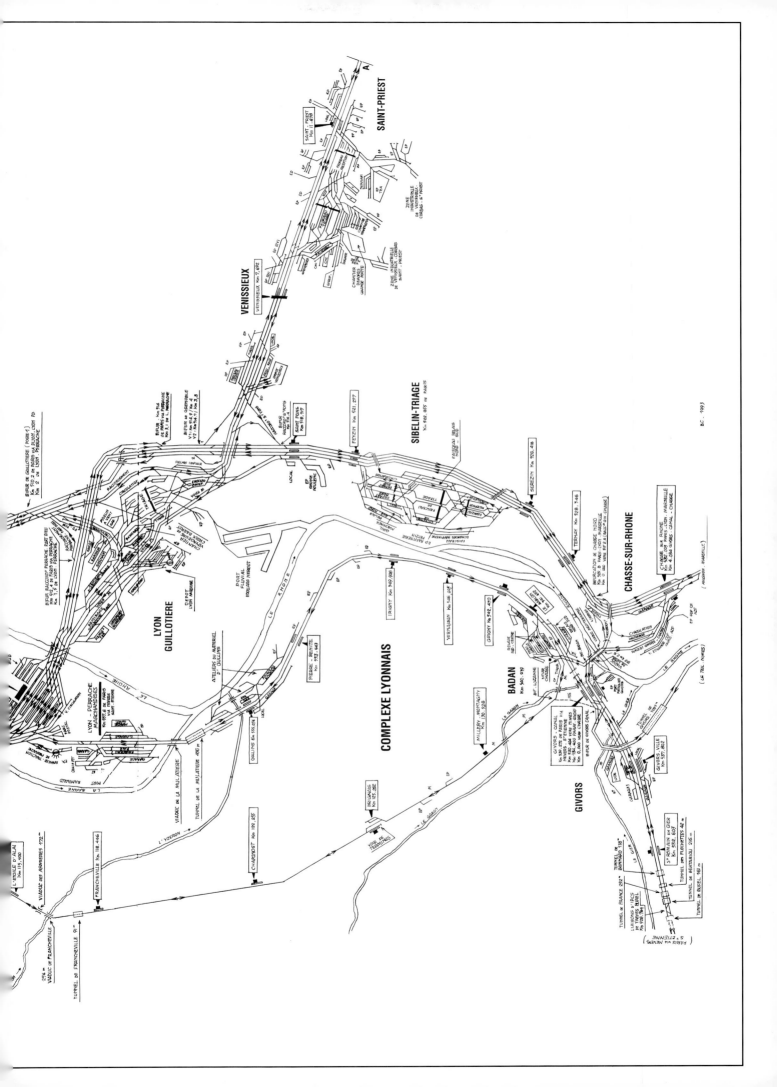

Un turbotrain Lyon-Strasbourg au franchissement de l'Ain, entre Ambérieu et Bourg-en-Bresse.

tracée par Clermont-Ferrand et Brive (1). D'ores et déjà, la mise en service des TGV entre Nantes et la Bretagne porte un coup sensible à l'activité de la transversale Lyon-Nantes, en raison du sensible gain de temps malgré l'allongement kilométrique du parcours et donc du prix du billet ! Aussi, comme d'ailleurs ce qui se passe depuis longtemps entre Lyon et Bordeaux, cette ligne est-elle appelée de plus en plus à assurer un service de "cabotage", fractionné entre les villes qui jalonnent son parcours, avec une diminution sensible du nombre des relations express traditionnelles.

L'obstacle présenté par le Massif Central explique l'apparente médiocrité des relations avec Clermont-Ferrand, au nombre d'une demi-douzaine par sens, dont la durée est proche de 3 heures. En revanche, les liaisons avec Genève, aussi nombreuses, sont plus rapides, d'une durée de l'ordre de seulement 2 heures. C'est par ailleurs sans surprise qu'est constatée la pénétration relativement aisée des Alpes : un peu plus d'une heure et moins de une heure trente sont suffisants depuis Lyon pour atteindre respectivement Grenoble et Chambéry. La desserte de ces cités est assurée par des trains dont Lyon constitue l'origine et la destination, mais également par des relations à grande distance comme un train venant de Paris

et prolongeant son itinéraire au-delà de Lyon. La palette des relations internationales au départ de Lyon est par ailleurs enrichie par plusieurs relations quotidiennes avec les grandes villes italiennes de Turin et Milan : si la ligne Chambéry-Modane est une section de passage obligé, en revanche entre Lyon et Chambéry l'itinéraire tracé par Ambérieu et Culoz, très chargé, est de plus en plus concurrencé par celui établi par Saint-André-le-Gaz sur l'artère de Grenoble, à voie unique à partir de cette gare mais plus court et désormais électrifié, bénéficiant d'une commande centralisée installée à Chambéry. Autour de la capitale rhodanienne, le service des grandes lignes est donc dense et globalement de qualité : mais si des relations directes existent avec Metz et Strasbourg, Nantes, Bordeaux et Toulouse, ce sont bien les liaisons méridiennes qui sont, et de loin, les plus remarquables par leur nombre et leur extrême rapidité, en raison des avantages cumulés offerts par la topographie et l'essor des TGV.

L'activité des grandes gares lyonnaises est renforcée par un trafic quotidien de banlieue qui avec celui des gares de Lille et Strasbourg constitue par son ampleur l'un des premiers de France, en dehors de la région parisienne.

Autour de Lyon les trains locaux (TER) desservent à peu près toutes les directions. Ils roulent le plus souvent sur les lignes de l'étoile fréquentées aussi bien par des convois de grandes lignes que de marchandises, jusqu'à Villefranche-sur-Saône sur l'artère de Dijon, Saint-Rambert-d'Albon sur celle de Mar-

---

(1) *Moins nombreuses, des relations directes existent entre Lyon et Toulouse, par Montpellier et Narbonne.*

Un TGV Atlantique assurant une relation de sports d'hiver à son arrivée à Modane. Ci-dessous, sur la ligne de Bourg-Saint-Maurice, électrifiée dans l'optique des jeux Olympiques, un train Corail venant de Lyon.

seille, Bourgoin sur celle de Grenoble, jusqu'à Ambérieu et sur celle de Saint-Etienne. Mais ils se rencontrent également sur des lignes par ailleurs peu fréquentées, comme l'itinéraire direct Lyon-Bourg-en-Bresse ou la ligne de Paray-le-Monial jusqu'à Lamure-sur-Azergues ; enfin ils constituent l'intégralité de la circulation sur les relations de Lyon-Saint-Paul à Sain-Bel via l'Arbresle et à Brignais, sur l'ancienne ligne Tassin-Givors, dans le cadre de la desserte de "l'ouest lyonnais".

La hiérarchie de ces flux de banlieue se caractérise par la prépondérance du trafic de la ligne Lyon-Saint-Etienne. Seulement 59 kilomètes séparent les deux agglomérations, peuplées de plus de 1 200 00 et 300 000 habitants, et reliées par un chapelet de petites villes blotties dans la vallée du Gier. Les débuts en 1976 du service Stelyrail ont facilité et stimulé des échanges qui représentent en moyenne quotidienne environ 6 000 voyages ; dans chaque sens, en service de base, 35 mouvements environ (grandes lignes comprises) assurent une desserte étalée dans la journée et renforcée lors des pointes du matin et de la soirée. Moins important sur les autres lignes de l'étoile le volume des déplacements pendulaires journaliers est d'ampleur comparable, entre 2 000 et 3 000 voyageurs. Si la progression d'ensemble du trafic est modérée, l'activité de l'artère de Saint-André-le-Gaz est en expansion, en raison en particulier de l'essor de la ville nouvelle de l'Isle-d'Abeau, à une trentaine de kilomètres de Lyon.

L'organisation générale de ce trafic de banlieue s'insère dans le cadre de l'écoulement du trafic global des voyageurs dans l'agglomération lyonnaise. Son analyse amène à définir les missions des deux grandes gares de la cité rhodanienne.

L'arrivée du TGV a amené la SNCF à redistribuer les rôles. Avant 1980, en effet, l'essentiel des flux de grandes lignes et de banlieue convergeait sur la gare de Perrache, dont l'exploitation était de plus en plus difficile. Aussi fut-il envisagé, dès la décision de construire la gare de la Part-Dieu, de partager sous le signe d'une spécialisation poussée de chacune d'elles, en mettant à profit la disposition favorable des lignes et raccordements dans l'ensemble du complexe lyonnais.

C'est ainsi que Lyon Part-Dieu est la gare qui concentre l'ensemble du trafic des grandes lignes. Très bien située par rapport aux quartiers d'affaires et aux secteurs urbains en expansion, elle est remarquablement reliée à toutes les branches de l'étoile ferroviaire lyonnaise, grâce aux raccordements de la Guillotière, au sud, aux bifurcations de la gare de Saint-Clair, au nord, lesquelles commandent entre autres l'arrivée de la ligne nouvelle des TGV. Non seulement ceux-ci, mais les trains classiques ou turbotrains qui relient Lyon à la Lorraine, à Strasbourg, à Nantes, Bordeaux ou au littoral méditerranéen, accèdent sans difficulté à ses quais. La fonction de la gare, dès lors, est double : la desserte de l'agglomération qui se traduit par des flux moyens quotidiens de 30 000 personnes ne doit pas masquer l'importance du rôle de correspondance, par exemple en ce qui concerne les relations Strasbourg-Clermont-Ferrand, Grenoble-Nantes, Bordeaux, Nancy ou Metz-Alpes du Nord. Mais les courants de banlieue ne sont pas inexistants, avec le départ de certains trains de la ligne de

Saint-Etienne et le passage des convois roulant entre la gare de Perrache et les artères de Bourg et Ambérieu.

C'est la gare de Perrache qui rassemble l'essentiel de ce trafic de banlieue car celui de la gare en impasse de Lyon Saint-Paul, ne concernant que les circulations vers Sain-Bel et Brignais, ne représente pour l'instant qu'une part modeste, vu le caractère encore récent de la densification de ces services. A Perrache arrivent de toutes les directions les rames automotrices, électriques ou autorails qui profitent du report sur la gare de la Part-Dieu de l'ensemble du service "grandes lignes" ; ce service est d'ailleurs loin d'être absent en raison du départ et de l'arrivée de la plupart des trains Lyon-Bordeaux, Lyon-Nantes, Lyon-Strasbourg et Lyon-Genève par exemple. Dans ces conditions, le volume de l'activité quotidienne de la gare de Perrache, avec 29 000 voyageurs au départ et à l'arrivée, est du même ordre que celui de la Part-Dieu, même si la nature des déplacements n'est la plupart du temps pas du tout semblable.

Au total, les deux grandes gares, considérées séparément, se classent aux 3e et 4e rangs au plan national parmi les gares de province, derrière celles de Lille et Strasbourg, mais devant celle de Marseille. Quotidiennement, en moyenne, les 550 trains de voyageurs qui convergent vers Lyon ou en partent, répartis équitablement entre Perrache et Part-Dieu, se fondent dans un trafic général où les convois de marchandises pèsent lourdement. Par ricochet pour ces derniers, le grand itinéraire méridien traditionnellement tracé par l'ex-gare des Brotteaux a été déplacé partiellement vers l'ouest, par Perrache, afin de favoriser le plus possible, pour les trains de voyageurs, l'accès de la gare de la Part-Dieu.

Cette inversion dans la nature du trafic acheminé sur les deux axes nord sud, qui se séparent entre les Grands-Violets et la Guillotière, ne nuit pas pour autant à l'écoulement de flux de marchandises eux-mêmes puissants et diversifiés.

Des courants de marchandises vigoureux et variés

L'intensité du trafic des marchandises autour de Lyon rappelle celle qui a été relevée sur les lignes de l'étoile de Dijon. Mais ici les courants issus ou à destination de l'agglomération elle-même pèsent beaucoup plus lourdement, à côté de flux de transit extrêmement forts.

Par rapport au trafic des voyageurs, la répartition des courants de transport du fret entre les diverses artères se révèle plus concentrée. C'est ainsi qu'ils sont nuls sur la ligne de l'Arbresle, réservée au service de la banlieue, faibles sur celle de Roanne tracée par Tarare, et de Bourg-en-Bresse à travers le plateau des Dombes. Proportionnellement, sur la ligne de Grenoble, les courants de marchandises, qui n'atteignent que 4 000 tonnes en moyenne quotidienne et les deux sens réunis, sont en retrait par rapport à ceux des voyageurs.

En fait, quatre itinéraires acheminent l'essentiel des tonnages : avec près de 22 000 tonnes, la ligne d'Ambérieu assure un trafic de l'ordre de celui de la section Tours-Bordeaux. Elle devance l'artère Givors-Saint-Etienne, qui supporte tout

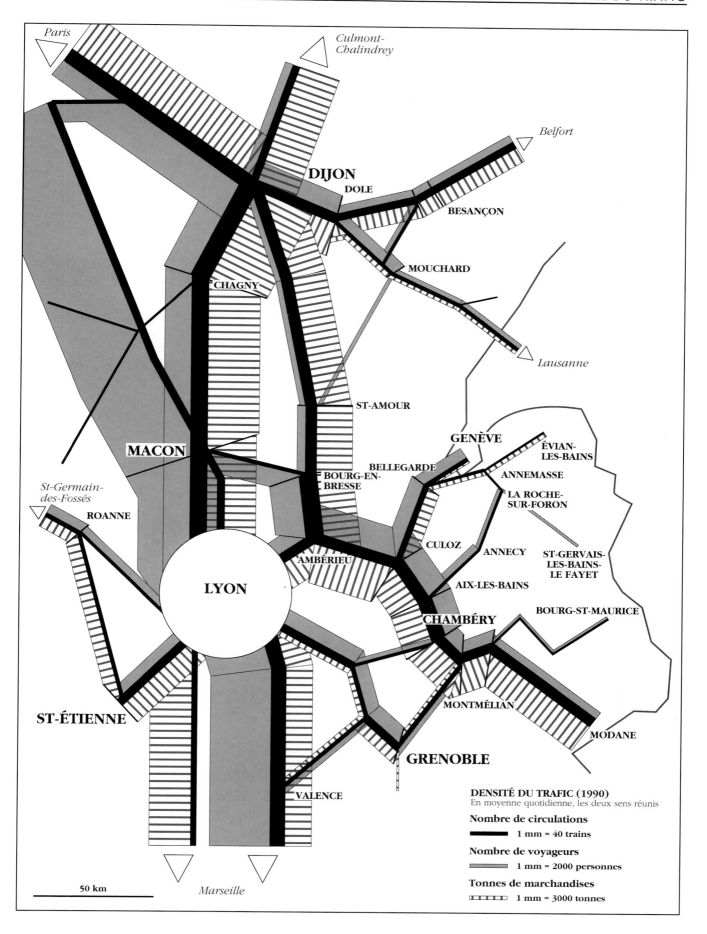

DENSITÉ DU TRAFIC (1990)
En moyenne quotidienne, les deux sens réunis

Nombre de circulations
1 mm = 40 trains

Nombre de voyageurs
1 mm = 2000 personnes

Tonnes de marchandises
1 mm = 3000 tonnes

Nombreux sont les trains de fret qui traversent la gare de Part-Dieu sans arrêt.

de même des flux supérieurs à 15 000 tonnes. Mais toutes deux sont dominées par les axes méridiens : entre Lyon et Mâcon la relation Lyon-Dijon achemine plus de 40 000 tonnes ; au sud de la capitale rhodanienne, c'est la ligne de la rive droite qui l'emporte, avec plus de 30 000 tonnes au niveau de La Voulte, alors que celle plus prestigieuse de la rive gauche supporte tout de même des courants de plus de 20 000 tonnes au niveau de Vienne : ainsi les deux itinéraires parallèles et voisins établis entre Lyon et Avignon voient s'écouler des flux très lourds, qui représentent globalement plus de 50 000 tonnes.

Parmi les deux sources d'alimentation de ce trafic, les courants générés par l'agglomération elle-même sont importants, puisqu'en moyenne annuelle ils se traduisent par les arrivages et les expéditions de plus de 4 000 000 de tonnes de marchandises. L'ampleur de l'ensemble urbain, l'essor industriel, même si la métallurgie lourde est absente, expliquent une activité qui n'a rien d'exceptionnelle, mais à la fois de niveau élevé et en essor. Ainsi, première gare de l'agglomération lyonnaise, celle de Vénissieux-Nord ne se classe qu'au 40e rang français en 1990, avec un trafic total de 1 500 000 tonnes. Les besoins de la population et des usines sont à la base de la prépondérance des déchargements, qui constituent près de 60% du total des flux.

A l'image du contexte industriel lyonnais, le trafic ferroviaire se caractérise par le rôle éminent tenu par la chimie et la pétrochimie, qui en tonnages devancent la métallurgie, la verrerie, les ciments, la distribution des véhicules automobiles, des produits alimentaires ou électro-ménagers. Par ailleurs, ces dernières années le transport combiné à l'initiative de Novatrans et de la CNC s'est beaucoup développé.

Comme dans beaucoup d'autres agglomérations, parisienne entre autres, un glissement s'est opéré ces dernières décennies et surtout ces dernières années, avec le déclin des gares intra-urbaines et au contraire l'essor des chantiers périphériques, plus récents et modernes, installés près de vastes zones industrielles. C'est ainsi que désormais ce sont les gares installées au sud de l'agglomération qui l'emportent : elles desservent le port Edouard-Herriot, les usines chimiques de Saint-Fons, la raffinerie et l'ensemble pétrochimique de Feyzin (gare de Sibelin), et se succèdent le long de la ligne de Grenoble, de Vénissieux à Saint-Priest. Les courants qu'elles génèrent peuvent être de forte amplitude, comme les arrivages de produits pétroliers ou métallurgiques en provenance du golfe de Fos ou de l'étang de Berre, de véhicules automobiles, Fiat entre autres, fabriqués en Italie.

Mais les flux de transit sont globalement plus puissants, en raison de la position de Lyon sur l'échiquier ferroviaire français et européen.

Pour comprendre leur remarquable convergence vers la région lyonnaise, il faut se souvenir qu'en raison de l'obstacle des Alpes et du Massif Central, qui rend malaisé l'acheminement d'un important trafic par l'artère Paris-Toulouse, les voies ferrées du couloir rhodanien sont les seuls axes à grande capacité entre la ligne Paris-Bordeaux et la frontière italienne, reliant le nord et le sud de la France.

Les courants qui se croisent ou se nouent dans le carrefour lyonnais sont bien souvent ceux qui s'écoulent par le grand nœud dijonnais. C'est ainsi que dans les deux sens de circulation sont identifiables les échanges entre région parisienne et Lorraine industrielle d'une part, pays méditerranéens de l'autre. Le poids des expéditions de la métallurgie lorraine et du complexe industriel de Marseille-Fos vers Lyon explique que ce soient les courants se dirigeant vers l'agglomération qui soient les plus forts, au nord comme au sud du carrefour. Moins puissants mais notables sont les flux qui s'établissent entre l'Alsace, l'Allemagne Rhénane, les régions françaises du nord, et le bassin méditerranéen. Mais autour de Lyon les échanges sont plus diversifiés qu'autour de Dijon, enrichis par exemple par les courants, plus ténus, qui s'écoulent entre les complexes industriels de Clermont-Ferrand et des Alpes du nord, ou entre la Suisse, le littoral méditerranéen français ou espagnol.

Quotidiennement ces multiples flux, de transit ou liés à l'agglomération, justifient, à l'intérieur du carrefour lyonnais, la circulation de plus de 300 trains de marchandises. La gestion de ce trafic pose d'autant plus de problèmes qu'il se juxtapose, sur les mêmes lignes la plupart du temps, à un service des voyageurs lui-même extrêmement dense.

Par rapport à cet acheminement des personnes, plusieurs différences apparaissent. Ainsi les échanges entre Lyon et Roanne, pour le fret, s'effectuent-ils par Saint-Etienne, au prix d'un allongement du parcours, en raison du très difficile profil de la ligne directe Saint-Germain-au-Mont-d'Or-Roanne par Tarare. Par ailleurs les convois roulant entre Lyon et Bourg-en-Bresse (1) n'empruntent pas la ligne directe mais l'itinéraire tracé par Ambérieu, lui aussi un peu plus long mais très performant, grâce entre autres à l'électrification ; il est du reste suivi par la majorité des trains de voyageurs roulant entre Lyon et l'Alsace. Enfin, au sud de Lyon, les deux axes parallèles de part et d'autre du Rhône sont tous deux utilisés ; presque aussi nombreux les convois qui empruntent l'artère noble de la rive gauche, en particulier la nuit, sont les plus légers et les plus rapides : certains roulent à 160 km/heure ; ils perturbent moins la circulation des express, rapides et TGV ; l'acheminement des trains lourds et lents représente, lui l'activité essentielle de la ligne ainsi plus spécialisée de la rive droite.

A l'intérieur même du complexe lyonnais la mise en service des TGV et de la gare de la Part-Dieu a entraîné une sensible modification des grands courants méridiens des voyageurs et des marchandises. Les convois de fret suivent le plus souvent, entre les gares de Collonge-Fontaines et de la Guillotière, l'itinéraire tracé par les gares de Vaise et de Perrache, délaissé par la plupart des trains express et rapides ; l'existence de deux voies extérieures parallèles à la marquise métal-

lique à Lyon-Perrache, permet de soulager partiellement les voies à quai ; de plus la disposition de la bifurcation de la ligne directe de Saint-Etienne, à l'ouest de la gare, si gênante pour les trains de voyageurs qui doivent rebrousser, se révèle bien sûr très favorable pour les mouvements entre cette artère et la section Perrache-Collonges-Fontaines. Pourtant la gare de la Part-Dieu n'ignore pas le passage des trains de marchandises, dans la mesure où elle est obligatoirement traversée par ceux qui roulent sur la section Part-Dieu-Collonges-Fontaines et surtout sur la ligne d'Ambérieu ; l'absence de voies de circulation extérieures oblige ces convois, au nombre d'une cinquantaine en moyenne quotidienne et les deux sens réunis, à emprunter les voies à quai, d'où une réelle contrainte pour l'exploitation. Signalons qu'une partie des trains de marchandises roulant sur l'axe Dijon-Avignon continue de circuler par la Part-Dieu.

Dans ces conditions deux nœuds de bifurcation jouent un rôle essentiel. Celui de la Guillotière marque la jonction des deux itinéraires méridiens ouest et est, et le débranchement de la ligne de Grenoble ; le nombre des voies principales, les multiples sauts-de-mouton facilitent l'écoulement du trafic. Plus au sud, l'ensemble de Givors-Chasse joue un rôle encore plus complexe : les nombreux raccordements doivent assurer en effet les liaisons ou le reclassement des trains entre les artères de Lyon-Perrache par les rives droite et gauche d'une part, celles des deux rives du Rhône et de Saint-Etienne de l'autre. La disposition des voies n'exclut pas des relations directes entre les lignes de Saint-Etienne et de Marseille par la rive gauche du fleuve.

Majoritaire, le trafic de transit est assuré surtout par des trains complets. Au nombre de plus d'une centaine en moyenne quotidienne, ils ne sont pas pour la plupart totalement étrangers à l'activité du carrefour lyonnais. Ils doivent en effet effectuer des escales, souvent courtes, pour le dégagement des voies principales au profit des trains rapides de voyageurs, les opérations habituelles de contrôle technique et de relais. Ces fonctions sont assurées surtout par les faisceaux de grandes gares de triage déclassées par l'évolution d'ensemble du trafic et par le plan Etna : ainsi les faisceaux de Saint-Germain-au-Mont-d'Or, de Chasse, ceux particulièrement bien situés de La Guillotière conservent-ils un bon niveau d'activité.

Mais une partie certes modeste des flux de transit et la majorité de ceux générés par l'agglomération elle-même sont traités par deux gares de triage puissantes et équipées de la manière la plus moderne : celle de Sibelin, avec en moyenne quotidienne 1 628 wagons expédiés en 1991, se classe au quatrième rang national ; non seulement elle organise la distribution et le ramassage des wagons isolés dans le sud-ouest du carrefour lyonnais, mais aussi elle se retrouve en relation étroite avec la plupart des autres triages de base de la SNCF : des trains directs réguliers roulent entre Sibelin et les grands chantiers parisiens, Hausbergen, Lille-Délivrance et Somain, Rennes, Hourcade, Saint-Jory ou Miramas ; ainsi les 28 trains intertriages reçus chaque jour, les 29 expédiés confèrent-ils à Sibelin un rayonnement national.

---

(1) L'itinéraire Lyon-Dijon via Ambérieu et Bourg-en-Bresse est aussi utilisé pour délester l'artère directe Lyon-Dijon par Mâcon.

Sur le viaduc de Tarare, un Lyon-Nantes se dirige sur le nœud forézien de Roanne.

Le triage de Vénissieux, très récent dans sa structure actuelle assure un volume de trafic beaucoup plus modéré : en 1991 seulement 408 wagons ont été expédiés en moyenne quotidienne ; mais cette activité, en plein essor avec une progression de 60% depuis 1987, correspond à celle du très puissant ensemble industriel qui rassemble les zones de Saint-Fons, Saint-Priest et Vénissieux, hérissées d'usines et en rapide expansion. Sa vocation n'est donc pas rivale de celle de Sibelin, mais complémentaire ; elle est proportionnellement plus axée sur le fonctionnement d'un secteur vital de l'ensemble urbain lyonnais.

Aussi bien pour le transport des marchandises que des personnes, l'avenir du carrefour lyonnais est assuré : le poids et la vitalité de l'agglomération, l'importance exceptionnelle du corridor de la Saône et du Rhône, le dynamisme de la région Rhône-Alpes sont des garanties très sûres. Par ailleurs, la poursuite de l'union économique européenne, l'essor des relations entre les pays rhénans et méditerranéens avec la probabilité d'une liaison TGV Rhin-Rhône, ne peuvent que valoriser un nœud complexe, pièce essentielle de notre réseau.

LES AUTRES CARREFOURS DE L'ENSEMBLE RHÔNE-ALPES ET DES ENVIRONS IMMÉDIATS

De Roanne à Annemasse, à Saint-Pierre-d'Albigny et à Valence, une quinzaine de centres ferroviaires, liés plus ou moins étroitement au carrefour lyonnais, jouent un rôle important. Grande est leur variété, dans la mesure où des nœuds comme Ambérieu ou Montmélian sont avant tout d'importantes gares de bifurcation, alors qu'à Saint-Etienne ou Grenoble, les installations de la SNCF sont conçues avant tout pour assurer un très important trafic local. Comme ils sont souvent en relation entre eux en raison de leur proximité, leur description et leur analyse vont être menées dans le cadre géographique.

Les nœuds des pays de la Loire forézienne

Au niveau de Lyon, à une soixantaine de kilomètres du cours de la Saône et du Rhône et parallèlement à elle, la vallée de la Loire offre un couloir d'accès aisé qui s'élargit dans le bassin du Forez. Aussi est-elle suivie partiellement par une voie ferrée à double voie non électrifiée, dotée du block manuel, au profil très inégal. Entre Saint-Etienne et Roanne, elle est fréquentée en moyenne quotidienne et les deux sens réunis, par une quarantaine de trains, dont la moitié affectée au service des voyageurs. La desserte du bassin industriel stéphanois constitue sa principale activité : aussi les flux de marchandises sont-ils proportionnellement les plus forts, puisqu'ils atteignent une dizaine de milliers de tonnes.

Il n'est pas exagéré d'évoquer une étoile ferroviaire stéphanoise ; en effet, si les deux artères de Lyon et Roanne jouent un rôle essentiel, trois lignes à voie unique complètent le dispositif : elles se dirigent vers Clermont-Ferrand par Thiers, vers Le Puy et vers Dunières, présentant la plupart du temps des tracés et profils difficiles. Tapie entre les monts du Lyonnais et du Vivarais dans le bassin du Furens qui s'écoule vers la Loire très proche, l'agglomération est traversée par les trois sections à double voie provenant de Givors, Saint-Just-sur-Loire et Firminy, lesquelles se rencontrent non loin du cœur de la cité, dans la gare de Saint-Etienne-Châteaucreux. Celle-ci, forte de 5 voies à quai et d'un faisceau de 17 voies de service, offre la particularité d'être bâtie au-dessus d'un sous-sol rongé par de multiples galeries de mines de charbon, aujourd'hui abandonnées : de nombreux piliers de soutènement ont dû être implantés. A quelques kilomètres à l'est, le long de la ligne électrifiée, de Givors à Lyon, la gare de triage de Terrenoire n'est plus aujourd'hui qu'un souvenir. De même le déclin ou la fin de l'extraction de la houille et de l'industrie de la métallurgie lourde ont rendu obsolètes la plupart des embranchements particuliers qui fourmillaient autour de l'agglomération. Actuellement la reconversion industrielle et le poids d'un ensemble urbain qui compte 320 000 habitants (17e rang national) sont à la base d'un trafic important mais pas exceptionnel : la gare de voyageurs de Châteaucreux ne se positionne qu'au 42e rang dans le classement des gares françaises, en raison sans doute du niveau moyen de la qualité de l'offre globale de transport : pour le fret, le trafic représente environ le sixième de celui de l'ensemble lyonnais ; il se répartit surtout entre les chantiers de Saint-Etienne-Pont-de-l'Ane, Terrenoire, La Ricamarie et Saint-Galmier-Veauche. En raison de l'attraction de Lyon et du grand axe rhodanien, la ligne de Givors supporte des flux massifs de voyageurs, de banlieue surtout, renforcés par l'arrivée en Forez des TGV, qui placent la cité stéphanoise à moins de 3 heures de la capitale ; au plan des échanges de marchandises le rôle de cette courte artère est amplifié par le détournement par Saint-Etienne des convois reliant Lyon à Roanne et à Saint-Germain-des-Fossés, en raison de la difficulté du trajet direct par Tarare.

Traversée par la Loire, la ville de Roanne compte plus de 50 000 habitants ; l'activité d'un important arsenal militaire a longtemps renforcé le trafic ferroviaire induit par l'agglomération. Mais le rôle principal du nœud ferroviaire consiste, à la fin du tronc commun provenant de Saint-Germain-des-Fossés, à répartir la circulation entre les lignes de Lyon par Tarare et de Saint-Etienne. Le contraste est saisissant : les convois de marchandises sont quasi absents sur la première, qui en raison de la dureté de son profil est réservée aux trains de voyageurs reliant Lyon à Nantes, Bordeaux ou Clermont-Ferrand, relativement légers et qui profitent d'un raccourcissement du parcours de plus de 40 kilomètres ; en revanche ils l'emportent sur la seconde, au tracé plus favorable, qu'ils desservent Saint-Etienne ou circulent de Roanne à Lyon. L'imbrication de 80 trains en moyenne quotidienne, les deux sens réunis, répartis également entre les deux artères, confère à la bifurcation du Coteau un rôle important d'organisation de l'ensemble du trafic ferroviaire à l'ouest de la région Rhône-Alpes. Signalons que la ligne à voie unique Roanne-Paray-le-Monial n'est plus exploitée qu'en antenne jusqu'à Charlieu.

La gare de Paray-le-Monial, bien que desservie par trois lignes à double voie, a perdu une grande part de son activité avec le déclassement de l'itinéraire Moulins-Lyon par l'artère de l'Azergues.

La vallée du Gier, sinistrée par l'effondrement de ses industries, donne passage à la voie ferrée Lyon-Saint-Etienne dont le mauvais tracé, très sinueux, constitue un frein à la pratique de vitesses performantes.

Sur l'artère Chambéry-Modane, passage d'un train Turin-Lyon à Saint-Pierre-d'Albigny.

Les carrefours de la rocade nord-est de Lyon entre Saône et Alpes

De Mâcon à Culoz en passant par Bourg-en-Bresse et Ambérieu, plusieurs nœuds ferroviaires importants marquent l'intersection des itinéraires qui se dirigent vers Lyon, venant de Paris, Dijon, Strasbourg, Genève ou Chambéry, avec un axe tracé en rocade à une cinquantaine de kilomètres de la capitale rhodanienne, qui depuis la vallée de la Saône s'élance vers les Alpes du nord et l'Italie.

Durant le dernier tiers de siècle le nœud de Mâcon, situé sur l'axe majeur Paris-Dijon-Lyon, a connu une histoire mouvementée. En effet, jusqu'en 1955, les courants entre Paris, Dijon et la Savoie étaient acheminés par la ligne de la Bresse, c'est-à-dire par l'itinéraire direct Dijon-Saint-Amour-Bourg-Ambérieu ; en 1955 l'électrification de la section Mâcon-Bourg-Ambérieu amène la SNCF à détourner ces flux par Mâcon, afin de profiter le plus possible des avantages économiques de la traction électrique ; mais dix ans après, l'artère Paris-Lyon donne des signes de saturation ; aussi, afin de la soulager, l'artère de la Bresse est-elle à son tour électrifiée, en 1970 ; le débit de la section Mâcon-Bourg diminue alors considérablement. Mais, dans les années 80, un véritable coup de fouet lui est donné avec l'arrivée des TGV : c'est à Mâcon, en effet, desservie par la ligne nouvelle, qu'un raccordement permet aux TGV dirigés sur la ligne de Bourg-en-Bresse, de gagner Genève ou la Savoie.

Actuellement, l'étoile de Mâcon possède cinq branches : l'ar-tère nouvelle du TGV Paris-Lyon coupe au sud de la ville l'axe classique tracé par Dijon, tandis que la ligne Mâcon-Bourg franchit également la Saône. L'agglomération, qui compte plus de 40 000 habitants, possède désormais deux gares : dans les emprises de la plus ancienne, la ligne de Bourg-en-Bresse se détache de celle de Lyon, la bifurcation étant dotée d'un saut-de-mouton ; à 6 kilomètres au sud-ouest de la ville a été érigée une gare TGV, sobre et ultra-moderne. Par ailleurs, des raccordements relient les axes Paris-Lyon classique et TGV, autorisant des reports de trafic, ainsi que l'axe TGV à la ligne de Bourg-en-Bresse.

Au total la circulation dans ce carrefour est intense, comme le montre le tableau ci-dessous.

Sections	Nombre de trains	Nombre de voyageurs	Tonnes transportées
Mâcon-Montchanin (TGV)	97	41 000	-
Mâcon-Lyon (TGV)	73	32 000	-
Mâcon-Chalon-s/Saône	178	15 000	43 000
Mâcon-Villefranche-s/Saône	173	14 000	41 000
Mâcon-Bourg	44	9 500	1 000

En moyenne quotidienne en 1990, les deux sens réunis.

Apparaissent nettement la primauté pour les courants de voyageurs des lignes où roulent les TGV, l'ampleur déjà connue du trafic de marchandises sur l'artère classique Paris-Dijon-Lyon, et, seulement pour le transport des personnes, la vitalité de la relation Mâcon-Bourg-en-Bresse. Aussi le nœud de Mâcon qui, pour le fret, assume avant tout une mission de régulation de la circulation sur le grand axe méridien, joue-t-il désormais un rôle très important dans l'acheminement de l'ensemble des flux de voyageurs entre la capitale et l'ensemble du sud-est.

Aux confins des plaines de la Bresse et des Dombes, non loin du rebord du Jura, le nœud de Bourg est le centre d'une autre étoile à cinq branches. Alors que la ligne de La Cluse, Oyonnax et Andelot, pittoresque mais dure, n'assume que des missions locales, le rôle mineur de celle qui rejoint directement Lyon a déjà été souligné. En fait, la quasi totalité du trafic est assurée par les artères à double voie, électrifiées et dotées du block automatique lumineux, qui relient Bourg à Dijon, Mâcon et Ambérieu. Comme celui de Mâcon, le carrefour a vu plusieurs modifications de ses missions, pour les mêmes raisons. Actuellement les flux de marchandises sont à la fois très denses et simples puisque, se développant entre Dijon et Ambérieu sans apport sensible ou retrait, ils traversent la gare de Bourg généralement sans arrêt.

Dans le domaine du transport des voyageurs, la structure du trafic est différente : la ligne à voie unique de Mouchard et Besançon qui se détache de celle de Dijon à Saint-Amour, à 29 kilomètres au nord de Bourg, achemine avec plus de 3 000 voyageurs, en moyenne quotidienne et les deux sens réunis, des flux supérieurs à ceux enregistrés sur l'artère de Dijon. Mais la ligne venant de Mâcon l'emporte, avec près de 10 000 voyageurs. Aussi, comme les trains rapides et express reliant Lyon à Bourg passent désormais par Ambérieu, le tronc commun Bourg-Ambérieu est-il très chargé : ses 15 000 voyageurs sont à peu de chose près ceux qui circulent sur les trois lignes de Mâcon, Dijon et Besançon.

Dans ces conditions, la gare de Bourg-en-Bresse, qui dispose de 7 voies à quai, est très animée : quotidiennement ses aiguilleurs doivent assurer l'arrivée, le départ ou le passage de près de 150 trains. Aussi s'agit-il là d'un nœud ferroviaire important, même s'il est moins connu que son voisin plus méridional, celui d'Ambérieu.

Séparées par 51 kilomètres, les deux gares d'Ambérieu et Culoz contrôlent des bifurcations essentielles mais dépourvues de sauts-de-mouton, pour la première celle des lignes de Lyon et Bourg-en-Bresse, pour la seconde celle des artères de Genève et Chambéry ; mais elles constituent en fait un ensemble ferroviaire cohérent. Elles commandent en effet les deux accès de la cluse des Hôpitaux qui permet malgré son étroitesse et son tracé tourmenté le franchissement des chaînons les plus méridionaux du massif jurassien ; mais des rampes de 12 mm/m doivent être cependant gravies de part et d'autre de la ligne de partage des eaux. Electrifiée (en courant 1 500 volts) et équipée du block automatique lumineux, la ligne à double voie qui la suit supporte un trafic important, de l'ordre d'un peu plus de 150 trains par jour en moyenne quotidienne, les deux sens réunis, un nombre qui peut doubler lors des super-pointes de février. Mais le plan des deux nœuds encadrants suggère que leurs fonctions sont plus complexes, dans la mesure où un triangle de voies s'inscrit dans chacun des deux paysages ferroviaires. A Ambérieu, c'est immédiatement à l'est de la gare des voyageurs, située sur la ligne de Lyon, qu'un raccordement direct va rejoindre celle de Bourg-en-Bresse ; le dépôt a été installé au centre du triangle ainsi formé. A Culoz, c'est la gare des voyageurs qui se trouve au cœur du triangle constitué par les artères de Genève et Chambéry, et le raccordement à voie unique qui les unit. Ce nœud ferroviaire est doté, près des marais de Lavours, d'un faisceau totalisant 20 voies, affecté aujourd'hui aux relais et au garage du matériel réformé ; à Ambérieu est installée une gare de triage : se succèdent au sud des voies principales Lyon-Genève les trois faisceaux classiques de réception (9 voies), de débranchement (41 voies), de départ (6 voies). Grâce à la disposition des voies du triangle les faisceaux de réception et de départ sont directement reliés à la ligne de Bourg. Un faisceau de relais, par ailleurs, peut être utilisé par les trains suivant l'itinéraire Dijon-Culoz-Chambéry.

Si la section de la cluse des Hôpitaux est très chargée, il en est de même des quatre lignes convergentes : en moyenne journalière et les deux sens réunis, 60 trains sont recensés entre Culoz et Genève, près de 130 entre Culoz et Aix-les-Bains, plus de 100 entre Ambérieu et Lyon, près de 140 entre Ambérieu et Bourg-en-Bresse. Fortement influencée par le relief, la disposition des voies ferrées entre Saône, Rhône, Jura et Alpes du nord a en effet entraîné le tracé par Ambérieu et Culoz de nombreux itinéraires suivis par des courants variés et diversifiés.

Entre Ambérieu et Culoz, un train Gevrey-Turin dans la cluse de l'Albarine.

L'embranchement des eaux d'Evian à Publier ; la fréquente sortie de trains complets a motivé l'électrification du faisceau dans l'enceinte de l'entreprise.

Les principaux sont acheminés par le tronc commun Ambérieu-Culoz. Au premier rang se situent les relations entre la ligne de Bourg-en-Bresse et Dijon, raccordée à l'axe nouveau du TGV à Mâcon, et celle de Chambéry-Modane : elles comprennent l'ensemble des échanges entre Paris, la Savoie et l'Italie du nord, dominés pour les marchandises par le trafic de sens nord-sud. En seconde position, recoupant les premiers, se placent les flux s'écoulant entre Lyon, d'une part, Genève et les pays du Léman de l'autre. A ces courants qui se coupent s'ajoutent d'autres, non séquents, qui s'écoulent entre la ligne venant de Paris et les bords du Léman, entre Lyon et la Savoie, même si l'itinéraire plus direct Lyon-Chambéry par Saint-André-le-Gaz est de plus électrifié.

Mais des flux seulement tangents au tronc commun Ambérieu-Culoz peuvent s'identifier, qui circulent sur les deux raccordements directs installés dans chacune des gares : l'itinéraire Lyon-Bourg-en-Bresse par Ambérieu est utilisé, en service normal, pour l'acheminement des relations Lyon-Besançon-Strasbourg et, dans le domaine du fret, par une partie des tonnages transportés entre Lyon et Dijon : la ligne de la Bresse permet de délester opportunément l'axe direct tracé par Mâcon. A Culoz, la gare est court-circuitée par les trains de voyageurs qui par Chambéry et Grenoble relient Genève à Valence et à la Méditerranée en évitant le carrefour lyonnais et en desservant des villes importantes au cœur des Alpes françaises du nord.

Ce trafic d'ensemble traverse les bifurcations d'Ambérieu et Culoz la plupart du temps en étranger : dans leur immense majorité les trains de voyageurs ne marquent l'arrêt dans aucune des deux gares. Les convois de marchandises, eux, font souvent escale sur leurs faisceaux ; souvent se remarquent sur les voies de Culoz des rames de wagons chargés d'automobiles en provenance ou à destination de l'Italie. Par ailleurs, même s'il connaît comme ses semblables un réel déclin, le triage d'Ambérieu, classé parmi les gares "complémentaires" dans le cadre du plan Etna, reste actif en 1991 avec 570 wagons expédiés en moyenne journalière ; qu'il échange des trains directs surtout avec les gares de Gevrey, Sibelin ou Miramas, montre que son rôle est avant tout régional.

Au total, la forte circulation relevée autour des deux nœuds s'explique donc aisément ; elle correspond à des flux variés et denses : entre Ambérieu et Culoz sont transportés, en moyenne journalière et les deux sens réunis, plus de 15 000 voyageurs et 35 000 tonnes de marchandises ; sur les lignes qui convergent vers le tronc commun le trafic est souvent presque aussi important, en particulier sur la ligne Ambérieu-Bourg-en-Bresse. La diversité des trains qu'il est possible de voir passer à Ambérieu ou à Culoz est étonnante : les convois de fret composés de wagons spécialisés dans le transport des eaux minérales d'Evian, des produits pétroliers, des automobiles, des véhicules rail-route ou des conteneurs composent déjà une riche palette. Le service des voyageurs n'est

Fort-l'Ecluse-Collonges : la ligne Lyon-Genève se sépare de celle vers Annemasse, laquelle traverse le Rhône par le viaduc de Longeray.

pas en reste, avec la circulation de convois classiques chargés par exemple de skieurs ou de vacanciers d'été, de trains internationaux comme les relations Genève-Barcelone assurées par rame Talgo, ou Paris-Rome, les rames Corail ou les turbotrains Lyon-Strasbourg, les TGV orangés unissant Lyon à Genève, Paris à Genève et Annecy.

Aussi ces deux nœuds ferroviaires proches, qui ne correspondent pas à des agglomérations importantes, jouent-ils un rôle irremplaçable pour l'orientation et la régulation du trafic entre Paris et Lyon, la Suisse, les Alpes du nord et l'Italie. Ils se retrouvent dans le groupe des grandes gares de bifurcation du réseau, aux côtés de celles de Tergnier, Aulnoye, Vierzon ou Tarascon.

Les centres ferroviaires des Alpes du Nord

L'axe Genève-Culoz-Chambéry-Modane dessert l'ensemble des Alpes françaises septentrionales. A double voie et intégralement électrifié en 1 500 volts, il offre un profil difficile au cœur du massif, dans la vallée de la Maurienne, puisqu'entre Saint-Jean-de-Maurienne et Modane les rampes atteignent le taux très élevé de 30 mm/m ; mais ailleurs le tracé est plus favorable, grâce aux profondes et larges vallées longitudinales et transversales dégagées par les glaciers : les rampes ne dé-

passent pas le taux de 12 mm/m entre Genève et Culoz, 10 mm/m entre Culoz et Saint-Pierre-d'Albigny.

Plusieurs nœuds ferroviaires s'échelonnent sur cet itinéraire. Entre Culoz et Genève, celui de Bellegarde est avant tout une gare de bifurcation et de correspondance importante comptant 5 voies à quai ; elle est installée au pied des fières hauteurs du Crêt d'Eau, qui sont traversées par un tunnel de 4 005 mètres. Alors que la ligne directe vers Bourg-en-Bresse, très accidentée, est désormais neutralisée, en revanche la bifurcation de Longeray, de l'autre côté du souterrain, répartit la circulation des trains roulant sur la section Culoz-Bellegarde entre les lignes de Genève, à double voie, et d'Annemasse, à voie unique, électrifiées toutes deux. La première l'emporte pour le transport des voyageurs, qui en particulier empruntent les TGV Paris-Genève et les relations Lyon-Genève ; la seconde vient nettement en tête pour le trafic des marchandises, avec près de 6 000 tonnes acheminées en moyenne quotidienne, les deux sens réunis, en raison surtout des expéditions d'eau minérale depuis Evian, et aussi de graviers.

Au sud de Culoz, sur une quarantaine de kilomètres, se succèdent les nœuds d'Aix-les-Bains, Chambéry, Montmélian et Saint-Pierre-d'Albigny, qui travaillent en étroite osmose. Alors que le premier bénéficie d'une excellente situation sur les

213

Un TGV Paris-Genève marquant l'arrêt en gare de Bellegarde, un nœud ferroviaire qui a perdu de son importance avec la fermeture des lignes de Divonne et La Cluse.

bords du lac du Bourget, les deux suivants commandent les accès de la cluse de Chambéry ; cette ample trouée entre les massifs calcaires de la Chartreuse et des Bauges permet une relation facile avec le sillon alpin, où se situe Saint-Pierre-d'Albigny, et les grandes vallées du cœur de la chaîne, Tarentaise et Maurienne entre autres.

Le complexe constitué par les quatre gares dessert les agglomérations d'Aix-les-Bains et Chambéry qui comptent respectivement 30 000 et 60 000 habitants. Mais il est également le centre d'une étoile de voies ferrées dans la mesure où Aix-les-Bains, Chambéry et Saint-Pierre-d'Albigny sont à l'origine de lignes à voie unique mais électrifiées (en courant de 25 000 volts) qui se dirigent vers Annecy et La Roche-sur-Foron, Bourg-Saint-Maurice. Vers Saint-André-le-Gaz et Lyon à Montmélian, se débranche de la grande ligne de la Maurienne l'artère de Grenoble, à double voie et exploitée en traction diesel, tracée dans la large vallée du Grésivaudan.

Le niveau du trafic est élevé : sur les lignes affluentes d'Albertville et Saint-André-le-Gaz, une vingtaine de mouvements, sur celles d'Annecy et de Grenoble, une quarantaine sont enregistrés en moyenne journalière et les deux sens réunis ; mais sur l'axe principal, ce sont 160 circulations qui sont constatées ! L'équipement correspond à cette forte activité : la double voie Culoz-Montmélian est dotée du block automatique lumineux, ainsi que les voies uniques électrifiées ; comptant chacune

5 voies à quai, les gares d'Aix-les-Bains et de Chambéry disposent respectivement d'une voie centrale d'évitement et d'un faisceau de 8 voies pour le garage des trains de marchandises, dont le nombre est de 70 environ entre Chambéry et Montmélian. Cette dernière gare offre une disposition en fourche très caractéristique, alors qu'un raccordement à voie unique relie les lignes de Grenoble et Modane. Il est attendu de découvrir dans un pareil complexe un important dépôt : dominé par une majestueuse rotonde, celui de Chambéry, qui totalise 400 cheminots, fait partie des vingt principaux établissements de ce type de la SNCF.

Le trafic qu'il faut écouler se partage de manière équilibrée entre le fret et les voyageurs. Sa structure est assez simple dans le domaine des marchandises, en raison de l'écrasante prédominance de l'axe international Dijon-Chambéry-Modane : 24 000 tonnes environ sont ainsi transportées, les deux sens réunis et en moyenne quotidienne, le sens France-Italie accaparant près des trois quarts des flux. Ces échanges internationaux écrasent les courants induits par les industries chimiques ou électro-métallurgiques, de la vallée de la Maurienne en particulier, pourtant considérables : ils expliquent le fort niveau d'activité de la gare frontière de Modane : blottie au fond de la haute vallée de l'Arc, à quelques kilomètres de l'entrée nord du tunnel du Mont-Cenis, ou du Fréjus, long de 13 657 mètres, elle compte globalement une vingtaine de voies et est dotée d'un poste central ; chaque jour en moyenne 70 convois de marchandises, les deux sens réunis, sont accueillis ; remaniement des compositions, garages, changement obligatoire des locomotives (en raison de l'absence de locomotives bicourants capables de recevoir le 1 500 volts français et le 3 000 volts italiens) constituent les opérations classiques menées par une équipe à la fois importante numériquement et largement franco-italienne : près de 30% des cheminots de Modane, première gare frontière de notre réseau, sont transalpins.

Les autres lignes de l'étoile de Chambéry font pâle figure : la seule supportant un trafic de quelque importance est celle de Grenoble, qui n'achemine que 3 000 tonnes ; ce flux, à Montmélian, se dirige avant tout vers Chambéry et Dijon.

La structure de la circulation ferroviaire des voyageurs est différente. Il est vrai que se retrouve un courant international non négligeable, concrétisé entre Paris et Lyon d'une part, Turin de l'autre, par des trains rapides (au nombre d'une demi-douzaine par jour et par sens, en service de base) dont certains poursuivent leur route jusqu'à Rome, et qui lui aussi connaît à Modane les contraintes déjà évoquées. Mais près de la frontière, le trafic global ne représente que moins du tiers de celui qui est assumé entre Culoz et Chambéry. C'est que le grand axe achemine aussi des flux importants entre les capitales française et rhodanienne et l'ensemble des Alpes du Nord : à Aix-les-Bains les trains de la ligne d'Annecy, qui doivent rebrousser, prélèvent environ 4 500 voyageurs sur le volume de trafic du tronc commun, contre 2 100 qui, à partir de Saint-Pierre-d'Albigny, circulent sur l'artère d'Albertville et de la Tarentaise ; par ailleurs l'agglomération de Chambéry génère une importante activité, surtout depuis que les TGV l'ont placée à moins de trois heures de Paris ; au plan du trafic des voyageurs, le rôle de sa gare a été amplifié par la revitalisation de la ligne de Saint-André-le-Gaz, électrifiée (en 25 000 volts), et utilisée par certaines relations Lyon-Chambéry qui profitent d'un tracé plus court de 31 kilomètres que par l'itinéraire par ailleurs très chargé, établi via Ambérieu.

En dehors de l'axe Culoz-Modane, des centres ferroviaires actifs constellent l'ensemble des Alpes du Nord. Accessibles, leurs vallées ont toujours connu une dense occupation humaine, stimulée au 19e siècle par l'essor industriel lié à l'hydroélectricité, au 20e siècle par le développement rapide du tourisme et des sports d'hiver. Aussi plusieurs voies ferrées bien équipées et très fréquentées desservent les deux départements qui constituent la Savoie, ainsi que, plus au sud, les régions qui entourent Grenoble.

Au nord de l'axe Chambéry-Modane l'étoile de Savoie est constituée par des lignes à voie unique mais dotées de caténaires, depuis longtemps pour certaines, puisque l'électrification pionnière en courant 20 000, puis 25 000 volts, de la section Aix-les-Bains-Annecy-La Roche-sur-Foron, remonte à 1951. Comme l'artère maîtresse Culoz-Chambéry-Modane et la ligne Culoz-Genève sont électrifiées en courant 1 500 volts, l'emploi de locomotives bicourant est généralisé. Quelques lignes

La gare de Modane : de nombreuses rames marchandises en transit stationnent dans l'attente du passage vers l'Italie.

Un train de ferroutage (ici des semi-remorques sur wagons Kangourou) quitte Chambéry pour l'Italie.

remontent des vallées profondes, perpendiculaires à l'axe de la chaîne, comme celle de l'Arve pour la relation Annemasse-La Roche-sur-Foron-Saint-Gervais, ou celle de l'Isère, c'est-à-dire la Tarentaise, pour l'artère Saint-Pierre-d'Albigny-Albertville-Bourg-Saint-Maurice. Mais d'autres suivent des itinéraires plus tourmentés : la ligne Aix-les-Bains-Annecy ne peut que partiellement utiliser la vallée du Fier, tandis que la descente sur La Roche-sur-Foron de la section qui la prolonge est marquée par un gigantesque lacet digne des grands cols alpins ! Aussi les rampes, qui dépassent rarement le taux de 20 mm/m, viaducs et tunnels, dont un souterrain hélicoïdal près de Moutiers, dans la Tarentaise, sont-ils nombreux sur ces lignes.

Par ailleurs le trafic est de niveau élevé : les deux sens réunis et en moyenne quotidienne, 34 trains circulent entre Annemasse et Bellegarde ou Evian, 24 sur chacune des trois lignes qui se rencontrent à La Roche-sur-Foron, ou entre Saint-Pierre-d'Albigny et Albertville, 41 entre Aix-les-Bains et Annecy. Depuis 1993, cette dernière section bénéficie du BAL (Block Automatique Lumineux) et sera dotée en 1994 de la commande centralisée de la circulation depuis Chambéry. Cette activité générale soutenue ne s'explique certes pas par des flux de marchandises, légers, sauf sur la ligne d'Evian, où en raison des expéditions massives d'eau minérale, ils atteignent globalement près de 6 000 tonnes.

En fait, c'est le transport des voyageurs qui représente, de très loin, l'élément principal ; entre Aix-les-Bains, La Roche-sur-Foron et Saint-Gervais, le nombre de voyageurs transportés en moyenne quotidienne et les deux sens réunis, évolue de 4 500 à plus de 2 000 tandis que sur la ligne de la Tarentaise, de Saint-Pierre-d'Albigny à Bourg-Saint-Maurice, la variation se situe de plus de 2 000 à plus de 1 000. Si les déplacements journaliers de population ne sont pas négligeables, l'essentiel du trafic est lié à l'activité touristique et plus spécialement à l'essor des sports d'hiver, qui génèrent des relations denses entre, en particulier, région parisienne et Alpes du Nord. C'est ainsi que les journées de pointe hivernales, 80 circulations sont enregistrées entre Aix-les-Bains et Annecy, tandis que le développement le plus récent et le plus spectaculaire est celui de la Tarentaise, concrétisé par l'organisation des Jeux Olympiques d'hiver en 1992 : les 80 mouvements journaliers sont parfois dépassés entre Saint-Pierre-d'Albigny et Albertville, et la gare terminale de Bourg-Saint-Maurice expédie certains jours près de 40 rames ! Aussi, à son tour, cet axe ferroviaire de la Tarentaise a-t-il été électrifié, tardivement, en 1988, puis équipé des signaux du BAPR et de la commande centralisée de la circulation, également depuis Chambéry.

Au cœur de ce réseau nord-alpin plusieurs nœuds présentent une réelle originalité. Celui d'Annemasse, dans la banlieue de Genève, commande les lignes de Bellegarde, Genève-Eaux Vives, Evian et La Roche-sur-Foron ; aussi le rôle de correspondance de la gare, dotée de cinq voies à quai, est-il très important. A 18 kilomètres au sud, celle de La Roche-sur-Foron ne possède que des infrastructures réduites, avec seulement trois voies à quai ; mais elle assume la mission indispensable d'organiser le rebroussement de tous les express et rapides qui circulent entre Paris ou Lyon, roulant donc sur la ligne en provenance d'Annecy, et Saint-Gervais-Le Fayet, à l'entrée de la vallée de Chamonix ; les contraintes du relief rendent impossible l'établissement d'un raccordement direct. Le même problème se retrouve sur la ligne de la Tarentaise, à Albertville dont la gare possède également trois voies à quai, où tous les convois de l'artère de Bourg-Saint-Maurice doivent

Dans la vallée de l'Arve, une "unité multiple" de TGV achemine une clientèle essentiellement touristique vers Saint-Gervais. Ci-dessous, Bourg-Saint-Maurice à l'arrivée du train de nuit en provenance de Paris.

changer de sens : ici ce sont l'essor de l'urbanisation et l'attitude négative de la municipalité qui ont empêché l'aménagement d'un itinéraire direct. Au nord d'Albertville, la voie ferrée qui se dirigeait vers Annecy, abandonnée au-delà d'Ugine, est avant tout vouée à la desserte de ce centre industriel.

Evoquons enfin la célèbre ligne à voie métrique de Saint-Gervais à Vallorcine, électrifiée en 600 V continu par troisième rail latéral, et qui comporte, malgré l'absence de crémaillère, des rampes atteignant le taux de 90 mm/m.

Au sud de l'axe Culoz-Modane, il n'est pas possible d'évoquer la notion de réseau. En effet, seule l'artère Grenoble-Marseille se détache de la ligne dominante, Montmélian-Valence.

Cette dernière relation fait partie intégrante de la longue rocade Genève-Culoz-Chambéry-Grenoble-Valence, qui évite la région lyonnaise. Au sud de Montmélian, la ligne bénéficie d'un profil très favorable, puisqu'elle suit l'ample vallée de l'Isère, le Grésivaudan, qui sépare les massifs de la Chartreuse et de Belledonne. Au-delà de Grenoble, le tracé de la voie ferrée est en baïonnette dans la mesure où elle s'enfonce dans la cluse de Voreppe qui, comme celle de Chambéry, ouvre une brèche dans la muraille calcaire qui flanque les Alpes à l'ouest ; après la gare de bifurcation de Moirans, origine de la ligne de Lyon, elle-même très tourmentée jusqu'à Saint-André-le-Gaz, la voie ferrée comme la vallée de l'Isère s'infléchit brutalement vers le sud-ouest, pour rejoindre à proximité de Valence, l'axe majeur Lyon-Marseille.

L'équipement de cette rocade correspond à un trafic seulement modéré : en moyenne journalière et les deux sens réunis le nombre de trains oscille entre 30 et 40, sauf sur le tronc commun Grenoble-Moirans où il dépasse 90. Alors que cette courte section de 18 kilomètres profite, comme l'ensemble de la voie ferrée Grenoble-Lyon, de l'électrification et du block automatique lumineux, le reste de l'itinéraire Montmélian-Valence, non électrifié, est exploité sous le régime du block manuel ; de plus la section Moirans-Romans (à 20 kilomètres de Valence) n'est dotée que d'une voie. Une amélioration très localisée est apportée avec l'électrification et l'installation du BAL, en cours, sur les huit derniers kilomètres, aux abords de Valence, empruntés par les TGV de la ligne nouvelle, évitant Lyon.

L'ensemble ferroviaire de Grenoble, même s'il contrôle le départ vers le sud, par la vallée du Drac, de la ligne de Marseille, est avant tout conçu pour la desserte d'une agglomération vivante et en pleine expansion de près de 400 000 habitants, qui draîne un trafic intéressant d'étudiants, de travailleurs effectuant des migrations alternantes quotidiennes, et de voyages d'affaires. A proximité du confluent de l'Isère et du Drac, l'ex-gare de triage de la Buisserate ne joue plus qu'un rôle mineur : elle héberge désormais l'ensemble des infrastructures vouées au chargement et au déchargement des marchandises, débords, quais et groupeurs. Plus au sud, la gare des voyageurs, dotée de cinq voies à quai, rajeunie et remaniée pour les Jeux Olympiques d'hiver de 1968, qui reçoit maintenant les TGV, est vaste, moderne et fonction-

La ligne à voie métrique électri-fiée de Saint-Gervais à Vallor-cine joue un rôle important dans l'acheminement de la clientèle touristique de la vallée de Chamonix. Elle devrait rece-voir dans quelques années de nouvelles rames automotrices.

Une halle à marchandises moderne à Annecy. Mais ici comme ailleurs, le trafic fret en débord reste marginal.

Illustrant la disparité d'investissement entre le rail et la route, le contraste entre le viaduc autoroutier de Brasilly et l'ouvrage ferroviaire ancien. Si les autoroutes irriguent largement les Alpes, la ligne rapide ferroviaire ne dépasse pas Mâcon ou Lyon sur ces liaisons.

Empruntant la déviation contournant Grenoble, établie à l'époque des jeux Olympiques de 1968, un rapide Nice-Saint-Gervais se dirige vers Chambéry en 1989. Depuis, ce tronçon a été électrifié jusqu'à Gières dans le cadre du service régional "Lazer".

nelle ; son activité la situe environ au quinzième rang national, non loin de celles de Metz ou de Tours ; les 6 000 voyageurs qui circulent, les deux sens réunis et en moyenne quotidienne entre Lyon et Grenoble, les flux de la liaison Valence-Montmélian, supérieurs à 3 000 voyageurs, et dont beaucoup partent de Grenoble ou y arrivent, expliquent ce niveau de trafic. Celui des marchandises est proportionnellement moins fort, bien réparti entre les trois artères et se retrouvant à chaque fois entre 3 et 4 000 tonnes, essentiellement en provenance ou à destination de la région de Grenoble et de ses industries. Par ailleurs, très présent au cœur de l'agglomération, le chemin de fer a su évoluer pour ne pas entraver l'essor de l'urbanisation. Depuis 1968 la ligne de Montmélian décrit une vaste courbe beaucoup plus prononcée qu'auparavant afin de permettre l'épanouissement des quartiers sud de la grande cité, en évitant tout croisement à niveau avec la voirie urbaine.

Cette rocade des Préalpes, tracée par Chambéry et Grenoble, rejoint à Valence l'artère noble de l'ex-PLM par une bifurcation sans saut-de-mouton. De l'autre côté du souterrain du Cagnard, long de 600 mètres, la gare de Valence présente deux particularités, le décalage vers la tête nord du bâtiment principal des voyageurs et, parmi les sept voies à quai, les deux voies rapides encadrant celles réservées entre autres à des trains locaux, disposition qui évite de fâcheux cisaillements. Quelques kilomètres plus au sud, le triage de Portes, qui fut l'un des fleurons de la Compagnie du PLM, allongé sur 5 kilomètres, a été mis progressivement en sommeil dès 1974. 17 kilomètres au sud de la gare de Valence, celle de Livron peut en être considérée comme un satellite : elle commande la ligne à voie unique qui se dirige vers Veynes et Briançon ; un raccordement, également à une seule voie, long de 4 kilomètres, après avoir franchi le Rhône sur un viaduc

de béton précontraint de 327 mètres rejoint la ligne de la rive droite à La Voulte.

Les missions assumées par le complexe ferroviaire de Valence sont au nombre de trois. D'abord il assure la desserte d'une agglomération de 70 000 habitants, distante de seulement 105 kilomètres de Lyon. Le nombre élevé de trains rapides et express qui marquent l'arrêt, l'existence d'une trame d'une demi-douzaine de relations par sens, limitées au trajet Lyon-Valence, expliquent que la gare par son activité se classe, certes en fin de peloton, parmi les 30 principales gares françaises de province. Par ailleurs, même si les lignes de Grenoble et de Veynes ne transportent respectivement, les deux sens réunis et en moyenne quotidienne, que moins de 4 000 et 1 500 voyageurs, moins de 2 500 et 100 tonnes de marchandises, ce trafic se concrétise tout de même par 34 et 6 circulations ; l'artère de Veynes participe aux flux hivernaux de voyageurs, puisqu'elle assure une liaison directe, en particulier, entre Paris et Briançon. Donc surtout en ce qui concerne la ligne de Grenoble, la fonction de bifurcation est notable. Enfin le nœud de Valence joue un rôle important de régulation du très dense trafic du grand axe méridien : entre Valence et Portes, 190 circulations quotidiennes sont enregistrées, qui correspondent à près de 35 000 voyageurs, à près de 25 000 tonnes de fret : les gares de Valence et surtout de Portes pour les convois de marchandises permettent les opérations classiques de rétention, de garage et de relais ; grâce au raccordement Livron-La Voulte, le trafic des trains de fret est partiellement restructuré, avec une quinzaine d'entre eux passant de la rive gauche sur la rive droite au sud de La Voulte.

Dans la France méditerranéenne, l'activité ferroviaire est également intense, mais encore plus concentrée sur quelques lignes à grand débit.

A Menton-Garavan, un train de nuit sur la ligne de la Riviera.

LA FRANCE MÉDITERRANÉENNE

La structure d'ensemble du réseau ferré dans la France méditerranéenne (1) est relativement simple. En effet le grand axe dédoublé provenant de Paris et Lyon vient se greffer dans le vaste carrefour du Bas-Rhône, dont Marseille fait partie, sur deux lignes importantes et situées en continuité l'une par rapport à l'autre, qui desservent d'une part les plaines languedocienne et du Roussillon, de l'autre le littoral varois et la Côte d'Azur. Nulle part ailleurs la disposition du relief ne pèse tant, aussi bien négativement que positivement : alors que les masses montagneuses du sud du Massif Central et des Alpes du Sud sont difficilement pénétrables et peu sillonnées par le rail, en revanche le couloir du Bas-Rhône et la longue plaine du Bas-Languedoc ouvrent de très intéressantes perspectives pour l'établissement de voies ferrées à grand trafic.

Par ailleurs, si les flux de marchandises et de voyageurs sont également massifs sur les grands axes, les seconds sont stimulés par le tourisme estival. Enfin, dans un contexte international de plus en plus marqué par l'unification européenne, ces lignes d'ores et déjà sillonnées par les TGV doivent jouer un rôle sans cesse plus accentué.

LE CARREFOUR DU BAS-RHÔNE

Entre les Cévennes, les contreforts sud-ouest des Alpes méridionales et la mer, et au débouché du corridor rhodanien, s'étend une vaste zone à peu près plate ; elle est constituée par les masses considérables d'alluvions apportées par les fleuves. Les plaines de la basse Durance, de la Camargue à l'intérieur du delta du Rhône, de la Crau à proximité immédiate, la dépression de l'étang de Berre forment un ensemble seulement interrompu par des petits chaînons calcaires, comme ceux des Alpilles ou de l'Estaque. Tout naturellement s'est tissée une trame ferroviaire dense, desservant Marseille mais d'une manière plus générale établissant des relations triangulaires entre l'axe rhodanien et les grandes voies ferrées qui

---

(1) *La Corse entre naturellement dans le champ de cette étude. Mais elle n'est sillonnée que par deux lignes, à voie unique et métrique, reliant Bastia à Ajaccio (158 kilomètres) et Ponte Leccia à Calvi (73 kilomètres). Elles sont exploitées par la SNCF. Leur profil, en raison du relief accidenté, est très difficile. Le trafic de marchandises est très faible (quelques dizaines de tonnes par jour), alors que moins de 2 000 personnes sont quotidiennement transportées.*

courent dans la plaine du Bas-Languedoc et entre Marseille et la frontière italienne.

Mais l'examen de la carte montre que ce carrefour est complexe, dans la mesure d'abord où les deux lignes parallèles de la moyenne vallée du Rhône continuent leur route jusqu'à Marseille en se coupant à deux reprises, à Avignon et à Miramas ; elles contournent par l'est et par l'ouest les Alpilles et l'étang de Berre. De plus depuis la région d'Avignon deux itinéraires rejoignent Nîmes, où commence vraiment la section languedocienne de la transversale sud. Ces artères sont toutes remarquablement équipées. Aussi ce dispositif est-il constellé par cinq nœuds importants, qui ne correspondent pas toujours à des villes très peuplées. Ceux d'Avignon, avec son annexe de Villeneuve-lès-Avignon, et de Tarascon avant tout commandent des bifurcations essentielles. A Miramas ce type de fonction est renforcé par le fonctionnement d'une puissante gare de triage. Par ailleurs, si le nœud de Nîmes se partage entre le traitement du trafic induit par l'agglomération et la gestion de flux de transit, à Marseille c'est le premier de ces deux rôles qui l'emporte nettement, en raison du poids de l'ensemble urbain, du port et des industries.

Ces divers rouages d'un mécanisme très articulé doivent faire face à une activité ferroviaire intense : à la périphérie du carrefour du Bas-Rhône, en moyenne quotidienne et les deux sens réunis, près de 250 mouvements sont enregistrés au total sur les deux lignes en provenance de Lyon, contre près de 170 à l'ouest de Nîmes, 130 à l'est de Marseille ; à l'intérieur du complexe, plus de 200 circulations sont constatées aussi bien entre Avignon et Tarascon qu'entre Miramas et Rognac. Dans cette dernière gare, s'embranche une ligne à voie unique qui rejoint Aix-en-Provence.

Chacun des cinq nœuds assume des missions bien définies et importantes, aussi bien pour le transport des voyageurs et des marchandises, grâce à des infrastructures développées et adaptées.

L'ampleur des installations

Les lignes qui constituent l'ossature du carrefour bénéficient d'un excellent tracé d'ensemble et d'un équipement technique de haut de gamme caractérisé, en l'absence de véritables sections quadruplées, par de nombreux garages actifs et Installations Permanentes de Contre Sens, par la systématisation du block automatique lumineux, et l'électrification ; si le courant 1 500 volts domine, la ligne de Vintimille court sous les caténaires du 25 000 volts dès la sortie de Marseille-Blancarde. De plus, les courbes, le plus souvent de très grand rayon, séparent des alignements souvent remarquables, comme entre Tarascon et Arles (12 kilomètres), entre Arles et Miramas

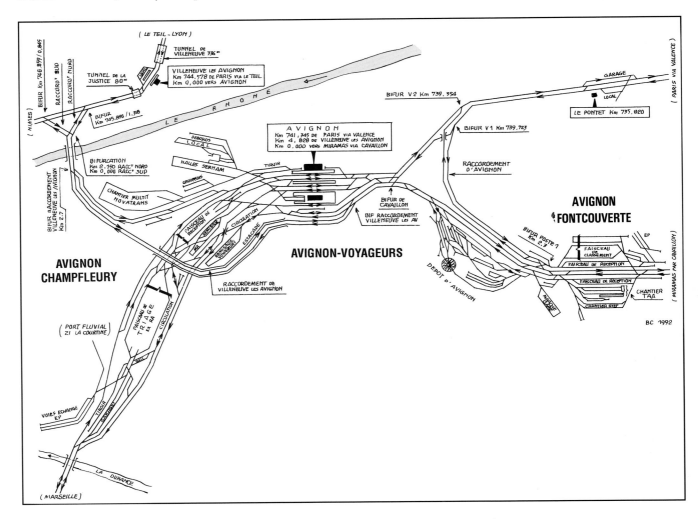

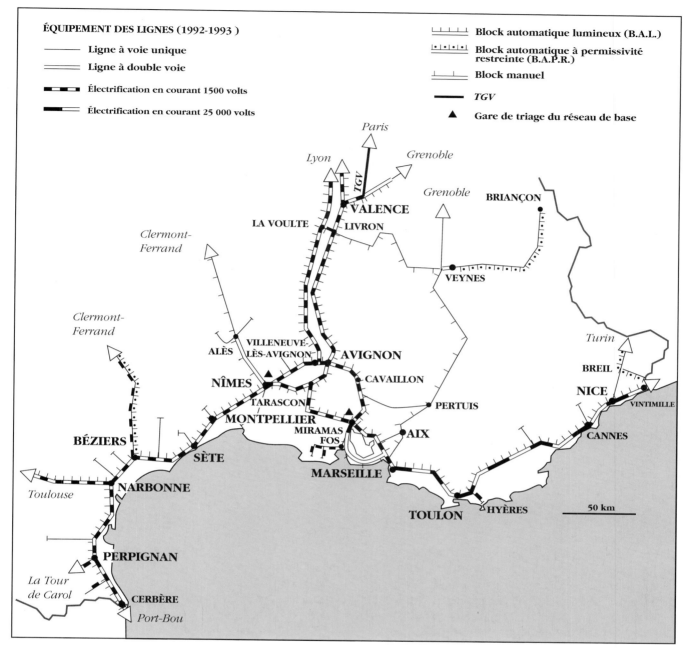

ÉQUIPEMENT DES LIGNES (1992-1993)

—————— Ligne à voie unique

═══════ Ligne à double voie

▪▬▪▬▪ Électrification en courant 1500 volts

▬▬▬▬ Électrification en courant 25 000 volts

╥╥╥╥ Block automatique lumineux (B.A.L.)

╥•╥•╥ Block automatique à permissivité restreinte (B.A.P.R.)

╥─┴─╥ Block manuel

—————— TGV

▲ Gare de triage du réseau de base

(27 kilomètres). Aussi, en particulier sur l'axe noble tracé par Avignon, Tarascon, Miramas et Rognac des vitesses élevées peuvent être pratiquées, atteignant 200 kilomètres/heure sur certaines sections. Cependant quelques secteurs présentent des difficultés : ainsi au nord d'Avignon dans le défilé de Donzère, entre Montélimar et Pierrelatte, le Rhône se fraye un passage très étroit entre d'abruptes masses rocheuses ; le tracé des deux lignes, très proches l'une de l'autre, est alors marqué par des courbes de rayon modéré qui imposent aux trains les plus rapides une réduction de leur vitesse. Par ailleurs, les cours d'eau sont franchis par des ouvrages d'art de style différent : le Rhône est traversé par un pont en treillis métallique entre Avignon et Villeneuve-lès-Avignon, par un viaduc en maçonnerie entre Tarascon et Beaucaire ; près de Miramas, à Saint-Chamas, un ouvrage aux nombreuses arches

dont les courbes s'entremêlent, se révèle particulièrement élégant. Mais le viaduc le plus spectaculaire, et de loin, est celui de Caronte, qui a été jeté au-dessus du chenal reliant, entre Martigues et Port-de-Bouc, l'étang de Berre à la Méditerranée ; cet ouvrage est remarquable par l'ensemble de ses neuf travées métalliques, qui développent une longueur totale de 942 mètres, mais surtout par la construction, dans la portion centrale, d'une travée pivotante ; si l'ouverture de celle-ci permet aux navires de haute mer de gagner les installations pétrolières de l'étang de Berre sans problème, l'interruption forcée du trafic ferroviaire lorsqu'elle se retrouve en position d'ouverture impose à l'exploitation de très lourdes sujétions ; elles influencent en la limitant l'utilisation de l'itinéraire Miramas-Marseille par Port-de-Bouc, par ailleurs non électrifié.

Peut-être plus surprenante est la présence, dans cette région

223

A Avignon, un train empruntant le pont métallique sur le Rhône. Cet ouvrage assure une liaison entre les deux lignes établies de part et d'autre du fleuve et accueille une partie du trafic entre Provence et Bas-Languedoc.

très peu accidentée, de tunnels. Celui de Beaucaire, très court, offre la particularité d'être foré dans une roche calcaire tellement compacte que les maçonneries sont à peu près inexistantes ; il permet à la ligne Tarascon-Nîmes de s'installer sur le revers de la Costière. Beaucoup plus connu est celui de la Nerthe, percé dans le chaînon calcaire de l'Estaque, entre la rade de Marseille et l'étang de Berre, et long de 4 630 mètres. Aucun autre souterrain à double voie intégralement percé en territoire français n'est aussi long.

Les installations des pièces maîtresses du carrefour du Bas-Rhin sont d'ampleur inégale mais très variées.

La très importante gare de bifurcation de Tarascon est bâtie à l'intérieur d'un triangle, plus précisément à la fourche formée par les itinéraires Lyon-Nîmes et Marseille-Nîmes, qui se rejoignent à proximité immédiate du viaduc sur le Rhône. Elle marque donc le vrai début de l'itinéraire autonome de la transversale sud. L'originalité réside dans le fait que la ligne directe Paris-Marseille, qui passe à quelques centaines de mètres, ne dessert pas la gare (1). Le trafic est intense puisque les trois bifurcations à l'origine des lignes de Marseille, de Nîmes et d'Avignon-Lyon voient passer respectivement, en

moyenne journalière et les deux sens réunis, 170, 135 et 200 trains ; le fait que seule la dernière de ces jonctions soit équipée d'un saut-de-mouton montre combien le fonctionnement de ce nœud essentiel peut être délicat.

Plus au nord, à 21 kilomètres, la gare d'Avignon est le centre d'un carrefour aux missions plus variées. Desservant une agglomération beaucoup plus peuplée (175 000 habitants contre 15 000 à Tarascon), les installations affectées au service des voyageurs sont plus vastes, avec des bâtiments majestueux et cinq voies de passage et à quai, tandis que plusieurs voies courtes en impasse renforcent le potentiel. Mais elle se trouve également à l'intersection des deux itinéraires Paris-Marseille tracés d'une part par la rive gauche du Rhône, Tarascon et Arles, de l'autre par la rive droite du fleuve, Cavaillon et Port-de-Bouc. Depuis 1978 le croisement des deux artères s'effectue sans cisaillement à niveau, et sans interférence grâce à un long viaduc construit au sud de la gare des voyageurs et à des voies complètement indépendantes ; la disposition d'ensemble des lignes fait que dans la gare d'Avignon deux trains se dirigeant vers Marseille par chacun des itinéraires donnent l'impression de rouler dans des directions opposées ! Deux raccordements, par ailleurs, permettent à des convois de l'artère de Cavaillon de se retrouver sur celle de la rive gauche du Rhône et, près de Villeneuve-lès-Avignon, sur la rive droite,

(1) *A l'origine une double voie dédoublant l'itinéraire Marseille-Avignon et coupant à la perpendiculaire les deux voies Marseille-Nîmes, desservait la gare des voyageurs. Elle a été supprimée.*

de circuler entre Avignon et Nîmes en empruntant le prolongement de la ligne de la rive droite, au lieu d'effectuer le trajet habituel par Tarascon.

L'importance de ce centre ferroviaire, caractérisée donc par d'intéressantes possibilités de redistribution du trafic entre des itinéraires dédoublés et parallèles, est concrétisée par la présence d'un dépôt très actif et de gares de triage. Par le nombre des locomotives qui lui sont affectées et les kilomètres parcourus, le dépôt d'Avignon se classe toujours parmi les dix plus importants de l'ensemble du réseau. Les chantiers de triage eux, ont comme ailleurs connu des mutations. Celui de Fontcouverte, installé le long de la ligne de Cavaillon, et près du dépôt, longtemps consacré au service du Régime Ordinaire (RO), dans un cadre régional, ne joue plus qu'un rôle local et de relais pour les convois de passage ; à proximité fonctionne une importante installation terminale de TAA (Trains d'Autos Accompagnées). Beaucoup plus récente puisqu'édifiée après 1945, la gare de triage de Champfleury qui allonge ses faisceaux de réception et de débranchement, forts de 10 et 30 voies, entre les voies principales de l'artère de Tarascon, a pendant longtemps constitué l'un des rouages essentiels du Régime Accéléré (RA). Avec la mise en œuvre du plan Etna son rôle s'est considérablement réduit et est devenu purement local.

Sur l'autre rive du Rhône, le nœud de Nîmes se trouve à l'orée de la longue plaine du Bas-Languedoc. Mais la proximité de l'axe Paris-Marseille et de Tarascon (distant de 28 kilomètres)

et la disposition des voies ferrées amène à l'intégrer dans le grand carrefour du Bas-Rhône. En effet, la grande transversale sud Bordeaux-Marseille éclate une première fois à Nîmes, en deux itinéraires : le principal se dirige vers Tarascon, l'autre également électrifié, vers Villeneuve-lès-Avignon et le corridor ferroviaire de la vallée du Rhône, court-circuitant ainsi la gare de Tarascon. Plus secondairement le nœud de Nîmes commande la ligne d'Alès, à double voie mais non électrifiée, et les embranchements à voie unique du Grau-du-Roi et de Saint-Gilles. Mais les infrastructures correspondent aussi à la desserte d'une agglomération de près de 150 000 habitants. Elles se caractérisent par deux originalités : les quais de la gare de voyageurs, construite entre deux viaducs en maçonnerie qui traversent toute la ville, sont situés au premier étage alors que l'accueil des voyageurs s'effectue au rez-de-chaussée ; ils ne sont longés que par quatre voies de passage, ce qui pose souvent de délicats problèmes d'exploitation car 170 trains quotidiens, en moyenne quotidienne et les deux sens réunis, desservent la gare ou y passent. Il est vrai qu'une voie extérieure permet la circulation des trains de marchandises. Par ailleurs, l'implantation de la bifurcation de la ligne d'Alès dans la gare de Courbessac impose le rebroussement systématique de tous les trains de voyageurs reliant Nîmes à Alès. Le site de Courbessac est utilisé intensivement par le chemin de fer, puisque près du dépôt et des ateliers s'étale une vaste gare de triage, composée essentiellement de deux faisceaux de réception et de débranchement de 12 et 34 voies.

Un TGV Paris-Montpellier s'apprêtant à quitter la gare d'Avignon.

Encore plus étendue est la gare de triage de Miramas. A une cinquantaine de kilomètres de Marseille, à proximité de la plaine caillouteuse et dénudée de la Crau, ainsi que de l'étang de Berre, elle a été installée par la Compagnie du PLM à l'intersection des deux itinéraires Avignon-Marseille. Les voies de l'artère noble tracée par Tarascon encadrent le triage, par ailleurs bien relié à la ligne de Cavaillon grâce à un saut-de-mouton qui évite tout cisaillement avec la voie principale Tarascon-Marseille, et facilite les liaisons avec le dépôt ; de plus, comme à Avignon, un autre ouvrage construit à l'est de la gare des voyageurs permet le recoupement des deux axes à deux niveaux différents, donc sans la moindre contrainte. Le triage lui-même, qui s'étend sur quatre kilomètres, a été conçu de manière très classique, avec la succession d'ouest en est des trois faisceaux de réception, de 16 voies, de débranchement, de 48 voies, d'attente au départ, de 11 voies ; de plus deux faisceaux totalisant 13 voies sont affectés aux opérations de relais et aux escales. L'un des plus vastes de France, ce triage bénéficie en plus d'un équipement technologique de haute qualité qui lui confère un potentiel considérable. Il est assisté par un dépôt très puissant au temps de la vapeur, qui n'est plus qu'un relais de traction, il est vrai très fréquenté.

Ce complexe ferroviaire de Miramas, remarquablement équipé, ne peut se comprendre que dans le contexte du fonctionnement du nœud marseillais.

Le centre ferroviaire de Marseille n'est en aucun cas un nœud de bifurcations : seule en effet la ligne à voie unique d'Aix-en-Provence et Briançon vient se greffer sur le grand axe Paris-Nice-Vintimille. Pourtant les installations sont très développées ; elles sont liées à la présence de la troisième agglomération du pays, qui compte plus d'un million d'habitants, important centre industriel et surtout l'un des principaux ports français et méditerranéens.

Le complexe ferroviaire est très marqué, plus précisément, par le poids du relief, dans la mesure où une ligne presque continue de collines encadre la rade de Marseille et domine une cité largement construite en amphithéâtre. Par ailleurs, la principale gare des voyageurs, celle de Saint-Charles, est en impasse. Enfin, le secteur portuaire est à la fois très nettement individualisé et morcelé, puisqu'il comprend la zone maritime urbaine, les infrastructures de l'étang de Berre et du golfe de Fos.

Les divers éléments de cet ensemble ferroviaire sont soudés et raccordés à une trame très simple : à partir de Miramas l'étang de Berre est cerné par deux lignes à double voie ; l'artère noble, tracée par Rognac, est électrifiée et dotée du BAL ; en revanche celle établie par Port-de-Bouc ne bénéficie de cet équipement haut de gamme que jusqu'à Lavalduc, origine de l'embranchement qui dessert le golfe de Fos ; en effet, l'absence de caténaire de bout en bout, et la très lourde sujétion représentée par la travée tournante de Caronte ont incité la SNCF à reporter le plus possible le trafic Miramas-Marseille sur l'itinéraire de Rognac. Aussi, à la rencontre des deux lignes, à l'Estaque, le contraste est énorme entre le volume des circulations quotidiennes, les deux sens réunis, enregistrées

sur l'artère principale : près de 200, et la douzaine de mouvements, à peu près exclusivement de trains de voyageurs, décomptés sur celle de Port-de-Bouc.

Cette bifurcation de l'Estaque, dotée de deux sauts-de-mouton, joue en revanche un rôle très important en séparant les deux artères à double voie qui se dirigent soit vers la gare de Marseille-Saint-Charles, soit vers les installations portuaires de Marseille-Maritime ; la première l'emporte très nettement avec près de 200 circulations contre 22, en moyenne quotidienne et les deux sens réunis.

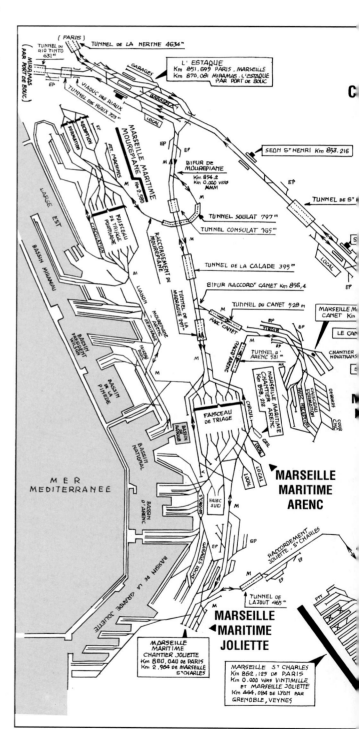

Trois lignes convergent vers la gare Saint-Charles, provenant de l'Estaque, d'Aix et de Nice ; au prix de quelques rampes, les deux dernières parviennent à se faufiler à travers l'amphithéâtre de collines grâce aux vallées des Aygalades et de l'Huveaune. Desservie par quatre voies d'entrée et de sortie, la gare Saint-Charles, en impasse, installée sur un éperon qui domine la ville d'une cinquantaine de mètres et accessible, entre autres, par de majestueux escaliers, est l'une des plus vastes gares de province de France. Sous sa vaste marquise et à proximité, en effet, sont réparties 14 voies à quai, tandis que le dense réseau d'appareils de voie permet de nombreuses liaisons simultanées. Mais dans le complexe Saint-Charles s'inscrivent également des halles, utilisées entre autres par le SERNAM, et cours de débord, une annexe-traction édifiée à l'intérieur de la fourche formée par les lignes de Paris et de Nice, ainsi que des faisceaux de garage et de lavage des rames de voitures de voyageurs. Enfin le raccordement à double voie des Chartreux, tracé partiellement en souterrain, efface l'inconvénient de la disposition en cul-de-sac de la gare en établissant une liaison directe entre les deux grandes artères convergentes. Un autre raccordement à voie unique relie la gare Saint-Charles à la gare maritime de la Joliette, au prix d'une rampe sévère tracée en milieu urbain.

La structure de l'ensemble de Saint-Charles pourrait être sensiblement modifiée si dans le cadre de la modernisation de la liaison Marseille-Aix, avec électrification et desserte cadencée, était mis à exécution le projet d'une gare banlieue au nord-est de la marquise, reliée à la ligne d'Aix par une estacade passant au-dessus des voies de La Blancarde et de Nice.

Au débouché de la vallée de l'Huveaune, le site de La Blancarde a plusieurs vocations. Alors que la gare assure seulement le service de la banlieue, elle se situe entre l'extrémité sud-est du raccordement des Chartreux et l'embranchement qui mène à la gare de marchandises du Prado (1), qui s'étale dans la partie méridionale de l'agglomération ; elle commande aussi l'accès au dépôt de Marseille-Blancarde : celui-ci, dont le dépôt de Saint-Charles n'est qu'une annexe, compte parmi les dix plus importants de France ; autorails et locomotives électriques composent l'essentiel de sa cavalerie. Mais, globalement, en raison de la vocation première de Marseille, ce sont les infrastructures ferroviaires portuaires qui sont les plus développées.

---

(1) Reliée à la gare du Prado par un tunnel de plus de 2 000 mètres, la gare du Vieux Port n'existe plus.

Marseille, troisième agglomération française : ci-dessus, la gare Saint-Charles et, ci-dessous, un train de la ligne Aix-Marseille dont le projet de service de banlieue cadencé n'a jamais pu aboutir, faute de financement local.

Pour le secteur urbain du port, la ligne mère est l'embranchement à double voie et électrifiée qui naît à l'Estaque. Les installations, qui pour la SNCF constituent, groupées, la gare de Marseille-Maritime, peuvent se décomposer en plusieurs éléments. Au cœur du dispositif la gare de triage d'Arenc, forte d'un faisceau de débranchement de 32 voies, est remarquablement située par rapport aux bassins et aux quais des secteurs portuaires d'Arenc et de la Joliette, tandis qu'elle est proche de la gare de marchandises du Canet, construite à l'intérieur des terres et reliée par des raccordements à voie unique et en triangle à la section Estaque-Arenc. Au nord de la rade de Marseille, les bassins de Mourepiane, les plus récents, sont desservis par un raccordement à voie unique, en courbe et le plus souvent en souterrain, qui aboutit à un faisceau de classement plus réduit il est vrai que les installations d'Arenc. Comme à Dunkerque ou au Havre un écheveau dense et complexe de voies affirme la présence du rail le long de chaque quai ou de chaque darse.

Depuis plusieurs décennies ce sont les installations de l'étang de Berre et du golfe de Fos qui au plan des tonnages assurent l'essentiel du trafic portuaire marseillais. Au sud et à l'est de l'étang de Berre les complexes de raffinage de Berre (Shell) et de la Mède (Total) sont irrigués par d'amples faisceaux de voies ; si le premier est traversé par le grand axe Paris-Marseille, le second n'est atteint que par un embranchement d'une quinzaine de kilomètres greffé sur le même axe majeur à la gare de Pas des Lanciers.

Autour du golfe de Fos le pétrole est là aussi présent : à Lavéra, près du viaduc de Caronte, la puissante raffinerie BP est raccordée à Martigues à la ligne Miramas-L'Estaque par Port-de-Bouc. A Fos même la raffinerie Esso se trouve intégrée dans le gigantesque ensemble industriel bâti depuis une trentaine d'années, doublement marqué par la diversité des activités et la prédominance de l'industrie lourde ; dans un rectangle de 20 kilomètres de longueur et de 10 de largeur, la SNCF a développé un réseau de voies ferrées dense, bien équipé et hiérarchisé ; alors que la ligne à voie unique Arles-Port-Saint-Louis-du-Rhône a été interrompue pour laisser la place au canal de liaison Rhône-Fos, la totalité du trafic s'effectue par l'intermédiaire de la bifurcation de Lavalduc, située entre Miramas et Port-de-Bouc ; autour des gigantesques darses, dans le périmètre des dépôts pétroliers et des usines sidérurgiques, sur les quais minéraliers et sur le chantier des conteneurs serpentent des voies qui s'épanouissent à partir des faisceaux de la gare de Fos-Coussoul, équipée de caténaires et de postes d'aiguillage très performants.

Aussi bien pour le transport des voyageurs que des marchandises, le grand carrefour du Bas-Rhône joue un rôle à la fois essentiel et complexe, en raison de la superposition de puissants flux générés par la région elle-même, et de transit.

La vigueur des courants de transport des voyageurs

Les principaux courants de voyageurs de grandes lignes présentent une structure relativement simple. Importants entre Marseille et Toulon, avec en 1990 près de 19 000 voyageurs transportés en moyenne journalière et les deux sens réunis, ils sont encore plus denses au nord-ouest de Marseille, sur les trois sections qui se rencontrent à Tarascon : 19 500 personnes sur la ligne de Nîmes (1), 28 000 sur celle de Marseille, 30 500 sur celle de Lyon.

Dans le triangle de Tarascon, qui constitue vraiment le cœur du carrefour du Bas-Rhône, c'est le courant Paris-Lyon-Marseille qui l'emporte nettement, avec 19 500 voyageurs ; mais les deux autres flux sont importants puisque celui qui relie Lyon à Nîmes représente 11 000 voyageurs, contre 8 500 pour celui qui unit Marseille à Nîmes. D'ores et déjà apparaît l'idée que Marseille n'est donc pas le centre de convergence de ces courants, dans la mesure où les relations entre Lyon et le corridor rhodanien d'une part, le littoral du Bas Languedoc et du Roussillon, la région toulousaine de l'autre, qui lui sont totalement étrangères, occupent une place de choix. L'observateur se déplaçant dans les emprises de la gare de Tarascon peut ainsi constater le passage, souvent sans arrêt, de rames classiques, surtout Corail, circulant entre Lyon et Montpellier ou Toulouse, de TGV orangés reliant la capitale à Montpellier et à Béziers, de rames espagnoles "Talgo" qui roulent entre Barcelone et Genève.

Mais il peut s'apercevoir que sur la branche Marseille-Nîmes la circulation est à peine moins dense et variée : se succèdent ou se croisent des trains rapides et express dont certains, comme entre Quimper et Vintimille, accomplissent des trajets de longueur inégalée en France. Provenant de Vintimille, Nice ou Marseille d'une part, ils se dirigent vers Montpellier, Toulouse, Bordeaux, Nantes et les extrémités de la Bretagne, ou Bayonne. Ainsi, en service de base quotidien et dans chaque sens cinq trains circulent entre Bordeaux et Marseille, un entre Nantes et Nice.

Cependant ce sont les itinéraires Paris-Marseille et Marseille-Paris qui sont les plus fréquentés : à partir de 1981 les TGV ont ravi la vedette aux trains classiques, même de haut de gamme comme le défunt "Mistral". Ceux-ci subsistent, mais en simple renfort la journée, et surtout la nuit où ils assurent l'intégralité du trafic. En service de base quotidien, dans chaque sens, près d'une quinzaine de trains, dont une dizaine de TGV relient Paris à Marseille, deux à trois la capitale à Nice ; grâce au raccordement direct des Chartreux, ces derniers évitent le rebroussement en gare Saint-Charles. Une autre demi-douzaine de relations circulent entre Metz, Strasbourg et Lyon d'une part, Marseille et la Côte d'Azur de l'autre. Ces trains express et rapides roulent en principe exclusivement sur les axes qui se rejoignent à Tarascon, c'est-à-dire par la ligne de la rive gauche du Rhône, tracée par Avignon, Arles, Miramas et Rognac pour les relations Paris-Lyon-Marseille. Bien entendu ils peuvent également, notamment en cas d'inci-

---

(1) Extrémité sud de la ligne des Cévennes, la section Alès-Nîmes, qui en raison de la forte régression de l'extraction du charbon, a perdu une partie du trafic de marchandises qu'elle assurait, achemine au plan local un peu plus de 1 000 voyageurs.

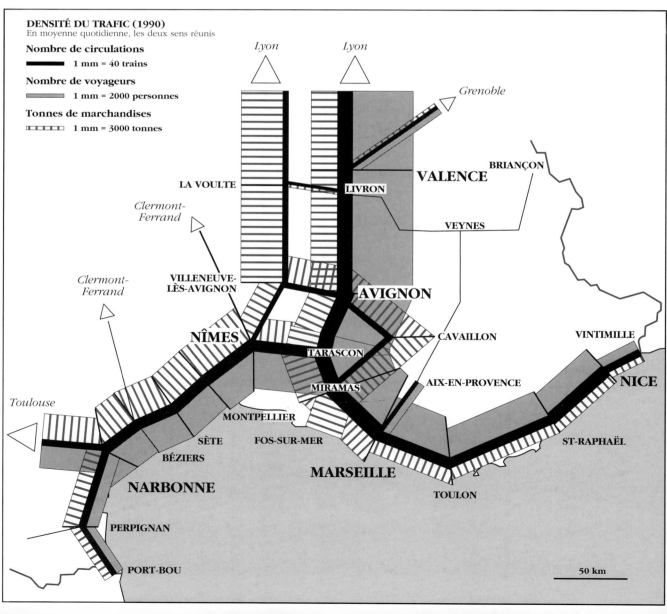

DENSITÉ DU TRAFIC (1990)
En moyenne quotidienne, les deux sens réunis

Nombre de circulations
▬ 1 mm = 40 trains

Nombre de voyageurs
▬ 1 mm = 2000 personnes

Tonnes de marchandises
▭▭▭ 1 mm = 3000 tonnes

Lyon

Lyon

Grenoble

LA VOULTE

LIVRON

VALENCE

BRIANÇON

Clermont-Ferrand

VEYNES

Clermont-Ferrand

VILLENEUVE-LÈS-AVIGNON

AVIGNON

NÎMES

CAVAILLON

TARASCON

Toulouse

MIRAMAS

AIX-EN-PROVENCE

VINTIMILLE

NICE

MONTPELLIER

FOS-SUR-MER

ST-RAPHAËL

SÈTE

BÉZIERS

MARSEILLE

NARBONNE

TOULON

PERPIGNAN

PORT-BOU

50 km

dent, emprunter les itinéraires de dédoublement établis, entre Lyon et Marseille, par l'artère de la rive droite du Rhône, Avignon, Cavaillon et Miramas, entre Lyon et Nîmes par Villeneuve-lès-Avignon. Non électrifiée au-delà de Lavalduc, la ligne Miramas-L'Estaque par Port-de-Bouc présente pour ce genre d'opération un intérêt moindre.

Sur les axes nobles mais également sur les autres, et notamment la ligne Avignon-Marseille par Cavaillon et Port-de-Bouc, circulent de nombreux convois régionaux et locaux, la plupart du temps en provenance ou à destination de la gare de Marseille Saint-Charles.

En effet, si les gares d'Avignon et Nîmes, qui desservent des agglomérations comptant respectivement 175 000 et 150 000 habitants, se classent par leur activité propre parmi les trente principales gares françaises de province, celle de Saint-Charles exerce un tout autre rayonnement. Implantée près du cœur de la troisième agglomération française, peuplée de plus d'un million d'habitants, elle est également située sur le seul itinéraire ferroviaire reliant Paris à la Côte d'Azur. Aussi le trafic de transit est-il important, surtout dans le cadre des nombreuses correspondances qui peuvent s'établir ; les trains directs, qu'il s'agisse des TGV Paris-Nice ou des rapides de nuit, court-circuitent la gare Saint-Charles en empruntant le raccordement direct des Chartreux. Mais la desserte de l'ensemble urbain lui-même est à la base de l'essentiel de l'activité. Grâce à la trame des rapides, express et TGV, nombreux et pratiquant la plupart du temps des vitesses très élevées, Marseille se retrouve désormais à 4 h 40 de Paris, à un peu plus de 5 heures de Bordeaux, à moins de 4 heures de Toulouse ; pourtant, en l'état actuel des choses, la qualité des liaisons avec Lyon et surtout Nice est relativement moindre : il faut compter 2 h 20 pour relier par le rail Marseille à Nice, en raison du difficile tracé de la ligne et des nombreux arrêts ; par ailleurs l'obstacle du relief pénalise les relations Marseille-Grenoble : 4 h 30 environ par l'itinéraire alpin via Aix et Veynes. Aussi le trajet par Valence et la vallée du Rhône est-il sensiblement plus rapide.

Mais s'ajoutent chaque jour et en moyenne quotidienne une quarantaine de trains régionaux ou locaux, qui atteignent Miramas et Port-de-Bouc, Toulon et Avignon ; plus particulièrement une quinzaine de relations omnibus ou semi-directes sont programmées entre Marseille et Aix-en-Provence, forte de 130 000 habitants, située seulement à 37 kilomètres par le rail (1) et dont les fonctions sont complémentaires.

Au total, en additionnant trafics de grandes lignes et de banlieue, la gare Saint-Charles se classe seulement au cinquième rang des gares de province, en raison d'une activité de type local ou régional de niveau moins élevé qu'autour de Lille, Strasbourg ou Lyon ; mais pour le secteur "grandes lignes" elle n'est devancée que par les gares terminales parisiennes. Chaque jour en moyenne les quais de la gare sont fréquentés par 27 000 personnes, qui montent dans plus de 250 trains, toutes catégories confondues, ou en descendent.

(1) *Très sinueuse, la voie ferrée présente une longueur supérieure de 7 à 8 kilomètres à celle de l'autoroute.*

Avec l'arrivée des TGV et la recrudescence de l'activité qu'elle a entraînée, la gare Saint-Charles a su faire peau neuve. D'importants travaux, comme dans beaucoup d'autres gares importantes, ont amélioré son esthétique et sa fonctionnalité. Terminés en 1983, ils ont été placés sous le signe de la séparation complète, pour les voyageurs, des courants "arrivée", traités au niveau ancien, et "départ", orientés vers des installations en sous-sol, complètement nouvelles ; par ailleurs la création d'un souterrain transversal facilite les correspondances. Ainsi rénovée, sans perdre sa majestueuse allure d'ensemble la gare est tout à fait opérationnelle et apte à assurer des missions amples et diversifiées.

Page précédente : le passage de la ligne Lyon-Marseille, coupant la "Montagnette" à Graveson-Maillane, avant Tarascon ; si les TGV vont, dès 1994, pouvoir circuler à grande vitesse jusqu'à Valence, ils devront se contenter au maximum du 220 km/h dans la vallée du Rhône jusqu'à l'horizon 2000 où la LGV-Méditerranée devrait prendre le relais.

Ci-dessous, une circulation régionale assurée en Z2 abordant le nœud de Tarascon.

Le complexe de Fos s'étend à perte de vue sur d'anciennes zones humides drainées. On voit ci-dessus et ci-contre le terminal conteneur, près de la darse n° 2.

Page ci-contre : alimenté par les deux axes lourds de la vallée du Rhône, la transversale sud et le port de Fos, le triage de Miramas est parfaitement situé au cœur d'une région où le trafic fret est considérable.

La massivité des flux de marchandises

L'analyse de la carte des courants de marchandises, dans le carrefour du Bas-Rhône et alentour, amène à formuler des constats souvent semblables mais parfois différents.

Dans le domaine des similitudes figure l'ampleur du trafic : en moyenne quotidienne et les deux sens réunis, en 1990, en effet, 45 000 tonnes transportées franchissent la gare de Miramas, tandis que réunies les deux lignes de la vallée du Rhône, au nord d'Avignon, atteignent 54 000 tonnes ; l'axe languedocien, moins chargé, achemine cependant près de 30 000 tonnes entre Montpellier et Nîmes.

Or la carte des flux est beaucoup plus complexe que dans le cas du transport des voyageurs. Les axes majeurs fréquentés par les trains rapides et express supportent tous, il est vrai, des courants denses : près de 20 000 tonnes sur la ligne de la rive gauche du Rhône au nord d'Avignon, entre Avignon et Tarascon, ou entre Nîmes et Tarascon, près de 25 000 tonnes entre Tarascon et Miramas, 18 000 tonnes entre Miramas et Rognac. Mais les itinéraires de dédoublement sont, pour le fret, très largement utilisés : l'artère de la rive droite du Rhône, ignorée par les trains de voyageurs réguliers, achemine près de 35 000 tonnes, soit presque le double du trafic de l'axe de la rive gauche ; ces tonnages sont répartis à peu près équitablement, à Villeneuve-lès-Avignon, entre le prolongement vers Nîmes et le raccordement se dirigeant vers Avignon. Au-delà de la cité des Papes, la ligne tracée par Cavaillon supporte une activité de l'ordre de 23 000 tonnes, accentuée au sud de

Miramas puisqu'elle atteint 27 000 tonnes aux abords de Laval-duc ; au sud de cette bifurcation, et surtout des gares de Marti-gues et Port-de-Bouc, la chute du trafic est brutale. Autre diffé-rence sensible, le trafic relativement moyen de l'artère Mar-seille-Toulon qui, au départ de la cité phocéenne, n'achemine que moins de 9 000 tonnes.

Par ailleurs, sur la plupart des sections, les flux sont déséquili-brés, au profit de ceux qui sortent du grand carrefour du Bas-Rhône : ces courants centrifuges représentent plus de 55% sur la grande ligne du Languedoc, et sur l'ensemble des deux artères de la vallée du Rhône au nord d'Avignon, pour attein-dre près de 80% au départ de l'artère de la Côte d'Azur ! A l'intérieur du complexe émerge cette disparité : les deux tiers des tonnages entre Miramas et Avignon par Cavaillon, les quatre cinquièmes entre Fos et Miramas sont dirigés vers le nord. Enfin, loin de s'intensifier le trafic diminue sur les sec-tions de ligne les plus proches de Marseille : réunies, les deux artères venant des gares de Saint-Charles et d'Arenc ne rassem-blent à l'Estaque que 11 000 tonnes.

Parmi les éléments d'explication, l'importance des flux de transit doit être mise en évidence. Le carrefour du Bas-Rhône, en raison de sa situation, est forcément traversé par les échan-ges qui s'effectuent entre le reste du pays et la Côte d'Azur, voire la Riviera italienne jusqu'à Gênes. Mais il se retrouve également en position incontournable pour acheminer en les régulant les courants circulant entre Bas-Languedoc-Roussil-lon, Aquitaine intérieure et Péninsule ibérique d'une part,

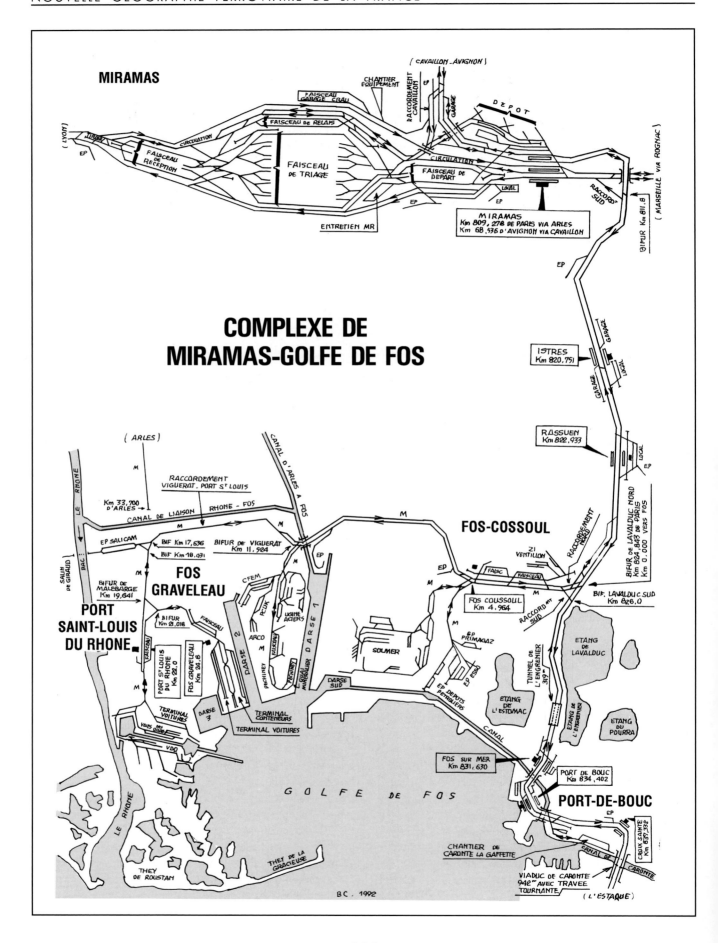

COMPLEXE DE MIRAMAS-GOLFE DE FOS

régions rhodaniennes et alpines, Italie du nord, Suisse et Allemagne de l'autre. Comme pour les voyageurs, ces flux évitent la région marseillaise proprement dite.

Mais la source essentielle de la vigueur de l'activité ferroviaire est constituée par le trafic généré par le complexe urbain, industriel et portuaire dont la métropole phocéenne est le centre. Certaines indications statistiques sont éloquentes, comme celles fournies par le classement des gares de marchandises françaises en 1990.

Etablissements	Tonnages expédiés	Tonnages reçus	
5ᵉ Fos-Coussoul	5 600 000	1 050 000	6 650 000
24ᵉ Port-de-Bouc	2 000 000	270 000	2 270 000
30ᵉ Marseille-Canet	970 000	860 000	1 830 000

Que trois gares de ce complexe se situent parmi les trente premières de notre réseau est tout à fait significatif.

C'est qu'elles assument un trafic à la fois lourd et varié, dont le centre de gravité s'est déplacé vers le nord-ouest et se situe de plus en plus dans le périmètre comprenant l'étang de Berre et la zone industrialo-portuaire de Fos. La très nette prépondérance des expéditions ferroviaires par rapport aux arrivages est liée à la nature des principales activités industrielles. C'est ainsi que le trafic lourd repose sur l'élaboration et le stockage des produits pétroliers autour de l'étang de Berre, à La Mède, Shell Berre, à Lavéra et à Fos. L'industrie chimique vient en seconde position, localisée dans l'agglomération marseillaise même et le complexe de Fos. Par ailleurs la sidérurgie, nouvelle venue dans la région, s'est rapidement développée : les hauts fourneaux construits à Fos par la Solmer et qui exploitent des minerais importés par mer, constituent pour le chemin de fer d'excellents clients, dans la mesure où leur production est expédiée non seulement dans l'ensemble de la France mais encore en Italie. L'importance de ce complexe de Fos est renforcée par l'existence de secteurs portuaires spécialisés dans le trafic des bois (Port-Saint-Louis-du-Rhône) et surtout de minéraux variés. Le terminal minéralier reçoit de la bauxite pour l'usine Péchiney de Gardanne, du charbon pour EDF...

L'activité ferroviaire est certes très diversifiée : les besoins et la production de l'agglomération marseillaise elle-même suscitent des arrivages et des expéditions de toute nature, marqués par l'importance des produits alimentaires. Le port urbain reçoit et expédie des marchandises très variées, tandis que l'essor du trafic combiné des Sociétés Novatrans et CNC concerne autant Marseille même que l'ensemble Berre-Fos. Par ailleurs le complexe chimique de Gardanne, la grande usine de la Cellulose du Rhône à Tarascon enrichissent aussi la palette ferroviaire qui a malheureusement perdu l'essentiel du trafic des fruits et légumes du Vaucluse. Mais le phénomène primordial est la part prise de manière décisive par l'ensemble portuaire et industriel de l'étang de Berre et du golfe de Fos, en raison des courants de transports lourds qu'ils provoquent.

Cette densité générale du transport des marchandises se concrétise, autour de Marseille et dans l'ensemble du carrefour du Bas-Rhône, par la mise en circulation de très nombreux trains.

Si, les deux sens réunis et en moyenne quotidienne, seulement 25 convois de fret sillonnent la ligne de Toulon et Nice au départ de Marseille, alors que les trains de voyageurs sont quatre fois plus nombreux, ils sont plus de 50 entre Montpellier et Nîmes. Dans la vallée du Rhône, en amont d'Avignon, les 65 circulations de l'artère de la rive droite représentent la quasi totalité du trafic ; mais sur celle d'en face, empruntée par l'ensemble des trains de voyageurs, les convois de marchandises sont tout de même au nombre de près d'une cinquantaine. A l'intérieur du vaste carrefour lui-même, de tels trains se rencontrent en grand nombre sur toutes les sections de ligne : 80 environ au total parcourent chaque jour les différents côtés du triangle de Tarascon, où roulent également les trains rapides et express de voyageurs ; mais plus de trente circulent sur l'itinéraire direct reliant Nîmes à Villeneuve-lès-Avignon, plus de quarante entre cette gare et Avignon, une quarantaine entre Avignon, Cavaillon et Miramas. Au sud de la grande gare de triage, la section qui se termine à la bifurcation de Lavalduc est fréquentée par une soixantaine de convois de fret, qui constituent et de loin, l'essentiel du trafic. Entre Miramas, Rognac et L'Estaque, ce sont près de 80 mouvements qui sont enregistrés et qui représentent plus des deux cinquièmes de la circulation totale, tandis que les trains de marchandises sont pratiquement absents sur la section Martigues-L'Estaque, non électrifiée. Entre L'Estaque et la sortie est de Marseille, le nombre de ces trains diminue régulièrement, en raison des ponctions opérées par la ligne menant à Marseille-Maritime et au port (une vingtaine), et les diverses gares de marchandises urbaines, comme celles de Saint-Charles et du Prado. Ces trains sont très variés, en fonction des produits transportés et de la nature de leur marche : convois lourds et à itinéraire court, comme ceux qui circulent entre Fos-Coussoul et le triage de Miramas, rapilèges ou trains du régime Fretchrono reliant le littoral méditerranéen à des villes éloignées comme la capitale, à des vitesses pouvant atteindre 160 kilomètres/heure.

Comme sur l'ensemble du réseau, beaucoup de ces convois, plus de la moitié, sont complets et directs, c'est-à-dire qu'ils ne passent pas par les triages. Chargés de produits pétroliers ou sidérurgiques ou de ferrailles, ils parviennent dans le périmètre Fos-Berre et surtout en sortent, en relation aussi bien avec l'Italie qu'avec les régions Rhône-Alpes ou parisienne. D'autres, chargés de fruits ou de légumes transportés en conteneurs ou caisses mobiles, continuent, malgré la vivacité de la concurrence routière, de relier à grande vitesse les gares du Vaucluse, autour de Cavaillon, aux marchés d'intérêt national et en particulier à Rungis. Plusieurs, chaque jour, acheminent conteneurs et remorques rail-route depuis Marseille jusqu'à Noisy, Valenton ou Lille ; eux aussi vont très vite.

Mais, comme dans le domaine du service des voyageurs, certains trains roulant sur les lignes du carrefour représentent des flux de transit. Quelques-uns traversent Marseille, lorsqu'ils circulent entre régions parisienne ou lyonnaise d'une part, Côte d'Azur ou Riviera italienne de l'autre ; ils utilisent alors automatiquement le souterrain des Chartreux, afin d'éviter la gare Saint-Charles. D'autres relient la France de l'est, la région Rhône-Alpes et le centre du Bassin Parisien (1) au Bas-Languedoc, au Roussillon et à la Péninsule ibérique : ceux-ci évitent complètement le complexe marseillais.

Cependant le transport par wagons isolés, qui subsiste, rend nécessaire l'intervention des gares de triage. A un premier niveau ce trafic diffus est traité, au plan local, par des triages bien équipés mais qui n'ont pas été intégrés dans le réseau de base du plan Etna : Avignon-Fontcouverte et Champfleury, Marseille-Arenc conservent ainsi d'importantes missions de régulation de la circulation des wagons dans leurs zones respectives, bien définies. Parfois, comme à Rognac, ce sont de simples faisceaux de voies de service qui jouent ce rôle. A un plan plus général, deux triages concentrent le mouvement des wagons isolés dans l'ensemble du carrefour, en travaillant en étroite relation avec les autres grands chantiers du réseau. Celui de Nîmes est bien situé, à l'extrémité de la section languedocienne de la grande transversale sud et à l'entrée occidentale du carrefour du Bas-Rhône, caractérisée par la séparation des deux itinéraires de Villeneuve-lès-Avignon et de Tarascon, d'où les trains de marchandises peuvent se diriger aussi bien vers Marseille que vers Avignon. En 1991, en moyenne quotidienne, le triage a expédié 762 wagons ; il échange des trains réguliers avec ses semblables, proches comme Miramas ou Sibelin, mais parfois très éloignés comme Hourcade, Gevrey, Villeneuve-Saint-Georges ou Woippy. Son rayonnement spatial s'explique en partie par le fait que le grand triage le plus proche, à l'ouest, est celui, éloigné, de Toulouse-Saint-Jory. Aussi s'intéresse-t-il tout particulièrement aux échanges entre le couloir rhodanien, Bas-Languedoc et l'Aquitaine.

Le triage de Miramas est encore plus remarquablement implanté, à la jonction de la ligne de Marseille et de celle de Port-de-Bouc qui dessert le complexe de Fos, et au point de départ des deux itinéraires qui se dirigent vers la vallée du Rhône, tracés par Tarascon et Cavaillon. Aussi sa fonction principale est-elle de réguler le trafic diffus généré par l'ensemble industrialo-portuaire de Marseille-Berre-Fos. Avec 1 412 wagons expédiés en moyenne journalière il se classe au sixième rang national, et constitue donc une pièce maîtresse du mécanisme de la rotation des wagons à l'échelle du réseau. 19 convois au départ, 23 à l'arrivée roulent entre Miramas et la plupart des autres triages de base du système Etna ; à titre d'exemple, chaque jour trois trains se dirigent vers Sibelin, autant vers Gevrey, qui respectivement expédient quatre et trois convois vers Miramas. Wagons citernes ou spécialisés

dans le transport des produits métallurgiques ou chimiques, pullulent sur les voies des divers faisceaux d'une gare fonctionnant en étroite symbiose avec les puissants et proches complexes industriels.

Pour assurer un bon écoulement de ce trafic global, considérable, la SNCF utilise à fond les possibilités offertes par les itinéraires de dédoublement, dans la mesure où les lignes les plus nobles ne sauraient acheminer la totalité des convois de marchandises. Aussi procède-t-elle à une répartition rationnelle : sur les axes les plus performants, ligne de la rive gauche du Rhône, itinéraire Avignon-Miramas par Tarascon et Arles, ce sont les trains de fret les plus rapides qui sont lancés ; leurs marches et celles des TGV et autres trains rapides sont relativement conciliables. Les convois les plus lents, eux, sont le plus souvent détournés par la ligne de Cavaillon et par celle de la rive droite du Rhône, où en raison de la rareté des circulations réservées aux voyageurs ils ont le champ plus libre.

La fluidité d'ensemble du trafic est favorisée par non seulement l'existence de nombreuses voies de garage actif, mais aussi par les possibilités d'escale et de relais, largement utilisées, offertes par les gares de triage, en particulier par celles qui se trouvent déclassées, comme celles d'Avignon.

En raison de l'articulation du relief de la France du sud-est le contraste est saisissant entre la puissance des flux qui se croisent ou se nouent dans le carrefour du Bas-Rhône, où au plan ferroviaire Marseille même ne joue pas un rôle écrasant, et l'activité du rail dans l'ensemble des Alpes du sud et sur la côte méditerranéenne à l'est de Marseille.

LE CHEMIN DE FER DANS LES ALPES DU SUD ET LEUR BORDURE MÉDITERRANÉENNE

Au sud de Grenoble et de la vallée de la Maurienne et jusqu'à la côte méditerranéenne, s'étalent les Alpes du sud. Beaucoup moins élevées que celles du nord, elles sont beaucoup plus larges et ne bénéficient pas du tout du même type de quadrillage de vallées transversales et longitudinales. Peu industrialisées et jamais très peuplées, elles constituent actuellement une vaste zone dépressionnaire au plan à la fois de la démographie et de l'économie. En corollaire, le réseau ferré est resté dans ces régions à l'état embryonnaire, et aujourd'hui se caractérise par sa densité extrêmement faible, sans doute la plus basse qui puisse se trouver en France. Il n'est même pas possible d'évoquer un système cohérent dans la mesure où les deux longues lignes à voie unique qui se recoupent à Veynes, sont totalement étrangères à la grande artère Marseille-Nice et à son antenne reliant Nice à Coni.

La croisée de Veynes

A proximité immédiate de Veynes, dans les Hautes-Alpes, se croisent perpendiculairement deux longues lignes aux caractéristiques souvent comparables : l'une, de direction méridienne, relie Grenoble à Aix-en-Provence, l'autre orientée ouest-est, unit Livron à Briançon.

Toutes deux, tracées au cœur d'un ensemble montagneux particulièrement compact, offrent des profils difficiles. L'artère

---

(1) *Entre Paris et Cerbère-Port-Vendres, l'itinéraire de la vallée du Rhône, plus long mais aux meilleurs tracé et profil, est pour les trains de marchandises parfois préféré à celui, plus direct, établi par Toulouse.*

Un train Corail dans le secteur de Briançon. La ligne venant de Marseille est en correspondance avec celles de Valence et de Grenoble à Veynes, gare dont on a une vue d'ensemble ci-dessous.

La ligne Grenoble-Veynes est desservie entre autres par des rames RGP modernisées ; ci-dessus, deux de ces engins se croisant à Clelles-Mens.

La ligne du Val-de-Durance est désormais parcourue par des rames express RRR, lesquelles, grâce à leur légèreté, ont permis un substantiel gain de temps de parcours sur cette ligne au profil difficile.

Livron-Briançon, longue de 225 kilomètres, peut suivre sur environ le tiers de son parcours la vallée de la Drôme ; mais elle s'enfonce ensuite dans le cœur du massif alpin pour atteindre l'altitude de 1 203 mètres à Briançon, après avoir remonté le cours supérieur de la Durance ; aussi les rampes sont-elles fréquentes et parfois sévères, atteignant le taux de 25 mm/m, et les ouvrages d'art nombreux : ponts, tunnels comme celui de Cabre, long de 3 800 mètres, entre les bassins de la Drôme et du Buech. Entre Gap et Briançon la construction du barrage de Serre-Ponçon, sur la Durance, a entraîné une déviation de la voie ferrée sur près de 15 kilomè-

tres. La ligne Grenoble-Aix-Marseille, elle, seule liaison ferroviaire directe entre les Alpes du nord et du sud, s'allonge sur 316 kilomètres. Au lieu de grimper régulièrement, elle s'élève depuis Grenoble, en utilisant partiellement la vallée du Drac, jusqu'au niveau du col de la Croix Haute (1 165 mètres) ; il lui faut accepter des rampes de 25 mm/m sur une cinquantaine de kilomètres, et franchir 25 tunnels ! Au-delà se développe une descente régulière vers la mer Méditerranée ; suivant les vallées du Buech puis de la Durance jusqu'à Meyrargues, elle est marquée par des pentes de 10 à 18 mm/m, dans un cadre beaucoup moins verdoyant et plus ensoleillé.

Ces deux artères sont à voie unique, sauf sur la section de 7 kilomètres Aspres-sur-Buech-Veynes, à double voie et non électrifiées. Elles bénéficient tout de même d'une signalisation élaborée, block manuel entre Grenoble et Vif (20 kilomètres au sud), entre Livron et Aspres-sur-Buech, entre Aix-en-Provence et Veynes, BAPR sur la ligne de Briançon ; l'installation du block manuel est envisagée entre Aspres et Vif.

A proximité de l'intersection de ces deux itinéraires s'est développé le nœud de Veynes, sur l'artère Livron-Briançon et point de rebroussement obligé pour les relations Marseille-Grenoble. Ses infrastructures sont en apparence modestes, comprenant trois voies à quai, quelques voies de service et une annexe-traction. Mais le rôle de la gare est essentiel.

En effet, alors que le trafic des marchandises est extrêmement faible, 6 à 20 mouvements affectés au service des voyageurs circulent sur chacune des quatre branches, en moyenne quotidienne et les deux sens réunis. A des autorails locaux s'ajoutent des relations au long cours qui s'établissent entre Marseille et Briançon ; aussi le rôle de correspondance de la gare est-il d'autant plus important qu'en saison hivernale les flots de skieurs fréquentant le Briançonnais exigent, comme dans les autres grandes et hautes vallées alpines, un service renforcé. Comme la gare de Bourg-Saint-Maurice, celle de Briançon possède de nombreuses voies de garage des rames de voitures de voyageurs.

Entre la section Marseille-Veynes et la grande artère Marseille-Vintimille s'étend un véritable désert ferroviaire. Mais le chemin de fer retrouve un rôle capital à proximité même du littoral.

L'originalité de l'artère Marseille-Vintimille

Déjà évoquée dans le chapitre II, cette artère longue de 252 kilomètres est à plus d'un titre spécifique.

En raison de l'avancée des ultimes contreforts des Alpes du sud jusqu'au-dessus de la Méditerranée, le relief littoral est difficile, même s'il se trouve en grande partie, par sa beauté, à la source de l'essor touristique ; la voie ferrée ne peut donc que rarement compter sur les facilités offertes par un rivage à la fois suffisamment rectiligne et plat. Aussi se fraie-t-elle un chemin, non sans mal, soit en contournant par le nord le secteur des calanques et le massif des Maures, soit, entre Marseille et Toulon à partir de Cassis ou entre Fréjus et Vintimille, en s'accrochant à la côte au prix de multiples courbes et contrecourbes, de viaducs et de tunnels, de tranchées et de remblais, il n'est pas étonnant que ce parcours ferroviaire très tourmenté représente une trentaine de kilomètres de plus que l'itinéraire autoroutier.

Desservant la Côte d'Azur et, au-delà de Vintimille la Riviera italienne, cette ligne a toujours été l'objet des soins attentifs de la Compagnie du PLM et de la SNCF. Electrifiée intégralement en courant 25 000 volts et dotée du block automatique lumineux, elle bénéficie aussi de nombreuses possibilités de garage des convois les plus lents.

Son trafic se caractérise essentiellement par trois éléments, et d'abord par son importance puisque la plupart du temps le nombre en moyenne quotidienne de circulations, les deux sens réunis, frôle la centaine pour atteindre 130 entre Marseille et Toulon, ou entre Cannes et Nice. Ensuite apparaît très clairement la nette prépondérance du trafic des voyageurs ; ce n'est pas que celui des marchandises soit négligeable, avec plus de 8 000 tonnes transportées entre Toulon et Nice ; il est en relation surtout avec les échanges franco-italiens et l'approvisionnement des nombreuses cités du littoral ; la traduction en est la très nette prédominance des flux ouest-est. Mais, justement, la densité de l'occupation humaine ne peut que générer des flux de voyageurs considérables : 1 500 000 habitants se pressent sur la côte du Var et des Alpes Maritimes, concentrés surtout dans les agglomérations de Nice (450 000 habitants), Toulon (410 000), dans l'ensemble Cannes-Grasse-Antibes (300 000). Par ailleurs, aussi bien en période hivernale qu'estivale, le développement du tourisme apporte au chemin de fer, comme à la route et à l'avion, un afflux de clientèle supplémentaire. Dans ces conditions, il n'est pas étonnant que les deux sens réunis et en moyenne quotidienne, les trains rapides et express acheminent 15 000 personnes dans la section médiane du parcours. Un troisième caractère apparaît lors de l'analyse : les flux de marchandises comme de voyageurs tendent à diminuer assez régulièrement de Marseille à Vintimille, encore que, de Cannes à Vintimille, le service Métrazur centré sur Nice, apporte des courants de type banlieue non négligeables. Par contre, entre Marseille et Toulon, les courants représentent près de 19 000 voyageurs de grandes lignes et près de 9 000 tonnes ; leur niveau fléchit à 15 000 personnes et un peu plus de 8 000 tonnes entre Toulon et Saint-Raphaël, pour tomber à moins de 5 000 voyageurs et 4 500 tonnes entre Nice et Vintimille. C'est que, si les échanges frontaliers ne sont pas inexistants, en fait les principaux flux s'organisent vers et depuis Marseille et la capitale ; aussi, à l'est de Toulon puis de Nice, le trafic subit-il à chaque fois une déperdition sensible.

Les très courtes antennes à voie unique Les Arcs-Draguignan et Cannes-Grasse n'assurent plus de service des voyageurs (sauf entre Cannes et Ranguin, commune suburbaine) à la différence des relations Toulon-Hyères et Nice-Coni. C'est pourquoi, en l'absence de lignes affluentes notables, il n'est pas possible, entre Marseille et Vintimille, de discerner un seul véritable carrefour de voies ferrées. La grande artère, en revanche, est jalonnée de nombreuses gares, parfois étendues, dont la mission principale est toujours la desserte de l'agglomération et qui peuvent constituer, par leurs installations, des centres ferroviaires importants.

La disposition des villes et donc des gares, en guirlande le long du littoral, détermine pour chacune d'entre elles un service à fréquence élevée, mais assuré par des trains de voyageurs le plus souvent de passage, qui ne marquent qu'un simple arrêt. Aussi les infrastructures sont-elles souvent limitées à deux ou trois voies à quai. C'est en particulier le cas des gares de Saint-Raphaël, Cannes où un remaniement récent de la structure a permis de placer en position centrale la voie banalisée, d'Antibes, Monaco et Menton qui comptent par leur

Un paysage typique de la ligne Marseille-Vintimille dans la partie orientale de son parcours ; ici un train de nuit Paris-Côte d'Azur dans le secteur du Cap-Roux.

Une source de trafic lourd en terre provençale : la bauxite, ci-dessous à Gardanne.

trafic parmi les 35 plus actives de l'ensemble du réseau. Plus spacieuses sont les installations de Toulon : alors que celles réservées aux marchandises sont concentrées à l'ouest de l'agglomération, afin de desservir le port, l'arsenal et les chantiers navals de La Seyne, la gare des voyageurs est remarquablement située près du centre de la ville ; non seulement elle comprend cinq voies à quai, mais encore une voie supplémentaire banalisée permet le passage des trains de marchandises ou des locomotives haut-le-pied. Par son activité, elle se classe parmi les vingt premières gares de province de la SNCF ; elle est particulièrement bruissante et animée lors du départ ou du retour, en fin de semaine, des permissionnaires de la Marine et de l'Aéronavale ! Non loin de Toulon un embranchement à voie unique de 10 kilomètres (20 de Toulon), électrifié, mène à Hyères ; il assure un service de voyageurs actif en période estivale.

Mais le premier ensemble ferroviaire à l'est de Marseille est celui de Nice, la principale agglomération. Le cœur est représenté par la grande gare de passage de Nice-Ville, proche du centre de la cité. Forte de sept voies à quai et d'une voie de circulation extérieure, elle se caractérise par un majestueux bâtiment principal et deux longues verrières de section semicirculaire ; un faisceau de remisage des rames de voyageurs complète le dispositif. A sa sortie est se séparent les lignes de Vintimille et de Breil-Coni ; cette dernière est à double voie sur près de 3 kilomètres, jusqu'au complexe de Nice Saint-Roch qui comprend une gare de passage, et surtout un important chantier affecté aux marchandises et le dépôt de Nice, non propriétaire d'engins, mais au rôle essentiel de relais. La banalisation des trois sections à double voie qui convergent vers la gare principale permet de fluidifier une circulation considérable : en moyenne quotidienne et les

deux sens réunis près de 90 mouvements entre Nice et Menton, 135 entre Nice et Cannes.

Les trois quarts de ce trafic sont constitués par des trains de voyageurs. C'est que la gare de Nice se situe parmi les principales gares de province, derrière celles de Lille, Strasbourg, Marseille, Lyon Part-Dieu ou Perrache, mais devant celles de Bordeaux ou Nantes. Les 19 000 voyageurs entrant dans la gare ou en sortant en moyenne quotidienne sont des utilisateurs, au plan local, du service Métrazur, mais surtout fréquentent les trains express et rapides qui relient directement Nice à Marseille, Lyon et Paris (2 à 3 TGV par sens en moyenne journalière), mais aussi à Toulouse, Bayonne, Bordeaux et Nantes, à Metz, Nancy et Strasbourg, à Turin, Milan ou Rome ! Compte tenu de la longueur des trajets les trains de nuit occupent une place particulièrement importante, avec par exemple trois rapides dans chaque sens entre Nice et Paris.

Enfin, Nice est également le point de départ d'une ligne privée à voie métrique de 150 kilomètres joignant Digne. Cette liaison n'est plus ouverte qu'à un trafic de voyageurs essentiellement local : domicile-travail autour de Nice, skieurs en saison et déplacements interrégionaux. Son prolongement, par mise à trois files de rail, de la ligne SNCF Digne-Saint-Auban est à l'étude.

Le dynamisme du chemin de fer dans la région est attesté par la revitalisation récente de la ligne Nice-Breil-Coni, mise à mal durant la Seconde Guerre mondiale et ensuite longtemps fermée, puis reconstruite à la demande et en grande partie aux frais des Italiens. Le tracé et le profil de cette voie ferrée, qui s'inscrit dans un relief non extraordinairement élevé mais très tourmenté et où les vallées sont le plus souvent en gorge, comme celles du Paillon ou de la Roya, est très dur : rampes sévères, le plus souvent de 25 mm/m, plusieurs dizaines de

Bien que peu aidée par les collectivités locales, et malgré le faible peuplement du secteur qu'elle traverse, la ligne privée à voie métrique Nice-Digne joue un rôle non négligeable dans la desserte des Alpes-de-Haute-Provence.

241

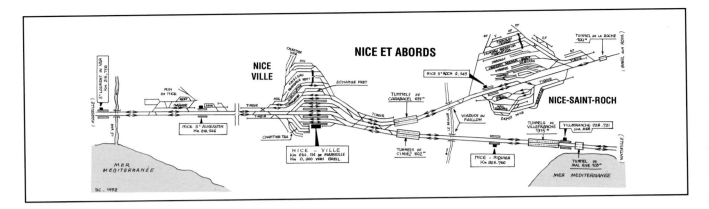

tunnels dont celui de Braus, long de 5 938 mètres, tracés héli-coïdaux, viaducs souvent hardis se succèdent sur les 85 kilo-mètres qui séparent Nice du col de Tende marquant la fron-tière. A vrai dire, le trafic, nul dans le domaine du fret, est très modéré dans celui des voyageurs ; cinq relations par sens sont assurées par des autorails ou des rames légères entre Nice et Breil ; au-delà les échanges transfrontaliers sont pris en charge par une liaison dans chaque sens : mais les quatre heures nécessaires pour couvrir le trajet de 208 kilomètres entre Nice et Turin – relief oblige – ne peuvent être très incitatives. Il faut remarquer que, de Breil, une ligne également à voie unique, passe rapidement la frontière pour atteindre en terri-toire italien Vintimille. Aussi la section Breil-Col de Tende présente-t-elle pour les Transalpins un intérêt économique certain puisqu'elle relie le haut Piémont à la partie occiden-tale de la Riviera, au prix d'une courte incursion en territoire français. Cela explique la demande de réouverture émanant des autorités italiennes.

Dynamique, le transport ferroviaire sur le littoral varois et sur la Côte d'Azur doit subir le poids d'un environnement hu-main très dense. Aussi a-t-il su s'adapter, en tenant compte de ses propres contraintes. Par exemple près de Cannes, à La Bocca, dans un site touristique de premier ordre, les emprises de la SNCF ont considérablement diminué, tandis que désor-mais la voirie urbaine se superpose souvent à la voie ferrée : le viaduc routier qui surplombe les voies et quais de la gare de Nice constitue un exemple particulièrement spectaculaire, qui démontre ici que les deux grands moyens de transport terrestre ne sont pas nécessairement des antagonistes.

LA DESSERTE DES PLAINES DU BAS-LANGUEDOC ET DU ROUSSILLON

Comme à l'est de Marseille, la structure du réseau ferré entre Bas-Rhône et frontière espagnole est de type linéaire : de Nî-mes à Toulouse se développe une grande partie de la transver-sale sud Bordeaux-Marseille. Mais à Narbonne, nœud essen-tiel, une ligne également bien équipée et à grand trafic se débranche en se dirigeant vers Perpignan et la frontière espa-gnole.

Ces deux grands axes bénéficient, dans des régions plates parsemées de grands étangs, d'un tracé et d'un profil très favo-rables, avec des déclivités qui ne dépassent jamais le taux de 5 mm/m, même aux abords du Seuil de Naurouze, où la ligne Toulouse-Narbonne s'élève à 293 mètres pour basculer du bassin de la Garonne dans celui de l'Aude et se diriger vers la Méditerranée. Aussi les grands ouvrages d'art sont-ils ra-res : la présence du tunnel d'Ensérune, sous un oppidum ro-main, entre Narbonne et Béziers, semble presque in-congrue ! (1) Entre Agde et Sète, la voie ferrée suit, sur une quinzaine de kilomètres, l'étroit cordon littoral qui sépare la mer et l'étang de Thau. Mais l'artère Narbonne-Port-Bou, au sud d'Argelès, qui doit s'infiltrer entre Méditerranée et Pyré-nées, présente des caractéristiques d'implantation rappelant tout à fait celles des lignes de la Côte d'Azur ou de la Côte basque, avec un tracé très sinueux et de nombreux souterrains. Longtemps en retard au plan des infrastructures, ces deux li-gnes à double voie des ex-Compagnies du Midi et du PLM bénéficient désormais d'un équipement de la meilleure qua-lité. Electrifiées, en courant de 1 500 volts, dotées du block automatique lumineux, elles possèdent des potentialités ren-forcées par de fréquentes possibilités de garage et des IPCS. Les artères adjacentes, toutes à voie unique, sont soit l'aboutis-sement du second axe longitudinal qui traverse le sud du Massif Central, la ligne des Causses, électrifiée, qui vient se greffer à Béziers, soit des antennes en impasse, parfois très courtes ; celles qui relient Perpignan à Villefranche-Vernet-les-Bains et Elne au Boulou sont-elles aussi sous caténaires. Le court tronçon Le Boulou-Céret, lui, ne l'est pas. Par ailleurs, la SNCF continue d'exploiter la section Villefranche-La Tour-de-Carol, électrifiée (par troisième rail) et à voie métrique ; de part et d'autre du col de la Perche, les rampes atteignent 50 et 60 mm/m et la ligne comporte de nombreux ouvrages d'art.

Sur les deux grands axes le volume du trafic est important puisque, les deux sens réunis et en moyenne quotidienne, 60 à 90 trains roulent entre Cerbère et Narbonne, 90 entre Toulouse et Narbonne, entre 140 et 170 de Narbonne à Nî-

---

(1) A proximité immédiate de la gare de Sète fonctionne une curiosité ferroviaire, un pont métallique levant, qui permet aux navires de faible tonnage de passer de la Méditerranée dans l'étang de Thau. Le fait qu'il soit emprunté par une double voie électrifiée en ac-croît l'originalité.

Les deux grands axes qui sillonnent le Languedoc-Roussillon : ci-dessus, Avignon-Montpellier-Cerbère, à Banyuls, et ci-dessous, Narbonne-Toulouse, à Villedaigne.

mes. Il se partage équitablement entre transport des voyageurs et des marchandises. C'est la ligne de Cerbère-Port-Bou qui, malgré son niveau d'activité, est la moins chargée. Les flux passent de 4 000 voyageurs et 5 500 tonnes entre Cerbère et Perpignan, à 6 000 personnes et plus de 11 000 tonnes entre Perpignan et Narbonne. Sur la transversale sud, les courants sont à la fois plus denses et toujours importants, mais plus vigoureux à l'est de Narbonne : entre Toulouse et Narbonne, ils représentent 12 000 voyageurs et 20 000 tonnes environ, contre respectivement 19 000 et près de 30 000 entre Montpellier et Nîmes.

Ces flux se caractérisent par leur amplitude. Il est vrai que la desserte du Languedoc-Roussillon génère en elle-même des courants importants, en raison d'abord du nombre et de la taille des villes échelonnées sur les deux grands axes : alors que l'agglomération de Nîmes compte 150 000 habitants, celle de Montpellier atteint 220 000 habitants, contre 45 000 à Sète, 85 000 à Béziers, 50 000 à Narbonne, 120 000 à Perpignan ; aussi les échanges régionaux de voyageurs sont-ils denses, ainsi que les relations avec Marseille, Lyon et la capitale ; l'arrivée récente des TGV, depuis la vallée du Rhône, a renforcé l'attraction exercée par le corridor ferroviaire rhodanien, ce qui explique la progression régulière du trafic de Narbonne à Nîmes. Dans le domaine du fret, en l'absence d'industries puissantes, ce sont les expéditions de fruits et légumes depuis surtout le Roussillon, de vin depuis surtout la région de Béziers, de produits pétroliers depuis le complexe de Frontignan, et des marchandises chargées et déchargées dans les ports de Sète et Port-la-Nouvelle, qui renforcent le trafic. Ces marchandises sont souvent acheminées très loin, par exemple par des trains rapides jusque dans la région parisienne et au-delà depuis Perpignan.

Mais, pour le fret comme pour les voyageurs, le couloir languedocien est sillonné par d'intenses courants de transit, d'abord hexagonaux avec les échanges entre les régions de l'ouest et du sud-ouest d'une part, du sud-est et de la moyenne vallée du Rhône de l'autre ; les flux internationaux, même s'ils ne représentent à la gare frontière de Cerbère que les quatre cinquièmes de ceux qui circulent par Hendaye, sont cependant assez considérables, de l'ordre de plus de 5 000 tonnes par jour, en moyenne, avec prépondérance des exportations ; celles de produits manufacturés vers l'Espagne font plus que contrebalancer les arrivages de fruits et légumes de la péninsule ibérique ; toujours est-il que depuis la frontière des trains directs traversent la France pour gagner par exemple l'Allemagne.

Pour l'acheminement de ce trafic massif, plusieurs gares jouent un rôle important. Modernisée récemment, celle de Montpellier, en l'absence de lignes affluentes, fait face à ses responsabilités avec seulement quatre voies à quai, de passage, recouvertes maintenant par l'ensemble des installations commerciales. Celle de Sète, longtemps figée, connaît les premiers effets d'un indispensable rajeunissement ; les emprises réservées aux marchandises s'étirent à quelques kilomètres, le long de la Méditerranée. Très largement développées

au temps de la Compagnie du Midi, les infrastructures du nœud de Béziers sont en partie sous-utilisées depuis le déclassement du triage, qui toutefois accueille des trains en escale ; un saut-de-mouton marque l'arrivée de la ligne des Causses, qui enjambe en effet les voies de l'itinéraire Bordeaux-Marseille.

A Perpignan, les nécessités de l'évolution des conceptions commerciales ont amené la construction d'une gare nouvelle, exclusivement affectée aux expéditions de fruits et légumes, avec des installations de stockage et de chargement adaptées. Non loin de là, le trafic international, comme sur la côte basque, est assuré par un binôme franco-espagnol, composé des gares de Cerbère et Port-Bou : une voie espagnole, plus large, remonte jusqu'à Cerbère, une voie "normale" de la SNCF descend jusqu'à Port-Bou. En plus des installations trouvées habituellement aux frontières s'étalent des chantiers spécialisés dans la modification de l'écartement des roues sur les essieux, aussi bien des wagons de marchandises (trains Transfesa) que de trains de voyageurs (rames Talgo). Alors qu'à Hendaye le chemin de fer a pu étaler ses emprises en gagnant sur la mer, à Cerbère voies et bâtiments, suivant une disposition en triangle, se pressent dans un vallon aux flancs escarpés et au pied de hauts murs de soutènement. Par ailleurs sur l'antenne de Céret, la gare du Boulou joue un rôle original en traitant efficacement le trafic rail-route grâce à sa position avantageuse à proximité immédiate de la Nationale 9 et de l'autoroute "La Catalane", qui mènent à Barcelone et au cœur de l'Espagne. Ainsi, dans cette gare, le trafic s'élève à plus d'un millier de tonnes en moyenne quotidienne.

Le principal carrefour ferroviaire entre celui du Bas-Rhône et l'Aquitaine est implanté à Narbonne, point de passage obligé pour les trains de la transversale sud mais aussi de la ligne de Perpignan, qu'ils se dirigent vers Toulouse et Paris ou vers la vallée du Rhône. Quotidiennement, aussi bien de nuit que de jour, 150 convois environ, dont une soixantaine de marchandises, traversent le nœud : parmi eux peuvent être identifiés les express et rapides assurant de bout en bout le service de la grande transversale, mais aussi les relations Paris-Perpignan, les rames Talgo Paris-Barcelone circulant via Toulouse ou reliant Genève à Barcelone. Les cinq voies à quai de la gare connaissent donc une animation à peu près constante, tandis que la gare de triage qui les longe, déclassée (elle était affectée au Régime Accéléré), assure des fonctions locales et se consacre largement aux opérations de relais des convois de marchandises en escale ; un chantier très actif affecté aux trains d'automobiles accompagnées y est rattaché. A l'ouest du dépôt, un raccordement à voie unique, électrifié, relie les lignes de Toulouse et de Perpignan, évitant à certains trains directs comme les "Talgo" Paris-Barcelone, le rebroussement en gare de Narbonne.

Dans l'ensemble des pays méditerranéens français, le chemin de fer joue donc un rôle important, caractérisé, en raison surtout de la disposition du relief, par une forte concentration de l'activité sur quelques grands axes très bien équipés. Aux abords d'Avignon, de Nîmes ou de Marseille, le volume du

Le site de Cerbère, à la frontière franco-espagnole, encaissé au pied des contreforts des Pyrénées.
Le Talgo Genève-Barcelone traversant les étangs de Sigean : ce train s'affranchit des différences de largeur de voies entre la France et l'Espagne, grâce à ses essieux à écartement variable.

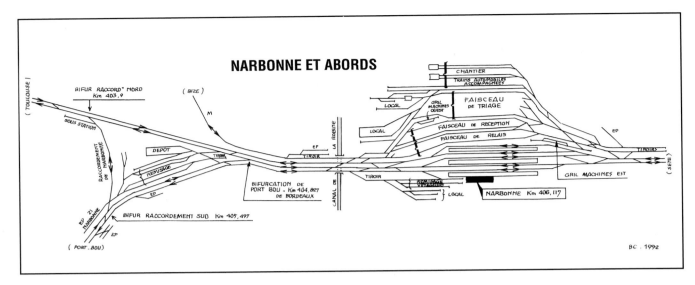

NARBONNE ET ABORDS

BC . 1992

Ille-sur-Têt, une gare de l'ancienne ligne Midi Perpignan-Villefranche ; malgré la ré-électrification en 1 500 V, les imposants portiques datant des balbutiements du monophasé sont restés en place.

trafic atteint un niveau assez rarement dépassé sur le reste du réseau, aussi bien pour les voyageurs que les marchandises. Aussi les lignes principales de ces régions sont-elles souvent proches de la saturation. Se pose dès lors avec acuité, depuis quelques années, la question de la création de lignes TGV qui donneraient un élan nouveau, comme ailleurs, aux échanges de voyageurs, tout en permettant aux nombreux trains de marchandises de circuler dans de meilleures conditions. Il faut songer à l'amélioration considérable que représenterait l'aménagement au sud de Valence, extrémité sud du contournement de Lyon, d'une artère TGV qui, à son arrivée dans le carrefour du Bas-Rhône, se diviserait en deux lignes, à l'image de l'autoroute A7 : la branche est desservirait Aix, d'où un embranchement gagnerait Marseille, et, grâce à l'utilisation

de la trouée de l'Arc et de l'Argens, pourrait atteindre rapidement la Côte d'Azur ; la branche ouest, elle, sillonnerait l'ensemble du Bas Languedoc en passant près de ses grandes villes, pour infléchir sa course en direction de la frontière. Les possibilités offertes par la réalisation de ces opérations seraient énormes : desserte rapide des cités méditerranéennes françaises depuis Paris et, à terme, depuis l'ensemble de l'Europe occidentale, jonction avec une ligne nouvelle lancée depuis Barcelone et donc continuité entre les réseaux à grande vitesse français et espagnols ; de plus, la ligne TGV languedocienne serait un maillon important d'une future liaison rapide Bordeaux-Marseille doublant l'actuelle transversale sud ; l'aisance des relations entre les deux branches, en outre, permettrait à des TGV de rouler en site propre de Barcelone à Marseille et à Nice, en attendant un possible prolongement en Italie.

Les obstacles sont réels, comme le coût des travaux, la concurrence de projets aussi lourds et intéressants, comme ceux des TGV Est ou Rhin-Rhône, le problème de la répartition des charges entre la SNCF, l'Etat, les collectivités territoriales. Par ailleurs, la création de lignes nouvelles dans des régions très peuplées, dont les splendides paysages doivent être préservés, et dans des secteurs agricoles riches mais fragiles, suscite des difficultés aux plans politique et psychologique ; elles rendent plus que jamais indispensable une communication et une concertation de qualité. C'est surtout en Provence que la contestation s'est développée, obligeant les responsables de la SNCF à revoir leur copie, au prix d'une augmentation des coûts. Mais l'intérêt général commande tellement la mise en route de ces grands travaux qu'il est permis d'estimer que les dernières barrières pourront être levées. Lorsque les TGV, sur leurs voies intégralement nouvelles, placeront Marseille et Nice à respectivement trois et cinq heures de la capitale, l'acheminement des trains de marchandises s'effectuera dans de meilleures conditions grâce au dégagement des artères actuelles ; c'est l'ensemble du sud-est français qui profitera alors de la considérable bonification du moyen de transport ferroviaire et de ses bienfaits dans tous les domaines.

LE CENTRE

Le train Paris-Le Mont-Dore gravissant la très dure rampe de 35 mm/m au départ de La Bourboule : dans tout le Massif Central, un relief qui conduit à des lignes aux tracés et profils souvent ingrats.

La notion de centre de la France est floue. Dans cette étude vont être incluses la plupart des lignes qui sillonnent le Massif Central, à l'exception de celles, comme l'artère Lyon-Saint-Etienne, qui se trouvent à proximité du corridor rhodanien et en relation directe avec lui. Les axes Moulins-Nevers-Vierzon et Brive-Limoges-Vierzon, pris ici en compte, marquent, eux, les limites nord et ouest de la présente analyse. Au plan ferroviaire les régions du centre de la France ne comptent pas parmi les plus actives, puisque les axes Paris-Toulouse et Nantes-Lyon, où la circulation est soutenue, sont en position quelque peu marginale. Aucun nœud ne joue un rôle comparable, même de loin, à celui de Dijon ou Lyon, tandis que, plus rares qu'ailleurs, les lignes ne possèdent souvent qu'une seule voie et supportent en général un trafic quantitativement médiocre.

L'explication essentielle fait largement appel à la géographie physique, dans la mesure où la masse énorme du Massif Central, depuis le Morvan jusqu'aux Cévennes, du Limousin aux monts du Lyonnais, constitue un obstacle de taille à l'établissement de puissants flux de circulation à grande distance, à une dense occupation humaine et à l'émergence d'une économie vigoureuse et diversifiée.

Très influencé par les exigences de la topographie, le réseau ferré n'en est pas moins présent et apporte une utile contribution à la mise en valeur et à la vie de ces régions. Le trafic se caractérise par la concentration de la fonction de transit sur quelques axes privilégiés, et ailleurs par la prédominance de la desserte locale.

UN RÉSEAU TRÈS MARQUÉ PAR LE RELIEF

Dans le cadre géographique qui vient d'être défini sont incluses des régions au modelé très modéré, sinon plat, comme la Champagne berrichonne ou le Nivernais. Mais la majeure partie est occupée par le Massif Central, qui pose une série de problèmes.

En effet, s'il n'est dominé par aucun sommet d'altitude comparable à ceux des Alpes ou même des Pyrénées, sa massivité en fait une zone montagneuse de pénétration plus difficile. Seules les larges vallées de la Loire et de l'Allier, d'orientation méridienne, autorisent une progression aisée vers le centre du massif. Dans sa partie occidentale, c'est-à-dire dans le Limousin ou le Quercy, les vallées existent mais sont très étroites, encaissées, sinueuses, donc peu utiles. Aussi, dans ces pays où domine le modelé en creux, la circulation aussi bien routière que ferroviaire doit-elle souvent s'effectuer à la surface de plateaux, eux-mêmes ondulés, et striés par de profondes vallées qu'il faut franchir.

Aussi n'est-ce pas un hasard si l'implantation du chemin de fer n'a pu s'effectuer qu'au prix de la construction de nombreux ouvrages d'art : tunnels mais surtout grands ponts ou viaducs, comme ceux du Viaur ou de Garabit, qui font du Massif Central un splendide musée dans ce domaine si spectaculaire.

Trois voies ferrées importantes commandent le réseau du centre du pays, les deux radiales Paris-Clermont-Ferrand et Paris-Toulouse, et la transversale Nantes-Lyon, déjà présentées dans leur globalité. A partir d'elles s'élancent de nombreux

Clermont-Ferrand : l'autoroute est malheureusement arrivée avant l'électrification, ce qui a amoindri l'effet sur la fréquentation que l'on pouvait attendre d'un tel investissement.

Au sud de Limoges, la ligne Paris-Toulouse doit composer avec le relief : ici, un express Corail dans le secteur de Souillac.

249

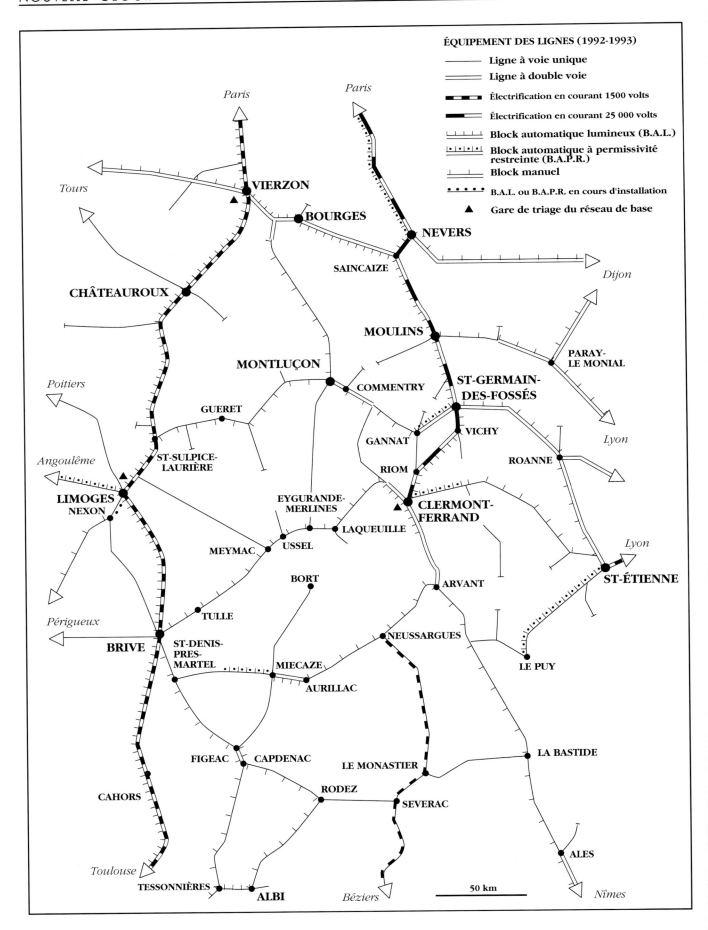

ÉQUIPEMENT DES LIGNES (1992-1993)

Ligne à voie unique
Ligne à double voie
Électrification en courant 1500 volts
Électrification en courant 25 000 volts
Block automatique lumineux (B.A.L.)
Block automatique à permissivité restreinte (B.A.P.R.)
Block manuel
B.A.L. ou B.A.P.R. en cours d'installation
▲ Gare de triage du réseau de base

La ligne des Causses : malgré une très vive concurrence routière et des gisements de trafic des plus limités, cet axe électrifié de Béziers à Neussargues bénéficie d'une desserte directe depuis Paris.

axes qui innervent le Massif Central et ses abords.

La partie la plus compacte du Massif est traversée par deux lignes, en tronc commun à double voie de Clermont-Ferrand à Arvant, à voie unique après leur séparation. Ces deux artères, très longues, comptent parmi les plus accidentées et les plus pittoresques de notre pays.

La ligne des Cévennes s'allonge sur 303 kilomètres entre Clermont-Ferrand et Nîmes, remontant la vallée de l'Allier jusqu'à sa source, près de La Bastide, où à 1 025 mètres elle atteint son point culminant, avant de plonger vers Nîmes sur le versant méditerranéen des Cévennes. Si jusqu'à Langeac profil et tracé restent de qualité, plus au sud, de Langeac à Alès sur plus de 150 kilomètres, les constructeurs ont dû frayer un passage à la voie ferrée à travers les masses montagneuses peu aérées du Velay, de la Margeride et des Cévennes, en n'étant que très médiocrement aidés par les vallées étroites, sinueuses et en forte déclivité. Aussi les rampes atteignent-elles fréquemment le taux de 25 mm/m, alors que les tunnels fourmillent puisqu'il est possible d'en dénombrer 101 entre Langeac et Alès, creusés le plus souvent le long des gorges de l'Allier. Les viaducs sont eux aussi nombreux, en maçonnerie et le plus souvent incurvés, comme ceux de Chamborigaud, Monistrol-d'Allier, Chapeauroux ou de l'Altier.

Plus à l'ouest, et également de direction méridienne, la ligne des Causses présente similitudes et différences. Plus longue

(391 kilomètres de Clermont-Ferrand à Béziers), elle offre la particularité d'avoir été électrifiée par les soins de la Compagnie du Midi depuis Béziers jusqu'à Neussargues, ancien "point-frontière" avec le PO, ce qui explique que la caténaire s'arrête dans cette localité. Son profil est plus dur que celui de la ligne des Cévennes, avec des rampes qui atteignent souvent le taux de 33 mm/m ; culminant à 1 053 mètres, elle coupe sans pouvoir les suivre longtemps les vallées de la Truyère, du Lot ou du Tarn, et se trouve obligée d'escalader les rebords abrupts des plateaux des Causses. Parmi les viaducs est mondialement célèbre celui de Garabit, long de 564 mètres et haut de 123 mètres, construit au-dessus de la Truyère, par la Société Eiffel sur les plans de Boyer, de 1880 à 1887 ; l'arche centrale, de 165 mètres d'ouverture, est la pièce maîtresse de ce splendide ouvrage métallique. La nécessité du percement de 44 tunnels achève de montrer combien l'établissement de cette liaison ferroviaire s'est révélé difficile. Malgré un trafic très faible et concurrencé par la transformation en autoroute de la RN 9, l'avenir de cette relation dans une zone en cours de désertification pourrait sembler assuré dans la mesure où elle vient de faire l'objet d'importants travaux de modernisation, avec entre autres la commande centralisée simplifiée de la circulation, depuis Millau, de la section Neussargues-Béziers, ces investissements ayant été payés par la région Languedoc-Roussillon.

251

En raison de la disposition d'ensemble du relief, les liaisons est-ouest sont dans le Massif Central uniformément malaisées, y compris dans la partie septentrionale où les rares plaines et grandes vallées sont de direction méridienne.

Entre Périgueux et Gannat, l'itinéraire transversal Bordeaux-Lyon se divise en deux branches, également à voie unique, sauf sur de très courtes sections.

Celle qui est jalonnée par les villes de Limoges, Guéret et Montluçon amorce un contournement par le nord de l'essentiel du Massif Central ; mais, tracée dans une région accidentée, sans pouvoir suivre de vastes couloirs naturels, elle comporte de nombreuses rampes de 15 mm/m et courbes de faible rayon. A Saint-Sulpice-Laurière, à 32 kilomètres au nord de Limoges, se présente une curiosité ferroviaire : la bifurcation qui marque la fin du tronc commun aux lignes de Montluçon et de Paris a été, pour des raisons topographiques et politiques, c'est-à-dire la priorité de la liaison des chefs-lieux de département avec Paris, orientée vers la capitale : aussi, lourde sujétion, tous les trains de la relation Limoges-Montluçon doivent-ils rebrousser dans les emprises de la gare.

Plus courte, la liaison assurée entre Périgueux et Gannat par Brive, Eygurande-Merlines et Clermont-Ferrand est aussi plus difficile. C'est que, au-delà de Tulle, où elle rebrousse, la ligne doit durement grimper pour s'installer sur les plateaux ondulés du Limousin, puis franchir la chaîne des monts Dore et des monts Dôme ; aussi les rampes atteignent-elles souvent le taux de 25 mm/m.

Les autres voies ferrées de l'ensemble régional considéré ont été conçues pour assurer des relations moins ambitieuses. D'orientation générale elle aussi ouest-est, plus méridionale, la ligne Brive-Aurillac-Neussargues-Arvant est constellée d'ouvrages d'art. En effet, lorsqu'elle suit le cours de la Cère, affluent de la Dordogne, la vallée en gorge est tellement inhospitalière qu'il a fallu percer 13 tunnels sur une trentaine de kilomètres et y multiplier les dispositifs de détection des chutes de rocher. Plus à l'est, la voie ferrée doit traverser la lourde architecture des monts du Cantal, entre le Puy-Mary et le Plomb-du-Cantal. Elle y parvient, au prix de fortes rampes, de la construction de nombreux viaducs et du forage du tunnel du Lioran qui, long de 1 960 mètres, jalonne la ligne de partage des eaux entre les bassins de la Dordogne et de l'Allier ; le fait qu'elle culmine à 1 152 mètres pose, comme à beaucoup d'autres artères, de réels problèmes en période hivernale.

Plusieurs lignes, bien sûr à voie unique, complètent un réseau dont le maillage n'a jamais été dense. C'est ainsi que dans la partie septentrionale du Massif Central courent les voies ferrées reliant Limoges et Le Palais à Meymac, Montluçon à Eygurande, Clermont-Ferrand à Saint-Etienne, Saint-Georges-d'Aurac au Puy et à Saint-Etienne ; plus au sud, serpentent les artères Brive-Capdenac-Rodez et Tessonnières-Rodez, qui mettent en relation Bassin Aquitain et Massif Central, Rodez-Séverac-le-Château et Le Monastier La Bastide, qui se soudent aux deux radiales Clermont-Béziers et Clermont-Nîmes. Elles pos-

Un turbotrain assurant une liaison Lyon-Bordeaux, entre Gannat et Commentry, sur le viaduc de Rouzat qui enjambe la vallée de la Sioule.

Page ci-contre : un convoi de fret comportant des locomotives en rapatriement émerge d'un tunnel de la section Alès-Langogne, sur la ligne des Cévennes.

sèdent des caractéristiques assez semblables : tracé sinueux, fortes pentes, nombreux ouvrages d'art. Sont particulièrement remarquables plusieurs viaducs, aussi bien pour leur beauté que pour leurs dimensions ; celui de la Tardes (hauteur : 92 mètres, longueur : 250 mètres), situé sur la ligne Montluçon-Eygurande, a été édifié à partir de très hautes piles en maçonnerie, qui supportent un tablier et un treillis métallique d'allure très rigide ; en revanche, entre Albi et Rodez, le viaduc du Viaur ou de Tanus, haut de 116 mètres et long de 460 mètres, est entièrement métallique ; il peut sur le plan de l'esthétique être préféré à celui de Garabit en raison de sa légèreté, de son élancement et de son élégance générale. Plusieurs lignes, d'importance encore moindre, offrent des

aspects comparables : ainsi c'est sur la modeste voie ferrée reliant Volvic à Lapeyrouse, en Auvergne, qu'a été construit le splendide viaduc des Fades, qui domine la Sioule ; conçu comme celui de la Tardes, il est plus majestueux encore, avec une hauteur de 133 mètres (record de France) et une longueur de 470 mètres. Dans cette famille, quelques lignes sont soit de courts embranchements en impasse, comme la relation Laqueuillle-Le Mont-Dore, ou les vestiges d'artères aujourd'hui disparues ou hors-service : les lignes venant de Miécaze et Neussargues qui se raccordaient à Bort-les-Orgues pour atteindre Eygurande, furent limitées à Bort en raison de la construction (achevée en 1950) du grand barrage qui surplombe cette ville, l'aménagement en amont d'un vaste et

A Issoudun, entre Vierzon et Limoges, un long train complet de céréales.

profond lac de retenue qui a noyé la plate-forme de la voie ferrée, et l'arrêt des travaux de la ligne de déviation. Dès lors, ces deux lignes qui acheminaient des express Paris-Massif Central, comme le Paris-Aurillac, n'ont cessé de péricliter. Ainsi Bort-Neussargues vient de fermer et Bort-Miécaze devrait suivre très prochainement.

Dans ces régions centrales du pays, les flux de marchandises et de voyageurs de grande ampleur ne circulent que sur quelques axes. Mais, lorsqu'ils sont ténus, les échanges ferroviaires jouent tout de même un rôle essentiel dans des régions vastes, souvent enclavées et difficiles d'accès, ce qui pourrait expliquer le relativement faible taux de transferts sur route ayant jusqu'à présent touché les voies ferrées de ce secteur.

LE TRAFIC SUR LES DIFFÉRENTS AXES

Exprimé en nombre moyen de circulations journalières, les deux sens réunis, le trafic n'est dans l'absolu important que sur de rares axes : entre Vierzon et Brive, c'est-à-dire sur l'artère Paris-Toulouse, il dépasse les 70 trains quotidiens ; un peu moins dense, il se situe tout de même toujours au-dessus de 55 entre Vierzon et Clermont-Ferrand pour frôler les 50 convois entre Saint-Germain-des-Fossés et Roanne. Sur les autres lignes, l'intensité de la circulation est très moyenne ou même faible, puisque par exemple dans la partie médiane des deux axes méridiens Arvant-Béziers et Arvant-Nîmes, le trafic n'est que de l'ordre d'une dizaine de trains, d'ailleurs de médiocres longueur et tonnage.

Les éléments d'explication se dégagent aisément. En premier lieu la densité moyenne de l'occupation humaine est très médiocre puisqu'elle ne dépasse pas 51 habitants au kilomètre carré dans la région Auvergne, pour descendre à 44 habitants au kilomètre carré dans la région Limousin. Si le milieu rural est souvent désertifié, les grandes villes sont peu nombreuses : ne dépassent en effet les 100 000 habitants que les

agglomérations de Limoges (150 000 habitants) et de Clermont-Ferrand (160 000 habitants) ; beaucoup de villes-préfectures comme Guéret, Tulle, Rodez, Mende, Moulins ou Aurillac n'atteignent pas 40 000 habitants. En corrélation, l'activité économique est très distendue, avec une agriculture extensive et des foyers industriels parfois vivaces comme autour de Clermont-Ferrand ou dans le bassin de Montluçon-Commentry ; mais ils sont rares, et frappés souvent de plein fouet par le déclin accéléré de l'extraction du charbon et des industries traditionnelles.

De plus, la difficulté de pénétration du Massif Central et la qualité souvent très moyenne des voies ferrées qui le traversent jouent un rôle répulsif pour l'établissement des flux de transit des voyageurs et des marchandises : pour ces dernières c'est par exemple par les grandes voies ferrées, très bien équipées, du couloir rhodanien et du littoral du Bas-Languedoc, que se développent les échanges entre régions toulousaine et lyonnaise. Aussi seuls les axes Vierzon-Brive et Vierzon-Roanne acheminent-ils des courants denses et à grande distance, d'origine et de destination étrangères aux pays du centre de la France.

Traduits en nombre de voyageurs et de tonnes transportés, les flux qui s'écoulent sur les autres voies ferrées sont faibles. Mais ils jouent un rôle essentiel pour plusieurs raisons.

D'abord, dans un ensemble géographique de relief difficile et où les relations sont le plus souvent malaisées, le chemin de fer offre de sérieuses garanties, en particulier en période hivernale, lorsque circuler sur les routes est aléatoire. Ensuite les nombreuses villes, petites ou moyennes, doivent être desservies par le rail à la fois pour la satisfaction de leurs besoins, entre autres en produits lourds et encombrants, et pour permettre à leurs habitants de rejoindre dans de bonnes conditions les axes majeurs du réseau : le cas de Mende ou d'Aurillac est très significatif. Enfin, quelques-unes des richesses des

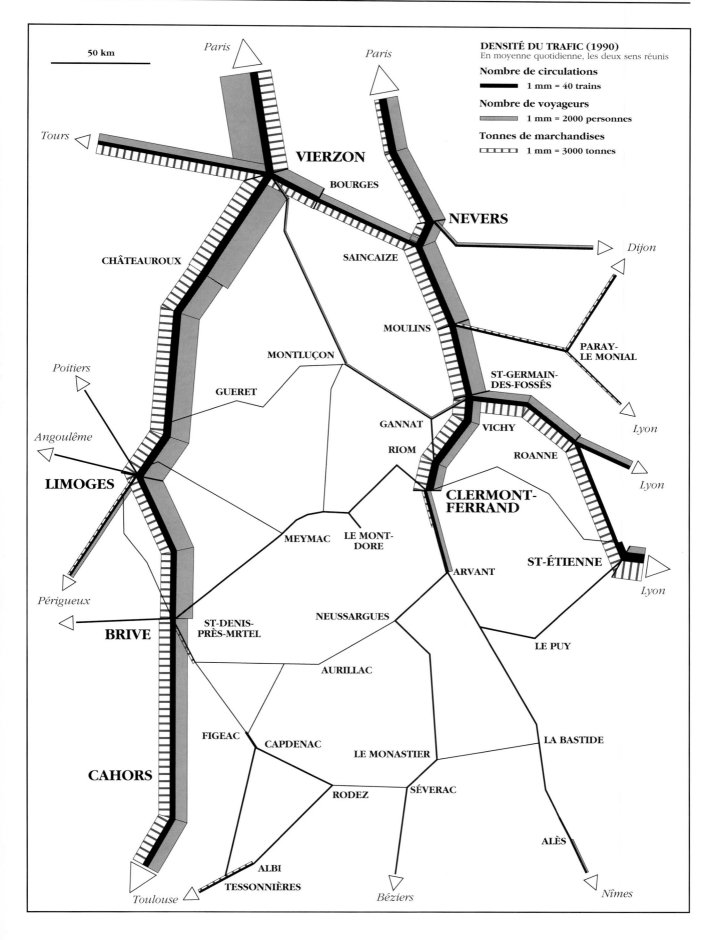

50 km

Paris

Paris

Tours

VIERZON

BOURGES

NEVERS

Dijon

CHÂTEAUROUX

SAINCAIZE

MOULINS

PARAY-
LE MONIAL

Poitiers

MONTLUÇON

GUERET

ST-GERMAIN-
DES-FOSSÉS

Lyon

Angoulême

GANNAT

VICHY

RIOM

ROANNE

Lyon

LIMOGES

CLERMONT-
FERRAND

MEYMAC

LE MONT-
DORE

ST-ÉTIENNE

Périgueux

ARVANT

Lyon

BRIVE

ST-DENIS-
PRÈS-MRTEL

NEUSSARGUES

LE PUY

AURILLAC

FIGEAC

LA BASTIDE

CAPDENAC

LE MONASTIER

CAHORS

RODEZ

SÉVERAC

ALÈS

ALBI

TESSONNIÈRES

Toulouse

Béziers

Nîmes

DENSITÉ DU TRAFIC (1990)
En moyenne quotidienne, les deux sens réunis

Nombre de circulations
1 mm = 40 trains

Nombre de voyageurs
1 mm = 2000 personnes

Tonnes de marchandises
1 mm = 3000 tonnes

255

Un autorail X 2800, engins omniprésents dans le Massif Central, assurant un train Brive-Rodez, vu entre Figeac et Assier.

pays du Massif central ou proches de lui, qui donnent lieu à des expéditions hors de ces régions, sont le plus souvent très dispersées, comme les produits des carrières, les bois (plus des deux tiers des expéditions en Corrèze et en Creuse) ou les animaux vivants, transportés il est vrai de moins en moins par le rail ; peu spectaculaire, ce trafic diffus est vital pour l'économie de pays peu gâtés par les conditions naturelles et le plus souvent isolés : ces marchandises concernent naturellement le chemin de fer.

Sans supporter de vrais flux de transit, plusieurs lignes assurent toutefois des échanges sur de longues distances, au vu de leur implantation géographique. Les deux axes Clermont-Ferrand-Nîmes et Béziers, qui se séparent à Arvant, sont dans ce cas.

Alors que le tronc commun à double voie Clermont-Arvant, qui jusqu'à Issoire supporte un trafic banlieue en pleine expansion, est emprunté par plus de 30 trains, en moyenne journalière et les deux sens réunis, chacune des deux branches ne supporte qu'une circulation réduite : dans leurs secteurs médians ne sont décomptés que 6 à 10 convois. C'est surtout le trafic des marchandises qui est très étiolé, avec parfois un seul train quotidien de chaque sens. Par ailleurs, la grille des trains est un peu plus dense sur les sections terminales, près d'Arvant, ou à l'opposé, entre Bédarieux et Béziers, entre Alès et Nîmes (près de 25 circulations).

En effet le flux des marchandises de bout en bout est inexistant, puisque, par exemple, les échanges entre Clermont-Ferrand et Nîmes sont, par souci de rentabilité, acheminés par l'axe rhodanien ; aussi ne s'agit-il que d'un trafic local, par essence faible, qui n'atteint le millier de tonnes que sur la section Alès-Nîmes.

Les flux de voyageurs sont proportionnellement un peu plus épais, surtout sur la ligne de Nîmes où ils sont de l'ordre de 1 000 voyageurs, contre la moitié en moyenne sur celle de Béziers qui, elle, perd peu à peu de sa vitalité en se dirigeant vers le sud. Assuré par des autorails ou par des rames "Corail" dont la composition est courte mais, qui, comme le "Cévenol" sur l'artère de Nîmes ou l'"Aubrac" sur celle de Béziers, offrent l'avantage de rallier directement Paris, le service n'est certes pas rapide : entre Clermont-Ferrand et Béziers la vitesse moyenne n'est que de 75 km/h environ, pour tomber à 60 km/h entre Clermont et Nîmes ; le tracé tourmenté et le mauvais profil des voies ferrées expliquent ces médiocres prestations que l'on a toutefois réussi à améliorer en supprimant de nombreux arrêts inutiles. Toujours est-il que ces relations permettent en tout temps des liaisons sûres et directes entre Paris, Clermont-Ferrand, le littoral méditerranéen d'une part, des départements enclavés comme le Cantal, l'Aveyron, la Haute-Loire ou la Lozère de l'autre. Lorsqu'elles ne sont pas, à la différence de Millau ou Neussargues, situées sur l'un des deux axes mêmes, des autorails ou des cars de rabattement sortent de leur isolement des villes comme Le Puy ou Mende.

Modestes, les flux qui s'écoulent sur les autres lignes se renforcent quelque peu à proximité de villes industrialisées ou de zones d'extraction minière. Ainsi entre Montluçon et Com-

Deux aspects de la ligne des Cévennes : au sud, un train complet à la sortie d'Alès et, au milieu de la ligne, à Chamborigaud, le train de jour Marseille-Nîmes-Paris, baptisé "Le Cévenol", dans un paysage caractéristique.

Quelques rares gares sont encore ouvertes au trafic en wagons isolés : ici, un chargement de bois en débord à Laval-de-Cère, entre Saint-Denis-près-Martel et Aurillac.

mentry d'une part, Gannat et Pont-Vert (1) de l'autre, les marchandises transportées quotidiennement représentent entre 1 000 et 2 000 tonnes. Par contre, la cessation d'activité des bassins de Viviez-Decazeville et de Carmaux explique la disparition des courants de l'ordre de 1 000 et 2 000 tonnes qui empruntaient, il y a quelques années, les lignes Capdenac-Cahors et Carmaux-Tessonnières.

Dans le domaine du transport des voyageurs deux axes sont régulièrement sillonnés par des trains à grand parcours : les lignes reliant Périgueux à Saint-Germain-des-Fossés soit par Limoges et Montluçon, soit par Brive et Clermont-Ferrand se partagent, au bénéfice de la première, les trois relations régulières journalières de chaque sens, établies entre Bordeaux et Lyon. A vrai dire ces flux, déjà ténus puisqu'ils ne dépassent pas 1 000 voyageurs sur la ligne de Montluçon et 500 sur celle d'Ussel-Clermont-Ferrand, regroupent quelques usagers effectuant des trajets de bout en bout, mais surtout ceux ne circulant que sur une partie de chaque ligne ; la vocation régionale de ces voies ferrées, est démontrée par les courants qui s'établissent par exemple entre Limoges, Guéret et Montluçon, Montluçon et Lyon et, sur l'autre axe, entre Brive, Tulle et Ussel, ou Ussel et Clermont-Ferrand. Le grand nombre des arrêts et la difficulté des tracés expliquent là aussi des moyennes horaires le plus souvent médiocres.

Le trafic des voyageurs à grande distance se caractérise aussi par l'existence de relations plus épisodiques, à caractère saisonnier, sur certaines autres lignes : sur la section Eygurande-Clermont-Ferrand circulent des trains qui vont desservir les stations thermales de La Bourboule et du Mont Dore, tandis que des convois spéciaux amènent les skieurs au pied des champs de neige du Mont Dore et, plus au sud, du Lioran ; par ailleurs des voitures directes en provenance de Paris atteignent par exemple Rodez via Capdenac, Ussel via Montluçon.

En dehors de ces convois à grande distance qui traversent le Massif Central et ses abords du nord au sud et de l'est à l'ouest, le trafic des voyageurs est assuré par des trains légers, automotrices électriques ou autorails. Leur fréquence peut être assez élevée sur certaines liaisons de faible longueur : ainsi près de vingt circulations quotidiennes en moyenne, les deux sens réunis, joignent Brive à Tulle, ou Ussel à Eygurande, plus de 25 unissent Viescamp à Aurillac. Mais souvent le service est réduit à 2 ou 4 allers-retours, effectués exclusivement par des autorails : ainsi par exemple entre Le Monastier et La Bastide pour assurer la desserte de Mende, entre Meymac et Le Palais (près de Limoges), entre Clermont-Ferrand et Saint-Etienne.

Diffus, rarement très importants, les courants qui sillonnent les régions du centre du pays se rencontrent dans des nœuds ferroviaires de types très variés.

---

(1) Où la ligne de Montluçon se greffe sur l'artère Vierzon-Bourges.

LES NŒUDS FERROVIAIRES

Les centres ferroviaires des régions concernées sont la plupart du temps moins actifs en raison de la desserte d'agglomérations de grande taille et la gestion de flux denses, que par le contrôle de bifurcations commandant des lignes au trafic rarement intense, mais essentielles à la vie de vastes ensembles géographiques.

Quatre groupes de carrefours peuvent être distingués.

Les moins importants peuvent correspondre à des villes de plus de 20 000 habitants, comme Rodez ou Aurillac, apportant au rail un trafic non négligeable mais à l'activité de transit peu dense.

Le plus souvent, dans ce groupe, se rencontrent des nœuds implantés dans des localités, peu peuplées, mais situées à la jonction de plusieurs voies ferrées et dont les gares assurent donc d'importantes activités de correspondance. Ainsi sur l'artère Brive-Clermont-Ferrand viennent se greffer à Meymac la ligne de Limoges, à Ussel celle de Busseau, à Eygurande-Merlines celle de Montluçon, à Laqueuille l'embranchement du Mont Dore. Au Monastier et à La Bastide la ligne de Mende se soude aux axes des Causses et des Cévennes ; de même à Séverac la voie ferrée venant de Rodez rejoint la ligne Béziers-Neussargues. A Viescamp les flux sont plus importants, avec l'éclatement du tronc commun en provenance d'Aurillac vers Saint-Denis-près-Martel, pour les deux tiers, et vers Figeac (1).

Ces carrefours ont souvent connu une activité plus considérable que maintenant, lorsque les régions du Massif central étaient plus peuplées et plus actives, la concurrence routière moins vive, et la vapeur reine. C'est ainsi que se remarquent, à Ussel par exemple, des vestiges de dépôts, rotondes entre autres, qui ont vécu des heures de gloire. Aujourd'hui les installations, parfois surdimensionnées par rapport au trafic, sont modestes, se limitant à quelques voies à quai (quatre à Ussel) ou affectées aux rames de marchandises, à quelques appareils de voie et signaux. Toujours est-il que l'activité ferroviaire continue de marquer la vie de ces modestes cités, qui lui doivent beaucoup.

La seconde famille de carrefours est composée de centres ferroviaires qui ressemblent aux précédents par la modestie de l'agglomération mais dont le rôle global est plus important en raison de la fonction de bifurcation, donc de correspondance.

Le cas de Saint-Denis-près-Martel est caractéristique : alors que la localité ne compte que quelques centaines d'habitants la gare, tapie près de la Dordogne, entre les Causses de Martel et de Gramat, a longtemps marqué l'intersection de la ligne

_____

(1) Entre Arvant et Langeac, sur la ligne des Cévennes, la gare de Saint-Georges-d'Aurac, origine de la ligne du Puy, peut-être incluse dans ce groupe.

Malgré son relatif enclavement, Aurillac, gare reliée à Brive, Clermont-Ferrand et Toulouse, sans compter le train de nuit pour Paris, conserve une animation non négligeable.

Capdenac est une de ces nombreuses villes pratiquement nées du rail ; la vue ci-dessus montre la consistance des installations de ce nœud régional : faisceau marchandises, gril-traction et gare avec marquise. Ci-contre, un train automoteur pour Brive.

Brive-Toulouse par Capdenac et de l'artère Bordeaux-Aurillac. Depuis la neutralisation, sur cette relation, de la section Sarlat-Souillac-Saint-Denis-près-Martel, elle n'est plus chargée que de la séparation, en fin de tronc commun, des courants Brive-Figeac-Capdenac et Brive-Aurillac ; l'essentiel de l'activité est assuré par le passage quotidien d'une dizaine de trains et surtout d'autorails dans chaque sens, avec une répartition d'ensemble très équilibrée.

Dépassant le millier d'habitants, la population d'Arvant et de Neussargues induit un trafic un peu plus considérable, mais qui s'efface cependant devant la fonction de transit.

En effet la gare de Neussargues, installée dans la vallée de l'Alagnon, se situe à la jonction de la radiale Clermont-Ferrand-Béziers et de la ligne d'Aurillac par le Lioran ; mais de plus elle joue un rôle obligatoire de relais pour les trains de la radiale, dans la mesure où d'abord ils doivent tous rebrousser, compte tenu des contraintes imposées par le relief, et où l'électrification de la section Neussargues-Béziers nécessite le changement systématique de locomotives ; aussi les voies de la gare connaissent-elles une certaine animation, recevant ou expédiant de 7 à 15 trains sur chacune des voies ferrées, avec des manœuvres plus nombreuses que dans des gares de trafic comparable, pour les raisons évoquées plus haut.

Le cas du nœud d'Arvant est un peu plus simple : installé à l'extrémité du tronc commun à double voie issu de Clermont-Ferrand, il commande les deux lignes à voie unique des Cévennes et des Causses, c'est-à-dire de Nîmes et de Béziers. La première de ces deux branches supporte un trafic un peu plus lourd, marqué comme sur l'autre axe et le tronc commun par une écrasante suprématie du service des voyageurs ; le fait que le "Cévenol" et l'"Aubrac", provenant de Paris, suivent à partir d'Arvant des itinéraires différents montre bien l'importance du rôle de bifurcation de la gare.

Dans des villes un peu plus peuplées, la fonction de transit, au plan ferroviaire, est encore plus prépondérante dans la mesure où des nœuds écoulent un trafic de passage plus volumineux et diversifié.

Ainsi à Capdenac : s'étalant dans la vallée du Lot, à la limite du Massif Central et du Bassin Aquitain, la gare de Capdenac était le centre d'une étoile à six branches, s'il est permis de considérer comme fin de tronc commun les gares de Figeac et de Viviez, qui commandent respectivement l'accès aux lignes de Brive et Aurillac, de Decazeville et Rodez.

Malgré quelques simplifications ou suppressions, comme celle du dépôt, très prospère à l'époque de la vapeur, les installations, très regroupées, restent vastes. Les trains de marchandises, à destination ou en provenance des gares de l'étoile, sont triés et formés sur un faisceau partiellement en courbe d'une vingtaine de voies (dont plus d'une demi-douzaine en impasse) : l'une des fonctions essentielles de la gare était d'assurer la jonction entre la zone métallurgique de Viviez-Decazeville et la grande radiale Paris-Toulouse, grâce à la ligne de Cahors ; depuis la mise en sommeil de toutes ces activités, la ligne Viviez-Decazeville a été déposée et celle de

Cahors à Capdenac est inexploitée. La marquise métallique qui longe le bâtiment des voyageurs flanqué d'une tour, recouvre partiellement cinq voies à quai qui connaissent une intense activité de correspondance : les vingt à trente trains ou surtout autorails qui fréquentent chaque jour la gare offrent des possibilités d'échanges très variées.

Plus au nord, à la lisière de la plaine de la Limagne et dominé par les monts d'Auvergne, le nœud de Gannat assume des missions de type différent, qui ont d'ailleurs évolué au cours des décennies. La gare a été édifiée au point de rencontre de l'artère qui venait de Limoges et Montluçon, à voie unique, et de l'une des deux lignes à double voie reliant Saint-Germain-des-Fossés à Clermont-Ferrand, la plus occidentale, l'autre étant tracée par Vichy. Son rôle a été renforcé par la construction entre Gannat et La Ferté-Hauterive, sur la ligne de Nevers, d'une dérivation à double voie qui permettait aux convois de marchandises se dirigeant vers la capitale ou en venant d'éviter le carrefour chargé de Saint-Germain-des-Fossés. Tout naturellement la section Gannat-Clermont-Ferrand s'est largement spécialisée dans le trafic des marchandises de type radial, l'itinéraire de Vichy étant suivi, lui, par les trains de voyageurs. Or depuis 1945 le rôle de Gannat a quelque peu décliné, avec la mise en sommeil de la ligne de La Ferté-Hauterive, que l'évolution du trafic et les progrès de la signalisation sur les autres axes ne rendaient plus indispensable. De plus, l'électrification récente du tronçon Saint-Germain-des-Fossés-Clermont-Ferrand entraîne le report sur lui de la circulation des trains de marchandises, pour des raisons de rentabilité. Aussi en 1991 la section Gannat-Riom a-t-elle été mise en voie unique.

Toujours est-il que la gare de Gannat reste un jalon important sur la branche nord de la transversale Bordeaux-Lyon, tracée par Montluçon : au-delà en effet de l'articulation de son trafic avec celui de la ligne de Clermont, où désormais dominent les convois de voyageurs à vocation locale ou régionale, elle doit organiser le rebroussement systématique de tous les trains de la transversale, en raison de l'implantation de la bifurcation au nord de ses emprises.

Le troisième groupe de nœuds ferroviaires est nettement caractérisé. Il comprend des villes dont les gares assurent un trafic plus dense, mais beaucoup moins lié à la fonction de carrefour et de correspondance qu'à l'activité même d'ensembles urbains beaucoup plus peuplés.

Celui de Châteauroux compte près de 60 000 habitants et est situé au cœur d'une riche région céréalière. Aussi l'agglomération induit-elle, en direction ou en provenance de Vierzon et de la capitale, des flux de l'ordre de 2 000 tonnes et de plus de 1 000 voyageurs qui chaque jour viennent s'ajouter au trafic déjà important de la grande artère radiale Paris-Toulouse. Dans ces conditions, bien plus que le débit très réduit des lignes de Tours et de La Châtre, c'est le passage quotidien de 80 trains en moyenne, les deux sens réunis, qui justifie des installations amples, remodelées durant les années 80. Elles permettent l'arrêt de la plupart des 45 convois de voyageurs, le garage momentané de nombreux trains de marchandises ;

la construction très récente d'un PRCI (Poste tout Relais à Commande Informatique) permet une gestion fluide de l'ensemble de la circulation dans la zone de la gare et de ses abords.

Le centre ferroviaire de Moulins est lui aussi implanté sur une artère radiale, celle qui joint Paris à Clermont-Ferrand. Deux fois moins peuplée que la précédente, l'agglomération ne peut donc pas générer des flux aussi denses. En revanche le rôle de plaque tournante est plus affirmé en raison du trafic affluent ou diffluent de la ligne de Paray-le-Monial : celle-ci, toujours à double voie, est loin de connaître la même activité qu'avant l'électrification de l'axe Paris-Dijon-Lyon, où elle acheminait une partie des courants entre la métropole rhodanienne et la capitale ; mais la circulation de 15 à 20 trains quotidiens, le transport de près de 2 000 tonnes de marchandises apportent de l'animation à la gare de Moulins. Par ailleurs celle-ci, comme à Châteauroux, joue un rôle de régulation des flux radiaux, qui se traduisent par une soixantaine de trains quotidiens entre Nevers et Saint-Germain-des-Fossés, dont 35 convois de voyageurs.

Au plan ferroviaire, la situation de la ville berrichonne de Bourges est assez particulière. Elle est en effet desservie par une ligne importante, la transversale Nantes-Lyon, mais reste à l'écart des deux grandes radiales de Paris à Toulouse et à Clermont-Ferrand, qui passent loin de là, respectivement à Vierzon, à 32 kilomètres, et à Saincaize. De plus l'itinéraire Paris-Montluçon, qui se sépare à Vierzon de la grande radiale de Toulouse, n'est pas tracé par Bourges, dans la mesure où c'est à une demi-douzaine de kilomètres à l'ouest de la gare, près de Marmagne, à Pont-Vert, que la ligne de Montluçon s'individualise en abandonnant l'axe transversal ; un raccordement permet cependant une liaison directe entre cette voie ferrée et Bourges.

Peuplée de plus de 80 000 habitants, l'agglomération est à l'origine de flux importants, de l'ordre de plus d'un millier de voyageurs par jour. Le handicap de la position à l'écart des radiales est partiellement compensé par la mise en circulation de quelques liaisons directes avec Paris, et de correspondances assurées par autorails avec les rapides s'arrêtant à Vierzon. Les installations de la gare ont été remaniées et modernisées en 1985, avec la mise en service d'un PRG (Poste à Relais Géographique) ; elles sont très regroupées, avec quatre voies à quai de passage et une, courte, en impasse, ainsi qu'un faisceau de voies affectées au trafic des marchandises, au nombre d'une vingtaine, dont six à double entrée.

Plus au sud la ville de Montluçon, qui s'étale sur les bords du Cher, annonce le Massif Central. Dans un sens le nœud ferroviaire assume des missions plus complètes et plus équilibrées que les centres précédents. En effet la gare se situe à l'intersection de la transversale Bordeaux-Lyon établie par Limoges, et de la ligne Vierzon-Eygurande. Aucune de ces voies ferrées n'écrase les autres par son trafic, toujours modéré ; alors que les courants de transit sont faibles, aussi bien pour les voyageurs que pour les marchandises, l'agglomération, forte de 60 000 habitants environ, alimente d'autant plus l'acti-

Ci-dessus : Montluçon et le faisceau marchandises qui jouxte les quais voyageurs.

Page ci-contre : vers Laqueuille, sur la transversale Clermont-Brive, la traversée d'un plateau enneigé par un train automoteur.

vité ferroviaire, qu'avec la ville voisine de Commentry, également située sur la transversale, elle représente un ensemble industriel de poids, marqué par la métallurgie différenciée et l'industrie chimique. Aussi n'est-il pas étonnant que chaque jour plus de mille tonnes soient transportées entre Montluçon et Vierzon, que plus de 30 trains roulent quotidiennement entre Montluçon et Commentry (1). Avec, entre autres, sept voies à quai, les installations de la gare permettent de faire face à cette activité.

La quatrième famille de carrefours est particulièrement importante puisqu'elle inclut les six nœuds ferroviaires qui, de Vierzon à Saint-Germain-des-Fossés et Clermont-Ferrand en passant par Nevers-Saincaize, Limoges et Brive, jouent un rôle directeur dans l'acheminement du trafic à travers les régions du centre de la France.

Sauf Clermont-Ferrand et à un moindre degré Saint-Germain-des-Fossés, ces carrefours se situent à la périphérie du Massif Central, ce qui démontre a contrario l'obstacle que représente celui-ci pour la circulation ferroviaire.

_____

(1) La relation transversale Limoges-Gannat est à double voie de Montluçon à Commentry et Lapeyrouse.

L'agglomération de Clermont-Ferrand compte plus de 160 000 habitants et constitue un ensemble industriel de premier ordre, avec en particulier la fabrication de pneumatiques par Michelin. De plus la métropole auvergnate exerce une influence notable et étendue, en raison, entre autres, de l'éloignement relatif des autres capitales régionales. Aussi, au plan ferroviaire, l'activité est-elle assez considérable.

Le contraste est grand entre la qualité des voies ferrées d'orientation méridienne qui la desservent, et les autres : les artères de Gannat, désormais à voie unique, et de Saint-Germain-des-Fossés, par Vichy, récemment électrifiée et à double voie, qui divergent en fin de tronc commun à Riom (à 14 kilomètres au nord de la gare de Clermont-Ferrand), celle d'Arvant, également à double voie, tracées dans les plaines de l'Allier, possèdent des tracés et profils de bonne qualité. En revanche, les lignes de Montluçon et Brive, en tronc commun à deux voies jusqu'à Volvic, celle de Thiers et Saint-Etienne présentent des caractéristiques beaucoup plus difficiles dans la mesure où elles s'écartent de la platitude de la Limagne.

Si seulement de 10 à 20 trains par jour, les deux sens réunis, roulent sur les voies ferrées de Saint-Etienne et de Volvic, la densité de la circulation atteint 45 trains sur le tronc commun d'Arvant, près de 90 dont 60 de voyageurs sur celui de Riom. Entre cette gare et celle de Saint-Germain-des-Fossés, c'est l'itinéraire, désormais électrifié, tracé par Vichy, qui accapare l'essentiel du trafic, près des trois quarts des convois.

Le trafic méridien l'emporte donc nettement, en particulier en provenance ou en direction de la région parisienne : près de 5 000 voyageurs sont transportés chaque jour sur la ligne établie par Vichy, près de 10 000 tonnes sur l'ensemble des deux itinéraires (les neuf dixièmes des tonnages sont acheminés par Vichy). A vrai dire, les gares de Gannat et Saint-Germain-des-Fossés, qui ponctuent la transversale Bordeaux-Lyon par Montluçon, offrent un jeu de correspondances qui permettent aux Clermontois de gagner Limoges ou Lyon par l'intermédiaire non pas le plus direct, mais le moins lent. Le contraste est grand en effet entre les vitesses moyennes remarquables, de plus de 130 km/heure, pratiquées sur la radiale Paris-Clermont, et celles beaucoup plus médiocres relevées sur les trajets transversaux, moins de 70 km/heure par exemple entre Clermont et Bordeaux ! Une trame d'une demi-douzaine de rapides et express dans chaque sens facilite encore davantage les relations entre le cœur de l'Auvergne et la capitale.

Dotée de 7 voies à quai, la gare de voyageurs écoule donc un trafic marqué par la prédominance des échanges assurés par la ligne de Paris, mais aussi par le nombre des autorails roulant sur les lignes affluentes : en tout, en moyenne journalière, 125 trains entrent dans la gare ou en sortent.

De même, les courants de marchandises, le plus souvent destinés à l'agglomération ou en provenance, alimentés par le développement industriel, sont assez variés pour justifier le maintien d'une gare de triage, aux Gravanches, le long de la ligne de Paris. Forte de deux faisceaux de réception de 4 voies

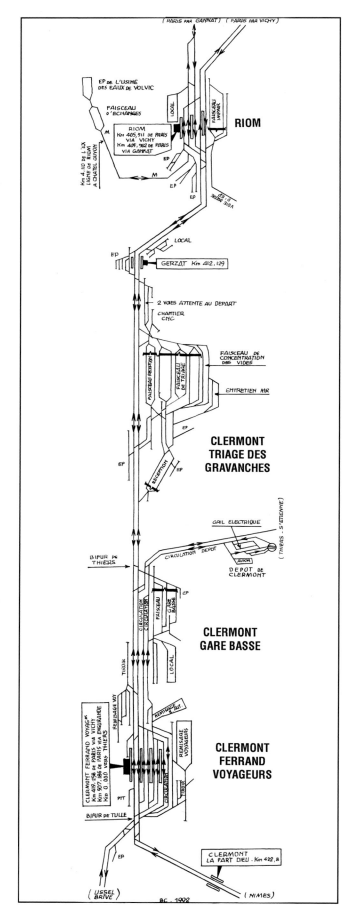

et de débranchement de 37 voies, elle fait partie du groupe des triages complémentaires mis en place dans le cadre du plan Etna ; avec seulement 562 wagons expédiés en moyenne journalière en 1991, la gare de Gravanches n'assure qu'environ le quart de l'activité du triage de Woippy ; mais, échangeant des trains avec les triages de Villeneuve-Saint-Georges et Le Bourget, Saint-Pierre-des-Corps, Sibelin ou Miramas, elle régule l'ensemble de la circulation des wagons dans un large périmètre autour de Clermont-Ferrand.

Sur les bords de l'Allier, à une soixantaine de kilomètres au nord-est de la capitale auvergnate, à une dizaine de kilomètres au nord de Vichy, la modeste bourgade de Saint-Germain-des-Fossés compte moins de 5 000 habitants. Mais elle abrite l'une des gares de bifurcation les plus importantes du centre de la France. En effet se débranchent de la grande radiale Paris-Clermont-Ferrand, immédiatement au sud de la gare, les lignes non électrifiées mais à double voie se dirigeant d'une part vers Roanne et Lyon, de l'autre vers Gannat, c'est-à-dire vers Limoges et Bordeaux.

Les installations ferroviaires ne sont guère impressionnantes. Alors que les deux bifurcations ne sont dotées d'aucun saut-de-mouton, la gare voyageurs n'est équipée que de quatre voies à quai, toutes banalisées. Un faisceau de douze voies, à proximité immédiate, assume dans le domaine des marchandises, deux fonctions : il permet les échanges de locomotives ou de mécaniciens, la formation ou la réception de trains de desserte de la zone proche, dans un rayon de 30 kilomètres au plus ; ces wagons sont retirés des convois de passage circulant entre les grands triages du lotissement ou leur sont adjoints. Complétées par une annexe-traction, les installations ont été, avant l'électrification, considérablement modernisées au début des années 80. En dehors du relèvement des vitesses dans la traversée de la gare, l'événement marquant a été la mise en service en 1982 d'un PRG (Poste tout Relais à câblage géographique), alors le plus important de France.

C'est que le trafic régulé par ce nœud ferroviaire est très important, avec une énorme prépondérance de la fonction de transit. En moyenne journalière plus de soixante trains roulent en 1990 sur la ligne de Paris, 70 sur celle de Vichy-Clermont-Ferrand, 50 sur l'artère de Roanne, une quinzaine sur celle de Gannat ; les convois de voyageurs représentent nettement plus de la moitié de ces circulations. Il s'agit là de courants complexes puisque se croisent en gare de Saint-Germain-des-Fossés les trains Paris-Vichy-Clermont-Ferrand (7 dans chaque sens), Nantes-Lyon (4), Lyon-Bordeaux (3), Lyon-Clermont-Ferrand, et de nombreux trains locaux. L'animation de la gare est tout au long de la journée d'autant plus soutenue que de multiples possibilités de correspondance s'offrent aux voyageurs, alors que la nécessité du rebroussement pour les relations Bordeaux ou Clermont-Ferrand-Lyon impose des mouvements supplémentaires ; enfin des voitures ont longtemps été ajoutées ou retirées sur plusieurs trains de grand parcours. Plus encore que ceux d'Aulnoye, Culmont-Chalindrey, Vierzon ou Laroche-Migennes, le carrefour de Saint-Germain-des-Fossés offre un superbe exemple d'une grande gare de bifur-

Clermont-Ferrand est un important nœud de correspondances : de nombreux voyageurs venus de Paris se répartissent dans les autorails et trains diesel qui irriguent tout le Massif Central.

cation et de correspondance dont l'activité bruissante est sans commune mesure avec le poids de l'agglomération.

L'extrémité nord du tronc commun issu de Saint-Germain-des-Fossés est ponctuée par le nœud double de Nevers-Saincaize, dont les éléments s'étendent à proximité immédiate du confluent de la Loire et de l'Allier.

Distantes de 11 kilomètres, les deux gares jalonnent l'itinéraire Paris-Clermont-Ferrand. Mais, alors que les lignes à double voie de Dijon et à voie unique de Clamecy viennent se greffer sur l'axe radial non loin de la gare de Nevers, en revanche c'est à Saincaize que s'effectue la jonction de cette radiale et de la ligne de Bourges-Vierzon : aussi l'itinéraire direct Lyon-Nantes court-circuite-t-il complètement la préfecture de la Nièvre, afin d'éviter un fastidieux aller-retour d'une vingtaine de kilomètres et un rebroussement en gare de Nevers. Cette dernière possède une structure classique, avec un faisceau d'une dizaine de voies affectées au service des marchandises, plus spécialement au relais de quelques trains intertriages ou directs, et cinq voies à quai. Celles-ci, outre les convois locaux, sont fréquentées non par les express et rapides Nantes-Lyon, mais par ceux de la radiale Paris-Clermont-Ferrand, ainsi que par les trains circulant sur la ligne de Montchanin, Chagny et Dijon. Le trafic est celui d'une agglomération de 50 000 habitants située à moins de deux heures de la capitale. La gare de Saincaize se révèle beaucoup plus originale. Après avoir connu une longue période de splendeur à l'époque du PLM et dans les débuts de la SNCF, avec un triage très actif, elle a été complètement remodelée en 1973, avec PRS et passage en vitesse. Dans le cadre de la simplification de la carte nationale des triages, celui de Saincaize a disparu ; ses installations, très simplifiées, abritent désormais des rames de

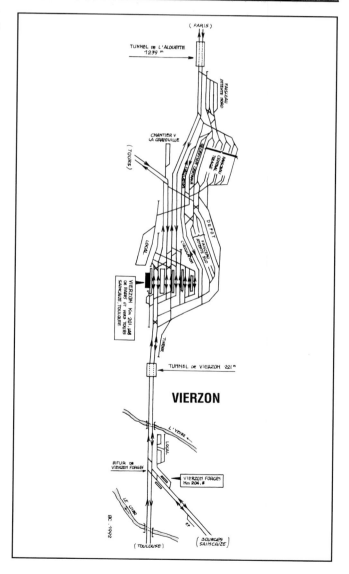

wagons hors-service ou des trains de marchandises de transit en relais.

Mais la fonction de grande gare de bifurcation reste intacte : elle s'appuie sur un triangle de voies ferrées, toutes à double voie, qui permettent la circulation des convois reliant dans les deux sens Nevers à Saint-Germain-des-Fossés, Nevers à Vierzon, Vierzon à Saint-Germain-des-Fossés. Dotée de trois voies à quai, la gare de voyageurs de Saincaize où se rejoignent les deux itinéraires majeurs Paris-Clermont-Ferrand et Nantes-Lyon, abrite une forte activité de correspondance. Dans ces conditions, il n'est pas étonnant que ce soit autour du nœud de Saincaize que la circulation ferroviaire se retrouve la plus intense, avec plus de 40 trains en moyenne quotidienne, les deux sens réunis, sur la ligne de Vierzon, contre plus de 60 sur celle de Saint-Germain-des-Fossés, près de 80 sur le court tronçon de liaison entre Saincaize et Nevers (1).

Il est significatif que les trois autres grands carrefours qui commandent la circulation ferroviaire dans le centre de la France soient échelonnés le long de l'importante artère radiale Paris-Toulouse, dont le rôle est ainsi affirmé.

Sur les bords du Cher, l'agglomération de Vierzon rassemble environ 40 000 habitants. Si des industries de métallurgie différenciée, dans le domaine de la machine agricole en particulier, s'y développent, c'est bien le chemin de fer qui a fait la fortune d'une localité qui, au milieu du XIXe siècle n'était qu'une modeste bourgade.

Un nœud ferroviaire dès le début très actif s'est en effet installé au croisement de l'axe radial Paris-Toulouse, et de l'une des principales transversales françaises, reliant Nantes et Tours à Lyon. La première court à travers les plaines si dissemblables de Sologne au nord, de la Champagne berrichonne au sud, la seconde suit l'ample vallée du Cher.

Les installations ferroviaires sont ici fortement regroupées. Si la bifurcation des Forges où la ligne de Bourges et Lyon se sépare de celle de Toulouse est implantée à 4 kilomètres au sud-est, c'est dans les emprises mêmes de la gare que se situe l'origine de l'artère de Tours et Nantes.

Avec huit voies à quai et plusieurs possibilités de liaisons simultanées, la gare des voyageurs est équipée pour faire face à un trafic important : en dehors de la desserte locale, elle assure de nombreuses correspondances entre les trains des relations Paris-Toulouse, Nantes-Lyon et aussi Paris-Montluçon. Ces derniers, en effet, abandonnent la ligne de Toulouse à Vierzon pour suivre jusqu'à la bifurcation de Pont-Vert celle de Bourges ; la section Vierzon-Pont-Vert, longue de 25 kilomètres, constitue donc un tronc commun aux flux Nantes-Lyon et Paris-Montluçon. Plus de 55 trains de voyageurs en moyenne journalière, les deux sens réunis, sur la ligne de Paris, près de 45 sur celle de Toulouse et sur celle de Bourges, 25 sur celle de Tours : voilà qui permet de bien situer le rôle de plaque tournante de la gare de Vierzon, où se croisent les fameux "Capitole" et les rapides Corail Nantes-Lyon.

L'activité n'est pas moindre dans le domaine des marchandises. Elle est liée au trafic local, au passage de nombreux convois directs à grand parcours qui peuvent faire une courte halte sur les voies de relais, et aussi au rayonnement du triage. Celui-ci, dont les faisceaux accolés à la gare des voyageurs ne peuvent être directement atteints par les trains de la ligne de Tours, a fait longtemps partie du groupe des triages de base de la SNCF. Traitant en moyenne journalière 544 wagons en 1989, le triage de Vierzon recevait des trains provenant de Saint-Pierre-des-Corps, Puy-Imbert, Saint-Jory, Villeneuve-Saint-Georges, Clermont-Ferrand et Sibelin, en expédiait vers les mêmes gares moins celle de Clermont-Ferrand, mais plus celles de Gevrey et du Bourget. Depuis 1990, déclassé, il ne joue plus qu'un rôle très local.

Au total les aiguilleurs du carrefour ferroviaire doivent chaque jour assurer le départ ou l'arrivée d'un peu plus de 300 circulations. Dans la plupart des cas, il s'agit de convois de voyageurs ou de marchandises à long rayon d'action qui traversent le nœud, parfois sans arrêt. Mais le volume du trafic, le fait que sans changement de train ultérieur les villes de Quimper, Grenoble, Toulouse et Paris puissent être atteintes au départ de Vierzon, confèrent à cette gare un rôle de premier plan dans l'écoulement du trafic ferroviaire dans le centre de la France.

Citons enfin pour mémoire, au nord-ouest de Vierzon, la transversale à voie métrique de 67 kilomètres de Salbris à Luçay-le-Mâle, qui assure un débouché sur Paris à la ville de Romorantin et supporte un trafic scolaire loin d'être négligeable. Elle est en outre en correspondance à Gièvres avec les TER de la transversale Tours-Vierzon.

Si le nœud de Vierzon est marqué avant tout par la fonction de bifurcation, même non exclusive, la vocation des centres de Limoges et Brive est quelque peu différente.

Située exactement à 400 kilomètres de celle de Paris-Austerlitz, la gare de Limoges-Bénédictins est l'élément de base d'un carrefour original à plus d'un titre.

D'abord il est le centre d'une étoile de voies ferrées très riche qui compte en effet huit branches se dirigeant vers Paris, Toulouse mais aussi vers Poitiers, Montluçon, Ussel, Bordeaux, Brive par Saint-Yrieix, Angoulême. Ensuite, par son importance et son activité, une relation écrase les autres : électrifiée, à double voie, la ligne Paris-Toulouse constitue l'axe majeur sur lequel se greffent les autres artères, toutes à voie unique. Par ailleurs le nœud limougeaud possède plusieurs satellites. C'est en effet au Palais, à 9 kilomètres de la gare des Bénédictins, que la ligne d'Ussel se débranche de la grande radiale. A 33 kilomètres de Limoges, à Saint-Sulpice-Laurière, les trains circulant entre Limoges, Guéret et Montluçon, en particulier ceux qui assurent les relations Bordeaux-Lyon, doivent nécessairement effectuer une manœuvre de rebroussement : mis en service en 1988, un PRG (Poste à Relais Géographique) commande non seulement la bifurcation mais aussi l'accès aux trois voies à quai et au faisceau de sept voies qui permet le garage des convois les plus lents. A 20 kilomètres au sud de Limoges, à Nexon, à l'extrémité d'un tronc

---

(1) Où le tunnel de Gimouille, vétuste, a été abandonné ; la ligne court désormais intégralement à l'air libre, au prix d'un très léger allongement.

En gare de Gièvres, la correspondance entre le chemin de fer à voie métrique Salbris-Luçay-le-Male, dit du Blanc à Argent et un autorail Tours-Vierzon. Grâce à une gestion aussi dynamique qu'économique, le "BA" a pu conserver son trafic voyageurs.

Circulations en traction thermique sur l'étoile de Limoges : ci-contre, à Pompadour, sur la ligne de Brive par Saint-Yrieix et ci-dessous, à Bussière-Galant, où un turbotrain Bordeaux-Lyon croise un autorail venant de Limoges.

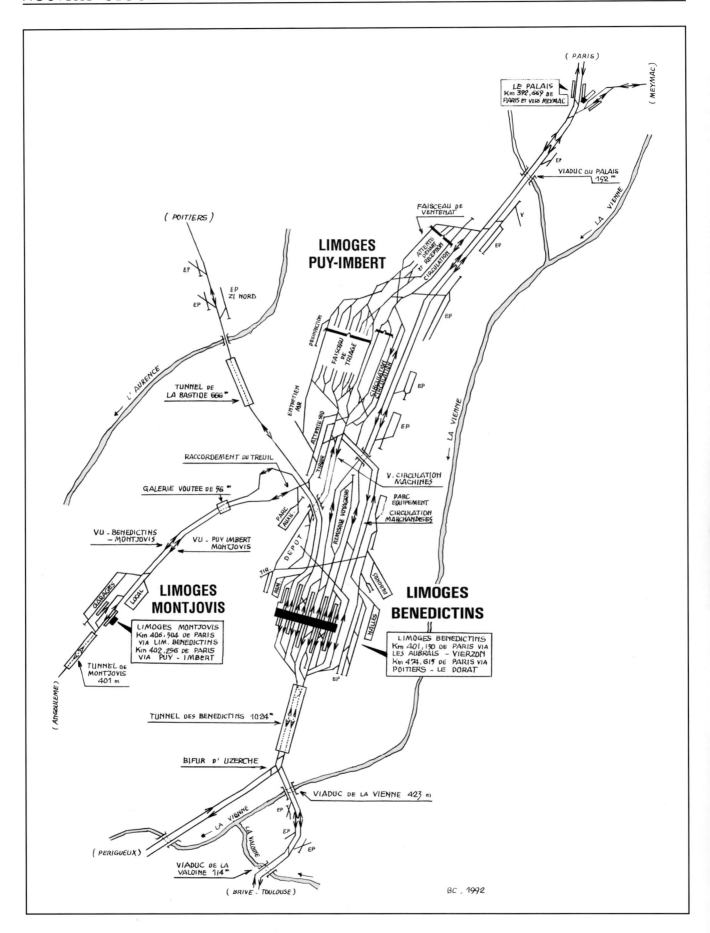

(PARIS)

(MEYMAC)

LE PALAIS
Km 392,569 DE
PARIS ET VERS MEYMAC

VIADUC DU PALAIS
152 m

LA VIENNE

FAISCEAU DE
VENTENAT

(POITIERS)

LIMOGES
PUY-IMBERT

ATTENTE DEPART
ET RECEPTION
CIRCULATION

EP

EP
ZI NORD

DESINFECTION

FAISCEAU
DE
TRIAGE

CIRCULATION CIRCULATION

EP

L' AURENCE

TUNNEL DE
LA BASTIDE 666 m

ENTRETIEN MR

ATTENTE 360

EP

LA VIENNE

TIROIR

RACCORDEMENT DU TREUIL

V. CIRCULATION
MACHINES

GALERIE VOUTEE DE 96 m

PARC AUXIL.

REMISAGE VOYAGEURS

PARC
EQUIPEMENT
CIRCULATION
MARCHANDISES

VU - BENEDICTINS
- MONTJOVIS

VU - PUY IMBERT
MONTJOVIS

DEPOT

GARAGES

LOCAL

LIMOGES
MONTJOVIS

TIR.

REM.

BESOINS

LIMOGES
BENEDICTINS

LIMOGES MONTJOVIS
Km 406,504 DE PARIS
VIA LIM. BENEDICTINS
Km 402,256 DE PARIS
VIA PUY - IMBERT

MALLES

LIMOGES BENEDICTINS
Km 401,150 DE PARIS VIA
LES AUBRAIS - VIERZON
Km 474,615 DE PARIS VIA
POITIERS - LE DORAT

(ANGOULEME)

TUNNEL DE
MONTJOVIS
401 m

EP

TUNNEL DES BENEDICTINS 1024 m

BIFUR D' UZERCHE

VIADUC DE LA VIENNE 423 m

LA VIENNE

(PERIGUEUX)

EP

EP

LA VALOINE

EP

VIADUC DE LA
VALOINE 114 m

(BRIVE - TOULOUSE)

BC . 1992

268

Une vue d'ensemble de Limoges avec sa gare très particulière, à cheval au-dessus des voies. Tout au fond, les faisceaux de Puy-Imbert et la bifurcation des lignes de Poitiers et Angoulême.

commun à double voie, se séparent les lignes de Brive par Saint-Yrieix et de Bordeaux.

Le cœur du carrefour limougeaud, dans le périmètre de l'agglomération elle-même, offre plusieurs particularités : forte de huit voies à quai, la gare de voyageurs des Bénédictins est l'une des rares gares françaises dont les quais se situent à un niveau inférieur par rapport au bâtiment abritant les divers services, lui-même dominé par une majestueuse coupole et un campanile élancé. Par ailleurs, très proches, à deux kilomètres au nord environ, les faisceaux de la gare de triage de Puy-Imbert sont installés sur une plate-forme dominant d'une vingtaine de mètres le niveau de la gare des Bénédictins. Aussi l'intervalle est-il marqué par d'impressionnants ouvrages d'art : murs de soutènement en maçonnerie, saut-de-mouton reliant le triage à la gare de marchandises sans recoupement

à niveau de l'artère de Paris, elle-même en forte rampe. De plus, la ligne d'Angoulême suit à son origine un tracé déconcertant pour le voyageur non averti : se détachant au niveau du dépôt, elle s'élance vers le nord, mais décrit un tracé en raquette pour se retrouver juste au-dessus du dépôt et de la gare des Bénédictins, avant de s'en éloigner définitivement ! La nécessité de rattraper l'important dénivelé entre la gare principale et la modeste station de Montjovis constitue l'explication première de cette bizarrerie apparente de la géographie ferroviaire.

Par rapport aux nœuds analysés plus haut, l'activité de celui de Limoges est originale.

Elle se caractérise d'abord par l'importance du trafic de transit, et d'abord celui de la grande radiale Paris-Toulouse, qui représente en moyenne journalière, les deux sens réunis, près de 70 trains, dont les deux tiers de voyageurs ; mais croisent ces flux en gare de Limoges les convois express de la relation Bordeaux-Lyon (2 dans chaque sens) qui suivent l'itinéraire de Montluçon ; aussi n'est-il pas étonnant que l'activité en milieu de nuit de la gare de Limoges soit importante, au croisement de lignes à grand parcours sillonnées par plusieurs trains dotés de voitures-couchettes.

Le trafic est également celui d'une agglomération de 150 000 habitants, qui bénéficie en particulier d'excellentes relations avec la capitale : quotidiennement et dans chaque sens, roulent en moyenne une dizaine d'express et rapides, dont certains ne circulent pas au sud de Limoges, et qui atteignent souvent la vitesse moyenne de 130 km/heure : ils relient les deux cités en parfois moins de trois heures. Les relations avec Bordeaux, Toulouse et Lyon sont sensiblement moins bonnes, en raison d'une moindre demande et des difficultés de tracé des lignes. Aussi n'est-il pas surprenant qu'avec plus de 10 000 voyageurs quotidiens l'artère de Paris l'emporte sur celle de Brive (un peu plus de 8 000) et surtout sur celles de Périgueux (moins de 2 000) et de Montluçon.

Ces flux sont également alimentés par la noria de près de 80 relations quotidiennes, les deux sens réunis, assurées le plus souvent par automotrices électriques ou autorails, qui dessert l'ensemble des huit lignes de l'étoile ; ces trains régionaux de type TER relient la capitale régionale qu'est Limoges à sa zone d'influence, et aussi assurent les correspondances en gare des Bénédictins avec les trains de grandes lignes.

La structure du trafic des marchandises est elle aussi assez simple, dans la mesure où les flux radiaux interrégionaux l'emportent très nettement : près de 9 000 tonnes, les deux sens réunis, sont transportées chaque jour entre Limoges et Brive, près de 11 000 tonnes entre Limoges et Châteauroux, contre moins de 2 000 tonnes entre Limoges et Périgueux. Mais l'impact de l'agglomération de Limoges, avec près de 400 000 tonnes chargées ou déchargées annuellement, l'activité, même réduite, de chacune des nombreuses voies ferrées de l'étoile, expliquent que le chantier de Puy-Imbert ait été classé parmi les triages de base du réseau ; même s'il n'a expédié en moyenne quotidienne que 355 wagons en 1991, son rayonnement spatial a été important puisqu'il était en relation directe avec les triages de Saint-Pierre-des-Corps, Hourcade, Saint-Jory, Villeneuve-Saint-Georges, Le Bourget, Gevrey. Avec celui de Gravanches, près de Clermont-Ferrand, il contribuait puissamment à la régulation des courants de marchandises dans le centre de la France. Mais, en 1992, il a été à son tour déclassé.

Dans ces conditions, il n'est pas étonnant que par son activité globale, le dépôt de Limoges se classe parmi les quinze principaux du réseau, avec une importance particulière de la cavalerie thermique, des autorails surtout.

Cent kilomètres plus au sud, le carrefour ferroviaire de Brive ressemble par plus d'un trait à celui de Limoges. Comme lui il jalonne l'axe radial Paris-Toulouse, et se trouve au centre d'une étoile de lignes à voie unique, qui se dirigent vers Périgueux, Limoges par Saint-Yrieix, Clermont-Ferrand, Aurillac

et Capdenac par Saint-Denis-près-Martel. A Brive se retrouvent également gare de voyageurs, faisceau de triage et dépôt ; par ailleurs l'activité se caractérise, là aussi, par l'importance des flux de transit sur l'artère principale, qui correspondent à ceux qui traversent le nœud de Limoges, un trafic local non négligeable lié au poids de l'agglomération, et une forte ampleur de la fonction de correspondance.

Mais des différences apparaissent.

Si, en raison de la vitalité économique du bassin de Brive, les tonnages chargés et déchargés sont du même ordre de grandeur qu'à Limoges, la moindre taille de l'ensemble urbain (60 000 habitants) explique que les flux locaux de voyageurs n'atteignent qu'environ la moitié de ceux dont la capitale du Limousin est l'origine ou la destination. Par ailleurs, les courants de voyageurs en transit autres que ceux de la ligne Paris-Toulouse sont plus dilués à Brive : l'itinéraire Bordeaux-Lyon tracé par Clermont-Ferrand, qui traverse la cité corrézienne, suivi par un seul train quotidien de chaque sens, est moins utilisé que celui établi par Limoges et Montluçon ; en revanche c'est à Brive que se détachent de la grande radiale les courants reliant la capitale à Aurillac, Figeac ou Rodez. Enfin, alors qu'avec huit voies à quai la gare de voyageurs, recouverte d'une marquise, offre le même type de possibilités que celle des Bénédictins, le même niveau d'activité qu'à Limoges ne se retrouve ni au dépôt, ni au triage d'Estavel. Celui-ci, fort d'une trentaine de voies, présente la particularité, imposée par les contraintes de la topographie, d'avoir été construit en impasse : à l'ouest en effet les voies convergent vers une voie en tiroir, qui permet les manœuvres internes mais n'est raccordée à aucune des lignes de l'étoile briviste. Dans le cadre de la concentration des opérations de triage des wagons au plan national, le chantier de l'Estavel ne joue plus qu'un rôle d'organisation de la desserte locale autour de Brive.

Il reste vrai qu'entre les carrefours de Bordeaux, Toulouse, Limoges et Clermont-Ferrand, celui de Brive joue un rôle tout à fait essentiel : environ 200 trains ou autorails entrent en gare ou en sortent chaque jour. Aussi la SNCF a-t-elle jugé indispensable de procéder à un rajeunissement et à une modernisation de l'ensemble des installations : depuis 1990, un PRCI (Poste tout Relais à Commande Informatisée) de 235 itinéraires commande la totalité de la circulation dans le carrefour ferroviaire ; le remaniement du plan de voies a permis de relever les vitesses d'entrée sur certaines voies à quai ; par ailleurs la signalisation sur les lignes affluentes est en cours d'amélioration avec l'achèvement de la mise en service du BAL entre Limoges et Uzerche, après l'équipement en BAPR de la voie unique Niversac-Brive ; les lignes de Tulle et Saint-Denis-près-Martel seront à leur tour prochainement dotées du BAPR, avec télécommande depuis Brive des gares de croisement.

Le chemin de fer n'est donc jamais absent dans les régions du centre de la France. Mais comme leur occupation humaine et leur activité économique ne génèrent pas des flux très importants, c'est surtout le trafic de transit qui explique le niveau de la circulation sur quelques axes comme Paris-Toulouse et Tours-Lyon.

LE SUD-OUEST

Le Sud-Ouest français regroupe l'ensemble des régions qui s'étalent entre l'océan Atlantique, les Pyrénées, le Massif Central. Elles correspondent pour l'essentiel au Bassin Aquitain, qui communique grâce aux seuils du Poitou et de Naurouze avec le Bassin Parisien et les pays méditerranéens.

Exception faite des bassins de la Charente au nord et de l'Adour au sud, ces régions sont draînées par la Garonne et ses affluents dont certains, comme la Dordogne et le Lot, sont des fleuves longs et serpentant dans des vallées largement calibrées. Sauf près du Massif Central et des Pyrénées, la topographie est très modérée, avec de vastes régions absolument plates comme la plaine des Landes, beaucoup de secteurs très mollement ondulés, comme dans les Charentes ou le Périgord.

Globalement ces régions ne comptent pas parmi les plus actives et peuplées de la France. Les densités sont le plus souvent, en effet, moyennes ou faibles, tandis que les productions de l'agriculture, de l'industrie ne peuvent rivaliser avec celles du centre du Bassin Parisien ou des bastions du nord, du nord-est ou de la région Rhône-Alpes.

Mais le Sud-Ouest, c'est aussi une façade maritime dynamique avec des ports comme ceux de Bayonne, La Rochelle et naturellement Bordeaux, et un tourisme estival particulièrement tonique autour de pôles comme Royan, Arcachon ou Biarritz. C'est aussi un ensemble régional qui possède des ressources importantes dans le domaine des produits de la mer, avec l'ostréiculture, et dans celui de l'agriculture avec les prestigieuses viticultures charentaise, autour de Cognac, et bordelaise, sans compter les riches productions de fruits et légumes des grandes vallées, de celle de la Garonne en particulier.

Les régions du Sud-Ouest, par ailleurs, s'articulent autour de deux puissantes agglomérations, celles de Bordeaux et de Toulouse qui dominent, la première l'Aquitaine maritime, la seconde l'Aquitaine intérieure. Capitales des régions Aquitaine et Midi-Pyrénées (1), elles comptent toutes deux parmi les sept principaux ensembles urbains de France ; elles ne peuvent donc manquer de susciter des flux de voyageurs et de marchandises considérables.

Enfin, le Sud-Ouest français est soudé à la Péninsule ibérique. Le développement espéré et probable de l'économie du Portugal et de l'Espagne, désormais membres à part entière de la Communauté économique européenne, doit puissamment contribuer à le sortir d'un enclavement relatif en lui conférant un rôle essentiel de trait d'union dans l'Europe de demain.

Ces diverses données influencent fortement le trafic ferroviaire. Celui-ci va être analysé en ne prenant pas en compte la ligne Poitiers-La Rochelle, décrite dans le chapitre consacré à l'ouest du pays.

Toulouse et Bordeaux sont le centre d'étoiles de voies ferrées bien structurées. Ces carrefours constituent les deux principaux points d'ancrage d'un réseau aquitain sous-tendu par des sections d'importantes lignes radiales, Paris-Irun et Paris-Toulouse, et de grands axes transversaux, Bordeaux-Toulouse-Marseille et Toulouse-Bayonne.

_____

(1) Aux régions SNCF de Bordeaux et Toulouse, qui couvrent l'ensemble du Sud-Ouest, correspondent les régions Aquitaine, Midi-Pyrénées et la partie méridionale de la région Poitou-Charentes, avec la majeure partie des départements de la Charente et de la Charente-Maritime.

Le Sud-Ouest englobe les embranchements pyrénéens dont la plupart sont électrifiés, comme celui ci-dessous de Portet-Saint-Simon à La Tour-de-Carol.

L'embranchement électrifié d'Arcachon, traversant la zone ostréicole de Gujan-Mestras.

LA STRUCTURE DU RÉSEAU

Chacune des grandes lignes qui bâtissent l'architecture du réseau ferré du Sud-Ouest possède une personnalité bien affirmée et déjà soulignée, qu'il s'agisse de son tracé et de son équipement, des flux de voyageurs et de marchandises qu'elles écoulent.

Mais la trame est complétée par de nombreuses artères.

La ligne Bordeaux-Limoges qui se débranche à Coutras (53 kilomètres de Bordeaux) de celle de Paris présente des caractères différents et un manque certain d'homogénéité. En effet la section Coutras-Périgueux, à double voie, tracée dans la large vallée de l'Isle et donc de profil très paisible, contraste avec le tronçon Périgueux-Limoges : seulement à voie unique la ligne, abandonnant le Bassin Aquitain, grimpe alors sur le massif buriné du Limousin ; aussi son tracé est-il sensiblement plus difficile. A Nexon elle rejoint l'artère également à voie unique reliant Limoges à Brive par Saint-Yrieix.

Un peu plus au sud la voie ferrée qui depuis Libourne s'élance vers Bergerac et Sarlat, à voie unique, profite elle aussi de la facilité offerte par une vallée, cette fois celle de la Dordogne. Neutralisée au-delà de Sarlat, elle a longtemps permis d'établir des relations directes entre la capitale girondine et Aurillac. La position du grand port bordelais à l'intérieur des terres explique que l'étoile ferroviaire soit complète, avec deux branches se dirigeant vers le rivage océanique, de nature et de vocation très différentes.

Longue de 116 kilomètres, la ligne de la Pointe de Grave, en cul-de-sac et à voie unique, n'en possède pas moins au plan régional une réelle importance, dans la mesure où elle dessert la plaine du Médoc et ses riches vignobles, les installations pétrolières de Pauillac et le port du Verdon, sentinelle avancée de celui de Bordeaux et en eau profonde. Aussi dès 1934 a-t-elle été électrifiée par la Compagnie du Midi.

273

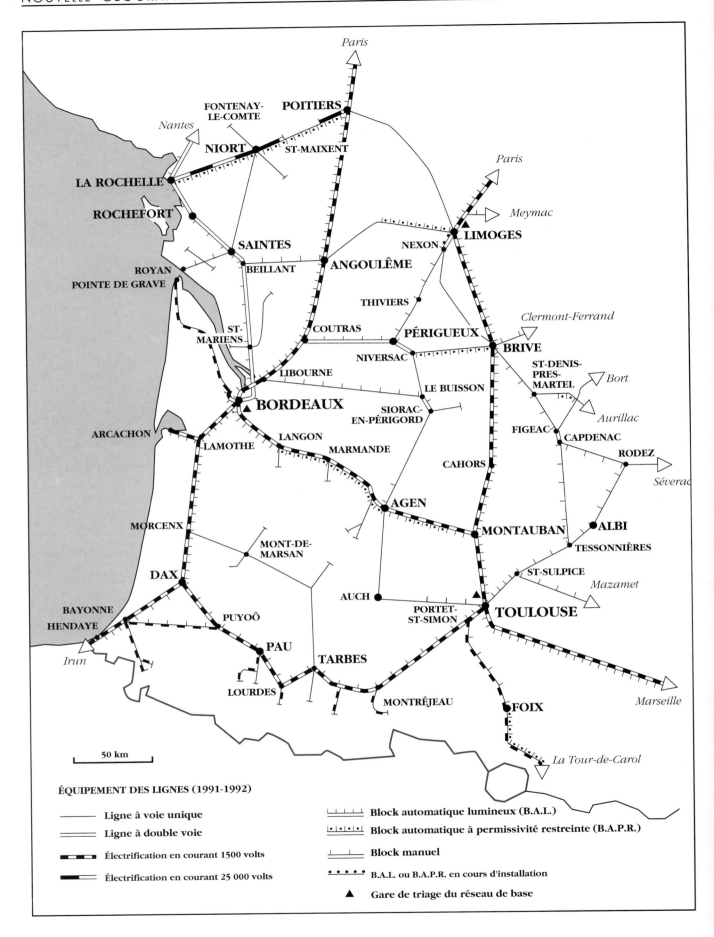

ÉQUIPEMENT DES LIGNES (1991-1992)

—— Ligne à voie unique	⊥⊥⊥⊥ Block automatique lumineux (B.A.L.)
══ Ligne à double voie	·⊥·⊥·⊥· Block automatique à permissivité restreinte (B.A.P.R.)
▬▬▬ Électrification en courant 1500 volts	⊥—⊥ Block manuel
▬▬▬ Électrification en courant 25 000 volts	····· B.A.L. ou B.A.P.R. en cours d'installation
	▲ Gare de triage du réseau de base

Plus au sud, l'antenne Lamothe-Arcachon est également équipée de caténaires, mais elle est beaucoup plus courte : 16 kilomètres seulement, et à double voie. Sa fonction essentielle est de relier Bordeaux à l'ensemble touristique et balnéaire du bassin d'Arcachon ; la distance n'est que de 56 kilomètres entre les deux cités.

L'étoile bordelaise est complétée par deux courtes antennes à voie unique, réservées au trafic fret, qui atteignent l'une le Bec d'Ambès, au confluent de la Garonne et de la Dordogne, l'autre Espiet, dans l'Entre-Deux-Mers ; cette dernière ligne est le moignon subsistant d'une artère longue d'une centaine de kilomètres qui atteignait Castillonnès en remontant la vallée du Dropt.

Ainsi, le dessin de la trame ferroviaire aquitaine centrée sur Bordeaux se révèle très largement influencé par le réseau hydrographique, avec une utilisation systématique des grandes vallées qui convergent depuis le Massif Central vers l'estuaire de la Gironde, de la Dronne jusqu'à la Garonne.

L'étoile toulousaine, elle, ne bénéficie pas des mêmes avantages.

Si, en effet, les grandes lignes Bordeaux-Toulouse et Toulouse-Nîmes se caractérisent par un excellent profil, garanti par un tracé dans de larges plaines et vallées, les difficultés présentées par les axes Toulouse-Paris au nord de Caussade et Toulouse-Bayonne à l'ouest de Montréjeau ont déjà été évoquées. Or, d'autres voies ferrées de l'étoile toulousaine souffrent d'un tracé accidenté, fait surprenant dans la mesure où, dans un rayon d'une centaine de kilomètres autour de la cité des violettes, les altitudes ne sont jamais imposantes. C'est

que la zone de convergence en Aquitaine intérieure des grands affluents de la Garonne de rive droite et de rive gauche, Lot, Aveyron, Tarn, cours d'eau du plateau de Lannemezan, s'étale sensiblement en aval de la région toulousaine même, dans l'Agenais et autour de Montauban ; aussi, bien peu de vallées s'offrent aux voies ferrées sortant de Toulouse, tandis que celle du Lot est notoirement sous-utilisée par le chemin de fer, car n'établissant pas de relation essentielle.

Entre les artères Toulouse-Paris et Toulouse-Nîmes, la zone qui est appelée "le quart nord-est toulousain" établit la transition entre les plaines aquitaines et les contreforts du Massif Central. Elle est desservie par un éventail de lignes à voie unique qui atteignent Castres et Mazamet, Albi et au-delà Rodez, Capdenac. Les possibilités offertes par le relief ont été bien utilisées : la voie ferrée de Mazamet remonte les vallées de l'Agout puis du Thoré, celle d'Albi emprunte au nord-est de Saint-Sulpice le sillon tracé par le Tarn. Mais entre Lexos et Villefranche-de-Rouergue, la vallée de l'Aveyron, très encaissée et sinueuse, n'a apporté qu'un concours très limité aux constructeurs de la ligne Toulouse-Capdenac, dans la mesure où sur une douzaine de kilomètres, dix courts tunnels ont dû être forés pour court-circuiter les méandres serrés de la rivière. Paradoxalement la section de ligne la plus proche de la vallée de la Garonne, de Toulouse à Saint-Sulpice (31 kilomètres), présente un tracé difficile, marqué par des rampes qui peuvent atteindre 12,5 mm/m, de nombreuses courbes et même deux souterrains ; c'est qu'elle doit franchir entre la Garonne et le Tarn une région mollement accidentée certes, mais aux ondulations perpendiculaires à sa direction. Cette artère Tou-

Mazamet est le terminus de la longue voie unique venue de Toulouse via Saint-Sulpice et Castres.

louse-Saint-Sulpice est en fait un tronc commun où roulent tous les trains reliant Toulouse aux villes du "quart nord-est". Construite à voie unique et le restant, elle supporte un trafic important, de l'ordre de 55 trains en moyenne journalière, les deux sens réunis. Aussi, si elle n'a pas été électrifiée, est-elle dotée d'importants moyens qui améliorent son débit comme quatre gares de croisement, le Block Automatique Lumineux et, depuis 1985, la commande centralisée de la circulation depuis Toulouse, traitée par l'informatique.

Egalement à voie unique et non électrifiée, la ligne Toulouse-Auch a dû également composer avec des conditions topographiques tout à fait défavorables : en effet elle doit couper perpendiculairement, entre la Garonne et le Gers, une demi-douzaine de vallées, dont celles de la Save et de la Gimone, qui descendent en éventail depuis le plateau de Lannemezan. D'où une succession de courbes et de rampes jamais individuellement inabordables mais qui ne facilitent guère l'exploitation.

S'élançant vers le sud, la ligne Toulouse-La Tour-de-Carol offre des caractéristiques bien différentes. Elle est d'abord internationale puisqu'aboutissant en Espagne, à Puigcerda. Ensuite sa voie unique est électrifiée. Cette présence de caténaires est elle-même, enfin, en relation avec le profil de la ligne, très difficile dans sa partie la plus méridionale. C'est qu'elle

est transpyrénéenne dans sa conception et sa réalisation : l'infrastructure ne peut pas être plus diversifiée, avec des déclivités de plus en plus fortes en s'éloignant de Toulouse et en s'enfonçant dans la montagne pyrénéenne ; jusqu'à Foix (82 kilomètres de Toulouse), la ligne qui remonte la vallée de l'Ariège bénéficie d'un tracé très favorable, avec des rampes ne dépassant pas 7 mm/m et des alignements de plusieurs kilomètres de longueur ; au sud de Foix, l'Ariège a dû se frayer un chemin dans la chaîne pyrénéenne et le chaînon avancé du Plantaurel ; aussi les déclivités atteignent-elles les taux de 25 mm/m entre Foix et Ax-les-Thermes, 40 mm/m plus au sud, en s'élevant sans discontinuer vers la ligne de faîte : c'est le pourcentage maximal atteint par une ligne à voie normale en France. Nombreux et importants sont les ouvrages d'art, avec entre autres une dizaine de tunnels au sud d'Ax-les-Thermes, dont un souterrain hélicoïdal de 1 800 mètres de développement ; à la sortie du souterrain du Puymorens, long de 5 350 mètres, la voie ferrée se retrouve à 1 562 mètres d'altitude, autre record national. Une particularité supplémentaire : elle court toujours en territoire français alors même qu'elle serpente sur le versant méridional de la chaîne ; c'est que depuis le traité des Pyrénées, frontière et ligne de partage des eaux dans cette région ne coïncident plus. Ainsi l'étoile ferroviaire de Toulouse, aussi complète que celle

Serpentant au milieu des pâturages pyrénéens, la ligne à voie métrique électrifiée par troisième rail de La Tour-de-Carol à Villefranche a pu tirer son épingle du jeu grâce à l'important trafic touristique estival qu'elle achemine ; hors saison, la fréquentation est par contre très faible.

Aux Eyzies, près du Buisson, un X 2800 assurant une liaison Agen-Périgueux-Limoges.

de Bordeaux, s'épanouit à partir d'une zone de plaines ; mais la présence forte et proche du Massif Central et des Pyrénées impose souvent des contraintes de profil et de tracé.

Quelle que soit la force d'attraction des carrefours ferroviaires bordelais et toulousain, plusieurs lignes, qui ne comptent d'ailleurs pas parmi les plus importantes, constituent des étoiles autour de Saintes, Mont-de-Marsan et Agen ou irriguent les vallées pyrénéennes.

Le nœud ferroviaire de Saintes jalonne la transversale Bordeaux-La Rochelle-Nantes. Trois autres lignes convergent vers une ville qui, dès l'époque romaine, en raison de sa situation, était un important centre de voies de communication. Venant du nord, celle de Niort constitue un tronçon de l'ancien itinéraire Paris-Bordeaux par Chartres et Saumur, desservi par le réseau de l'Etat jusqu'à la création de la SNCF ; mise à voie unique durant la Seconde Guerre mondiale, elle ne joue plus qu'un rôle secondaire.

Saintes est directement reliée à l'artère maîtresse Paris-Bordeaux par Angoulême grâce à une ligne maintenant à voie unique, qui se débranche à Beillant (10 kilomètres de Saintes) de celle de Bordeaux et qui atteint Angoulême en suivant sans interruption la verdoyante et douce vallée de la Charente ; elle n'en est pas moins très sinueuse, épousant en effet les méandres de la rivière. A l'ouest de Saintes, un court

embranchement de 36 kilomètres, lui aussi à voie unique, dessert la station balnéaire de Royan et la Côte de Beauté ; son équipement vient d'être modernisé, avec systématisation de la signalisation lumineuse.

Parmi les autres lignes du Sud-Ouest, toutes à voie unique, quatre seulement assurent des relations dépassant le cadre local.

Tracée dans la platitude de la forêt landaise et dotée d'une superstructure entièrement neuve il y a quelques années, la voie unique Morcenx-Mont-de-Marsan, greffée sur l'axe Bordeaux-Hendaye, joint la métropole girondine au chef-lieu du département des Landes ; celui-ci, malgré la fermeture de deux branches au trafic trop faible, reste le centre d'une étoile de lignes desservant les pays du moyen Adour ; il convient de remarquer que l'itinéraire Morcenx-Tarbes par ces lignes secondaires, long de 138 kilomètres, est plus court de 45 kilomètres que celui suivi par la grande ligne établie par Dax et Pau, d'ailleurs plus jeune d'une dizaine d'années.

Sur la transversale Bordeaux-Toulouse, Agen est l'origine d'une ligne qui par la vallée du Gers remonte jusqu'à Auch, et surtout d'une voie ferrée qui la relie à Périgueux où elle se raccorde à l'artère Bordeaux-Limoges. Bien que perpendiculaire aux vallées du Lot, de la Dordogne et de la Vézère, son profil est assez bon grâce à un tracé dans des régions de

La très hypothétique réouverture de la ligne du Somport continue de faire couler beaucoup d'encre. En attendant, l'infrastructure se dégrade lentement sous l'effet des éléments naturels...

collines et de plateaux aux formes adoucies ; par ailleurs elle est dotée de deux voies sur deux sections de seulement quelques kilomètres chacune, qui sont des troncs communs avec les lignes Bordeaux-Sarlat du Buisson à Siorac, Bordeaux-Brive de Périgueux à Niversac.

Cette artère Périgueux-Brive est intéressante dans la mesure où elle constitue l'amorce du second itinéraire mettant en relation Bordeaux et Lyon, par Brive et Clermont-Ferrand, plus méridional que celui tracé par Limoges et Montluçon.

Enfin la ligne Angoulême-Limoges, longue de 122 kilomètres, relie la grande cité du Limousin non seulement à la préfecture du département de la Charente, mais encore aux régions charentaises du littoral, à Royan en particulier.

Ces voies ferrées sont équipées d'une signalisation sûre et efficace, adaptée à un trafic de l'ordre d'au moins une dizaine de circulations quotidiennes, les deux sens réunis : par exemple les lignes Périgueux-Agen et Périgueux-Brive viennent d'être dotées respectivement du block de voie unique et du Block Automatique à Permissivité Restreinte (BAPR). Ce dernier équipe depuis peu une partie de la transversale secondaire Angoulême-Limoges.

Dans leur ensemble, les autres voies ferrées du Sud-Ouest, à voie unique et à signalisation très simplifiée, non ouvertes au service des voyageurs, sont des "reliquats". Elles sont en effet les vestiges d'un ancien réseau secondaire à voie normale, aux mailles harmonieuses, qui a beaucoup souffert de la baisse de l'activité économique et du déclin de la démographie dans l'ensemble de l'Aquitaine. Ainsi subsistent encore de courts tronçons, en impasse, soudés à l'ossature principale : si les deux embranchements Saint-Mariens-Barbezieux et Saint-Mariens-Blaye sont toujours exploités, en revanche à l'intérieur des triangles Bordeaux-Brive-Montauban et Bordeaux-Bayonne-Toulouse, de part et d'autre de la grande transversale de la moyenne Garonne, le réseau a subi de multiples amputations : elles concernent la plupart du temps la partie centrale d'anciennes liaisons à voie unique comme Mont-de-Marsan-Marmande ou Mont-de-Marsan-Port-Sainte-Marie. Pire, ont disparu l'étoile de Ribérac, dans le triangle Coutras-Angoulême-Périgueux, ainsi que la quasi-totalité des embranchements forestiers courant depuis l'axe Bordeaux-Dax dans la plaine landaise.

Dans leur ensemble les embranchements pyrénéens, eux, sont encore en place, même si une bonne partie d'entre-eux a été transférée sur route ou neutralisée.

De Bayonne à Foix, huit antennes à voie unique s'enfoncent perpendiculairement dans la montagne ; certaines d'entre elles se divisent en deux branches afin de desservir des vallées en fourche, comme la ligne aujourd'hui neutralisée et désélectrifiée de Puyoô qui divergeait en direction de Saint-Palais et de Mauléon à partir d'Autevielle. Ces lignes n'ont été construites par la Compagnie du Midi, pour la plupart, qu'en fonction de besoins purement locaux. Mais deux d'entre elles ont eu dès l'origine une vocation internationale, appelées à mettre en relation l'Aquitaine d'une part, l'Aragon et la Catalogne de l'autre. L'ouverture des tunnels du Somport en 1928 et du Puymorens en 1929 a permis en effet la mise en service des lignes transpyrénéennes Pau-Saragosse et Toulouse-La Tour-de-Carol-Barcelone évoquée plus haut ; seule cette voie ferrée continue d'être exploitée de bout en bout, depuis l'interruption du trafic au sud d'Oloron sur la ligne du Somport en 1970, à la suite de l'effondrement d'un ouvrage d'art. Electrifiées par la Compagnie du Midi à partir de ses propres centrales hydro-électriques, sur des critères – non pas de volume de trafic comme aujourd'hui – mais de profil, ces lignes présentent effectivement des difficultés de tracé liées aux contraintes de la topographie dans les vallées qu'elles remontent : courbes serrées, rampes de plus de 20 mm/m, tunnels se succèdent soit dans les secteurs situés le plus en amont, soit lors de la traversée de gorges taillées dans des verrous glaciaires. A la suite du dépeuplement des zones de montagne desservies, une bonne moitié de ces lignes a vu son activité transférée sur route dès le début des années 70, et deux ont déjà perdu leurs caténaires.

Il apparaît d'ores et déjà que si l'écheveau ferroviaire du Sud-Ouest français repose sur de nombreux points d'ancrage, deux d'entre eux, Bordeaux et Toulouse constituent des carrefours de tout premier ordre.

Une vue d'ensemble de Toulouse-Matabiau avec, en arrière-plan, les faisceaux de Raynal.

DEUX GRANDS CARREFOURS : BORDEAUX ET TOULOUSE

Agglomérations d'importance comparable, capitales des deux régions Aquitaine et Midi-Pyrénées, centres de puissantes étoiles de voies de communication, Bordeaux et Toulouse, par ailleurs sièges de régions SNCF, possèdent des installations ferroviaires aux ressemblances et aux différences qu'un examen comparatif va tenter de mettre en lumière.

LA STRUCTURE GÉNÉRALE DES DEUX CARREFOURS

Si chacun des deux centres ferroviaires possède une puissante structure d'ensemble, celle du nœud bordelais se révèle globalement plus complexe.

Le nombre de lignes convergentes n'est pas en cause : sur le grand axe Paris-Hendaye viennent se greffer celles en provenance de Nantes, de Limoges, de Sarlat, de Toulouse, de la Pointe de Grave ; mais autour de Toulouse affluent sur la transversale sud Bordeaux-Marseille les artères de Paris, de Capdenac-Albi-Castres, de La Tour-de-Carol, de Bayonne, d'Auch.

Par ailleurs d'importants troncs communs commandent l'accès au cœur des deux carrefours. Ils sont parfois emboîtés : ainsi la ligne Toulouse-Saint-Sulpice (31 kilomètres) est commune aux trains qui se dirigent vers Castres, Albi et Capdenac ; au-delà, de Saint-Sulpice à Tessonnières (58 kilomètres de Toulouse) restent mêlés les courants d'Albi et de Capde-

279

Le train de nuit haut-de-gamme, "La Palombe bleue", marque l'arrêt sous la grande verrière de Dax.

nac ; de même au nord-est de Bordeaux l'artère de Paris supporte la circulation des lignes de Sarlat et de Limoges jusqu'à Libourne (37 kilomètres de Bordeaux) et Coutras (53 kilomètres), points de rencontre des vallées de la Dordogne et de l'Isle, de l'Isle et de la Dronne. D'autres troncs communs, plus simples, n'en sont pas moins importants : c'est ainsi que l'artère Toulouse-Montauban, longue de 51 kilomètres, achemine le trafic des lignes de Bordeaux et de Paris, la section Bordeaux-Lamothe (42 kilomètres) celui des itinéraires Bordeaux-Dax et Bordeaux-Arcachon. Il est d'ailleurs possible d'estimer que la gare de Dax, à 147 kilomètres de Bordeaux, marque elle aussi la fin d'un tronc commun dans la mesure où elle organise vers la côte basque et le Béarn la séparation des flux provenant de la grande cité girondine.

Un autre point commun est l'absence de tout itinéraire de dédoublement. A la différence en effet des possibilités de contournement qui existent par exemple à Lyon, Lille ou Mulhouse, le trafic dans sa quasi-intégralité est obligatoirement concentré sur les gares Saint-Jean à Bordeaux et Matabiau à Toulouse, centres nerveux des deux grands complexes ferroviaires ; en dehors des convois qui depuis les lignes de Saint-Sulpice et de Dax se dirigent respectivement vers les triages de Toulouse-Saint-Jory ou de Bordeaux-Hourcade, tous les trains de marchandises doivent traverser les emprises des deux grandes gares de voyageurs.

Aussi, à l'approche du cœur des deux carrefours, la circulation est-elle intense, de l'ordre de 230 trains par jour, les deux sens réunis et en moyenne journalière, entre le triage de Saint-Jory et la gare Toulouse-Matabiau, proche de 300 trains sur la "Passerelle", pont métallique de 502 mètres de longueur qui enjambe la Garonne à proximité immédiate de la gare de Bordeaux-Saint-Jean.

L'écoulement de ce trafic important peut poser d'autant plus de problème qu'exception faite des deux lignes à double voie qui s'échappent ensemble de la gare de Toulouse-Matabiau vers le sud en direction de Nîmes et Tarbes, aucune véritable section quadruplée ne dote l'un des deux complexes. Mais, en dehors de l'électrification des lignes et itinéraires principaux et de leur équipement en block automatique lumineux, des solutions ont été mises en œuvre qui accroissent sensiblement les capacités des sections les plus chargées. A Toulouse, c'est une troisième voie, banalisée, qui de Saint-Jory à la gare Matabiau, sur 12 kilomètres, longe les deux voies principales de la ligne de Paris et de Bordeaux. Dans le carrefour bordelais, il n'était guère concevable d'augmenter le nombre des voies de la ligne de Paris, en raison entre autres du coût des travaux de franchissement du fleuve ; en revanche les possibilités de débit ont été augmentées avec la banalisation depuis 1989 des deux voies de la section la plus chargée, de Bordeaux-Saint-Jean aux bifurcations de Cenon, qui marquent l'origine du raccordement vers la gare de marchandises de Bordeaux-Bastide et de la ligne de Nantes. Entre Cenon et La Grave d'Ambarès, où commence une zone exploitée sous le signe des Installations Permanentes de Contre-Sens, des dispositions originales ont pu être prises ; elles sont en relation avec l'une des causes de la plus forte complexité du carrefour girondin par rapport au nœud toulousain : le grand nombre de compagnies ferroviaires desservant Bordeaux au siècle dernier.

En effet la ligne venant de Nantes, au lieu de se greffer sur celle de Paris à La Grave d'Ambarès, la coupe par un passage inférieur pour ne la rejoindre qu'à une dizaine de kilomètres de là, à Cenon, au prix d'ailleurs du percement du tunnel de Lormont. Cette bizarrerie apparente s'explique par le souci de la Compagnie de l'Etat, à la fin du siècle dernier, de disposer d'un accès autonome à Bordeaux, sans dépendre du réseau du Paris-Orléans dont les trains aboutissaient à la gare de La Bastide, tandis que celle de Saint-Jean était le fief de la Compagnie du Midi ; ainsi se justifie l'implantation de la gare de Bordeaux-Deschamps, sur la rive droite de la Garonne, longtemps appelée gare de Bordeaux-Etat. Toujours est-il que le parallélisme de deux sections à double voie, sur une distance courte mais dans un secteur de circulation ferroviaire difficile, a été judicieusement mis à profit : il fallait faciliter le déroulement des travaux de suppression de certains des petits tunnels de Lormont, qui permettaient à la ligne de Paris de se faufiler entre la Garonne et l'escarpement calcaire supportant l'extrémité est du majestueux pont d'Aquitaine ; aussi dès 1977 le trafic de l'artère principale a-t-il pu être dévié par la ligne de Nantes jusqu'à La Grave d'Ambarès, grâce à l'électrification du tronçon en question et la création d'un raccordement avec la ligne de la capitale. Dans ces conditions les régulateurs disposent, depuis la fin des opérations de mise à l'air libre de cette artère, de deux itinéraires à double voie, électrifiés et dotés du block automatique lumineux, entre Cenon et le raccordement de La Grave d'Ambarès.

Le complexe bordelais offre deux particularités supplémentaires.

En premier lieu, la partie occidentale de l'agglomération est traversée par une ligne dite "de ceinture", à double voie et électrifiée, qui relie la gare de Bordeaux-Saint-Jean et l'artère de Dax à la ligne de la Pointe de Grave et à la gare Saint-Louis, tête de ligne de la Compagnie du chemin de fer du Médoc. Cette ligne de la Pointe de Grave bénéficie actuellement d'importants travaux de modernisation (voie et caténaire) qui vont permettre aux trains de voyageurs d'atteindre la vitesse limite de 140 kilomètres-heure.

Ensuite le chemin de fer doit desservir les installations portuaires, largement développées en milieu urbain même et en aval de la cité : depuis les gares Saint-Jean et Saint-Louis sur la rive gauche, de La Bastide et de Bassens sur la rive droite, débouchent les embranchements qui donnent naissance à leur tour au réseau des voies de quai courant le long du fleuve et des bassins, au milieu des hangars.

Ainsi la structure générale du carrefour toulousain est-elle incontestablement plus simple, dans la mesure où il a été conçu globalement par une seule Compagnie, celle du Midi, et où la question de la desserte d'un grand port ne se posait évidemment pas. Le cœur du dispositif est constitué par la gare Matabiau, point de convergence de l'ensemble des lignes, et ses chantiers annexes de Raynal ; le grand triage de Saint-Jory s'étale le long du tronc commun Toulouse-Montauban, tandis que la gare de Saint-Cyprien, sur la voie ferrée d'Auch, ne joue qu'un rôle secondaire. En revanche, dans le nœud bordelais, à la complexité beaucoup plus forte de la trame des lignes correspond un nombre de gares plus élevé : les missions essentielles sont assumées par celle de Saint-Jean pour le service des voyageurs ; mais celles de La Benauge et de Saint-Louis comptent aussi. Le triage d'Hourcade contrôle l'ensemble du trafic des marchandises, mais travaille en symbiose avec entre autres les gares de Saint-Louis, de La Bastide et de Bassens.

LES INSTALLATIONS VOYAGEURS

Dans leur totalité les trains de voyageurs rapides, express ou omnibus qui desservent les deux capitales de l'Aquitaine ont comme origine, destination ou point de passage obligé les deux grandes gares de Bordeaux-Saint-Jean et de Toulouse-Matabiau qui, par leurs emprises et leur activité, comptent parmi les plus importantes de France.

Achevée en 1898 par la Compagnie du Midi, l'actuelle gare de Bordeaux-Saint-Jean conserve l'empreinte d'un passé prestigieux, avec sa halle et ses bâtiments majestueux, mais a su récemment se rénover en se mettant à l'heure des TGV et du 21e siècle.

Pour des raisons purement pécuniaires, c'est-à-dire l'achat à un prix très modéré des vastes terrains nécessaires dans un secteur à l'époque très peu construit, la gare Saint-Jean se retrouve éloignée du centre de la ville ; la distance est de l'ordre de deux kilomètres, c'est-à-dire sensiblement plus forte qu'à Toulouse, Lyon, Marseille, Lille ou Strasbourg. Mais, en contrepartie, le Midi a pu édifier à proximité immédiate des quais des installations diverses comme faisceaux de garage, dépôt ou gare de marchandises.

La gare Saint-Jean ne se signale pas particulièrement par le nombre de ses voies d'accès et de sortie : si au sud les lignes de Dax et de Toulouse restent séparées jusque dans la gare même, offrant donc la possibilité de quatre mouvements simultanés, en revanche, au nord, deux voies seulement, maintenant banalisées, empruntent la "Passerelle" lancée sur la Garonne.

Compte tenu de sa situation, la gare doit nécessairement accepter et organiser le passage des nombreux convois de marchandises qui journellement doivent franchir le fleuve, circulant entre la ligne de Paris et ses affluents, les gares de la rive droite d'une part, les artères de Dax et de Toulouse, le triage d'Hourcade de l'autre, ou réciproquement. Ces flux, les deux sens réunis, représentent au total en moyenne journalière de 60 à 70 trains. Fort heureusement deux voies de circulation, installées à l'est de la gare de voyageurs, permettent à ces

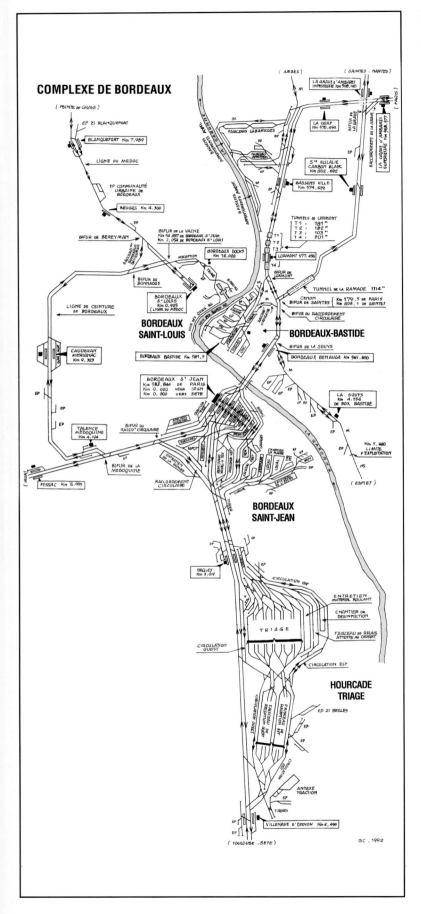

COMPLEXE DE BORDEAUX

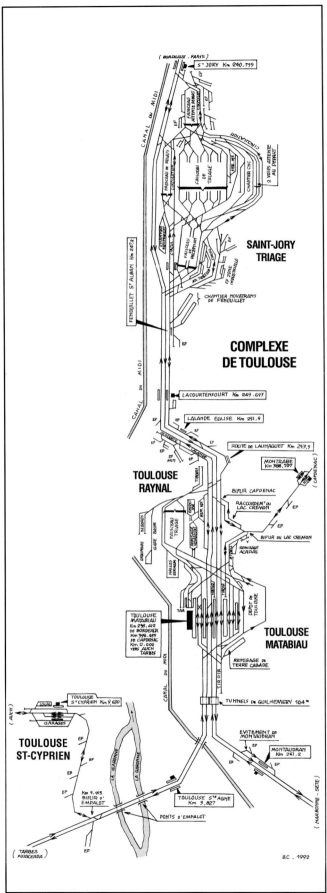

COMPLEXE DE TOULOUSE

Angoulême : une Z2 au départ pour Bordeaux. Ce type de matériel est très présent sur toute l'étoile de la capitale de l'Aquitaine.

convois – et également à des locomotives évoluant seules – de n'emprunter aucune des voies à quai, ainsi intégralement réservées au service des voyageurs.

Avec 10 voies à quai, la gare Saint-Jean se classe au premier rang des gares de passage de France, devançant en effet celles de Lyon-Perrache et Lyon-Part-Dieu, Toulouse, Nantes, Strasbourg et Dijon. Encore faut-il préciser que, pour la plupart, les quais atteignent une grande longueur, de l'ordre de 450 à 500 mètres, tandis qu'au sud du bâtiment des voyageurs une onzième voie, en impasse, peut être utilisée par les circulations à destination ou en provenance de Dax ou d'Arcachon. Le plan général des voies permet de nombreuses simultanéités de circulations, grâce à un dense réseau d'appareils de voie. C'est ainsi, par exemple, que les trains peuvent évoluer entre les quatre premières voies à quai et la ligne de Dax sans gêner ceux qui empruntent l'artère de Toulouse et qui peuvent utiliser les six autres voies à quai ; de même des convois ont la possibilité depuis les trois premières voies de s'ébranler en direction du pont de la Garonne sans gêner les circulations de sens inverse, qui peuvent en effet être réceptionnées sur les autres voies. L'ensemble de la circulation est désormais géré par un seul poste d'aiguillage, de type PRS, installé au cœur du bâtiment des voyageurs et surplombant les quais. Remarquable donc par ses équipements purement ferroviaires, qui lui permettent de faire face à un trafic quotidien moyen de l'ordre de 235 trains de voyageurs entrant ou sortant, qu'ils soient de passage ou en provenance ou à destination de Bordeaux même, la gare Saint-Jean l'est aussi par son allure monumentale.

L'importance et l'harmonie des bâtiments, les dimensions considérables de la halle sont la conséquence directe d'une construction tardive (de 1889 à 1898), liée elle-même aux difficultés d'entente entre les Compagnies concernées et la municipalité bordelaise. Elle a amené à concevoir des installations vastes et tenant compte de l'expérience acquise ailleurs depuis plusieurs décennies. Les bâtiments d'exploitation présentent une architecture non pas lourde mais majestueuse, qui dégage des volumes intérieurs considérables et offre une façade équilibrée et de fière allure. La halle, elle, était lors de son édification la plus vaste du monde ; longue de 300 mètres, couvrant une superficie de 17 300 m², elle abrite la majeure partie des 7 premières voies et des 4 premiers quais de la gare ; la voûte métallique, de section proche de l'arc de cercle, ne repose sur aucun pilier intermédiaire tandis que de larges verrières laissent pénétrer la lumière.

Alors même qu'elle continuait de compter parmi les gares les plus remarquables du réseau ferré français, la gare Saint-Jean n'en a pas moins subi dans les années 1980 des modifications profondes, dans le cadre du programme général de rénovation des gares, et dans la perspective de l'arrivée du TGV.

Réalisés en étroite relation avec la Communauté urbaine de Bordeaux, les travaux ont permis d'améliorer la desserte de la gare par la voirie urbaine et de créer un vaste parc de stationnement souterrain à quatre niveaux, d'une capacité totale de 550 places. Ils ont aussi et surtout profondément transformé les bâtiments, sous le signe du respect du passé, de la recherche du fonctionnel et de l'esthétique.

C'est ainsi que l'allure monumentale extérieure a été conservée, comme par exemple, à l'intérieur, la gigantesque fresque représentant le réseau du Midi. Mais le secteur affecté traditionnellement au départ a été bouleversé, avec la création d'un niveau inférieur où se retrouvent les guichets et les accès aux quais ; l'aménagement d'une mezzanine éclaire le sous-sol et met en valeur la très belle architecture d'ensemble du bâtiment. La qualité des liaisons internes est assurée par un dense réseau de couloirs, d'escaliers mécaniques, de passages souterrains. La décoration a été soigneusement étudiée, en osmose harmonieuse avec une signalétique jeune et efficace.

Le Cerbère-Paris entre en gare de Toulouse ; de tels trains classiques Corail cèdent progressivement la place aux TGV Paris-Toulouse tracés via Bordeaux.

Achevés en 1987, ces grands travaux dotent désormais Bordeaux d'une grande gare de voyageurs moderne, armée pour accueillir chaque jour la vingtaine de milliers de voyageurs décomptés en moyenne, et pour faire face à l'accroissement escompté du trafic à partir de l'arrivée des TGV Atlantique sur les rives de la Garonne, en septembre 1990.

Cette augmentation du nombre des rames de voitures de voyageurs en circulation a amené la SNCF à repenser un problème latent, jamais bien résolu jusque-là, celui du remisage de ces rames. Avant 1985-87, en effet, les voies de garage du matériel voyageurs se trouvaient en nombre trop limité, de longueurs inégales, et le plus souvent trop courtes, dispersées à la périphérie de la gare Saint-Jean et souvent d'accès malaisé : d'où une exploitation difficile, nécessitant de coûteuses et fastidieuses manœuvres. Or, en liaison avec la diminution de l'activité générale des gares de triage et la réorganisation de leur réseau sous le signe du plan Etna, il a paru possible (voir plus loin) de concentrer sur le site d'Hourcade la totalité des opérations de triage effectuées dans le complexe ferroviaire et donc de supprimer le triage de Régime Accéléré de Bordeaux Saint-Jean. 24 voies de 610 mètres de longueur ont donc été ainsi récupérées pour garer et préparer les rames de voitures de voyageurs, et en particulier les TGV ; cet important faisceau se trouve idéalement situé, à proximité immédiate des voies à quai et très bien relié à elles.

Les autres gares de voyageurs de l'agglomération bordelaise, seulement desservies par des trains locaux, ne jouent qu'un rôle tout à fait secondaire. Depuis la démolition de l'ancienne gare Saint-Louis, la modeste station à deux voies de la place Ravezies n'est qu'une simple escale, avec rebroussement, pour les convois de la ligne du Médoc, dorénavant partant de la gare Saint-Jean ou y arrivant. Sur l'autre rive la gare de La Benauge, implantée sur la grande ligne de Paris, ne voit s'arrêter que quelques rares circulations omnibus.

A bien des égards, la gare principale des voyageurs de l'autre capitale de l'Aquitaine, et de la région Midi-Pyrénées, supporte la comparaison avec celle de Bordeaux Saint-Jean.

Beaucoup plus proche du centre de l'agglomération, la gare de Toulouse-Matabiau se situe à la confluence des lignes de Paris, de Marseille et de Bayonne. Davantage enserrée dans le tissu urbain, elle n'en dispose pas moins d'infrastructures et superstructures développées. Ses voies d'accès sont plus étoffées, au nombre de quatre côté sud, de cinq côté nord. Les neuf voies de passage sont desservies par cinq quais ; le potentiel de la gare est renforcé par la présence d'une autre voie à quai, en cul-de-sac, côté nord. Si à cette extrémité des traversées parallèles permettent la simultanéité de plusieurs circulations, le plan de voies est beaucoup plus simple à la naissance des lignes de Marseille et Bayonne. Autre infériorité par rapport à la gare Saint-Jean, l'absence de voies d'évite-

284

ment de la zone des quais ; aussi les 70 convois de marchandises quotidiens, les deux sens réunis, qui doivent traverser la gare Matabiau représentent-ils une gêne plus importante pour le service des voyageurs.

Au plan des bâtiments, cette gare, bien que moins largement dimensionnée que celle de Bordeaux, n'en présente pas moins une façade élégante où, surprise, la brique est absente ! La halle métallique, beaucoup plus réduite, est prolongée sur chaque quai par des abris-parapluie.

Réalisée avant celle de la gare Saint-Jean, entre 1979 et 1983, la rénovation des diverses installations a été moins profonde et spectaculaire : la restructuration des locaux a amené une sensible amélioration de la circulation des voyageurs ainsi que de leur accueil ; le secteur des guichets, le bureau information-réservation en particulier sont désormais très fonctionnels et avenants, parés de couleurs chaudes et dotés d'une signalétique de qualité.

220 trains de voyageurs en moyenne quotidienne fréquentent la gare Matabiau, destination et origine de beaucoup. Le problème du garage et de l'entretien des rames a été résolu, comme à Bordeaux, par le regroupement à Saint-Jory des opérations de triage des wagons de marchandises, et l'affectation au service des voyageurs des voies de réception et de débranchement du triage RA de Raynal, situé dans le prolongement immédiat de la gare Matabiau ; là aussi la proximité des voies à quai et la qualité des liaisons rendent très aisée l'exploitation, ainsi que la présence toute proche du dépôt.

Très modestes, en comparaison, paraissent les deux autres gares de voyageurs de l'agglomération toulousaine, celles de Saint-Agne sur la ligne de Bayonne et de Saint-Cyprien sur celle d'Auch ; simples haltes, elles présentent en fait toutes les caractéristiques de gares de banlieue.

La puissance et la diversité de l'équipement se retrouvent dans le domaine du trafic des marchandises.

LES GARES DE MARCHANDISES ET DE TRIAGE

Les deux grandes gares de triage de Saint-Jory et d'Hourcade constituent le cœur, pour les tonnages transportés, des deux carrefours ferroviaires de Toulouse et Bordeaux. Elles figurent toutes deux parmi les installations les plus performantes au plan national.

Les deux triages ont tous deux été construits après la Seconde Guerre mondiale, pour améliorer en Aquitaine la circulation des wagons du RO (Régime Ordinaire) : celui de Saint-Jory a été mis en service en 1950, celui d'Hourcade en 1966 seulement. Ils correspondaient à un besoin évident puisqu'avant leur naissance c'était, dans le complexe toulousain, le chantier de Raynal, proche de la gare Matabiau, trop exigu, qui devait supporter une charge trop lourde pour lui ; dans la région bordelaise, le triage des wagons se trouvait fâcheusement réparti entre des gares très éloignées les unes des autres comme Saint-Jean, Coutras, Saint-Mariens, Morcenx, aux installations le plus souvent étroites et techniquement dépassées ; l'acheminement souffrait d'une lenteur et d'une lourdeur de coût prohibitives.

Situées nettement en dehors des deux agglomérations dans le mesure où le centre du triage de Saint-Jory se situe à 12 kilomètres au nord de la gare Matabiau et celui d'Hourcade à 4 kilomètres au sud de Bordeaux Saint-Jean, les deux gares ont pu bénéficier de vastes superficies : la première s'étale entre le canal latéral à la Garonne et la route nationale 20, la seconde dans une zone marécageuse remblayée, non loin de la Garonne. Aussi ont-elles pu être conçues largement et sans contraintes excessives.

Globalement toutes deux sont bien reliées à l'ensemble des lignes des deux étoiles ferroviaires. Le triage de Saint-Jory se trouve idéalement situé, non loin de Toulouse et accolé à l'important tronc commun qui, à Montauban, donne naissance aux axes de Bordeaux et de Paris. Le nouveau triage bordelais, lui, n'a pu pour des raisons foncières et financières, être implanté au nord de l'agglomération et sur la rive droite, à proximité de la ligne de loin la plus chargée, celle de Paris, et des principaux embranchements portuaires ; il a été installé à Hourcade, le long de l'artère de Toulouse. Mais ce handicap est en grande partie compensé par sa relative proximité du centre du complexe bordelais : les deux voies d'évitement de la gare Saint-Jean, la mise en service entre Saint-Jean et Hourcade d'une troisième voie, banalisée, l'utilisation du raccordement dit "circulaire" à double voie par les convois roulant entre le triage et la ligne de Dax, permettent une exploitation souple et efficace. A Toulouse a été également posée une troisième voie banalisée, entre Saint-Jory et la gare Matabiau, afin de faire face à la très forte intensité du trafic sur cette courte section, de l'ordre de 230 trains par jour, dont la moitié de marchandises ; un saut-de-mouton avait été prévu pour que les échanges entre Saint-Jory et le chantier de marchandises de Raynal ne coupent pas à niveau l'artère de Montauban ; si les terrassements ont été exécutés la construction du pont et la pose de la voie n'ont jamais été effectués, en raison entre autres de la fluidité apportée par le block automatique lumineux.

Par leur structure les deux grands triages se ressemblent beaucoup, si certaines différences peuvent être relevées.

D'abord, contrairement à la disposition générale des triages de Miramas, Sotteville ou Nantes-Blottereau, les voies principales n'encadrent pas les divers faisceaux et, à la différence de Sibelin, aucun saut-de-mouton n'évite, par exemple à Saint-Jory pour les convois se dirigeant vers Paris, le cisaillement avec une voie parcourue par les trains express ou rapides.

Les divers faisceaux classiques se retrouvent, composés de voies dont la longueur ne pose aucun problème. Ils sont encadrés par des voies de circulation qui dégagent les itinéraires principaux et facilitent par exemple les évolutions des locomotives de manœuvre.

A Toulouse-Saint-Jory se succèdent du sud au nord, sur une distance de près de 5 kilomètres, les faisceaux de réception (14 voies), de débranchement (41 voies), d'attente au départ (9 voies) ; parallèlement au faisceau de triage s'étale celui consacré au relais, fort de 6 voies. A Hourcade la disposition générale est quelque peu différente : si en effet se retrouvent du sud au nord les faisceaux de réception et de débranchement, dotés chacun de 14 et 48 voies, en revanche le faisceau d'attente au départ est absent, ou plus exactement confondu avec celui de relais, qui compte 7 voies, parallèle au faisceau de triage.

Aussi bien dans le grand triage bordelais que dans celui de Toulouse, cette composition actuelle des divers faisceaux est le résultat de travaux réalisés dans les années 80, destinés à renforcer la capacité des deux gares dans l'optique de la mise en œuvre du plan Etna. Ils se sont traduits par d'autres améliorations.

C'est ainsi qu'à l'instar de l'ensemble des grands triages du réseau ferré les deux faisceaux de débranchement bénéficient maintenant de la technique dite du "tir au but". Par ailleurs aussi bien la gestion de Saint-Jory que celle d'Hourcade se trouve assurée dans le cadre du dispositif Etna, très concentré et hiérarchisé au plan national ; chacun des deux grands triages possède une DOT (Direction Opérationnelle de Triage) et une BIL (Base d'Intérêt Local), qui fonctionnent avec l'aide déterminante de l'informatique.

Parmi les infrastructures qui complètent les installations, et alors que les deux grands dépôts sont installés à proximité immédiate des gares de voyageurs de Matabiau et de Saint-Jean, des relais-traction, aux installations simplifiées, accueillent les locomotives en escale.

Avec dans ces conditions une capacité de triage quotidienne de l'ordre d'au moins 1 500 wagons, les deux gares sont bien armées pour, après avoir récupéré les fonctions des deux triages de Régime Accéléré de Toulouse-Raynal et de Bordeaux Saint-Jean, prendre en compte la totalité des opérations de triage dans chacun des deux grands carrefours, dans le contexte du nouveau régime unifié.

Dans chacun des deux complexes ferroviaires, les wagons sont chargés et déchargés dans des sites et des installations plus nombreux à Bordeaux.

A Toulouse en effet, exception faite de la gare de Saint-Cyprien sur la ligne d'Auch, et du très ramifié embranchement particulier qui dessert l'APC (ex-ONIA), au sud de l'agglomération, l'essentiel des emprises affectées à la manutention des marchandises jalonne le corridor Matabiau-Saint-Jory. En effet, dans les limites de la gare de Raynal voisinent les halles du SERNAM, des voies réservées à divers groupeurs. Plus au nord l'embranchement du MIN (Marché d'Intérêt National) de Lalande précède le nouveau chantier Novatrans de Fenouillet. Enfin, à proximité des faisceaux du triage de Saint-Jory se concentrent de nombreux embranchements particuliers, à vocation industrielle ou agricole. Parmi eux, se trouve désormais le chantier transconteneur de la CNC.

A Bordeaux la situation est plus complexe, en raison d'abord de la poursuite de l'utilisation par la SNCF des emprises des diverses gares têtes de ligne des anciens réseaux, afin d'assurer une desserte en surface de qualité : gares Saint-Jean, Saint-Louis, de la Bastide, Deschamps, mais aussi de Brienne proche du MIN de Bordeaux et de Bordeaux-Passerelle, origine du réseau de la Sauve limité maintenant à la ligne d'Espiet.

Chacune d'elles est équipée de voies de débord, de halles plus ou moins développées, et la plupart du temps commande un certain nombre d'embranchements particuliers. Les plus récents de ceux-ci se retrouvent entre autres, comme dans le cas de Saint-Jory, très près des faisceaux du triage d'Hourcade ; ils ne comptent pas parmi les moins importants. De même la SNCF accompagne le développement industriel de la rive gauche du fleuve, au nord de l'agglomération, avec la desserte des zones industrielles de Bruges et Blanquefort, en nette expansion.

Mais le rail se doit aussi d'être présent au cœur des installations portuaires.

Les quais de la rive gauche sont plus spécialement desservis à partir de la gare de Bordeaux Saint-Louis, avec un faisceau de voies qui permet la régulation du trafic local, et l'épanouissement des voies vers les divers quais et bassins. Sur l'autre rive, plus que la trame des voies reliées à la gare de La Bastide, émergent les infrastructures de Bassens, très structurées : une bifurcation dotée d'un saut-de-mouton, greffée sur la grande ligne de Paris, permet d'accéder à un faisceau d'une douzaine de voies, vrai centre nerveux d'où se dispersent des voies qui longent les quais mais aussi qui desservent une puissante zone industrielle. Plus au nord la très courte ligne à voie unique qui atteint les installations pétrolières du Bec d'Ambès, possède les caractéristiques d'un embranchement particulier en raison de la nature du trafic qu'elle supporte.

Les deux grands carrefours du Sud-Ouest, dans le domaine de la préparation et de l'entretien du matériel roulant, entre autres des engins moteurs, possèdent des outils également performants.

LES DÉPÔTS ET ATELIERS

Par le nombre de locomotives affectées à chacun d'eux, le nombre de kilomètres parcourus annuellement, l'effectif des agents de conduite, les deux dépôts de Bordeaux et Toulouse figurent globalement parmi les douze premiers de notre réseau (1). Ils offrent plusieurs caractères communs.

Ce sont d'abord des dépôts anciens, qui ont été édifiés au siècle dernier à proximité immédiate des deux grandes gares de voyageurs de Saint-Jean et de Matabiau. Ils renforcent donc l'importance et la diversité des paysages ferroviaires de ces deux ensembles, vastes et compacts, comptant donc chacun voies à quai et bâtiments pour le service des voyageurs, halles pour les marchandises, faisceaux de triage transformés en garages pour les rames de voitures, dépôt et ateliers.

Si la desserte des deux gares de voyageurs a été de ce fait rendue relativement aisée, puisque les locomotives n'ont à effectuer que des manœuvres de faible amplitude, en revanche, chacun de ces dépôts souffre de l'exiguïté des emprises dont il dispose, limitées par le tissu urbain et les autres installations ferroviaires. Ce handicap est particulièrement évident à Bordeaux, où le dépôt est littéralement enserré et coincé

_____

(1) Avec 470 agents de conduite environ, le dépôt de Bordeaux figure dans ce domaine au 7e rang national.

entre les lignes de Toulouse, de Dax, et le raccordement circulaire ; aussi sa structure interne a-t-elle rarement été rationnelle.

Par ailleurs, depuis la transformation de la célèbre rotonde double de Bordeaux, les locomotives, en majorité, ne sont plus garées sous abri grâce à des ponts tournants. L'essentiel des installations est constitué par des grils, formés de voies courtes, à la spécificité bien établie : ils accueillent soit les locomotives électriques, soit les engins Diesel, soit les automotrices électriques et les autorails. Ces fonctions hybrides des deux dépôts correspondent bien sûr à l'absence d'électrification d'un certain nombre de lignes du Sud-Ouest, et en particulier des deux étoiles bordelaise et toulousaine, comme Bordeaux-Nantes, Coutras-Limoges ou Toulouse-Saint-Sulpice.

Il convient également de relever que les locomotives et les mécaniciens qui fréquentent les emprises des deux dépôts, qu'ils leur soient affectés ou qu'ils viennent d'ailleurs, parcourent pour la plupart des itinéraires de très grande longueur. C'est que les deux métropoles aquitaines se trouvent relativement isolées et éloignées des autres secteurs très actifs et dynamiques du pays : aussi est-il possible de rencontrer par exemple des conducteurs toulousains à Limoges, Bayonne, Bordeaux ou Marseille, tandis que les locomotives propriété du dépôt de Bordeaux roulent jusqu'à Paris, Lyon, Dijon, ou jusqu'à la grande cité phocéenne.

Chacun des deux dépôts, enfin, possède ses propres installations permettant l'entretien courant, les réparations légères ou d'importance moyenne ; ainsi, à l'est de celui de Toulouse, les diverses cellules de l'atelier sont systématiquement desservies par des chariots transbordeurs reliés à la trame générale des voies par les deux ponts-tournants.

Si donc les carrefours de Bordeaux et Toulouse possèdent chacun un dépôt qui figure parmi les 34 dépôts de base, propriétaires d'engins du réseau de la SNCF, il n'en va pas de même pour les ateliers.

En effet, dans le cadre de la spécialisation et de la rationalisation des opérations de grand entretien du matériel, chaque carrefour ferroviaire important ne possède pas nécessairement l'un des ateliers autonomes du réseau, qui sont en nombre limité : c'est le cas de Toulouse. En revanche, à Bordeaux, a été implanté un atelier longtemps très actif, qui avec celui du Mans, se consacrait à l'entretien, la réparation et la transformation des autorails de la SNCF : en janvier 1988, 696 d'entre eux étaient pris en charge par 587 cheminots bordelais, travaillant dans des locaux bâtis dans le complexe Saint-Jean, de l'autre côté de la ligne de Dax par rapport au dépôt. La baisse du trafic autorail et des mesures de rationalisation ont conduit à programmer la fermeture de cet atelier pour 1995.

Au total, l'équipement des deux grands carrefours ferroviaires du Sud-Ouest leur permet de faire face dans des conditions acceptables au trafic actuel. Parmi les transformations structurelles réalisées durant ces dernières années, l'opération de concentration du triage des wagons de marchandises dans les deux gares de Saint-Jory et d'Hourcade réalise un beau dou-

Le triage d'Hourcade, près de Bordeaux, fait partie de ceux que la rationalisation du plan ETNA a épargné (voir plan page 282).

blé, puisqu'elle va dans le sens de la rationalisation du trafic des marchandises tout en améliorant les conditions d'entretien et de rotation des rames de voyageurs, grâce aux voies libérées à Raynal et à Saint-Jean : les débuts du TGV en Aquitaine sont assurés, favorisés aussi par la rénovation des deux grandes gares, Matabiau et Saint-Jean.

Toutefois, en raison même de la bonne tenue d'ensemble du trafic et de l'accroissement du nombre de circulations à attendre dans le domaine des voyageurs, des problèmes de saturation se posent. Ils sont aigus surtout sur les sections de ligne proches du cœur des complexes ferroviaires, en raison de l'absence de lignes de dédoublement. Si la solution apparaît difficile à trouver à Bordeaux, à cause de l'obstacle de la Garonne, à Toulouse une possibilité intéressante existe qui, mise en œuvre, soulagerait beaucoup la gare Matabiau. Pas vraiment d'actualité car coûteuse, mais techniquement réalisable, la solution consisterait à établir une dérivation à l'est de l'agglomération, à double voie : le nouvel itinéraire, dans le sens nord-sud, se séparerait de l'artère de Paris au niveau des faisceaux de Raynal, emprunterait brièvement la ligne de Saint-Sulpice pour ensuite s'infléchir résolument vers le sud en suivant la vallée de l'Hers, non loin de l'autoroute de contournement ; la jonction avec la ligne de Narbonne s'effectuerait au sud-est de Rangueil. Non seulement les convois de marchandises roulant entre les axes de Paris et de Marseille éviteraient tous de traverser la gare Matabiau, mais encore les trains de pèlerinage venant du sud-est et se dirigeant vers Lourdes passeraient dans cette gare, mais sans la manœuvre toujours longue et fastidieuse qu'est un rebroussement, puisqu'ils proviendraient de la ligne de Saint-Sulpice.

Les deux grands carrefours bordelais et toulousain dominent de leur stature la trame ferroviaire du Sud-Ouest. Leur envergure se traduit par le nombre des cheminots qui y travaillent, de l'ordre dans chacun d'eux de 1 500 personnes. Mais d'autres nœuds ferroviaires, à la structure plus simple et moins diversifiée, n'en jouent pas moins un rôle important.

Nœud secondaire et satellite de Toulouse, Saint-Sulpice organise la séparation des flux vers Rodez ou Capdenac et Castres/Mazamet.

LES NŒUDS SECONDAIRES

Malgré la fermeture totale ou partielle de petites lignes d'intérêt purement local, de nombreux points de rencontre entre artères du réseau principal et embranchements à faible trafic subsistent. Ces nœuds primaires ne marquent pas vraiment le paysage ferroviaire, car la circulation le plus souvent d'un seul train de marchandises chaque jour sur la ligne adjacente n'exige pas d'installations particulières. Aussi la greffe sur la ligne Toulouse-Bayonne d'embranchements pyrénéens à Boussens, Montréjeau ou Lannemezan n'a-t-elle guère nécessité d'étoffer sensiblement le nombre de voies ou de quais. La remarque vaut pour des gares comme celles de Saujon, entre Saintes et Royan, Port-Sainte-Marie non loin d'Agen, Monsempron-Libos entre Agen et Périgueux.

En revanche plusieurs gares méritent d'être considérées comme d'authentiques carrefours ferroviaires en raison de la nature des infrastructures et des missions assumées.

Une première famille comprend les nœuds correspondant à la fin d'un tronc commun, et donc à une bifurcation en fourche : la répartition du trafic de transit constitue la fonction essentielle.

Au nord-est de Toulouse la gare de Saint-Sulpice reçoit bien une ligne très secondaire provenant de Montauban. Mais son rôle primordial est d'organiser la séparation des flux nés à Toulouse et se dirigeant soit vers Tessonnières, Albi et Capdenac par la vallée du Tarn, soit vers Castres par celle de l'Agout. Les quatre voies à quai de la gare accueillent quotidiennement en moyenne plus de 55 circulations, les deux sens réunis : les deux tiers de ces trains sont en provenance ou à destination de la ligne de Tessonnières. Cette gare se trouve elle aussi en situation de fin de tronc commun : avec près des trois quarts des 37 convois journaliers, l'artère d'Albi l'emporte, qui au-delà dessert également Carmaux et Rodez.

Au sud de Toulouse la gare du Portet-Saint-Simon, située à 12 kilomètres de la gare Matabiau, est l'origine de la ligne de La Tour-de-Carol. Le trafic de celle de Bayonne est de loin le plus important, avec plus des deux tiers des 66 circulations [1]. A niveau, la bifurcation peut poser quelques problè-

---

(1) Dans la suite de ce chapitre, le nombre de circulations en un point donné s'entend systématiquement en moyenne quotidienne, les deux sens réunis (1990).

Lamothe : la ligne d'Arcachon quitte la grande radiale Paris-Bordeaux-Irun dont on aperçoit le tracé rectiligne filant vers le nord à travers l'immense forêt landaise.

mes dans la mesure où les 23 circulations se dirigeant vers Bayonne coupent nécessairement l'itinéraire de la dizaine de trains venant de l'artère de Foix et rejoignant Toulouse.

Cette absence de saut-de-mouton se révèle beaucoup plus gênante à Montauban. Non seulement en effet le tronc commun Toulouse-Montauban achemine 116 circulations, mais encore la répartition de ce flux considérable est à peu près équilibrée entre les lignes de Paris et de Bordeaux. Aussi, en l'absence d'un ouvrage d'art très difficile à envisager en raison de la proximité des installations de la gare, du pont sur le Tarn et du tissu urbain, les 27 circulations provenant de Bordeaux doivent cisailler l'itinéraire des 31 trains se dirigeant vers Paris. Il est vrai que la présence toute proche des cinq voies à quai de la gare, en courbe très marquée, permet, en retenant plus aisément certains convois, de gérer avec une relative souplesse cette très importante bifurcation. L'activité d'ensemble du nœud est étoffée par la desserte au plan du service des voyageurs et des marchandises d'une agglomération de plus de 50 000 habitants.

Ainsi des centres ferroviaires comme Saint-Sulpice et Montauban, en apparence isolés et par ailleurs très actifs, n'en sont pas moins des satellites du nœud toulousain dont ils constituent des postes avancés.

Cette notion de grand carrefour complexe, composé d'un cœur lui-même richement structuré et d'éléments parfois éloignés mais complémentaires, est valable également pour l'ensemble ferroviaire bordelais.

Autour de Bordeaux aucune gare ne joue un rôle aussi essentiel que celle de Montauban. Mais plusieurs nœuds ferroviaires ponctuent la fin de troncs communs, emboîtés sur deux grands itinéraires.

Le principal de ces troncs communs correspond aux premières dizaines de kilomètres de la ligne de Paris.

A 39 kilomètres de Bordeaux-Saint-Jean la gare de Libourne tire l'essentiel de son activité d'un trafic local justifié moins par l'importance d'une agglomération de 30 000 habitants, que par l'appartenance à la banlieue de la métropole girondine. Mais elle marque également l'origine de la ligne de Bergerac et Sarlat tracée dans la vallée de la Dordogne, empruntée par près d'une vingtaine de circulations.

A 12 kilomètres plus au nord, le nœud de Coutras présente une structure et une fonction quelque peu différentes. En effet, beaucoup moins peuplée et plus éloignée de Bordeaux (51 kilomètres), la localité ne peut induire de flux étoffés. Mais son rôle de gare de bifurcation est plus affirmé, dans la mesure où sur la ligne de Périgueux et Limoges roule le quart des trains circulant sur le tronc commun Libourne-Coutras. Largement étalées à proximité du confluent de l'Isle et de la Dronne, les emprises ferroviaires portent la marque d'un passé prestigieux ; c'est que pendant de longues décennies le nœud a vu fonctionner non seulement un dépôt mais encore une active gare de triage ; tous deux ont été déclassés dans le cadre du regroupement à Bordeaux même des instruments de gestion du trafic, et en particulier lorsqu'a été créé le triage d'Hourcade, en 1966. Depuis, les divers faisceaux de voie ne jouent plus qu'un rôle relativement marginal de garage et de relais par exemple, tandis qu'a été abandonnée l'exploitation de la ligne en provenance de Cavignac, qui permettait à certains convois de marchandises de l'artère de Nantes d'accéder directement à la gare de Coutras.

Le phénomène des troncs communs emboîtés se retrouve de l'autre côté du carrefour bordelais, sur l'axe d'Hendaye. Sur celui de Toulouse, à 41 kilomètres de Bordeaux, la gare de Langon bénéficie de 4 voies à quai dans la mesure où elle est l'origine et la destination de plusieurs trains de banlieue quotidiens.

A Lamothe (40 kilomètres de Bordeaux), se débranche la double voie électrifiée qui se dirige vers Arcachon. Là aussi la fonction de bifurcation constitue le rôle essentiel de la gare ; le nombre de circulations abandonnant la ligne principale représente environ le tiers du trafic du tronc commun ; mais elles correspondent la plupart du temps à des trains de voyageurs de faible longueur. C'est dans les emprises mêmes de la gare que s'inscrit la courbe de grand rayon qui détermine l'angle dessiné par l'artère Bordeaux-Dax, de l'ordre de 60°. Plus au sud, la gare de Dax assure le service des voyageurs et des marchandises d'une cité dont la population dépasse 25 000 habitants. Mais en même temps elle assure la séparation des courants reliant Paris et la région bordelaise d'une part, la Côte d'Argent et l'Espagne, les villes du Béarn et de Bigorre de l'autre. Les premiers flux sont les plus importants, puisqu'ils sont presque deux fois plus forts que ceux qui circu-

lent entre Dax, Pau et Tarbes : plus de cinquante circulations contre moins d'une trentaine. En l'absence là-aussi de saut-de-mouton, l'écoulement du trafic est facilité par l'implantation de la bifurcation proprement dite au nord de la gare ; ainsi au sud quatre trains peuvent simultanément accéder aux voies à quai ou en partir, provenant de chacune des deux lignes ou les abordant.

Les nœuds ferroviaires en fin de tronc commun paraissent donc, dans le Sud-Ouest, en relation étroite avec l'activité des deux carrefours primordiaux de Toulouse et Bordeaux. Mais l'un d'eux, celui de Puyoô, assume un rôle à part.

Implantée en effet sur les bords de l'Adour, la gare ne dessert qu'une ville d'envergure modeste. Elle était l'origine d'un embranchement à voie unique, aujourd'hui hors-service, qui se dédouble à Autevielle pour remonter les deux vallées pyrénéennes de Saint-Palais et de Mauléon. Mais sa mission première est d'organiser la séparation des flux qui empruntent la ligne de Pau et Tarbes et qui divergent, ou convergent à Puyoô. Si la voie ferrée qui se dirige vers Dax à travers les ondulations de la Chalosse accapare les trois cinquièmes des circulations, celle de Bayonne, qui continue de suivre le cours de l'Adour, également électrifiée mais à voie unique n'en reçoit pas moins près d'une vingtaine de trains. En fait la gare de Puyoô se situe à l'extrémité occidentale d'un tronc commun à deux grands courants, l'un de type radial, joignant Paris et Bordeaux, à Pau et Tarbes, l'autre, de type transversal, reliant la région de Bayonne à Toulouse.

Une seconde grande famille de carrefours ferroviaires regroupe des nœuds qui ne sont pas nécessairement plus actifs que les précédents, mais exercent des responsabilités plus autonomes dans le fonctionnement du réseau par rapport aux complexes bordelais et toulousain ; desservant des villes moyennes et donc génératrices elles-mêmes de flux non négligeables, ils contrôlent également chacun plusieurs lignes et bifurcations et assument donc des missions équilibrées.

Quatre centres ferroviaires sont remarquables dans cette catégorie.

Le nœud de Saintes n'est situé sur aucune des artères maîtresses du réseau mais n'en est pas moins vivace pour plusieurs raisons. D'abord il concerne une agglomération d'une trentaine de milliers d'habitants. Ensuite il est le point de rencontre de cinq lignes, puisque sur la transversale Bordeaux-Nantes viennent se greffer les voies ferrées à voie unique provenant de Royan, Niort et Angoulême. Comme le nombre des convois oscille d'une ligne à l'autre de dix à près de trente, avec une très nette domination des trains de voyageurs, il est aisé d'imaginer l'animation qui règne en gare de Saintes à de nombreux moments de la journée, lorsque les autorails des lignes adjacentes viennent assurer la correspondance des express de la transversale ouest. C'est sur le court tronc commun de 10 kilomètres joignant Saintes à Beillant, doté maintenant du Block Automatique Lumineux, que la densité de la circulation est la plus élevée, avec 45 trains ; les deux tiers d'entre eux roulent ensuite sur la double voie de Bordeaux, les autres sur la ligne d'Angoulême.

Un TER Aquitaine à Chalais, assurant une relation omnibus vers Bordeaux, sur la radiale venant de Paris.

Encore très actif, le centre ferroviaire de Saintes n'en connaît pas moins un déclin relatif en relation avec l'abandon, dès la création de la SNCF, de l'itinéraire Paris-Bordeaux, par Chartres, Saumur et Niort, avec la disparition des locomotives à vapeur, avec la politique de concentration du triage des wagons et des opérations d'entretien du matériel. Très compactes, les infrastructures, qui s'étalent sur la rive droite de la Charente, ne correspondent plus exactement à la nature des fonctions actuelles : si les sept voies à quai sont toujours bruissantes d'activité, le faisceau de triage n'est plus utilisé que pour des manœuvres purement locales et pour le garage de wagons réformés ou en instance de réparation ; par ailleurs, le dépôt n'assure plus que des relais de locomotives et de personnel, alors que les ateliers ne sont plus que l'ombre de ce qu'ils étaient il y a quelques décennies : ayant perdu plus de la moitié de leur effectif en 30 ans (1), partiellement désaffectés, ils n'assurent plus que certaines opérations d'entretien des voitures Corail et contrôlent les machines-outils employées dans l'ensemble des ateliers du réseau. En 1994 un PRG unique commandera l'ensemble des installations de la gare, par ailleurs simplifiées.

Plus à l'est, installée elle aussi sur les bords de la Charente, la ville d'Angoulême est au plan ferroviaire un carrefour d'un type un peu différent. Située à l'intersection du grand axe électrifié Paris-Bordeaux et de l'itinéraire Limoges-Saintes-Royan, la gare est tapie au pied du promontoire qui porte les vieux quartiers de la cité et est traversé par un tunnel de 740 mètres de longueur. Avec moins de 20 circulations, chacune des deux lignes de Saintes et Limoges est bien sûr surclassée par la grande radiale, où roulent près d'une centaine de trains. En l'absence d'atelier, les installations se composent d'un dépôt-

relais, d'un faisceau d'une dizaine de voies doté d'une butte de triage affecté à la desserte locale et au garage des trains de marchandises de la grande ligne. Equipée de cinq voies de passage et de deux voies courtes en impasse, la gare de voyageurs remplit deux missions, le service d'une agglomération de près de 100 000 habitants, et les correspondances en direction de Limoges, de Saintes et Royan. Alors que la bifurcation de la ligne de Limoges est implantée à la limite nord de la gare, celle de l'artère de Saintes est déportée trois kilomètres au sud ; dite "des Alliers", elle est constituée d'une fourche à deux doubles voies dans la mesure où c'est seulement à partir de Saint-Michel-sur-Charente, deux kilomètres plus loin, que la ligne suivant la Charente n'est équipée que d'une voie unique.

Forte de plus de 60 000 habitants, l'agglomération de Périgueux ne peut également manquer de générer un trafic important, en relation en particulier avec Bordeaux, Limoges et Paris. Mais la gare se situe en fait au croisement de plusieurs courants : l'itinéraire Bordeaux-Limoges, avec environ une trentaine de circulations, de trains de voyageurs surtout, domine incontestablement ; mais avec une douzaine de convois chacune, les lignes de Brive et d'Agen ne supportent pas des trafics négligeables. En fait trois flux de transit se croisent à Périgueux : le courant Bordeaux-Limoges, prolongé en direction de Paris et de Montluçon-Lyon, celui reliant Bordeaux à Brive et Clermont-Ferrand, ce qui amène à considérer la section Coutras-Périgueux comme un tronc commun aux deux itinéraires Bordeaux-Lyon par le nord et le centre du Massif Central ; enfin s'établit par Périgueux un courant méridien, entre Limoges et Agen. Si la double voie n'équipe que la ligne de Bordeaux, elle dote également la très courte section Périgueux-Niversac (10 kilomètres), commune aux voies ferrés de Brive et d'Agen. L'activité du centre ferroviaire de Périgueux, par ailleurs, est renforcée par la nécessité d'organiser le rebroussement de toutes les circulations Bordeaux-Limo-

(1) *420 agents seulement actuellement.*

291

ges (1), ainsi que par la présence d'un atelier spécialisé dans l'entretien et la réparation des voitures Corail, de restauration et de "grand confort".

Dans la plaine des Landes, le nœud ferroviaire de Mont-de-Marsan assume lui aussi des missions équilibrées, en premier lieu le service d'une agglomération de plus de 30 000 habitants. Mais il se situe au cœur d'une étoile de quatre voies ferrées, vestiges d'un réseau beaucoup plus ample entre pays de la Garonne et le piémont pyrénéen. A voie unique elle aussi, la ligne de Morcenx, avec près de 15 circulations, vouées dans leur immense majorité au transport des voyageurs, domine les autres en constituant un vrai cordon ombilical entre le chef-lieu des Landes et l'artère Bordeaux-Hendaye. Mais les antennes de Roquefort, Hagetmau, Riscle et Tarbes jouent un rôle déterminant de desserte locale au plan du trafic des marchandises, dans le domaine des produits agricoles en particulier. Aussi la gare de Mont-de-Marsan a-t-elle bénéficié d'un équipement surprenant pour un nœud non établi sur une ligne importante ou même moyenne, mais justifié, avec cinq voies à quai et un faisceau de 15 voies affecté aux wagons de marchandises. Des simplifications ont d'ailleurs été récemments apportées.

En Aquitaine intérieure ou océanique plusieurs agglomérations de la taille de celles qui viennent d'être présentées ne commandent pas, elles, de véritables étoiles ferroviaires. L'activité qui règne sur les quais et sur les voies de leurs gares est donc avant tout en relation avec les besoins de ces villes et des régions qui les entourent, et de leur position sur un axe très nettement dominant. Aussi les installations ferroviaires sont-elles souvent développées.

L'exemple de Tarbes est significatif.

Avec près de 60 000 habitants, cette agglomération se classe au second rang dans la région Midi-Pyrénées. Comme elle constitue un important foyer industriel, le trafic d'origine locale, qui se greffe sur les courants circulant sur la transversale Toulouse-Bayonne, l'emporte nettement sur les tonnages acheminés sur les antennes de Mont-de-Marsan et de Bagnères-de-Bigorre, fermées au service des voyageurs. Déjà dotée de cinq voies à quai et d'un important faisceau de voies de service, la gare vient de connaître une rénovation profonde, avec création d'un passage souterrain et l'installation d'un poste d'aiguillage unique et moderne, de type PRG.

Non loin de Tarbes, la gare de Pau possède une structure et assume des missions comparables. Mais celles-ci seraient davantage diversifiées si était rétablie la liaison ferroviaire internationale Pau-Saragosse par Canfranc et le tunnel du Somport, coupée en 1970, qui ferait de la cité paloise un important trait d'union entre l'Aquitaine et l'Aragon.

Sur l'importante ligne transversale Bordeaux-Toulouse, la gare d'Agen a bénéficié d'un réaménagement d'ensemble et d'une modernisation liés à la fin des années 70 aux travaux d'électrification. A mi-chemin entre les deux métropoles aquitaines,

desservant une ville forte de 40 000 habitants, située au cœur d'une riche région productrice de fruits et légumes, la gare commande l'accès à la ligne du Buisson et de Périgueux empruntée par une quinzaine de circulations. Parallèle aux voies à quai, un faisceau d'une douzaine de voies permet le classement des wagons pour les besoins de la desserte locale, ainsi que l'escale des trains de fret en transit.

Si le centre ferroviaire de Cahors, sur la radiale Paris-Toulouse, ressemble à plus d'un titre aux précédents, avec il est vrai un rôle de correspondance moins marqué en raison de la fermeture des lignes de Fumel et de Capdenac, deux complexes du Sud-Ouest possèdent une grande originalité, ceux de Bayonne et surtout d'Hendaye.

Les installations ferroviaires de Bayonne ne peuvent manquer d'être notables, d'abord parce qu'elles doivent permettre d'assumer le trafic d'une agglomération qui non seulement compte une cinquantaine de milliers d'habitants, mais aussi est la capitale de la prospère région touristique qu'est la Côte d'Argent, étoilée de nombreuses stations balnéaires réputées comme Saint-Jean-de-Luz ou Biarritz ; délaissée par la grande ligne d'Hendaye, tracée à quelques kilomètres à l'intérieur des terres, cette dernière ville a longtemps été desservie par une courte antenne à voie unique et électrifiée, greffée sur l'axe majeur à la gare de Biarritz-La Négresse. Depuis sa désaffectation, provoquée entre autres par des problèmes immobiliers, c'est la gare de La Négresse, agrandie et modernisée, qui assure l'ensemble du trafic de Biarritz. Par ailleurs Bayonne est un port actif et un centre industriel important, longtemps dominé par la sidérurgie du Boucau. Enfin la ville est à l'origine de deux lignes à voie unique d'importance inégale, celle de Saint-Jean-Pied-de-Port et surtout celle de Puyoô, où roulent chaque jour près de vingt trains.

Les emprises ferroviaires se trouvent échelonnées sur l'axe radial Paris-Hendaye, le long de l'Adour, avec du nord au sud l'embranchement qui dessert le périmètre industriel du Boucau, le faisceau affecté au classement des wagons de marchandises, la gare des voyageurs, à l'exploitation rendue difficile par le tracé des voies en courbe et, enfin, de l'autre côté du fleuve, la bifurcation des artères de Puyoô et Saint-Jean-Pied-de-Port et de l'antenne portuaire de Bayonne-Allées-Marines desservant la rive gauche de l'Adour.

Trente-cinq kilomètres plus au sud, s'étalent les installations de la gare d'Hendaye.

Il s'agit d'une gare frontière, qui assume donc le même type de missions que celles par exemple de Vintimille ou Modane. Mais, comme à Cerbère à l'autre extrémité de la chaîne pyrénéenne, se pose le problème de la transition entre la voie "normale" française et la voie espagnole, plus large (1,67 m contre 1,435 m). Aussi les emprises sont-elles en apparence anormalement développées, pour faire face, en fait, à des contraintes lourdes et particulières, partagées avec la gare jumelle d'Irun, en Espagne, sur la rive méridionale de la Bidassoa.

C'est ainsi que les deux réseaux de voies coexistent dans chacun des ensembles ferroviaires d'Hendaye d'une part, de Playa

---

(1) Depuis en particulier la suppression du raccordement direct de La Cave.

Nœud régional actif, Mont-de-Marsan est reliée à Morcenx à la radiale Bordeaux-Irun par une ligne à voie unique performante.

Aundi et Irun de l'autre, reliés par deux voies d'écartement différent. A Hendaye même le plan de la gare, remanié dans le sens de l'extension et de la rationalisation à plusieurs reprises depuis 1974, bénéficiant grâce au remblaiement d'un gain de 9 hectares sur l'océan, est impressionnant : se juxtaposent en effet cinq voies à quai, le chantier de changement de bogies qui prend en charge, entre autres, les voitures de "La Puerta del Sol", un faisceau de remisage des rames de voitures (7 voies), un faisceau de triage d'une douzaine de voies, le chantier Transfesa qui change les essieux des wagons de marchandises, les installations réservées à la CNC, à Novatrans, à un chantier de stockage de voitures neuves et à l'entretien. Si la plupart des voies sont à l'écartement français, certaines sont "espagnoles" tandis que plusieurs sont mixtes, quand en particulier elles desservent les chantiers de changement d'essieux ou de bogies.

Comme la RENFE a elle aussi sensiblement amélioré les capacités de ses installations sur l'autre rive de la Bidassoa, le complexe Hendaye-Irun est désormais bien équipé pour faire face à l'accroissement du trafic induit par l'entrée de l'Espagne et du Portugal dans la Communauté européenne. L'effacement complet des barrières douanières ne diminuera pas sensiblement au plan ferroviaire l'importance de ce point-frontière, où subsistera l'absolue nécessité d'opérations de transbordement des personnes et des marchandises, ou de changement d'essieux et de bogies, tant que l'Espagne n'aura pas adapté l'ensemble de son réseau aux normes européennes.

Variés par leur importance, leur implantation, leur structure sont donc les nœuds ferroviaires du Sud-Ouest. Ils marquent les points d'ancrage d'un réseau lui-même diversifié, en particulier au plan de l'intensité du trafic. Certes, sauf aux abords des principaux carrefours, le nombre moyen journalier de trains, les deux sens et toutes catégories réunis, qui ne dépasse jamais sensiblement la centaine, est loin d'atteindre le record national, de l'ordre de 230 entre Paris et Orléans.

Mais une hiérarchie apparaît au sein des axes les plus chargés : alors que les flux sur la relation Bayonne-Toulouse se concrétisent par un nombre de convois se situant entre 30 et 50, 55 à 70 trains sillonnent les lignes Brive-Montauban, Bordeaux-Montauban et Lamothe-Hendaye. Mais l'artère Paris-Bordeaux l'emporte très nettement, avec un nombre de circulations oscillant de 95 à 100 entre Poitiers et Coutras.

La part respective des trafics de marchandises et de voyageurs est variable. Si l'équilibre est à peu près réalisé la plupart du temps, en revanche les trains de voyageurs sont plus abondants, proportionnellement, sur les lignes Paris-Toulouse et Toulouse-Bayonne. Cette prédominance du trafic des voyageurs se retrouve sur l'ensemble des lignes de niveau régional ou local ; elle s'explique en partie par la multiplication des relations réservées aux voyageurs, souvent assurées par des autorails, automotrices ou trains de faible longueur.

L'analyse du trafic des marchandises puis de celui des voyageurs va permettre de mieux comprendre la vie des lignes et des gares.

Le chantier conteneurs de Mazamet : les caisses mobiles arrivées par fer poursuivent leur parcours terminal sur des camions.

LE TRAFIC DES MARCHANDISES

Les tonnages de marchandises qui circulent sur les lignes du Sud-Ouest ne sauraient être comparés aux flux constatés dans la région parisienne, le nord-est ou le couloir rhodanien. Mais ils sont à la fois loin d'être négligeables, et traduisent des échanges diversifiés.

LES COURANTS DE TRAFIC

L'analyse de la carte montre l'indiscutable prédominance des deux axes radiaux Paris-Bordeaux-Dax et Paris-Toulouse, et de la transversale Bordeaux-Marseille.

De Poitiers à Bordeaux s'écoulent des flux de l'ordre de 20 000 tonnes en moyenne journalière, marqués par une légère prééminence du courant nord-sud. Entre Bordeaux et Dax, le trafic, moins fort, reste important avec près d'une douzaine de milliers de tonnes. A Dax, c'est la branche d'Hendaye qui l'emporte sur celle de Pau et Tarbes, accaparant les deux tiers des tonnages circulant sur le tronc commun.

L'activité de la seconde radiale est deux fois moins forte, puisqu'entre Limoges et Montauban ne sont transportées que moins de 9 000 tonnes. Autre différence, c'est ici le courant sud-nord qui prévaut, dans des proportions d'ailleurs non écrasantes.

Le trafic de la transversale sud, lui, se situe aux environs de 12 000 tonnes entre Bordeaux et Agen, de 10 500 tonnes entre Agen et Montauban. En aval d'Agen, c'est le flux se dirigeant vers Bordeaux qui l'emporte, en amont celui qui s'écoule vers Toulouse. Il s'ensuit, dans ces conditions, que le tronc commun Montauban-Toulouse supporte un trafic intense : avec près de 22 000 tonnes il vient en tête des sections de ligne du Sud-Ouest, exception faite du très court tronçon Bordeaux-Saint-Jean-Cenon, où fusionnent les lignes de Paris et de Nantes.

Au-delà de Toulouse, les courants sont denses dans la mesure où globalement, avec près de 20 000 tonnes, ils dépassent quelque peu le volume de ceux de l'axe Bordeaux-Poitiers. C'est sur cette artère que se manifeste le plus net déséquilibre entre les deux sens de circulation : en effet le courant est-ouest constitue les trois cinquièmes des flux globaux.

L'activité des autres lignes du Sud-Ouest est beaucoup moins importante.

Celle de la transversale ouest Bordeaux-Nantes, au sud de La Rochelle, se caractérise par la modicité des tonnages transportés, de l'ordre de 2 000 tonnes au plus, et l'égalité de la répartition entre les deux sens. Plus chargée, en moyenne, avec des flux oscillant la plupart du temps entre 2 000 et plus de 5 000 tonnes, la rocade pré-pyrénéenne Toulouse-Bayonne assume un trafic déséquilibré au bénéfice du courant se dirigeant vers Toulouse, sauf à l'ouest de Lacq, où le déséquilibre est inversé. A Puyôo, en fin de tronc commun, c'est la ligne de Dax qui attire le trafic le plus lourd, mais dans des proportions non écrasantes.

Un autre tronc commun excepté, celui qui relie Toulouse à Saint-Sulpice, aucune autre voie ferrée du Sud-Ouest n'accueille des courants atteignant 3 000 tonnes. Dépassent les 1 000 tonnes les lignes Coutras-Limoges et Saintes-Angoulême, ainsi que les antennes Bordeaux-Le Verdon, Morcenx-Mont-de-Marsan, Saillat-Limoges (1), Saint-Sulpice-Albi-Carmaux.

Cette circulation d'ensemble est en relation avec les flux à destination ou en provenance du Sud-Ouest lui-même, mais aussi avec des courants de transit, nationaux ou internationaux.

LES SOURCES DU TRAFIC

Important en lui-même, le trafic généré par les régions Aquitaine, Midi-Pyrénées et Poitou-Charentes n'en est pas moins, exprimé en tonnages, nettement inférieur à celui de plusieurs autres régions.

Pour les expéditions, en effet, l'Aquitaine avec environ 5 000 000 de tonnes annuelles se situe au 6e rang, Midi-Pyrénées avec près de 3 000 000 de tonnes seulement en douzième position, tandis que le total des tonnages confiés au rail dans l'ensemble du Sud-Ouest ne représente que le tiers de ceux de la seule Lorraine. Il en va à peu près de même dans le domaine des arrivages, puisque l'Aquitaine avec près de 5 000 000 de tonnes occupe de nouveau la 6e place, Midi-Pyrénées avec près de 4 000 000 de tonnes remontant au 9e rang ; s'il est moindre, l'écart avec la Lorraine n'en est pas moins creusé dans la mesure où le Sud-Ouest ne reçoit environ que la moitié des tonnages réceptionnés dans cette région de l'Est.

Autre constatation : globalement les arrivages l'emportent sur les expéditions, dans la proportion de 52%. Si l'équilibre est pratiquement atteint en Aquitaine, les tonnages déchargés sont beaucoup plus lourds en Midi-Pyrénées, avec près de 57% du trafic total.

L'explication globale réside dans le fait que les régions du Sud-Ouest français ne comptent ni parmi les plus peuplées, ni parmi celles dont l'activité industrielle est la plus intense. Mais les besoins d'agglomérations comme Bordeaux et Toulouse induisent des déchargements relativement massifs de marchandises et donc certains déséquilibres.

Une analyse plus poussée amène les remarques suivantes :

– Le poids des deux grandes métropoles est effectivement lourd puisque l'ensemble de leurs gares assure plus du quart du trafic de marchandises ferroviaire du Sud-Ouest. Toulouse

l'emporte, avec des flux globaux de l'ordre de 2 700 000 tonnes, contre 2 200 000 tonnes à Bordeaux, en partie grâce à l'activité de la gare d'Empalot qui dessert l'ensemble industriel de l'APC (ex-ONIA), important producteur d'engrais et de produits chimiques, et du complexe Saint-Jory-Fenouillet. A Bordeaux, où les arrivages sont également plus massifs que les expéditions (plus de 60% contre plus de 70% à Toulouse), ce sont les gares de la rive droite de la Garonne qui se taillent la part du lion avec près de 80% du total : Bordeaux-Bastide est dominé par Bassens, en relation directe avec le trafic portuaire.

– L'activité maritime de la Gironde a subi depuis une quinzaine d'années de profondes mutations, avec d'abord fermeture successive, depuis 1983, des raffineries de Pauillac et du Bec d'Ambès. Aussi le trafic pétrolier, toujours important, a-t-il changé de nature, avec la réexpédition vers les centres de stockage de l'intérieur du pays des produits raffinés importés. Si par ailleurs dans ce domaine l'avant-port du Verdon, près de la Pointe de Grave, joue un rôle de liaison essentiel, il est depuis 1976 valorisé par le développement du transport des conteneurs, traité par un terminal puissamment équipé ; aussi est-il possible de comprendre le tonus de la ligne du Verdon, qui transporte quotidiennement en moyenne un millier de tonnes.

Mais l'activité maritime en Aquitaine ne se limite pas à l'ensemble portuaire bordelais. Plus modeste, celui de Bayonne génère des flux ferroviaires intéressants, d'une double nature : il est d'abord le débouché normal du complexe industriel de Lacq à l'origine de courants importants de pétrole, produits chimiques, soufre ; même si globalement des signes d'essoufflement apparaissent, liés à l'épuisement des gisements, ce type de trafic explique l'activité des sections de ligne Lacq-Puyôo et Puyôo-Bayonne, où sont transportées respectivement près de 6 000 et 3 000 tonnes en moyenne journalière, avec une nette prépondérance du flux est-ouest.

Le port de Bayonne assure aussi l'exportation de la production céréalière du bassin de l'Adour, du maïs en particulier. Et à ce propos il faut insister sur l'ampleur des transports de produits agricoles sur les lignes du Sud-Ouest, et pas seulement en raison, comparativement, du niveau très moyen de l'activité industrielle. Globalement en effet ils constituent, par exemple dans la région SNCF de Bordeaux, 30% de l'ensemble des expéditions, ce qui est très nettement supérieur aux proportions enregistrées dans la plupart des autres régions. C'est que sont confiés à la SNCF, dans ce secteur agricole pris au sens large, c'est-à-dire en incluant la sylviculture et la viticulture, des chargements très diversifiés, qui correspondent à la variété de la production du terroir aquitain.

Présente à peu près partout, la céréaliculture est particulièrement développée au cœur de la région Midi-Pyrénées, qui les meilleures années peut expédier par chemin de fer 1 000 000 de tonnes, et dans les pays de l'Adour. C'est ainsi que chaque année les gares de l'étoile de Mont-de-Marsan acheminent d'importants tonnages de blé et de maïs, qui peuvent au total représenter un trafic de l'ordre de 400 000 tonnes. La ligne Mont-de-Marsan-Morcenx est un véritable cordon ombilical

_____

(1) Section de la liaison Angoulême-Limoges.

Le confluent de la Garonne et de la Dordogne : les deux cours d'eau formant la Gironde enserrent le Bec d'Ambès et sa zone industrielle reliée par une ligne à voie unique au nœud bordelais.

Ci-contre, la manœuvre de desserte des installations portuaires du Verdon ; la bonne tenue du trafic ferroviaire a motivé la modernisation de la ligne dite "du Médoc", de Bordeaux à la Pointe de Grave.

qui permet à des trains complets pouvant atteindre 3 600 tonnes et 45 wagons de rejoindre le grand axe Bordeaux-Hendaye et de rouler sur l'ensemble du réseau.

Immédiatement au nord, la plaine des Landes est l'origine de volumineuses expéditions de bois, même si les conditions d'exploitation de la forêt ont changé, qui avaient donné naissance à de prospères usines de pâte à papier à Mimizan et à Facture.

Il n'est pas par ailleurs étonnant que la région SNCF de Bordeaux, à elle seule, expédie annuellement plus de 200 000 tonnes de vin et autres produits alcoolisés. Les gares des plaines de la moyenne Charente, autour de Cognac, des pays du Bordelais en particulier ne peuvent manquer de recevoir des chargements quantitativement et qualitativement notables.

Les fruits et légumes constituent un autre fleuron de l'agriculture du Bassin Aquitain. Obtenus de manière diffuse dans de nombreuses régions dans le cadre de la polyculture, ils sont l'objet d'une production intensive, spécialisée et modernisée dans quelques secteurs privilégiés, et tout particulièrement ceux des moyennes vallées de la Dordogne, autour de Bergerac, et de la Garonne autour de Marmande ou Agen. Alors que la concurrence routière est vive dans un domaine fort intéressant pour elle, la SNCF obtient des résultats dignes d'intérêt grâce à des efforts d'adaptation qu'il faut souligner : excellence de la situation du marché-gare d'Agen, bien desservi par le rail, mise en route de trains complets, spécialisés et rapides (aptes à rouler à 140 ou 160 km/heure) comme le Garonne-Express qui relie Montauban, Agen et Marmande à Rungis. Aussi n'est-il pas étonnant que les voies se dirigeant depuis Agen vers Toulouse et surtout Bordeaux acheminent, en raison du rôle primordial en l'espèce de cette gare, des tonnages globaux supérieurs de l'ordre de plus de 5% à ceux transportés sur les voies de sens inverse convergeant vers le chef-lieu du Lot-et-Garonne.

Les arrivages dans l'ensemble des gares du Sud-Ouest sont caractérisés, eux aussi, et en dehors des deux principales agglomérations, par une extrême diversité liée aux nécessités d'approvisionnement des entreprises et des particuliers, en produits alimentaires, chimiques ou pétroliers, en véhicules automobiles par exemple, sans qu'aucune de ces catégories de marchandises n'écrase les autres, à la différence de ce qui marque les grandes régions industrielles françaises.

Les flux qui circulent sur les voies ferrées du Sud-Ouest peuvent être de faible amplitude, comme entre Lacq et Bayonne. Mais ils peuvent s'établir sur de longues distances, au plan national et même international.

L'activité de transit est évidemment décelable à l'intérieur même du Bassin Aquitain : ainsi plus des trois quarts des tonnages qui circulent quotidiennement à l'intérieur des complexes ferroviaires bordelais et toulousain ne sont ni chargés ni déchargés dans leurs diverses gares.

Ces flux sont de plusieurs ordres. Minoritaires sont ceux qui s'établissent à l'intérieur de l'une des deux grandes régions SNCF puisqu'en Aquitaine ils ne constituent que moins des

deux cinquièmes des arrivages et des expéditions, en Midi-Pyrénées seulement le huitième et le septième environ des premiers et des seconds. Plus faibles encore sont les courants qui relient les deux régions.

Le transit interrégional, lui, n'amène pas les flux les plus importants sur les lignes du sud-ouest, pour trois raisons : d'abord parce que le Bassin Aquitain, excentré par rapport à l'ensemble de la France, ne relie que les pays de l'ouest à ceux du littoral méditerranéen. Or d'une part les échanges entre eux sont faibles, et d'autre part pour des raisons d'ordre technique les wagons qui les assurent sont plutôt acheminés par les carrefours parisien et lyonnais.

Dans ces conditions, la part la plus belle du trafic est constituée par des transports entre l'ensemble des gares du Sud-Ouest et les autres régions du pays, et réciproquement. Les nécessités d'approvisionnement du Bassin Aquitain en produits fournis par l'ensemble de la France, l'expédition des productions locales, également dans le cadre national, sont des éléments d'explication décisifs. C'est surtout vers les régions les plus peuplées et les plus industrialisées, Nord-Pas-de-Calais, Ile-de-France et Rhône-Alpes, que partent les tonnages les plus massifs ; les arrivages sont davantage en relation avec la proximité géographique et les besoins des usines du Sud-Ouest puisque se retrouvent en tête Provence-Alpes-Côte d'Azur, Languedoc-Roussillon, Lorraine et Alsace, Ile-de-France. Il est possible d'estimer que ce trafic entre le sud-ouest et le reste du pays représente près de 60% des tonnages chargés et déchargés dans les gares des régions SNCF de Toulouse et Bordeaux.

Une place à part doit être réservée au trafic international, vocation naturelle du Sud-Ouest français en raison de sa frontière commune avec l'Espagne.

Alors que les échanges assurés par la ligne Toulouse-La Tour-de-Carol sont négligeables en raison des lourdes contraintes du tracé et du profil, et que celle du Somport est neutralisée depuis 1970, en revanche le point-frontière d'Hendaye brille d'un éclat tout particulier.

Si au plan national des gares comme celles de Bâle ou de Modane assurent un trafic nettement plus important, la gare d'Hendaye, qui travaille en osmose avec celle, toute proche, d'Irun, assure en effet la majeure partie des échanges ferroviaires franco-espagnols : elle devance en effet, avec des tonnages annuels de l'ordre de 1 700 000 tonnes, la gare de Cerbère, installée à l'autre extrémité de la chaîne pyrénéenne (1 540 000 tonnes). Ces courants qui se croisent au-dessus de la Bidassoa connaissent depuis plusieurs années d'importantes mutations. Globalement ils ne diminuent pas, bien au contraire, l'entrée de l'Espagne et du Portugal dans le Marché Commun donnant aux échanges avec le reste de l'Europe un coup de fouet salutaire, dont profite le chemin de fer, malgré la vive concurrence routière.

Pendant longtemps ce sont les flux sud-nord, alimentés surtout par les fruits et légumes, qui l'ont emporté. Mais depuis quelques années ils sont dominés par les échanges de sens contraire, pour deux raisons : les atouts des transports routiers et les problèmes de remise à l'heure des chargements à la SNCF par les responsables des chemins de fer espagnols limitent les perspectives du chemin de fer pour le transport vers la France et l'Europe du nord-ouest, des agrumes par exemple ; par ailleurs, les exportations françaises vers la Péninsule ibérique de céréales (des pays de l'Adour entre autres), de ferrailles, de bois, de véhicules automobiles et les expéditions de conteneurs ont crû régulièrement. Actuellement, ces courants nord-sud sont de loin les premiers, avec près des deux tiers des tonnages circulant entre Hendaye et Irun. En sens inverse, transports combinés et automobiles neuves constituent désormais les éléments de trafic les plus notables.

Bien entendu l'activité de la gare d'Hendaye, qui doit traiter une vingtaine de trains de marchandises par jour, les deux sens réunis, est renforcée par la nécessité d'opérations comme les changements d'essieux ou les transbordements, entraînées par la différence d'écartement des voies française et espagnole.

L'ORGANISATION DU TRAFIC

Les différents types de flux qui viennent d'être identifiés se concrétisent par la mise en circulation de nombreux convois : plus de cinquante par jour, les deux sens réunis, sillonnent par exemple les sections de ligne Bordeaux-Libourne et Toulouse-Montauban, plus de 40 les artères Coutras-Poitiers et Toulouse-Narbonne, trente environ les lignes Brive-Montauban, Montauban-Bordeaux et Bordeaux-Dax.

Adaptée aux conditions locales et régionales, l'organisation de ce trafic, qui n'atteint jamais une densité exceptionnelle, s'inspire des principes et règles définis au plan national.

C'est ainsi que, depuis plusieurs décennies, le nombre des points de chargement et de déchargement a diminué, la logistique ayant tendance depuis très longtemps à se concentrer sur les embranchements particuliers. Par ailleurs, le développement des gares multifonctions (GMF), en zones rurales à trafic diffus, a pour effet, sinon d'enrayer complètement la chute des tonnages chargés ou déchargés, tout au moins d'en atténuer l'ampleur.

Comme ailleurs sont spectaculaires les installations affectées au trafic des conteneurs, des remorques rail-route. Le Sud-Ouest est ainsi constellé de chantiers de la CNC, de Novatrans, repérables aisément par, entre autres, leurs puissants et massifs ponts transbordeurs : le port du Verdon, les gares de Bordeaux-Bastide, Libourne, Cognac et Angoulême mais aussi d'Hendaye, Dax et Pau, Agen et Toulouse Saint-Jory sont ainsi équipés.

Dans le Sud-Ouest comme sur l'ensemble du réseau, le transport des marchandises sur les diverses lignes est assuré en majorité, même légère, par des trains complets qui, en conservant leur composition initiale et donc sans fréquenter de gares de triage, relient directement les points d'expédition et ceux d'arrivages, le plus souvent des embranchements particuliers. Leur diversité de tonnage global, de marchandises chargées et de vitesse pratiquée est considérable, en raison des dissemblances entre par exemple les convois de céréales qui

partent de l'étoile de Mont-de-Marsan pour le nord de la France, les trains de wagons-citernes remplis de produits pétroliers qui depuis les secteurs portuaires s'élancent vers les grandes agglomérations de l'intérieur ; le "Garonne-Express" relie à grande vitesse les gares de la moyenne Garonne à Rungis, les trains de conteneurs ou de remorques rail-route viennent du chantier spécialisé de Valenton ou s'y dirigent.

Ces convois directs peuvent ne pas connaître d'escale et suivre des horaires dignes des trains de voyageurs les plus rapides. Mais ils sont parfois garés pour laisser passer des circulations prioritaires ou pour des échanges de locomotives ou de personnel de conduite. Si sur les lignes Paris-Toulouse ou surtout Paris-Bordeaux les voies de garage à entrée directe permettent ainsi d'éviter tout engorgement, les faisceaux de relais des triages de Saint-Jory et d'Hourcade jouent dans ce domaine un rôle important et décisif.

Mais, même en recul, le trafic assuré par des wagons isolés, chargés essentiellement sur des embranchements particuliers, représente plus de 45% de l'activité générale.

Récupérés ou au contraire distribués par des trains omnibus de desserte, ces wagons sont traités à deux niveaux. Des gares comme Angoulême, Périgueux, Agen, Montauban, Bayonne, Mont-de-Marsan ou Tarbes, qu'elles soient dotées d'un simple faisceau de voies ou d'installations correspondant à de véritables petites gares de triage, cas d'Angoulême par exemple, assument la régulation de la circulation sur les lignes de l'étoile dont elles sont le centre.

Mais ces nœuds ferroviaires n'assurent que des responsabilités locales : leur travail et l'ensemble de la rotation des wagons isolés sont organisés et contrôlés par les deux grandes gares de triage de Toulouse-Saint-Jory et de Bordeaux-Hourcade, auxquelles ils sont subordonnés.

Toutes deux sont semblables à plus d'un titre, et d'abord par le volume de leur activité. Toutes deux en effet se classent honorablement dans le peloton des triages français, en 18e position pour Saint-Jory avec 649 wagons expédiés en moyenne quotidienne, en 1991, en 9e position pour Hourcade avec 1 073 wagons (1).

Ces deux gares font partie, la première de la famille des triages complémentaires, la seconde de celle des triages principaux. C'est-à-dire que dans le cadre du plan ETNA, ils prennent en charge les wagons des trois catégories de rapidité d'acheminement. Bien avant d'ailleurs la mise en œuvre de cette révolution à l'échelle du réseau de la SNCF, les deux grands triages, conçus pour le traitement des wagons du RO (Régime Ordinaire) avaient été appelés, dès le début des années 80, à prendre progressivement aussi en charge le trafic des triages de Bordeaux Saint-Jean et Toulouse-Raynal, spécialisés dans le Régime Accéléré (RA), afin de permettre de mieux traiter le problème du garage des rames de voitures de voyageurs. Cette mixité était donc une anticipation.

---

(1) *Rappelons que le trafic du triage le plus actif du réseau, celui de Woippy, atteint 2 210 wagons.*

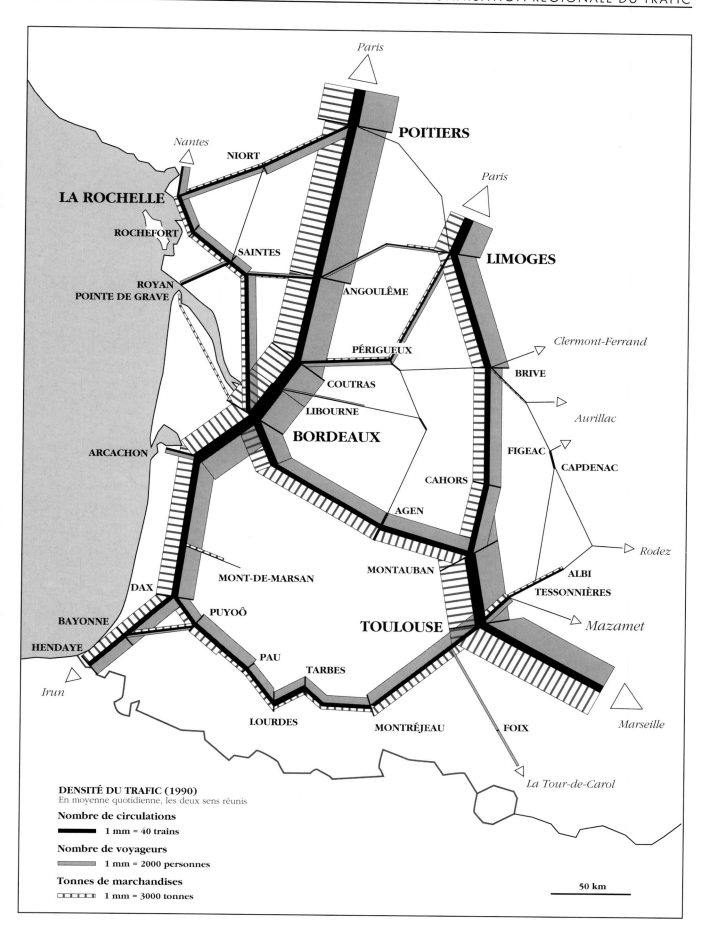

Paris

Nantes

POITIERS

NIORT

Paris

LA ROCHELLE

ROCHEFORT

LIMOGES

SAINTES

ANGOULÊME

ROYAN
POINTE DE GRAVE

Clermont-Ferrand

PÉRIGUEUX

BRIVE

COUTRAS

Aurillac

LIBOURNE

BORDEAUX

FIGEAC

ARCACHON

CAPDENAC

CAHORS

AGEN

Rodez

MONT-DE-MARSAN

MONTAUBAN

ALBI

DAX

TESSONNIÈRES

BAYONNE

PUYOÔ

TOULOUSE

Mazamet

HENDAYE

PAU

Irun

TARBES

LOURDES

FOIX

MONTRÉJEAU

Marseille

La Tour-de-Carol

DENSITÉ DU TRAFIC (1990)
En moyenne quotidienne, les deux sens réunis

Nombre de circulations

1 mm = 40 trains

Nombre de voyageurs

1 mm = 2000 personnes

Tonnes de marchandises

1 mm = 3000 tonnes

50 km

La Tour-de-Carol : le train de Toulouse avec une double traction motivée par le profil très dur de la ligne.

Par ailleurs la nature des tonnages qui transitent par les deux grands triages du Sud-Ouest est très variée, à la différence de ce qui, par exemple, peut être constaté à Woippy, où dominent les produits liés à la métallurgie lourde. Cette extrême diversité se trouve en relation avec la tonalité économique du Bassin Aquitain et de ses marges, où l'activité agricole équilibre sensiblement une industrialisation elle-même aux nombreuses facettes.

Il faut relever également l'importance du rayonnement spatial des deux gares : les trains qui les fréquentent sont en provenance ou à destination des deux étoiles toulousaine et bordelaise, ainsi que des gares à vocation régionale comme Angoulême ou Tarbes citées plus haut et qui en sont les satellites. Mais partent ou arrivent également des trains intertriages, qui peuvent parcourir des distances considérables : en effet Hourcade reçoit des convois des triages de Woippy, Lille-Délivrance, Le Bourget, Sotteville, Saint-Pierre-des-Corps, Villeneuve-Saint-Georges, en expédie vers Hausbergen, Woippy, Le Bourget, Somain, Saint-Pierre-des-Corps, Villeneuve-Saint-Georges, Miramas ; Saint-Jory, lui, est en relation à l'arrivée avec Lille-Délivrance, Villeneuve-Saint-Georges, Sibelin, Miramas ou Nîmes, au départ avec Le Bourget, Villeneuve-Saint-Georges, Gevrey, Sibelin et Miramas. Si les échanges entre les deux triages aquitains sont les plus importants avec trois ou quatre trains dans chaque sens quotidiennement, en 1991-92, c'est en raison de leur proximité.

Les convois au plus long rayon d'action suivent des marches de même type que celles des trains complets évoqués plus haut : les wagons rassemblés à Hourcade et destinés au triage de Miramas forment des convois qui longent les installations de Saint-Jory sans y pénétrer, sinon pour effectuer éventuellement des haltes techniques sur le faisceau de relais.

A plus d'un titre très comparables, les deux grands triages aquitains présentent quelques différences, et d'abord dans le volume de leur activité puisque le trafic d'Hourcade est supérieur d'environ 65% : le poids plus lourd de l'agglomération bordelaise, l'impact du courant international franco-ibérique sont des éléments d'explication. Par ailleurs l'implantation géographique intervient : Hourcade est davantage en relation avec le triage de Saint-Pierre-des-Corps par exemple, Saint-Jory davantage avec Miramas.

Les 16 et 11 trains réguliers quotidiennement expédiés par Hourcade et Saint-Jory, les 14 et 8 convois qu'ils reçoivent, à destination ou en provenance des autres grands triages français (chiffres de janvier 1990), contribuent au tissage de la toile d'araignée que constitue la circulation des trains de marchandises au plan national. Quelle que soit l'importance du trafic assuré désormais par les trains complets, les deux grandes gares du Sud-Ouest continuent de jouer un rôle très important, au bénéfice de l'économie régionale.

L'ensemble du trafic des marchandises, volumineux sans excès, et diversifié, se retrouve donc concentré sur quelques artères privilégiées, bien équipées comme les radiales Paris-Hendaye et Paris-Toulouse, la transversale Bordeaux-Marseille. Le transport des voyageurs, dans sa spécificité, présente de réelles analogies.

300

Trafic balnéaire et estival à Arcachon ; en saison, cette station accueille aussi des TGV directs depuis Paris.

LE TRANSPORT DES VOYAGEURS

Là aussi l'analyse des flux de voyageurs sur les diverses lignes va permettre de dégager les aspects essentiels. Mais l'arrivée des TGV en Aquitaine en septembre 1990 a représenté une véritable révolution.

LES LIGNES ET LEUR TRAFIC

La primauté de la grande artère radiale Paris-Bordeaux-Hendaye est indiscutable. Même en ne constituant qu'environ le tiers des flux qui s'écoulent sur l'axe majeur du réseau, c'est-à-dire la ligne TGV Paris-Lyon, la section Poitiers-Bordeaux voit circuler quotidiennement, les deux sens réunis, de 12 à 15 000 voyageurs. Comme pour les marchandises l'intensité diminue au sud de Bordeaux, se situant légèrement en dessous des 10 000 voyageurs entre Lamothe et Dax ; au-delà de cette gare, fin de tronc commun, c'est la branche d'Hendaye qui l'emporte, avec les trois cinquièmes du trafic, au détriment de celle de Pau et Tarbes.

L'activité de l'autre grande radiale, Paris-Toulouse, est moins forte, puisqu'au sud de Brive son trafic représente à peine plus de la moitié de celui de la section Angoulême-Libourne. Les deux autres grands axes du Sud-Ouest se rejoignent à Toulouse. Prolongée vers le nord-nord-ouest par la ligne Bordeaux-Nantes, la transversale sud achemine de bout en bout

des flux importants. Alors en effet qu'entre La Rochelle et la métropole girondine le trafic se situe près de 3 500 voyageurs, les 5 000 voyageurs sont dépassés entre Bordeaux et Montauban, tandis qu'à l'est de Toulouse les flux doublent d'épaisseur, avec près de 12 000 voyageurs entre la cité des violettes et Narbonne.

La transversale du piémont pyrénéen, Toulouse-Bayonne, supporte, elle, une charge le plus souvent supérieure à 4 000 voyageurs ; c'est sa section Pau-Puyoô qui est la plus fréquentée, avec 5 000 voyageurs ; à l'ouest de Puyoô le déséquilibre au profit de la ligne de Dax est plus marqué que pour le trafic des marchandises puisqu'ici le rapport est de l'ordre de 1 à 3.

Les courants qui s'écoulent sur les autres artères sont sensiblement moins denses. Ils se situent aux alentours des 2 000 voyageurs entre Coutras, Périgueux et Limoges, autour de 1 000 voyageurs entre Libourne et Bergerac ; au sud de Foix, la pénétrante pyrénéenne Toulouse-La Tour-de-Carol n'achemine que des flux de l'ordre de 3 à 500 personnes, ce qui correspond à l'ordre de grandeur de l'activité de la section Morcenx-Mont-de-Marsan. Il faut en particulier remarquer l'extrême faiblesse du trafic de part et d'autre de la vallée de la moyenne Garonne et de l'axe Bordeaux-Toulouse, dans le

Deux aspects du trafic régional : ci-dessus un autorail franchissant le Tarn à Albi et, ci-dessous, une automotrice à Porté-Puymorens.

Lourdes : située sur la transversale Bayonne-Narbonne, cette gare assure un important trafic voyageurs.

quadrilatère Mont-de-Marsan-Agen-Toulouse-Tarbes ou dans le triangle Périgueux-Agen-Cahors.

Bien entendu, à proximité de Bordeaux et de Toulouse, le phénomène de tronc commun se décèle, comme pour le transport des marchandises. Le plus marqué est, ici aussi, celui qui relie Montauban à Toulouse : l'addition des flux des lignes de Paris et de Bordeaux donne naissance à un courant supérieur à 12 000 voyageurs ; au sud-ouest de Bordeaux la section Bordeaux-Lamothe achemine le trafic de l'artère de Dax mais aussi de celle d'Arcachon qui est de l'ordre de 2 000 voyageurs, c'est-à-dire au total plus de 11 000 personnes. Ainsi, parfois considérables, les flux de voyageurs sur les lignes du Sud-Ouest se révèlent très inégaux.

Les éléments d'explication sont nombreux, et parfois négatifs. C'est ainsi que dans un Sud-Ouest qui regroupe une quinzaine de départements, seules deux villes sont peuplées de plus de 100 000 habitants. De plus, les densités générales de population sont souvent faibles, en Gascogne, Périgord, Agenais, Quercy entre autres.

Pourtant, comme les autres moyens de communication, le chemin de fer doit faire face à une demande non négligeable de transport, dans le grand Sud-Ouest, en fonction de plusieurs paramètres.

Un élément essentiel est la présence de deux des principales agglomérations françaises, Bordeaux et Toulouse, fortes respectivement de 650 et 550 000 habitants. Exerçant dans l'espace, en raison de leur situation géographique, une influence plus étalée que celle de Lille, Strasbourg, Nice ou même Lyon, elles génèrent d'importants courants de trafic avec Paris, entre elles, avec d'autres grandes villes auxquelles elles sont aisément reliées, comme Nantes, Limoges ou Marseille. Aussi avec 1 440 000 et 1 410 000 billets vendus en 1989, les deux gares Saint-Jean et Matabiau se situent-elles aux 6e et 7e rangs dans la hiérarchie des gares françaises de province. En prenant en compte la très importante activité de correspondance et le trafic périurbain assuré en TER, qui animent leurs quais, ce sont quotidiennement par exemple 20 000 voyageurs en moyenne qui fréquentent les installations de Bordeaux Saint-Jean.

Hors des deux grandes métropoles ne règne pas le désert ! Ainsi l'ensemble de la conurbation du littoral basque, de Bayonne à Hendaye, compte environ 150 000 habitants. Par ailleurs, phénomène urbain très caractéristique du Bassin Aquitain, émerge un semis relativement dense de villes moyennes comptant de 20 à 80 000 habitants. Au nombre d'une vingtaine, de Dax à Agen et Cahors, de Tarbes à Saintes, de Pau à Périgueux, ces cités, souvent sièges de préfecture, ne manquent pas de générer des flux jamais très denses mais très diversifiés, entre elles, en relation avec les capitales régionales bordelaise ou toulousaine, avec les grandes villes de la périphérie comme Nantes, Limoges ou Montpellier, et bien entendu avec Paris.

Les relations de transit ne peuvent elles non plus être négligées. Elles sont de deux types.

303

Ambiance de départ des trains de pèlerins à Lourdes ; malgré un coût plus élevé que l'autocar, le rail est souvent préféré par les diocèses organisateurs pour la convivialité qui règne à bord de tels trains.

Au plan national, la grande transversale sud Bordeaux-Marseille met en relation, entre autres, les régions de l'ouest et celles du midi méditerranéen, évitant le détour par Paris ou par l'itinéraire Nantes-Vierzon-Lyon.

Au plan international, le Sud-Ouest est naturellement et forcément traversé par les courants qui s'écoulent entre la France et la Péninsule ibérique, à l'exception des flux reliant les pays rhodaniens à la Catalogne.

Comme pour les marchandises, le trafic acheminé par la ligne de La Tour-de-Carol est très faible. Par ailleurs, alors que les flux qui s'établissent entre Paris et Barcelone par Toulouse, Narbonne et Cerbère ne font qu'effleurer le Sud-Ouest, en revanche la gare d'Hendaye voit passer en moyenne quotidienne plus de 3 500 voyageurs, les deux sens réunis. Avec Feignies dans le Nord, Mulhouse et Vintimille, c'est l'un des points-frontières ferroviaires les plus actifs : il dépasse par l'ampleur de son trafic des gares comme Cerbère ou Modane, en raison de l'importance des échanges entre la majeure partie de la France et en particulier la région parisienne d'une part, le Portugal, le sud, l'ouest et le centre de l'Espagne avec Madrid de l'autre.

La circulation ferroviaire des wagons dans le Sud-Ouest français est encore intensifiée par deux types de trafic à caractère saisonnier ou intermittent. De La Rochelle à Hendaye en effet, en passant par les plages des secteurs de Royan, Arcachon et Biarritz, le tourisme estival, très prospère, draine chaque année des centaines de milliers de visiteurs. De plus, vers la ville de Lourdes, l'un des principaux pèlerinages de la chrétienté, convergent annuellement des foules considérables : plus d'un million de personnes font confiance au chemin de fer, près de 40% étant transportées par des trains spéciaux.

L'organisation du service des trains, qui porte la trace de ces diverses composantes, a été profondément remaniée en 1990 à l'occasion de l'arrivée des TGV.

LA TRAME DES TRAINS CLASSIQUES AVANT LE TGV

Avec, en 1990 – c'est-à-dire avant l'arrivée du TGV – une moyenne quotidienne de 25 trains de voyageurs dans chaque sens, l'artère Bordeaux-Poitiers l'emporte de peu sur la section Toulouse-Carcassonne (24 trains) ; suivent les axes Brive-Montauban et Lamothe-Dax (17 trains chacun), Dax-Bayonne (16 trains), Puyoô-Toulouse (16 trains en moyenne), Bordeaux-Montauban (14 trains), Coutras-Limoges (13 trains). Sur des distances courtes, autour des deux principales métropoles aquitaines, se constatent également de fortes densités de circulations : 30 par sens entre Toulouse et Montauban, 47 entre Bordeaux et Libourne, 34 entre Bordeaux et Lamothe, 24 entre Toulouse et Saint-Sulpice ; c'est qu'alors se conjuguent les phénomènes de tronc commun et de trafic de banlieue, comme entre Bordeaux et Arcachon, dont le flux s'ajoute jusqu'à Lamothe à celui de la ligne de Dax.

Ces convois sont bien souvent des trains locaux, de courte composition, et des trains saisonniers, ou de renfort mis en service par exemple l'été, ou les fins de semaine ; ils sont souvent aussi affrétés par des agences ou les responsables de l'organisation des pèlerinages. Mais l'armature du dispositif est constituée par des trains à grand parcours express et rapides réguliers, qui avant l'arrivée des TGV ont rendu et rendent encore les plus grands services.

Leur trame offre plusieurs caractéristiques, et en premier le nombre des relations à grande distance.

A la sortie de Bordeaux, un Corail se dirige vers le sud, sous les ogives de la caténaire Midi.

Angoulême : un train Corail périodique circulant le vendredi. Sur les lignes de l'Ouest et du Sud-Ouest, le phénomène des pointes de week-end est bien plus accentué que sur l'axe Paris-Sud-Est, ce qui motive l'apport de trains classiques en renfort.

Relations régulières sur les principaux itinéraires (jours de semaine ou service d'hiver 1989-90)			
Bordeaux-Paris	15 AR	Toulouse-Paris	7 AR
Bordeaux-Marseille	5 AR	Toulouse-Marseille	6 AR
Bordeaux-Lyon	4 AR	Toulouse-Bordeaux	9 AR
Bordeaux-Nantes	4 AR	Toulouse-Tarbes	5 AR
Bordeaux-Pén. ibérique	4 AR		

Se confirme éloquemment l'importance des relations entre les deux métropoles aquitaines, entre elles et la capitale, et sur l'ensemble de la grande transversale sud.

Non seulement sur ces grands axes les trains sont fréquents, mais encore ils sont confortables et très rapides. Avant même la mise en service en 1976 des voitures Corail qui ont représenté une amélioration générale, la SNCF avait dès le début des années 70 consenti des efforts considérables pour conserver ou attirer la clientèle, en créant sur la relation Paris-Toulouse les "Capitole" (1), sur la liaison Paris-Bordeaux l'"Etendard" et l'"Aquitaine". Jusqu'à l'entrée en lice des TGV, ces convois ont pu à juste titre être considérés comme les plus rapides d'Europe sur les distances comprises entre 500 et 800 kilomètres, puisque joignant Paris à Toulouse (713 kilomètres) en 6 heures, soit à près de 120 km/heure de moyenne, Paris à Bordeaux (581 kilomètres) en 4 heures, soit à 145 km/heure de moyenne. Ces performances remarquables étaient permises par la qualité du matériel roulant, moteur ou remorqué, mais aussi par le relèvement des vitesses maximales autorisées : si entre Limoges et Montauban le tracé de la ligne ne permet pas le plus souvent de pratiquer des vitesses supérieures à 120 km/heure (2), en revanche sur l'ensemble de la section Poitiers-Bordeaux les 160 km/heure sont possibles, avec de nombreux tronçons autorisés à 200 km/heure.

Aussi depuis Toulouse, mais surtout Bordeaux, passer la majeure partie de la journée à Paris, ou tout au moins l'après-midi, est-il possible grâce à la fréquence de ces trains rapides, même si l'avion reste un concurrent dangereux. De même, surtout depuis l'électrification intégrale de la transversale sud, les liaisons entre les deux grandes agglomérations aquitaines d'une part, Montpellier, Marseille de l'autre, ont-elles été sensiblement améliorées, même si les meilleures vitesses ne sont que de l'ordre de 100 km/heure sur les plus fortes distances.

Dans le Sud-Ouest français même et en Péninsule ibérique, les voies ferrées assurent des relations de grande longueur puisqu'à Bordeaux et Toulouse par exemple, les trains Paris-

---

(1) Dotés de voitures "grand confort".

(2) Ce qui explique que malgré les 200 km/heure pratiqués dans la Beauce et la Sologne, entre Etampes et Vierzon, la radiale toulousaine n'a jamais pu bénéficier de moyennes horaires aussi élevées que celle de Bordeaux.

Madrid et Paris-Barcelone croisent les rames Quimper-Vintimille. Aussi une forte proportion de ces convois à grand parcours est-elle constituée par des trains de nuit, comme les Paris-Madrid et Paris-Barcelone Talgo, ou la "Puerta del Sol", ou des trains moins prestigieux qui, en France, relient les rivages de l'Atlantique à ceux de la Méditerranée.

La trame générale de la circulation est complétée par plusieurs catégories de trains.

Comme sur l'ensemble du réseau, le service de fin de semaine est davantage étoffé ; c'est ainsi que le vendredi après midi et en soirée l'augmentation du nombre des trains rapides et express est de l'ordre de 30 à 50%. Plus spécifique à la région est le renforcement des dessertes en période estivale ; si en effet les sports d'hiver des stations pyrénéennes sont loin de générer des flux comparables à ceux constatés dans les Alpes, le tourisme balnéaire justifie amplement la mise en route, de juin à septembre, de trains réguliers, de jour et de nuit, entre Paris d'une part, Royan, Pointe de Grave, Arcachon et Hendaye d'autre part.

Par ailleurs, pendant de longues années, et en particulier entre 1950 et 1975, le Sud-Ouest a connu plus que la plupart des régions, en raison du déclin démographique de ses zones rurales, un amaigrissement du service des trains locaux, qui semblait irrémédiable. L'affaissement de la demande de transport, le dépeuplement lié à l'inadaptation des horaires, la motorisation individuelle ont amené la disparition pure et simple ou la diminution des prestations offertes aux voyageurs sur de nombreuses lignes régionales, comme dans les Landes, en Gascogne ou dans le Quercy. Mais depuis la fin des années 70, le déclin a pu être enrayé grâce à la décentralisation : des conventions entre les collectivités territoriales d'une part, la SNCF de l'autre, ont été conclues, qui se traduisent par des améliorations substantielles sur les dessertes ferroviaires méritant d'être conservées, c'est-à-dire les liaisons inter-villes moyennes et les banlieues des capitales régionales. C'est la région Midi-Pyrénées qui a joué un rôle pionnier, signant dès 1984, en même temps que la région Nord-Pas-de-Calais, la première convention globale avec la SNCF : au fil des ans elle s'est concrétisée par la création d'une quinzaine d'aller et retour quotidiens entre Toulouse et par exemple Tarbes, Mazamet, Agen, Cahors, Rodez, Auch. Sur la ligne de Bayonne, entre Toulouse et Montréjeau, a été mis en place le service des "Garonnets", assuré largement par des rames RIB/RRR ou des automotrices électriques Z 2, qui garantit une desserte assez dense, parfois proche du cadencement horaire. Si la région Aquitaine, elle, n'a signé une convention qu'en 1986, les résultats ont été rapides avec la création de plusieurs aller et retour, par exemple entre Bordeaux d'une part, Périgueux et Bergerac de l'autre. Plus spectaculaire a été le développement des services Métrobasque, entre les villes de la Côte d'Argent, et Arcadence, entre Bordeaux et Arcachon. Au total, dès les deux premières années, 407 000 km/train annuels ont été créés, avec suppression de 102 000 km/car. Alors par ailleurs que la région Poitou-Charentes ne s'est pas engagée aussi rapidement et nettement aux côtés de la SNCF,

Un TGV-Atlantique Paris-Irun à Saint-Jean-de-Luz. Pour de telles relations, aux temps de parcours encore dissuasifs pour les voyages d'affaires, le prolongement de la ligne à grande vitesse de Tours à Bordeaux permettrait de concurrencer plus efficacement l'avion.

le département de la Charente-Maritime, lui, a signé en 1989 une convention garantissant la qualité de la desserte par des convois régionaux et locaux des lignes de l'étoile de Saintes. Si grâce à l'entente entre les diverses collectivités territoriales et la SNCF, le transport ferroviaire à courte distance se trouve revigoré, la plus importante nouveauté, pour le Sud-Ouest, à l'aube des années 90, est bien l'arrivée des TGV.

LE TGV EN AQUITAINE

C'est en septembre 1990 que les premières rames TGV ont circulé en service commercial entre Paris et Bordeaux. Après que Lyon, Marseille, Nice, Rennes, Nantes aient été tour à tour desservis depuis 1980, cette inauguration marque un progrès décisif du train à grande vitesse.

Les raisons de l'avènement du TGV dans le Sud-Ouest sont connues. Les pouvoirs publics et la SNCF, encouragés par les remarquables résultats d'exploitation obtenus par le TGV Sud-Est, ont conçu le TGV Atlantique, prévu pour mettre la capitale en relation avec les pays de la Loire et la Bretagne en première étape, puis avec l'Aquitaine. Il s'est agi conjointe-

ment de lutter contre la saturation des lignes existantes en construisant une artère nouvelle entre Paris d'une part, Le Mans et Tours de l'autre, de densifier et d'accélérer de manière spectaculaire les liaisons, non seulement entre Paris et Bordeaux, mais aussi avec l'ensemble du Sud-Ouest, en prenant en compte les perspectives offertes par l'essor du trafic franco-ibérique.

Actuellement, les rames TGV roulant dans le Sud-Ouest utilisent intégralement les lignes classiques puisque c'est immédiatement au sud de Tours, à Monts, que la ligne nouvelle rejoint l'axe classique. Mais celui-ci, de Tours à Bordeaux, a fait l'objet d'un réaménagement important : alors que le block automatique lumineux règne de bout en bout, le tracé a été rectifié, les sous-stations ont été renforcées, les passages à niveau supprimés. Aussi, dans ces conditions, les trains peuvent-ils rouler à 220 km/heure, sauf en certains points singuliers comme la traversée des gares de Poitiers et d'Angoulême. La circulation de ces rames TGV, plus rapides et plus nombreuses que les trains classiques, a exigé que soient développées les possibilités de garer des convois lents, de marchandises en particulier. Aussi de nouvelles voies de garage avec entrée directe ont-elles été implantées afin de garantir un trafic suffisamment fluide.

Comment se caractérise la desserte TGV de l'Aquitaine ?

En premier lieu par son extension géographique, puisque les splendides rames bleues et argentées ne se contentent pas d'atteindre Bordeaux : beaucoup continuent au-delà, jusqu'à Arcachon l'été, jusqu'à Hendaye et Tarbes par la ligne des Landes, jusqu'à Toulouse par l'axe de la vallée de la Garonne. Bien entendu certains TGV s'arrêtent dans des gares intermédiaires, comme Angoulême ou Libourne. Aussi, par le jeu des correspondances, totalement remodelées, des villes comme Saintes et Royan, Arcachon, Bergerac, Périgueux bénéficient des avantages apportés par le TGV.

Ensuite, cette desserte est dense puisque chaque jour ouvrable, quinze aller et retour sont prévus entre la capitale et Bordeaux. Elle est renforcée par le maintien de quelques trains classiques de grand parcours, comme ceux qui assurent les relations non seulement avec la Péninsule ibérique mais aussi, au plan national : des rames Corail continuent de rouler, par exemple, entre Paris, Bordeaux et les villes du Piémont pyrénéen tandis que les relations nocturnes traditionnelles sont maintenues ; aussi, en dernière analyse, le nombre des liaisons, directes ou indirectes, offertes à la clientèle, augmente-t-il considérablement par rapport à la situation antérieure : c'est ainsi qu'entre Agen et Paris au moins sept possibilités existent dans chaque sens.

Comme dans le Sud-Est ou en Bretagne, le TGV amène une autre amélioration, très spectaculaire, dans le domaine de la vitesse, puisque par exemple Bordeaux se retrouve à un peu moins de trois heures de Paris, grâce à des rames roulant à 195 km/heure de moyenne. Le gain de temps est ainsi de l'ordre d'une heure entre la capitale et la métropole girondine, de plus d'une heure trente pour Hendaye, Pau et Tarbes.

La combinaison des deux améliorations dans les domaines de la fréquence et de la rapidité permet désormais, depuis Paris, en partant un peu avant 7 heures, de passer une grande partie de la matinée à Bordeaux avant de regagner la capitale en milieu d'après-midi. De même il est désormais possible, depuis Tarbes et Pau, de profiter de l'intégralité de l'après-midi à Paris, avec un retour nettement avant minuit.

La mise en service des TGV entraîne de nombreuses conséquences : ainsi c'est maintenant par Bordeaux que s'établissent les relations les plus rapides entre Toulouse et Paris, puisque grâce à la création d'un aller et retour TGV, le gain de temps par rapport aux prestations des fameux "Capitole" est proche d'une heure. Se présente donc d'ores et déjà le problème du devenir des trains à grand parcours de la ligne directe tracée par Limoges et Brive, déjà assez peu fréquentée au sud de Brive, avant l'ère TGV.

Si ainsi le rail améliore sa compétitivité face au transport aérien sur des relations aussi longues que Pau-Paris ou Toulouse-Paris, sa position se renforce encore davantage sur la relation Paris-Bordeaux, où l'avion subit désormais une rude concurrence, comme depuis 1981 sur la liaison Paris-Lyon. Mais n'est-ce pas au bénéfice des usagers ?

Sur l'ensemble du Sud-Ouest, les responsables de la SNCF attendent une augmentation de l'ordre de 40%, en quelques années, du volume du trafic des voyageurs, après la mise en service de la branche "Aquitaine" du TGV Atlantique. Mais le succès prévisible amène à poser dès maintenant plusieurs questions.

Il semble d'abord de plus en plus évident que, malgré de récentes améliorations comme l'installation d'IPCS, l'artère classique Tours-Bordeaux va se trouver très rapidement saturée : aussi est-il concevable de prévoir, après l'an 2000, le prolongement, jusqu'à Bordeaux et éventuellement au-delà, de la ligne nouvelle qui actuellement prend fin à Tours. Cette opération permettrait de généraliser la pratique de la vitesse de 300 km/heure sur l'ensemble de la relation Paris-Bordeaux, en ramenant le temps du parcours à deux heures vingt environ. Alors non seulement l'ensemble des relations ferroviaires dans le Sud-Ouest se trouverait fortement accélérée, mais encore la ligne classique pourrait éventuellement acheminer un nombre plus élevé de trains de marchandises. Double perspective particulièrement intéressante en raison du développement prévisible des échanges franco-ibériques.

Il n'est donc pas étonnant que le projet de schéma directeur national des liaisons ferroviaires à grande vitesse prenne en compte l'aménagement d'une ligne nouvelle entre Tours et Bordeaux. Mais il s'intéresse aussi à la relation Bordeaux-Toulouse.

En effet la grande métropole toulousaine ne peut être privée dans un proche avenir d'une liaison TGV de qualité avec la capitale. Or plusieurs possibilités existent. Même en augmentant la densité de la desserte, la simple utilisation de la ligne actuelle, peu rapide, ne peut donner satisfaction, pas plus que celle de l'itinéraire direct par Limoges, trop tortueux de Caussade à Argenton-sur-Creuse. Deux perspectives de création de ligne nouvelle se présentent : la moins ambitieuse consisterait à construire une liaison ferroviaire directe entre les environs de Libourne et La Réole : les TGV Paris-Toulouse éviteraient ainsi Bordeaux, gagnant une quarantaine de kilomètres et rejoignant Toulouse par l'artère classique améliorée entre Agen et Montauban ; plus spectaculaire, plus onéreuse mais plus efficace serait l'implantation d'une ligne intégralement nouvelle entre les deux grandes agglomérations aquitaines, avec un raccordement qui permettrait de court-circuiter le nœud bordelais. Cette solution aurait le mérite de s'inscrire dans le contexte d'un axe TGV entièrement neuf, doublant la transversale sud entre Bordeaux et Marseille.

Le tableau de l'activité ferroviaire actuelle dans le Sud-Ouest est constellé de taches d'ombre mais aussi de lumière. Le trafic d'ensemble est loin d'être aussi tonique que dans beaucoup de régions, il est vrai. Mais, outre l'apport spécifique du TGV, les atouts économiques dont dispose ce vaste ensemble géographique et en particulier la proximité d'une Péninsule ibérique qui s'ouvre sur l'Europe doivent garantir au chemin de fer des perspectives positives.

LE GRAND OUEST

Dans le cadre du découpage général de cette étude, l'Ouest se trouve délimité par les abords de la région parisienne, les lignes Paris-Rouen et Rouen-Dieppe, Paris-Poitiers et Poitiers-La Rochelle, incluses dans l'analyse.

A l'image de la diversité d'ensemble de notre pays, ce vaste secteur offre au plan ferroviaire des caractères à la fois variés et globalement différents de ceux des régions préalablement sous le feu de nos projecteurs.

De Dieppe à La Rochelle se développe une longue façade maritime, baignée par la Manche et l'Océan Atlantique. La plupart du temps la ligne de rivage est très digitée, brisée par de nombreuses embouchures fluviales souvent encaissées, comme les rias bretonnes, avec quelques profonds estuaires comme ceux de la Seine ou de la Loire : si les sites portuaires sont ainsi multipliés la circulation ferroviaire le long des côtes n'en est pas facilitée.

La topographie d'ensemble est calme, marquée par l'étalement de vastes plaines et plateaux, surtout de part et d'autre des amples vallées de la Seine, de la Loire et de ses principaux affluents. Pourtant le relief est loin d'être toujours de tout repos : les axes essentiels du massif armoricain sont jalonnés par les monts d'Arrée, les landes de Lanvaux, les hauteurs de Gâtine, tandis qu'un vaste secteur au contact de la Normandie et du Maine est couvert par de hautes collines, de la baie du Mont Saint-Michel au Perche.

Les activités agricoles, dans ces régions, représentent une part importante de l'économie, qu'il s'agisse de l'élevage bas-normand, de la production céréalière de la Beauce, de la viticulture des pays de Loire, des primeurs de Bretagne. Mais l'industrie n'est pas absente, qui se concentre plus particulièrement autour de la Basse Seine et de la Basse Loire.

Par ailleurs le tourisme, surtout balnéaire donc estival, apporte à l'ensemble des régions littorales une source de richesse essentielle.

Pays de relief et de climat modérés, l'ouest français est également moyennement peuplé, sans large secteur vraiment diversifié et sans gigantesque conurbation. Si aucune métropole ne domine trois agglomérations, celles de Rouen, Le Havre et Nantes comptent plus de 250 000 habitants, tandis qu'un réseau cohérent et régulier de villes moyennes s'étend de la haute Normandie au Poitou : 20 d'entre elles sont peuplées de plus de 50 000 habitants.

Le réseau ferré est à l'unisson. En effet, il se caractérise par un maillage à la fois large et régulier, par l'harmonieux développement d'un éventail de lignes radiales atteignant depuis la capitale Le Havre, Cherbourg, Granville, Brest, Quimper, La Rochelle. Les transversales, elles, sont rares : en dehors de l'axe Bordeaux-La Rochelle-Nantes-Rennes, seule la relation Rouen ou Caen-Tours par Mézidon-Argentan et Le Mans se développe sur une grande longueur.

Dans son ensemble le trafic, aussi bien celui des voyageurs que celui des marchandises, est modéré. Pourtant, certaines artères supportent des flux massifs et diversifiés, comme les sections Mantes-Rouen ou Orléans-Tours. Il n'est donc pas étonnant qu'en l'absence d'un carrefour ferroviaire écrasant les autres par le volume de son activité, l'ouest français soit constellé par un groupe de nœuds importants comme Rouen, Le Mans, Orléans, Tours, Nantes ou Rennes, alors que des gares comme Serquigny ou Mézidon, Argentan ou Redon, Angers ou La Roche-sur-Yon apportent une utile contribution à l'acheminement du trafic.

Aussi dans ce vaste cadre géographique l'analyse va-t-elle être menée en discernant plusieurs grands ensembles ferroviaires.

Une plaque tournante de première importance au sein du "Grand Ouest", Le Mans, dont la gare a été rénovée à l'occasion de l'arrivée du TGV.

Le port de Rouen constitue une source considérable de trafic fret, écoulé par les lignes bien équipées vers Paris et Amiens.

LE COMPLEXE FERROVIAIRE
DE LA BASSE SEINE

Non loin de la capitale s'étale l'un des complexes portuaires et industriels les plus actifs de France. Centré sur Rouen et Le Havre, il a favorisé la croissance de deux agglomérations de poids qui comptent respectivement près de 400 000 et 250 000 habitants. L'intense circulation des marchandises et des hommes mobilise les ressources de la voie d'eau, des routes et autoroutes, mais aussi du chemin de fer.

Varié, le trafic s'articule pour l'essentiel autour de l'axe majeur Paris-Le Havre et du carrefour rouennais.

LA CONVERGENCE DES LIGNES VERS ROUEN

La capitale de la haute Normandie est le centre d'une véritable étoile. L'originalité du tracé de l'artère Paris-Le Havre a déjà été soulignée (voir Ch II) ; si en amont de Rouen elle suit le cours de la Seine, en revanche en aval elle choisit de monter sur le plateau du pays de Caux avant de plonger sur Le Havre. L'électrification, le block automatique lumineux, des voies de garage judicieusement disposées lui confèrent un niveau de débit potentiel élevé.

Vers Rouen convergent trois lignes inégalement équipées. Electrifiée, dotée du BAPR, l'artère qui vient d'Amiens en franchissant la boutonnière du Pays de Bray établit une liaison de qualité entre Basse Seine et région du Nord. Si elle bénéficie elle aussi de la double voie, la ligne en provenance de Serquigny qui relie haute et basse Normandie doit se contenter de la traction Diesel et des signaux du block manuel ; l'angle droit qu'elle dessine s'explique par le suivi, le plus longtemps possible, de la vallée de la Risle. A 9 km au nord de

311

Rouen-Rive-Droite, enfin, vient à Malaunay se raccorder sur l'artère du Havre la ligne de Dieppe ; longue de 54 kilomètres, tracée pendant plusieurs dizaines de kilomètres dans la vallée de la Scie, elle est désormais équipée à partir de Clères d'une seule voie ; les gares de croisement et le block manuel lui permettent d'écouler sans problème majeur la vingtaine de trains circulant en moyenne quotidienne. Son rôle a été renforcé ces dernières années par la suppression de la relation directe Paris-Dieppe établie par Gisors et Serqueux.

L'armature du réseau est complétée, en haute Normandie, par plusieurs lignes à voie unique qui le plus souvent sont en impasse. Au Sud de la Seine, la gare de Glos-Montfort, sur l'artère Rouen-Serquigny, est l'origine d'un embranchement qui dessert le port d'Honfleur, en face du Havre. De même, entre Rouen et Le Havre, les gares de Motteville et Bréauté-Beuzeville commandent les antennes qui atteignent les ports de Saint-Valéry-en-Caux et Fécamp ; la gare de Bréauté marque également le départ d'une ligne économiquement importante puisqu'elle aboutit, au-delà de Bolbec, dans le complexe portuaire et pétrolier de Port-Jérôme/Notre-Dame-de-Gravenchon, sur la rive nord de la Seine ; aussi est-elle électrifiée. En revanche l'artère reliant Motteville à Montérolier-Buchy, au nord de Rouen, met en relation les deux axes importants Rouen-Le Havre et Rouen-Amiens ; en période normale, elle est partiellement neutralisée, mais elle peut rendre les plus grands services, en cas d'accident majeur dans le nœud rouennais qui bloquerait la circulation des trains, car elle éviterait, grâce au détournement du trafic par Serqueux, l'isolement du Havre.

LES INFRASTRUCTURES DU CARREFOUR ROUENNAIS

Au centre d'une étoile à cinq branches, le carrefour rouennais dispose d'installations puissantes, dont la disposition et la nature marquent quelque originalité.

C'est à Malaunay, au nord, à Oissel, au sud, que les lignes de Dieppe et de Serquigny viennent se greffer sur le grand axe Paris-Le Havre. L'artère d'Amiens, elle, se soude au cœur du dispositif ferroviaire rouennais : le triangle de voies de Darnétal, au très faible rayon de courbure longtemps source de problème, permet d'orienter les trains vers la gare de voyageurs de Rouen Rive Droite, ou vers le triage de Sotteville. Il peut sembler surprenant que cette section Rouen Rive Droite-Sotteville, véritable colonne vertébrale du carrefour et qui supporte une très forte circulation, de l'ordre de près de 200 mouvements, les deux sens réunis, en moyenne journalière, ne soit pas triplée ou quadruplée : c'est que les constructeurs ont dû composer avec les contraintes d'un relief qui au nord de l'ample méandre de la Seine et sur sa rive concave dessine un vaste amphithéâtre aux pentes parfois sévères. Aussi non seulement la ligne est-elle en pente régulière en direction du Havre, pour accéder au plateau du pays de Caux, mais encore, dans Rouen même, doit-elle emprunter une série d'ouvrages d'art, souvent importants ; à la sortie nord du viaduc métallique d'Eauplet, qui enjambe la Seine, le tunnel Sainte-

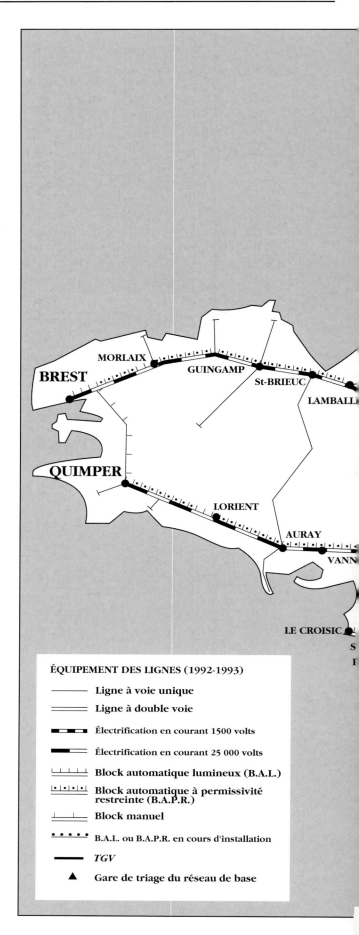

ÉQUIPEMENT DES LIGNES (1992-1993)

Ligne à voie unique

Ligne à double voie

Électrification en courant 1500 volts

Électrification en courant 25 000 volts

Block automatique lumineux (B.A.L.)

Block automatique à permissivité restreinte (B.A.P.R.)

Block manuel

B.A.L. ou B.A.P.R. en cours d'installation

TGV

▲ Gare de triage du réseau de base

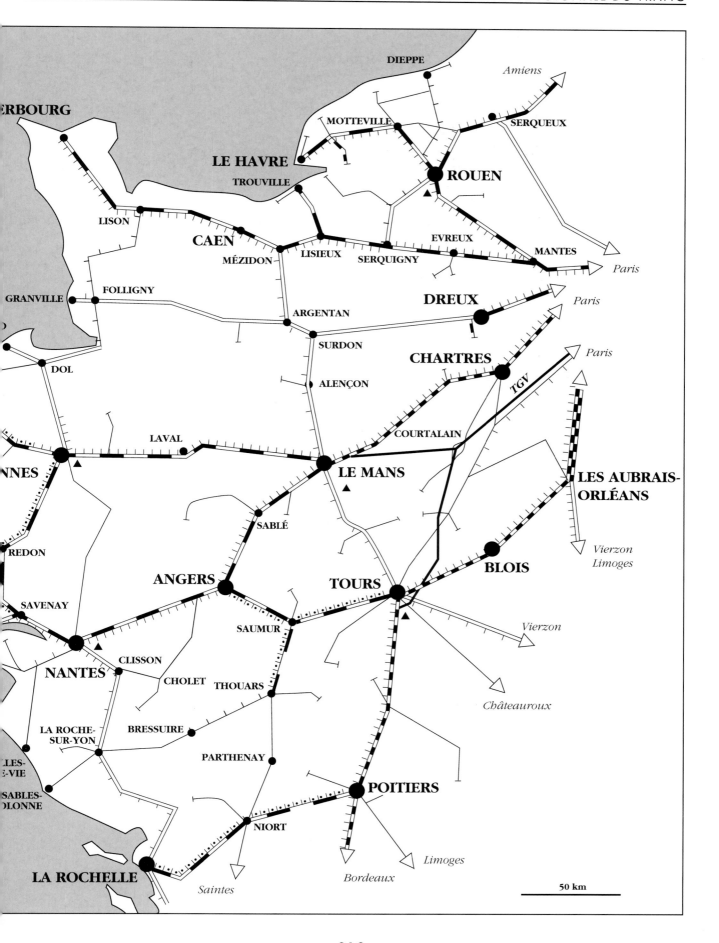

50 km

Rouen-Rive droite : cette gare située entre deux tunnels et en plein centre-ville n'a pas été épargnée par le phénomène désormais classique des dalles de béton recouvrant les voies : aujourd'hui, on vient souvent prendre le train en voiture et se pose dès lors le problème du stationnement.

Catherine, en courbe, est le premier d'une série de 5 souterrains totalisant près de 4 000 mètres : ainsi la ligne du Havre se retrouve sous terre pendant près des deux tiers de la traversée de l'agglomération rouennaise !

Le trafic des voyageurs est concentré dans la gare de Rouen-Rive-Droite, originale à plus d'un titre, et d'abord par son site : dominée par de hauts talus étayés par des murs de maçonnerie, elle a été édifiée en tranchée et coincée entre les deux tunnels de Beauvoisine et Saint-Maur. Aussi n'est-il pas étonnant que la salle des pas perdus et les services commerciaux réservés aux voyageurs aient été installés au-dessus des voies et des quais, perpendiculairement à eux. Dominé par un fier campanile, le bâtiment des voyageurs se retrouve de plain pied avec la voirie urbaine. Par ailleurs les voies à quai, assez courtes puisqu'elles ne peuvent accueillir les rames de plus de 10 voitures, sont en outre peu nombreuses, au nombre de 6 seulement ; d'où des problèmes d'exploitation en période de pointe, d'autant plus que des liaisons simultanées n'ont pû être établies, et qu'en l'absence d'itinéraire de contournement et de voies spéciales en gare les 40 convois de marchandises quotidiens, les deux sens réunis, des lignes de Dieppe et surtout du Havre, doivent circuler sur les voies principales à quai.

S'il semble impossible d'améliorer et d'enrichir le plan général des voies, en revanche, à partir de 1988, la gare a connu un toilettage poussé, avec modernisation et rationalisation des locaux et services divers. De plus l'aménagement au-dessus des voies d'un parking de 400 places permet, en dégageant la place de la gare, de faciliter la circulation automobile, celle des taxis et autobus.

En raison des contraintes de la topographie générale de la ville de Rouen au nord du fleuve, il n'a pas été possible d'aménager dépôt et faisceau de garage des rames de voyageurs près de la gare principale : d'où une exploitation rendue délicate par l'existence de nombreux mouvements à vide. De même la desserte des quais et bassins de la rive droite du port s'est toujours avérée difficile ; jusqu'à une époque récente, les rames de wagons qui circulaient entre ce secteur portuaire et le triage de Sotteville devaient rebrousser en gare de Darnétal ; ils empruntaient sur une très courte distance la ligne construite par la Compagnie du Nord puis aboutissaient à la gare de Martainville. Depuis quelques années la mise en service, près du triangle de Darnétal, d'un raccordement direct à double voie, à l'emplacement du dépôt et de la gare de marchandises de Martainville disparus, représente une amélioration substantielle.

Ci-contre, le triage de Sotteville : un des plus puissants du réseau français.

Ci-dessous : un des grands silos du port de Rouen ; avec les sucres, les céréales constituent un domaine où le rail se place bien grâce à la massivité des acheminements.

315

Sur la rive gauche du fleuve, l'agglomération rouennaise a pu légèrement s'étaler grâce aux vastes surfaces plates qui tapissent l'intérieur du grand méandre de la Seine. Les installations ferroviaires se sont d'autant plus développées que c'est sur cette rive, alors que le cœur historique de la ville se trouve de l'autre côté du fleuve, que le port s'est le plus étendu et que les usines ont le plus proliféré. Aussi les emprises affectées au trafic des marchandises sont-elles ici en vedette.

La pièce maîtresse du réseau ferroviaire est incontestablement la gare de triage de Sotteville, l'une des plus puissantes de notre réseau. Allongée sur plus de 5 kilomètres, non loin de la Seine, suivant un axe nord sud, elle est bien reliée aux voies principales de la ligne Paris-Le Havre ; quadruplées depuis Oissel, au sud, celles-ci se répartissent en voies lentes, empruntées par les trains de marchandises et de banlieue, et en voies rapides, qui encadrent les faisceaux. Cette disposition limite le nombre des sauts-de-mouton ; des ouvrages de ce type n'ont été construits qu'au nord du triage, pour faciliter la relation avec les gares de Rouen Rive Gauche et Rouen-Orléans.

Considérablement remaniée et agrandie en 1966, cette gare de triage est en fait double, comportant deux groupes totalement distincts de faisceaux affectés alors soit au Régime Ordinaire (RO) soit au Régime Accéléré (RA). L'ex-chantier RO, qui aujourd'hui supporte l'ensemble du trafic unifié dans le cadre du plan ETNA, se compose de trois grands faisceaux classiques de réception (20 voies), de débranchement (40 voies), d'attente au départ (16 voies) ; la longueur des voies (900 mètres le plus souvent), la présence d'un poste de débranchement électronique, le dispositif du "tir au but" confèrent une capacité de triage largement supérieure aux besoins actuels ; constitué de seulement un faisceau de réception de 9 voies et de débranchement de 21 voies, l'ex-triage RA joue désormais un rôle très local et reçoit des rames destinées au port ainsi que des wagons vides.

Tout naturellement, dès le siècle dernier, dépôt et ateliers se sont installés à proximité immédiate des faisceaux du triage.

"Propriétaire" uniquement de locomotives diesel qui roulent sur les lignes de Serquigny, de Dieppe entre autres et d'autorails, dans le contexte d'une nécessaire spécialisation des tâches d'entretien et de maintenance, le dépôt de Sotteville accueille en fait de très nombreux engins électriques en escale ; les locomotives électriques de l'artère Paris-Le Havre sont affectées aux dépôts d'Achères et de la Chapelle. Cette répartition rationnelle des activités explique que depuis 1960 les vastes et célèbres ateliers de Quatre-Mares se consacrent, eux aussi, au grand entretien et à la réparation des machines Diesel ; ils sont responsables de 678 engins.

Sur la rive gauche de la Seine également, mais dans la partie occidentale de l'intérieur du méandre, se développe entre les gares de Rouen Rive Gauche et de Grand Couronne un lacis très dense de voies ferrées ; elles drainent les quais et les bassins de cette zone, la plus récente et la plus active du port, ainsi que les dizaines d'importants embranchements particuliers qui desservent entrepôts pétroliers et installations de raffinage, usines de produits chimiques ou de l'agro-alimentaire entre autres. En moyenne quotidienne une cinquantaine de convois de marchandises, qu'il s'agisse de trains complets et directs ou de rames traitées par le triage de Sotteville, entrent dans ce complexe ou en sortent ; pour l'essentiel la régulation interne du trafic, c'est-à-dire la distribution de ces centaines de wagons ou leur regroupement, est confiée à la fois à la gare de Rouen-Orléans, dont les trois faisceaux comptent globalement 42 voies et aux faisceaux annexes de Quevilly et de Petit-Couronne. L'électrification en 1983 de la ligne Sotteville-Petit-Couronne est en rapport direct avec son importance.

Ainsi le carrefour rouennais bénéficie-t-il d'un équipement puissant et diversifié.

Les installations ferroviaires havraises, développées, sont de nature différente dans la mesure où elles marquent l'extrémité d'une seule ligne, en impasse. La structure générale est simple : la gare des voyageurs en cul de sac, compte 5 voies à quai, dont une courte ; sa façade moderne et monumentale s'intègre dans la partie centrale de la ville, reconstruite après

Si Boulogne a déjà perdu ses trains en correspondance avec les bateaux, Dieppe-Maritime accueille encore pour un temps deux aller-retour Corail de et vers Paris-Saint-Lazare.

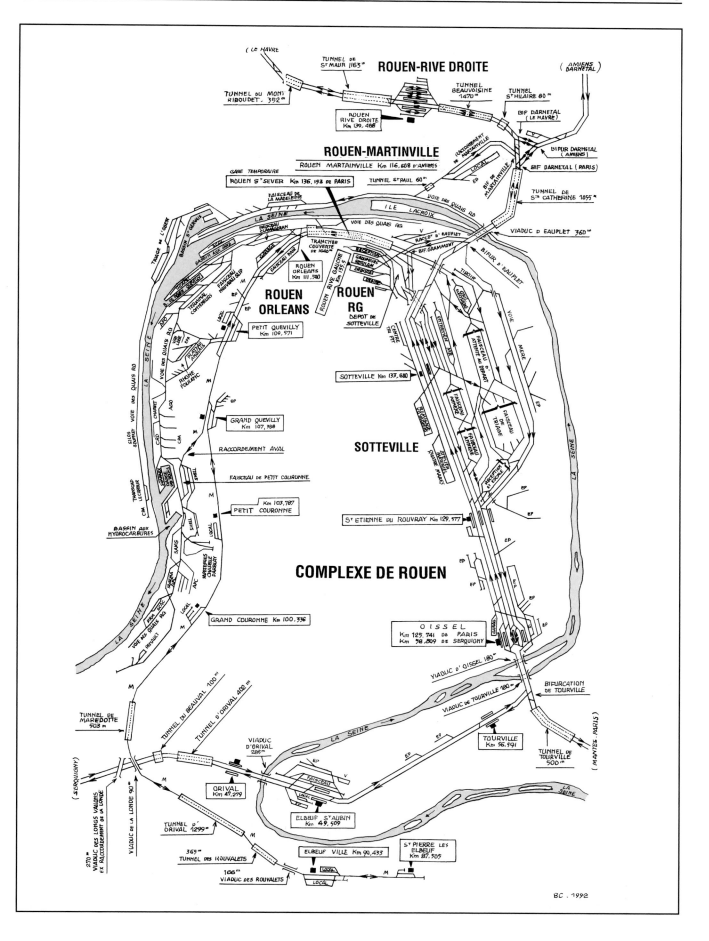

ROUEN-RIVE DROITE

(LE HAVRE)

TUNNEL DE St MAUR 1163 m

(AMIENS / DARNETAL)

TUNNEL DU MONT RIBOUDET. 352 m

TUNNEL BEAUVOISINE 1470 m

TUNNEL St HILAIRE 80 m

ROUEN RIVE DROITE Km 139, 468

BIF DARNETAL (LE HAVRE)

ROUEN-MARTINVILLE

ROUEN MARTAINVILLE Km 116, 608 D'AMIENS

RACCORDEMENT MARTAINVILLE

BIFUR DARNETAL (AMIENS)

GARE TEMPORAIRE

ROUEN St SEVER Km 136, 192 DE PARIS

TUNNEL St PAUL 60 m

BIF DARNETAL (PARIS)

TUNNEL DE Ste CATHERINE 1055 m

FAISCEAU DE LA MADELEINE

VOIE DES QUAIS RD

ILE LACROIX

VIADUC D' EAUPLET 360 m

LA SEINE

VOIE DES QUAIS RG

RACCORD D' EAUPLET

BIF GRAMMONT

BIFUR D' EAUPLET

TRIAGE DE L'OUEST

FAISCEAU CLAIRVAUX

TRANCHEE COUVERTE DE 1640 m

ROUEN ORLEANS Km 111, 500

ROUEN RIVE GAUCHE Km 135,5

RECEPTION GROUPEURS DEPART

TIROIR

VOIE

FAISCEAU RENVERSEMENT

FAISCEAU D' ATTENTE AU DEPART

MERE

ROUEN ORLEANS

ROUEN RG

DEPOT DE SOTTEVILLE

PETIT QUEVILLY Km 109, 971

CENTRE TRI PTT

VOIE DES QUAIS RD

PLATEAU ARBATS

RHONE POULENC

SOTTEVILLE Km 133, 680

FAISCEAU ARRIVEE

FAISCEAU DE TRIAGE

FAISCEAU ARRIVEE

GRAND QUEVILLY Km 107, 388

RACCORDEMENT AVAL

SOTTEVILLE

FAISCEAU DE PETIT COURONNE

Km 103, 787 PETIT COURONNE

St ETIENNE DU ROUVRAY Km 129, 577

BASSIN AUX HYDROCARBURES

COMPLEXE DE ROUEN

GRAND COURONNE Km 100, 336

VOIE DES QUAIS RG

OISSEL Km 125, 741 DE PARIS Km 58, 809 DE SERQUIGNY

VIADUC D' OISSEL 180 m

BIFURCATION DE TOURVILLE

TUNNEL DE MAREDOTTE 503 m

TUNNEL DU BEAUVAL 100 m

TUNNEL D'ORIVAL 402 m

VIADUC D'ORIVAL 286 m

LA SEINE

VIADUC DE TOURVILLE 180 m

(MANTES . PARIS)

TOURVILLE Km 56, 591

TUNNEL DE TOURVILLE 500 m

(SERQUIGNY)

VIADUC DE LA LONDE 90 m

ORIVAL Km 47, 279

FAISCEAU

LA SEINE

270 m VIADUC DES LONGS VALLONS EX RACCORDEMENT DE LA LONDE

TUNNEL D' ORIVAL 1299 m

ELBEUF St AUBIN Km 49, 509

St PIERRE LES ELBEUF Km 87, 505

365 m TUNNEL DES ROUVALETS

ELBEUF VILLE Km 90, 433

166 m VIADUC DES ROUVALETS

LOCAL

BC . 1992

317

Rouen est reliée au littoral de la Manche par deux embranchements non électrifiés joignant respectivement Dieppe (ci-dessus) et Saint-Valéry-en-Caux (ci-dessous).

Les éléments-symboles de la relation Paris-Le Havre réunis à Tourville-la-Rivière : un train Corail, un convoi entier de wagons céréaliers revenant à vide de Rouen et l'autoroute de Normandie qui, en évitant la tortueuse vallée de la Seine, permet un temps de parcours inférieur à celui du train.

1945. Quatre kilomètres à l'est s'étalent les divers faisceaux de la gare de triage de Soquence, comptant au total 65 voies ; très bien située, elle se trouve au centre d'une véritable toile d'araignée de raccordements et d'embranchements particuliers qui la relie à la gare des marchandises, aux emprises industrielles qui pullulent dans la zone du canal de Tancarville, toute proche, à la raffinerie de Gonfreville, aux terminaux de conteneurs et aux nombreux bassins du port. Même s'il ne fait pas partie de la famille des grands triages de la SNCF, celui de Soquence, localement, assure des missions essentielles comparables à celles de la gare de Rouen-Orléans. Le trafic, aussi bien des voyageurs que des marchandises, est dominé par le poids des deux ensembles urbains rouennais et havrais, et marqué par la suprématie du grand axe radial Paris-Le Havre.

LE TRAFIC DES VOYAGEURS

Rouen et Le Havre sont proches de la capitale, et desservis par des trains nombreux et rapides couvrant la distance en un peu plus de respectivement une et deux heures. De plus, la gare Saint-Lazare est remarquablement située près du centre de la capitale. Aussi les flux s'écoulant dans le corridor Paris-Le Havre progressent-ils régulièrement, alimentés par l'essor des déplacements quotidiens réguliers : chaque jour environ 2 500 personnes effectuent l'aller et retour entre Rouen et Paris, ramenant la capitale haut-normande à un rôle de super-grande banlieue comparable à celui assumé par Orléans, Troyes ou Amiens. Près de 5 000 voyageurs en

moyenne quotidienne et les deux sens réunis circulent entre Le Havre et Rouen, plus de 12 000 entre Rouen et Mantes. Ils peuvent utiliser une trame très dense de trains qui assurent une desserte très étoffée : plus de 25 dans chaque sens entre Rouen et Mantes, parmi lesquels une quinzaine de rapides dont la plus part desservent Le Havre.

Comparativement les autres lignes font pâle figure.

Sur l'artère Rouen-Dieppe ne circulent, en moyenne quotidienne et les deux sens réunis, que moins de 2 000 personnes ; elles représentent trois types de flux, qui s'écoulent grâce à une dizaine de relations dans chaque sens : à des liaisons régionales de type TER assurées par des autorails s'ajoutent un trafic radial entre la capitale et Dieppe, assuré par 2 trains directs ou des correspondances à Rouen, et un courant franco-anglais alliant le train et le bateau.

Moins de 1 000 voyageurs en moyenne quotidienne entre Rouen et Serquigny, ainsi qu'entre Rouen et Amiens ! La faiblesse de ces flux transversaux qui contraste avec la densité des échanges sur la grande radiale Paris-Le Havre, s'explique par plusieurs facteurs. Très proche géographiquement, la haute Normandie n'a jamais noué des relations suivies avec les pays du nord de la France ou avec la basse Normandie. Séparée d'elles à vol d'oiseau par moins de 150 kilomètres, Rouen a toujours vécu dans une relative ignorance des villes de Caen et d'Amiens, tournées résolument comme elle vers Paris. Aussi les liaisons ferroviaires n'ont-elles jamais brillé par leur qualité puisque par exemple, par le train, il faut parcourir 162 kilomètres entre Rouen et Caen, en près de 2 heures,

319

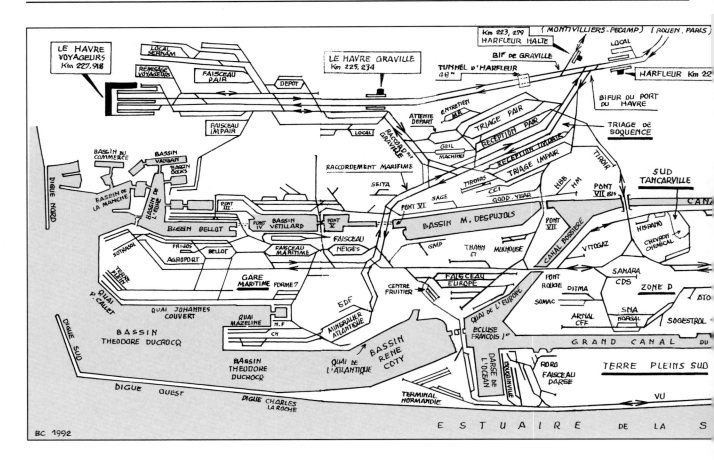

alors que par l'autoroute, plus directe, une heure un quart suffit. De même 2 heures 30 environ sont nécessaires pour effectuer le trajet Rouen-Lille. Effet de spirale habituel, la médiocre qualité des dessertes n'a pu que jouer un rôle répulsif sur une clientèle potentielle déjà peu fournie (1).

N'évoquant que de très loin les flux de la banlieue parisienne ou même ceux qui s'établissent autour de Lille ou de Strasbourg, des courants de ce type peuvent pourtant être identifié dans la partie sud de l'agglomération rouennaise : entre les gares de Rouen-Rive-Droite et d'Elbeuf-Saint-Aubin, une dizaine de relations quotidiennes, dans chaque sens, sillonnent un corridor de 23 kilomètres tracé à travers les ensembles urbains et industriels de Sotteville, Saint-Etienne-du-Rouvray et Oissel.

Ainsi, au plan du transport des voyageurs, le nœud rouennais n'est pas au sens plein du terme un carrefour, puisqu'aucun flux transversal d'importance ne vient couper le grand axe radial.

Très important, le trafic des marchandises est un peu mieux équilibré au profit des artères transversales qui s'échappent du carrefour rouennais.

LES FLUX DE MARCHANDISES

Avec environ 32 000 tonnes transportées en moyenne quotidienne la section Rouen-Mantes, qui assure la liaison avec la capitale, joue ici un rôle proportionnellement plus important que dans le domaine des voyageurs ; elle se classe parmi les lignes les plus chargées du réseau. Les deux sens de circulation s'équilibrent à peu près. En revanche entre Rouen et Le Havre le trafic, toujours important, n'atteint un volume que d'un peu plus de 15 000 tonnes à l'est de la gare de bifurcation de Bréauté-Beuzeville, pour ensuite descendre à un peu plus de 8 000 tonnes ; le courant ouest-est à lui seul représente près des deux tiers de l'activité globale.

Sur l'artère Rouen-Dieppe, l'ampleur du trafic correspond à peu près à celle du transport des voyageurs. Mais dans le domaine du fret les flux qui s'écoulent entre Rouen d'une part, Serquigny et surtout Amiens de l'autre, sont relativement plus vigoureux, concrétisés par près de 6 000 tonnes dans le premier cas, près de 8 000 tonnes dans le second ; sur ces deux voies ferrées le flux se dirigeant vers Rouen l'emporte nettement.

Dans ces conditions le nombre moyen de convois de marchandises qui circulent sur les diverses lignes ne peut qu'être très inégal : en moyenne quotidienne et les deux sens réunis seulement 4 trains roulent entre Malaunay et Dieppe, 13 entre Rouen et Serquigny (2), 17 entre Rouen et Amiens. L'axe radial l'emporte de loin, avec 35 circulations entre Le Havre et Rouen, 70 en aval de la capitale haut-normande.

Globalement le trafic est donc important. Or il n'est en rien alimenté par des courants de transit, dans la mesure où les

_____

(1) C'est bien sûr automatiquement par Paris que passent les voyageurs circulant entre Caen et Lille.

(2) Depuis 1991 la plupart des trains roulant entre Le Mans ou Tours et Rouen transitent par la région parisienne.

COMPLEXE DU HAVRE

échanges entre les régions de l'Ouest et celle du Nord s'établissent par le carrefour parisien.

L'importance de ces flux nés autour de la Basse Seine ou qui lui sont destinés est attestée par l'excellent classement des gares de Rouen-Orléans et du Havre dans la hiérarchie des gares de marchandises françaises : la première, qui rassemble la plus grande partie du trafic de l'agglomération rouennaise, se situe au 7e rang avec près de 6 000 000 de tonnes chargées et déchargées en 1990 ; celle du Havre se classe, elle, au 11e rang, avec un peu plus de 4 000 000 de tonnes. Ces tonnages considérables sont en relation avec les besoins et l'activité industrielle de deux puissantes agglomérations. Mais ils sont générés avant tout par le travail de deux grands organismes portuaires qui ensemble alimentent nettement plus de la moitié du trafic du chemin de fer.

Le poids des importations maritimes, qui l'emportent de loin, explique la nette prédominance des expéditions ferroviaires : elles constituent près des deux tiers du trafic global au Havre, plus des trois quarts à Rouen. Combustibles minéraux solides, produits pétroliers, engrais, produits chimiques variés, conteneurs sont chargés dans des wagons à destination de la région parisienne surtout, mais aussi du nord et du nord-est du pays, de l'ensemble du bassin parisien et jusque dans la région Rhône-Alpes. Les arrivées sont loin d'être négligeables, avec de forts tonnages de céréales, de blé surtout, provenant des plaines fertiles du nord et du centre du pays, et qui

Le quai de l'Atlantique au Havre : le faisceau minéralier et le terminal conteneurs ; au fond, les surfaces portuaires à perte de vue, gagnées sur les zones humides, et qui ne sont pas sans rappeler l'environnement de Fos-sur-Mer.

convergent essentiellement vers les quais du port de Rouen, tandis que dans celui du Havre les navires reçoivent de très nombreux conteneurs. Ainsi le rail contribue-t-il au rayonnement spatial d'un ensemble portuaire bipolaire dont l'influence s'exerce, malgré la forte présence de Dunkerque, sur une partie de la région du Nord.

Les nombreux trains qui acheminent ces tonnages massifs roulent surtout sur l'axe Paris-Rouen-Le Havre. Mais l'attraction des deux grands ports explique le caractère non négligeable des flux circulant sur la ligne d'Amiens, qui établit la liaison avec la région du Nord ; sur ces deux artères les exportations de céréales du port de Rouen expliquent largement la prédominance des courants se dirigeant vers la capitale haut-normande, alors que sur l'axe majeur radial ce type de trafic est au moins équilibré par les expéditions vers la région parisienne de tonnages importants de produits chimiques ou d'hydrocarbures.

A l'image de l'ensemble du réseau, un peu plus de la moitié du trafic est assuré par des trains directs et complets, parfois très lourds comme les convois d'hydrocarbures expédiés depuis les diverses raffineries de la Basse Seine, Port-Jérôme ou Notre-Dame-de-Gravenchon, souvent rapides, reliant Le Havre ou Rouen à Valenton, Lille, Lyon ou Marseille ; ils assument plus particulièrement le transport des conteneurs. Mais la circulation des wagon isolés reste forte : elle implique nécessairement des opérations de triage.

Alors qu'au Havre la gare de triage de Soquence ne joue qu'un rôle local, d'organisation de la distribution des wagons et de leur ramassage dans les emprises industrielles et portuaires, près de Rouen celle de Sotteville est le poumon du trafic ferroviaire des marchandises en Haute-Normandie. Avec 1 077 wagons expédiés en 1991 en moyenne journalière, elle se classe au 8e rang des triages de la SNCF. Organisant dans le détail la circulation des wagons dans l'ensemble du carrefour rouennais, elle régule la globalité du trafic dans un large périmètre

incluant Le Havre et Caen. Parmi les 17 trains réguliers expédiés quotidiennement certains se dirigent vers Hausbergen, Woippy ou Somain, Saint-Pierre-des-Corps ou Sibelin, tandis que Woippy, Lille-Délivrance, Saint-Pierre-des-Corps ou Gevrey sont l'origine de quelques-uns des 15 trains reçus.

Actuellement le complexe ferroviaire de la Basse-Seine, dominé par le carrefour rouennais, est armé pour faire face de manière satisfaisante à ses diverses missions. Certes quelques points faibles apparaissent, comme la dotation en voies à quai de la gare de Rouen Rive Droite, ou la présence de seulement deux voies sur la section reliant cette gare au triage de Sotteville. Mais au plan du transport des marchandises la densité de la trame des voies qui desservent les zones industrielles et portuaires, aussi bien au Havre autour des faisceaux de Soquence qu'à Rouen à partir de la gare de Rouen-Orléans, les larges potentialités du triage de Sotteville offrent de très sérieuses garanties. Par ailleurs la mise au gabarit "B +" de l'ensemble de l'artère Paris Le Havre devrait permettre l'acheminement de conteneurs plus volumineux, et donc des progrès dans ce secteur d'avenir.

Le trafic des voyageurs ne semble pas devoir s'étoffer sensiblement à l'avenir sur les lignes d'Amiens et de Serquigny, dans la mesure où il faudrait briser la spirale négative liée à la médiocrité aussi bien des prestations offertes, que de la faiblesse de la clientèle potentielle. En revanche, l'accélération et la densification des liaisons avec la capitale depuis l'électrification sont en relation étroite avec l'augmentation du trafic sur la grande radiale. D'ores et déjà la question de la création d'une ligne TGV entre Paris et Rouen est posée. Le gain sur Rouen serait d'une trentaine de minutes et la faible rentabilité du projet impliquerait un financement spécial. Mais la perspective de la saturation de la ligne actuelle par l'augmentation continuelle des flux domicile-travail risque de rendre, à terme, la réalisation d'une ligne nouvelle indispensable, même si pour l'instant elle semble rester fort hypothétique.

LA BASSE NORMANDIE ET SES ABORDS

Entre la basse vallée de la Seine, le Perche, le Maine et la Bretagne, s'étalent des régions qui sont loin d'être dépeuplées, mais peu industrialisées, où les activités agricoles dominent nettement et où les grandes villes sont rares. Même si le tourisme balnéaire estival, assez développé sur les côtes du Cotentin, stimule la circulation des voyageurs, l'ensemble du trafic ferroviaire n'est guère vigoureux.

LA STRUCTURE D'ENSEMBLE DU RÉSEAU

Alors qu'autour de cette vaste zone s'imposent de puissants carrefours ferroviaires comme ceux de Rouen, du Mans ou de Rennes, dans ce secteur aucun n'émerge nettement. C'est ainsi qu'aucune des grandes gares de triage du réseau n'y est installée, tandis que les voies ferrées ne constituent aucune étoile de plus de quatre branches.

L'architecture ferroviaire d'ensemble est en effet loin d'être hiérarchisée et concentrée : elle repose sur deux radiales, en gros parallèles et étrangères l'une à l'autre : Paris-Cherbourg et Paris-Granville. Orthogonalement, deux transversales d'iné-

gale importance, de direction méridienne, relient Mézidon au Mans, Lison à Dol-de-Bretagne. Enfin, aussi bien près de la mer qu'à l'intérieur, des lignes en impasse, vestiges de plus en plus rares d'une trame secondaire qui fut dense, viennent se greffer sur les axes principaux.

Deux de ceux-ci ont déjà été présentés dans le chapitre II, dans la mesure où ils s'intègrent dans l'armature d'ensemble du réseau français : les deux lignes radiales Mantes-Cherbourg et transversale Mézidon-Le Mans, qui se rencontrent à Mézidon, toutes deux à double voie, bénéficient d'un équipement convenable. La radiale déjà dotée du block automatique lumineux de Mantes à Évreux, sera électrifiée en 1995 ; la transversale se satisfait du bloc manuel unifié.

La seconde radiale, qui traverse la Basse Normandie et relie la capitale à Granville, n'a aucun point commun avec des artères majeures comme Paris-Marseille ou Paris-Lille. Exception faite de Dreux, qui désormais s'intègre dans la grande banlieue parisienne, cet axe ne dessert qu'une série de petites villes, dont la population ne dépasse jamais 30 000 habitants.

A Lisieux, un autorail rénové dans le cadre de la convention passée avec la région Basse Normandie attend la correspondance pour Trouville-Deauville ; cette ligne va être électrifiée en même temps que Mantes-Cherbourg.

Coutances : un train automoteur de la ligne Caen-Rennes, une relation régionale menacée de transfert sur route, car pénalisée par la faiblesse de ses performances et du trafic.

Page ci-contre : la gare de Granville, terminus de la radiale venant de Paris-Montparnasse ; cette ligne, jusqu'à présent marginalisée, pourrait bénéficier d'une modernisation de son infrastructure à l'horizon 1996-97.

Le profil, à l'ouest de Verneuil-sur-Avre, est de médiocre qualité, en raison de la politique de la Compagnie de l'Ouest qui, au siècle dernier, a voulu limiter les grands travaux, mais aussi à cause du modelé difficile des régions traversées : comme pour la radiale Paris-Cherbourg, parallèle, la disposition surtout sud-nord des vallées a imposé de nombreuses courbes serrées et des rampes pouvant atteindre ici le taux de 12 mm/m, en particulier dans la pittoresque mais accidentée "Suisse normande", à l'ouest d'Argentan. Si jusqu'à Dreux l'équipement se révèle excellent, avec électrification et block automatique lumineux, au-delà la ligne montre des signes de sous-développement ; en effet la double voie n'est dotée que d'installations de sécurité rudimentaires (sauf entre Surdon et Argentan, où est installé le Block Manuel Unifié) avec par exemple l'espacement des trains réglé par le cantonnement téléphonique, tandis que bien entendu les caténaires sont absentes. Le trafic, compte tenu de l'absence de grandes agglomérations et d'industries de poids, est médiocre : au-delà de Dreux le trafic du fret ne dépasse jamais 500 tonnes par jour, les deux sens réunis, sauf entre Surdon et Argentan. Plus étoffé, mais ne dépassant que de peu 1 000 voyageurs

en moyenne journalière, les deux sens réunis, dans la section terminale, le transport des voyageurs est pénalisé par le petit nombre des relations offertes (3 à 4 express dans chaque sens en service de base), et surtout leur lenteur : celle-ci est provoquée par le profil de la ligne et surtout le nombre élevé des arrêts, dans la mesure où aucune ville ne justifie, par le trafic induit, la mise en service de trains directs ; aussi entre Paris et Granville la vitesse moyenne est-elle inférieure à 100 km/heure, les 328 kilomètres étant parcourus en au moins 3 heures 20.

Aidée financièrement par la Région Basse Normandie, la SNCF prévoit à l'horizon 1996-97 une amélioration de la desserte qui repose sur celle des infrastructures : sont envisagées la mise à voie unique de la ligne à l'ouest de L'Aigle, avec renforcement de la plate-forme et rectification du tracé, relèvement du plafond de la vitesse jusqu'à 160 km/h, installation du BAPR et commande centralisée de la circulation ; la mise en circulation de matériel moteur et remorqué plus performant est également prévue. Dans ces conditions, un temps de parcours ramené à environ 3 heures traduira la volonté de réhabiliter une ligne trop longtemps négligée.

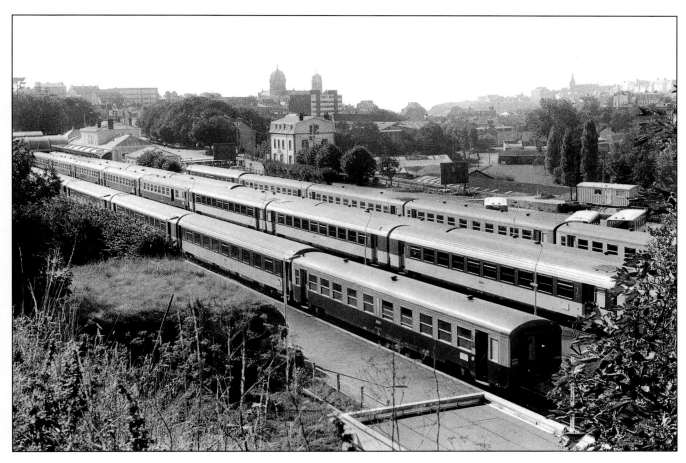

Les deux axes radiaux bas-normands sont reliés par l'artère Mézidon-Argentan, mais aussi par la relation Lison-Folligny-Dol. Cette ligne, à voie unique sur l'ensemble de son parcours, conserve une section à double voie, entre Avranches et Dol.

Serpentant dans la partie méridionale du Cotentin elle ne joue qu'un rôle tout à fait secondaire : moins de 1 000 personnes, sur certaines sections, moins de 100 tonnes transportées les deux sens réunis en moyenne journalière ! C'est que, outre une fercamisation "musclée" opérée ces dernières années, le trafic fret entre Bretagne et Normandie, peu volumineux, est acheminé par Le Mans, tandis qu'au plan du trafic des voyageurs, la relation ferroviaire Rennes-Caen est plutôt dissuasive, avec un parcours de 252 kilomètres dépassant de 66 kilomètres la longueur de la liaison routière...

Dans une région surtout rurale le chemin de fer a durement subi la concurrence routière. Aussi, dans le cadre de la politique menée par la Société Nationale, les lignes secondaires ont-elles été ces dernières décennies durement frappées. Des relations n'existent plus, qui paraissaient relativement actives, comme Folligny-Cherbourg par La Haye-du-Puits, tandis que le déclin ou l'arrêt de l'exploitation du minerai de fer normand justifient la mise en sommeil de Caen-Flers ou de la ligne minière privée Caen-Soumont. Les artères qui subsistent, toutes à voie unique et en impasse, déterminent à la jonction avec les axes principaux quelques-uns des nœuds ferroviaires de l'ensemble régional.

DES CARREFOURS FERROVIAIRES D'IMPORTANCE INÉGALE

Plusieurs gares de bifurcation, compte tenu de leurs missions, ne possèdent que des installations restreintes. Celle de Briouze, sur la ligne de Paris-Granville, commandait le court embranchement menant à la station thermale de Bagnoles-de-l'Orne, et aujourd'hui fermé. La gare de la très modeste localité de Lison, elle, se trouve à l'origine de la transversale de Dol et Rennes et assure par le jeu des correspondances la desserte de Saint-Lô, préfecture du département de la Manche, à partir de la radiale Paris-Cherbourg. Plus au sud, la gare de Folligny semble jouer un rôle plus important puisqu'elle marque l'intersection de la relation Lison-Dol avec la ligne Paris-Granville ; or la demi-douzaine et la douzaine de trains, qui en moyenne quotidienne sillonnent respectivement ces deux axes, ne peuvent créer une intense animation.

Sur la ligne Paris-Cherbourg, entre Serquigny et Mézidon, la gare de Lisieux, au plan en fourche, possède une autre dimension ; c'est qu'elle dessert une agglomération qui est un centre de pèlerinage actif, et se trouve à l'origine d'un embranchement qui se dirige vers les complexes balnéaires de Trouville-Deauville et Dives-Cabourg ; cette ligne, dont la mise à voie unique est programmée avec l'électrification, est parcourue en moyenne quotidienne par près d'une vingtaine de trains de voyageurs, parfois formés à Paris-Saint-Lazare même, qu'il appartient à la gare de Lisieux de dissocier des flux de la radiale de Cherbourg.

Quatre gares de bifurcation assurent des missions plus importantes en raison des courants qui divergent ou convergent. Séparés par seulement 15 kilomètres, les nœuds d'Argentan et de Surdon sont complémentaires : ils marquent en effet les extrémités d'un tronc commun à l'artère radiale Paris-Granville et à la transversale Mézidon-Tours. C'est en fait la gare d'Argentan qui joue le rôle principal, en offrant sur ses quatre voies à quai des possibilités de correspondance entre les relations express, au nombre de 4 à 5 sur chacune des quatre branches. Si, pour le trafic des voyageurs, la radiale l'emporte, la transversale supporte des tonnages supérieurs dans le domaine des marchandises, en raison surtout de l'expédition des produits des carrières de Vignats, au nord d'Argentan (1). Dans ces conditions, la superposition des trafics des deux lignes méridienne et est-ouest explique que le tronc commun connaisse une certaine activité, avec en moyenne quotidienne la circulation de plus de 35 trains, les deux sens réunis. Aussi la section Argentan-Surdon conservera-t-elle sa double voie, lorsque l'ensemble de la relation Paris-Granville sera mise à voie unique à l'ouest de L'Aigle.

Sur l'axe Paris-Cherbourg, entre Évreux et Lisieux, à la confluence des vallées de la Risle et de la Charentonne, est implantée la gare de Serquigny. Elle dessert une bourgade modeste mais contrôle une importante bifurcation, comme le suggère le plan d'ensemble des installations, en fourche : la ligne à double voie en provenance de Rouen vient se greffer sur la radiale. Il est vrai qu'un raccordement, normalement neutralisé, relie les artères de Rouen et de Paris ; sa remise en service rapide peut permettre de faire face à une interruption du trafic sur la ligne majeure Mantes-Rouen en détournant le trafic, sans rebroussement. Mais la gare de Serquigny se situe avant tout à la fin d'un tronc commun commençant à Caen et à Mézidon, et sillonné par des trains à destination ou en provenance des directions de Rouen et de Paris.

Les chiffres sont éloquents : alors qu'en moyenne quotidienne et les deux sens réunis 24 circulations sont recensées entre Serquigny et Rouen, et 50 entre Serquigny et Mantes, 70 trains transportant 8 500 voyageurs et 8 000 tonnes roulent entre Mézidon et Serquigny. La séparation des flux s'opère pour les voyageurs au bénéfice de l'axe radial dans la mesure où le trafic de la ligne Serquigny-Rouen est faible (moins de 500 voyageurs) ; en revanche les wagons de marchandises acheminés sur le tronc commun roulent pour plus des deux tiers sur l'artère qui dessert Rouen et son port. Cette importance du trafic de la section Mézidon - Serquigny justifie la

_____

(1) Avec environ 500 000 tonnes chargées annuellement la gare de Vignats se classe au second rang de la région SNCF de Caen.

Cherbourg : en semaine, les turbotrains mettent la capitale économique de la Manche à un peu plus de trois heures de Paris.

Un inconvénient auquel l'électrification va mettre un terme : sur Paris-Caen-Cherbourg, les pointes de week-end doivent être assurées en rames tractées, pour des raisons de capacité, mais l'allongement du temps de parcours par rapport aux turbotrains avoisine la trentaine de minutes. Ici, un Caen-Paris du dimanche à Courtonne, près de Lisieux.

présence du block automatique lumineux, tandis que les deux branches divergentes ne sont équipées, elles, que du block manuel unifié. Non dotée de saut-de-mouton, la bifurcation de Serquigny marque un phénomène très original : c'est le seul cas où, dans un rayon de 200 kilomètres autour de la capitale et en dehors de sa grande banlieue, le trafic d'une radiale augmente brusquement au lieu de diminuer en s'éloignant de Paris.

A 66 kilomètres à l'ouest, le nœud de Mézidon, qui s'étale dans la vallée de la Dives et à l'orée de la plaine de Caen, est plus complexe. Il commande lui aussi une bifurcation, disposée en triangle comme à Serquigny ; ici naît la relation transversale à double voie, de direction nord-sud, qui se dirige vers Argentan, Le Mans et Tours. L'importance de cette jonction a entraîné dès le siècle dernier la construction d'une gare de triage : forte de deux faisceaux de réception et de départ de 12 voies, de débranchement de 24 voies, et après avoir expédié plus de 550 wagons en moyenne quotidienne, elle fait partie des gares écartées désormais du groupe des triages de base de la SNCF ; son rôle n'est plus que local, avec le classement, la répartition et le ramassage des wagons à destination ou en provenance de l'agglomération caennaise, située seulement à une vingtaine de kilomètre, et de ses abords. Comme à Serquigny, s'observe une certaine distorsion : au plan du transport des voyageurs la gare de Mézidon apparaît en fin de tronc commun, séparant les courants issus de Caen et les répartissant majoritairement vers Paris (près de 90%) et vers Le Mans et Tours, ou inversement. Mais si les flux jour-

naliers qui s'établissent entre Le Mans et Rouen sont ténus, ils peuvent profiter du jeu de certaines correspondances, en gare de Mézidon, entre trains de la transversale et de la radiale. Mais, dans le domaine du trafic du fret, la plus grande partie des tonnages acheminés sur la ligne d'Argentan, notamment de produits de carrières, se retrouve sur l'artère de Serquigny et non sur celle de Caen, à destination ou en provenance de la région parisienne et du complexe portuaire de la Basse Seine.

Les deux principales agglomérations de Basse Normandie, celles de Cherbourg et Caen, qui comptent respectivement 80 000 et 180 000 habitants, offrent la particularité de ne pas constituer de véritables carrefours ferroviaires. Alors en effet que la première de ces villes est isolée à l'extrémité de la presqu'île du Cotentin, les vicissitudes de l'histoire, pour la seconde, ont promu les bourgades de Lison et de Mézidon têtes de ligne pour les relations avec Rennes ou Le Mans et Tours.

Pourtant les installations ferroviaires caennaises, greffées sur l'artère Paris-Cherbourg, sont très étendues, avec sur quelques kilomètres carrés de nombreux faisceaux, voies isolées et embranchement. L'explication est triple : gares des voyageurs et des marchandises doivent pouvoir assurer le service d'une agglomération de grande taille ; par ailleurs le rail dessert des installations portuaires, dont des bassins, égrenées au-delà de l'Orne le long du canal de Caen à la mer ; enfin il devait irriguer les puissantes infrastructures de la Société Métallurgique de Normandie : lié à l'exploitation des mines de fer de Sou-

327

mont, situées 25 kilomètres au sud, le centre sidérurgique de Colombelles n'a pu fonctionner que grâce à un réseau privé relié aux voies de la SNCF et comptant 132 kilomètres de voies ferrées, utilisant 450 wagons et géré par trois postes d'aiguillage de type PRS. Au temps de sa splendeur ce complexe ferroviaire a supporté un trafic interne de près de 5 000 000 de tonnes annuelles ! Malheureusement la crise de la sidérurgie a entraîné à partir de 1991 une très forte régression de l'ensemble des activités, qui doivent purement et simplement disparaître dans les années à venir. Aussi le trafic global de la gare de Caen dans le domaine du fret, de l'ordre longtemps de 1 000 000 de tonnes par an, arrivages et expéditions cumulés, s'est-il effondré depuis 1990. Le transport des voyageurs, lui se porte bien, à la mesure du dynamisme de l'agglomération. Autant les échanges avec Cherbourg, Le Mans ou Rouen sont peu volumineux, guère facilités par la qualité des prestations offertes, autant les échanges avec la capitale sont denses et en progression : chaque jour plus de 6 000 voyageurs, en moyenne et les deux sens réunis, sont décomptés entre Caen et Mézidon, se dirigeant vers Paris ou en provenant. Ils bénéficient de trains nombreux (en moyenne quotidienne 16 aller et retour entre Paris et Caen, dont 6 sont prolongés jusqu'à Cherbourg) et rapides, couvrant parfois les 239 kilomètres en moins de 2 heures ; alors que lors des périodes de pointe et en particulier en fin de semaines des rames Corail tractées par des locomotives Diesel doivent relayer les turbotrains à la capacité insuffisante, la prochaine électrification de l'axe Paris-Cherbourg permettra de sensibles améliorations.

Au nord du Cotentin, la ville de Cherbourg possède des installations ferroviaires, naturellement en impasse, à la mesure d'une activité globalement très modeste. La double voie en provenance de Caen et Paris, bientôt électrifiée, donne naissance dès l'entrée dans l'agglomération à un éventail de voies qui desservent au centre la gare des voyageurs et l'imposante gare maritime ; reconstruite après 1945 celle-ci a connu de grandes heures lorsque les trains paquebots venaient donner la correspondance aux nombreux navires transatlantiques français ou britanniques ; de part et d'autres des embranchements atteignent l'arsenal et les différents quais et bassins du port. Le trafic des voyageurs, supérieur à 2 000 personnes par jour, les deux sens réunis, se porte bien ; une demi-douzaine de bonnes relations dans chaque sens facilitent les échanges avec Caen et surtout la capitale. En revanche le fret n'atteint pas quotidiennement le millier de tonnes ; aussi n'est-il pas surprenant que sur les 25 circulations journalières 21 concernent le service des voyageurs.

A la différence de la Haute Normandie, la Basse Normandie et ses abords peuvent être considérés comme une zone dépressionnaire au plan ferroviaire. Mais la modernisation envisagée de la ligne Paris-Granville, l'électrification de l'axe Paris-Cherbourg montrent la volonté de la Société Nationale, en partenariat avec les collectivités territoriales, de ne pas négliger une région où toutefois les relations transversales risquent de rester longtemps défavorisées.

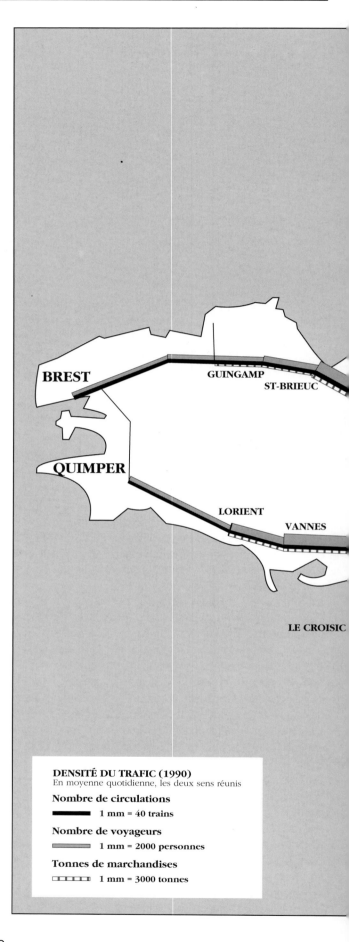

DENSITÉ DU TRAFIC (1990)
En moyenne quotidienne, les deux sens réunis

Nombre de circulations
1 mm = 40 trains

Nombre de voyageurs
1 mm = 2000 personnes

Tonnes de marchandises
1 mm = 3000 tonnes

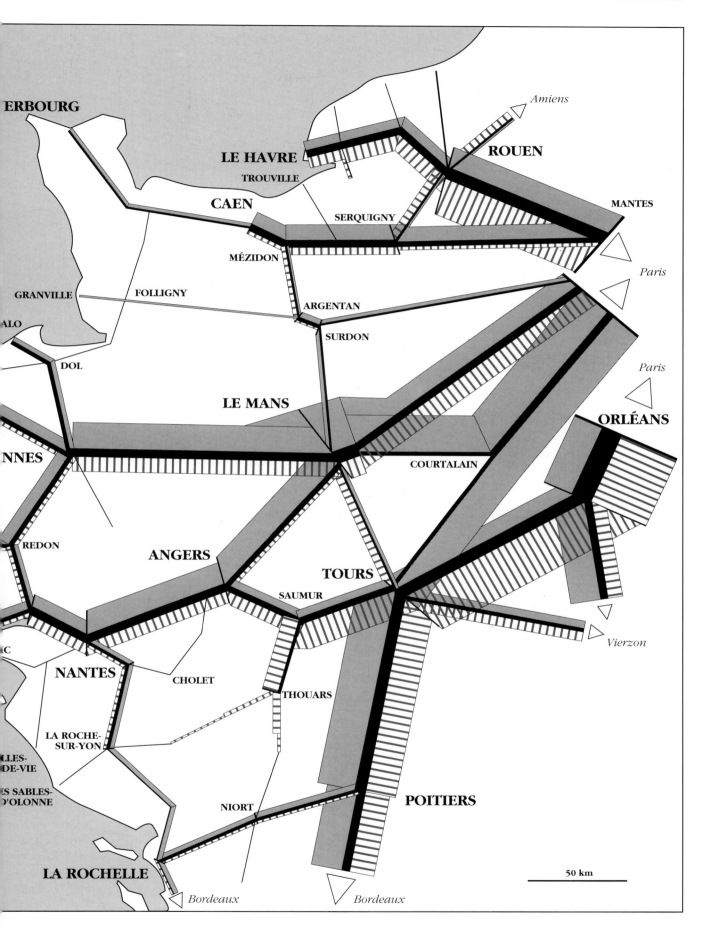

L'ÉTOILE MANCELLE

Plus au sud, entre Normandie et Pays de Loire, entre Bretagne et Ile de France, le nœud du Mans constitue au plan ferroviaire l'un des carrefours essentiels de l'ensemble de l'ouest français.

Il est incontestable que Le Mans a au siècle dernier largement bénéficié d'un choix qui a écarté, pour le tracé de la relation Paris-Rennes, l'itinéraire possible par Alençon. Toujours est-il que la situation géographique de la ville, la proximité de la plaine de Beauce, la présence de plusieurs vallées bien orientées ne pouvaient manquer d'attirer les voies ferrées.

LES INFRASTRUCTURES

La ville du Mans est le centre d'une étoile longtemps composée de 5 branches mais qui récemment, avec la mise en service de la ligne nouvelle du TGV, s'est enrichie d'une sixième. Jusque là l'artère majeure était la ligne de Paris tracée par Nogent-le-Rotrou et Chartres et sillonnant la vallée de l'Huisne. Important tronc commun donnant naissance ensuite aux axes de Bretagne nord et de Bretagne sud, elle a été électrifiée dès 1937, en courant 1 500 volts. Le block automatique lumineux et des voies de garages nombreuses lui confèrent un débit potentiel élevé.

Ces caractéristiques se retrouvent sur les deux lignes de Rennes et Nantes, électrifiées plus récemment, en courant 25 000 volts. Plus difficile, le profil de la première explique l'antériorité de la pose des caténaires. En comparaison, les deux artères de Mézidon et Tours qui, dans le prolongement l'une de l'autre, constituent un axe transversal actif, sont nettement moins bien équipées : à double voie elles sont exploitées en traction Diesel et ne sont dotées que du block manuel unifié. Il est vrai que le niveau de leur trafic est loin d'atteindre celui des radiales.

Depuis 1989, les TGV roulent sur la branche Atlantique de la ligne nouvelle. Dans l'attente de l'aménagement du contournement nord du Mans, cette artère à l'équipement de pointe se raccorde à la ligne classique en aval de Connerré à 19 kilomètres de la gare du Mans ; un saut de mouton procure à la circulation, aux abords de la bifurcation, l'indispensable fluidité. Au centre de cette étoile mancelle maintenant forte de six branches se concentrent des installations à la fois complexes et importantes.

L'originalité de leur disposition réside dans le fait que les divers éléments indispensables à la vie du complexe se répartissent en deux ensembles le long d'une ceinture qui, comme à Lille ou à Mulhouse, englobe une partie de l'agglomération. Dans la perspective de l'arrivée du TGV de profondes transformations ont été récemment réalisées, en particulier dans la zone de la gare des voyageurs. Celle-ci flanquée de la halle du SERNAM, est remarquablement située à la double convergence des lignes de Paris et de Tours, de Rennes et de Nantes tandis que la ligne de Mézidon, elle, se débranche de l'artère de Rennes à la bifurcation dite de la "Petite Croix" installée à 5 kilomètres de la gare du Mans. Ses emprises, qui débordent sur le pont enjambant la Sarthe, se composent avant tout de 7 voies à quai et de passage ; une voie courte en impasse, côté Paris, renforce le dispositif. Après remaniement du plan général et la pose d'aiguillages de grand rayon de courbure, deux voies de chaque sens peuvent être parcourues à 120 km/heure par les trains sans arrêt, les autres étant accessibles à la vitesse de 60 km/heure ; désormais c'est à l'est de la gare, côté Paris, que se séparent les lignes de Rennes et de Nantes ; un PRCI (Poste Relais à Commande Informatisée) supervise la circulation dans l'ensemble de la gare et de ses abords. Rajeunies et modernisées les installations réservées plus spécialement aux voyageurs se caractérisent, par exemple sur les quais, par une grande légèreté d'allure et une forte originalité. L'édification au sud d'une "gare-bis", comme à Rennes ou Nantes, doit améliorer les conditions de déplacement des personnes dans l'ensemble des installations qui leur sont réservées et dans leurs environs.

A proximité immédiate de la gare des voyageurs, à l'est, s'étale le dépôt de Pontlieue, flanqué d'un faisceau de remisage des rames, à l'intérieur du triangle formé par les lignes de Paris et de Tours, et le raccordement qui les unit. Dans l'optique de l'arrivée du TGV les installations de l'ancien dépôt ont été remaniées et modernisées. Compte tenu en effet de l'augmentation du nombre des circulations affectées au service des voyageurs, de la réduction des relais depuis l'électrification, il semble rationnel de regrouper à Pontlieue l'essentiel des activités "traction" ; c'est ainsi que le dépôt aménagé près du triage est aujourd'hui déclassé.

A quelques kilomètres au sud de la gare des voyageurs, non loin de l'artère de Tours, sur des terrains largement disponibles, s'étend le second élément du complexe ferroviaire nouveau, composé des installations de triage, de l'ancien dépôt et des ateliers. L'éloignement relatif des lignes de Paris, Rennes et Nantes n'est pas un obstacle dans la mesure où trois raccordements à double voie de Pontlieue, de la Plumasserie et de Saint-Georges permettent aux trains de marchandises roulant sur ces axes un accès aisé et direct, en évitant de traverser la gare des voyageurs.

Cet ensemble sud du Mans a connu récemment plusieurs transformations avec le déclassement de l'ancien dépôt devenu à son tour simple annexe de traction et, dans le cadre du plan ETNA, la mise en sommeil du petit triage construit pour le régime accéléré ; en revanche, dans le nouveau dispositif, l'ancien triage RO (Régime Ordinaire), composé entre autres de faisceaux de réception de 9 voies et de débranchement de 30 voies, continue de fonctionner au plan local. A proximité et occupant près de 600 cheminots les ateliers restent très actifs ; ils entretiennent et réparent surtout les autorails de type EAD.

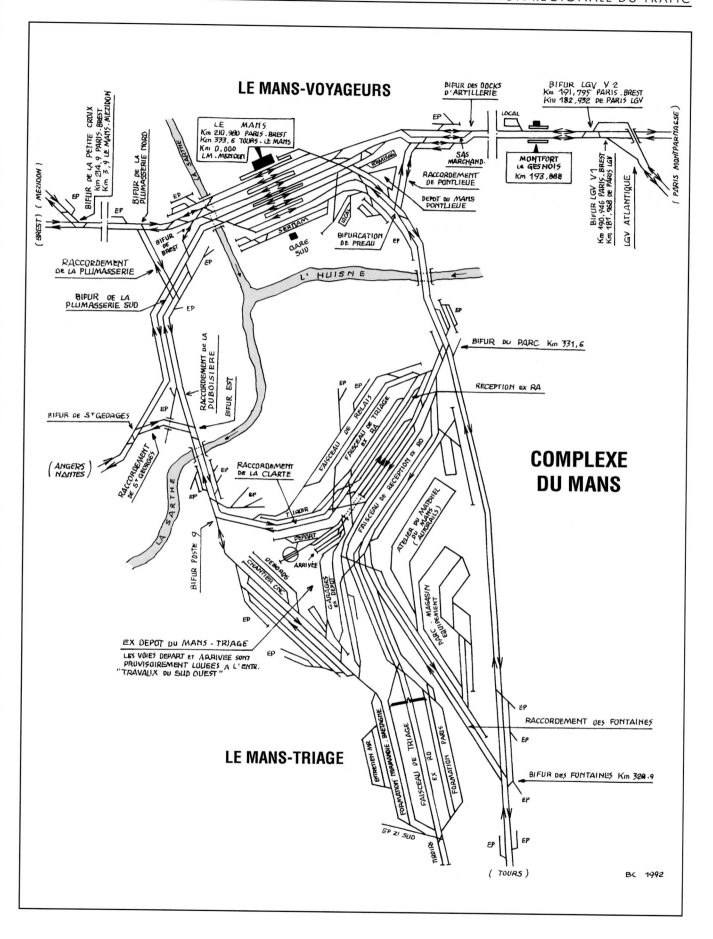

LE MANS-VOYAGEURS

**COMPLEXE
DU MANS**

LE MANS-TRIAGE

BC 1992

331

Un couplage de Z2 TER-Pays de Loire quittant Le Mans pour assurer une marche omnibus sur Angers.

Le carrefour du Mans possède ainsi des installations vigoureuses et rajeunies, adaptées à un trafic massif où maintenant les TGV jouent un rôle primordial.

UN TRAFIC CONSIDÉRABLE ET UN RÔLE DE PLAQUE TOURNANTE

En moyenne quotidienne, sans compter les manœuvres, 250 trains, toutes catégories confondues, circulent dans les emprises et les abords de la gare du Mans. Cette animation considérable correspond au niveau élevé d'activité des lignes de l'étoile.

Jusqu'en 1989 c'était, et de loin, la ligne de Paris tracée par Chartres qui supportait le plus lourd trafic. La mise en service de la ligne nouvelle sillonnée par une soixantaine de TGV en moyenne journalière, les deux sens réunis, lui a ôté une notable partie des flux de voyageurs ; mais ceux qui subsistent, acheminés entre autres par les trains de nuit, correspondent tout de même désormais à la moitié des 80 circulations qui sont enregistrées. A l'ouest du Mans, c'est la radiale de Rennes et de Bretagne-nord qui, avec près de 90 mouvements, l'emporte nettement, puisque celle de Nantes n'est sillonnée que par 65 convois ; dans les deux cas, et surtout sur la seconde artère, le trafic des marchandises est minoritaire, tout en atteignant 35 trains sur l'artère de Rennes. En comparaison l'activité des deux sections de la transversale Mézidon-Tours paraît modeste puisqu'elle ne se concrétise que par une trentaine de circulations ; le trafic des voyageurs domine largement entre Le Mans et Argentan, mais assuré par des autorails ou des trains de faible longueur.

L'analyse des courants de transport exprimés en nombre de voyageurs et de tonnes acheminées, en moyenne quotidienne et les deux sens réunis, confirme ces constats : avec plus de 20 000 voyageurs la ligne nouvelle du TGV devance sensiblement celle de Rennes (plus de 14 000 personnes) et celle de Nantes (12 000) ; l'artère ancienne de Paris, avec 8 000 voyageurs est largement distancée, mais moins que les tronçons de la transversale. Dans le domaine du fret, la première place revient à l'axe de Chartres et Paris (14 000 tonnes), devant

celui de Rennes (11 000 tonnes) ; faibles, les courants transportés sur la ligne de Nantes sont moins denses que ceux qui circulent entre Le Mans et Tours (près de 5 000 tonnes).

Dans ces conditions les missions précises du carrefour manceau apparaissent clairement. Si le trafic généré par l'agglomération elle-même, forte de 190 000 habitants est minoritaire, c'est en raison de l'ampleur des flux de transit. Remarquablement situé en effet entre la région parisienne et l'ensemble de l'ouest français, le nœud ferroviaire du Mans commande et organise les relations entre Normandie et Pays de la Loire et surtout entre la capitale et la Bretagne.

Pour les voyageurs de multiples possibilités de correspondance sont offertes en gare entre les relations radiales et transversales. Autant que leur croisement la double répartition des trains roulant entre Paris et la Bretagne constitue une tâche essentielle : à l'est du Mans à Connerré l'orientation des TGV sur la ligne nouvelle, des convois classiques sur la ligne ancienne ; à l'ouest la ventilation de ces deux catégories entre les lignes de Bretagne nord et sud. Concrètement ce sont les appareils de voie installés à l'entrée est de la gare qui aiguillent en moyenne quotidienne 14 TGV vers Nantes, 17 vers Rennes.

De même la plupart des convois de marchandises qui sillonnent les voies du complexe manceau sont des trains à grand parcours reliant par exemple Rennes à Woippy ou au Bourget ; ils peuvent séjourner quelque temps sur les faisceaux de voies du complexe, pour les opérations classiques de relais. Le débranchement et le tri des wagons se sont poursuivis un temps, mais à un rythme beaucoup plus lent que naguère, avec seulement, en 1991, en moyenne quotidienne 265 wagons expédiés ; ce triage complémentaire qui jouait un rôle régional, a été mis en sommeil en 1992.

Installé au cœur de régions faiblement industrialisées, le carrefour du Mans n'en constitue pas moins un centre ferroviaire de tout premier ordre en raison de l'excellence de sa situation et d'un trafic très varié, avec en particulier des flux de voyageurs denses sur la plupart des nombreuses lignes qui convergent vers lui.

La ligne Paris-Le Mans-Rennes à la traversée de Vitré.

RENNES ET LES DEUX GRANDS AXES BRETONS

Deux carrefours, ceux de Rennes et de Nantes, ordonnent l'ensemble du transport ferroviaire en Bretagne. Le second, dont l'activité sera analysée plus loin, est au moins autant en relation avec les pays de Loire qu'avec la Bretagne intérieure. Le nœud de Rennes, lui, par sa situation, commande les deux principaux axes qui, issus de la ligne de Paris, constituent l'armature du réseau breton. Celui-ci est en effet organisé de manière symétrique, avec deux artères parallèles qui desservent de Rennes à Brest le nord et de Rennes à Quimper le sud de la Bretagne. De part et d'autre de ces axes majeurs des voies ferrées au rôle secondaire sillonnent l'intérieur du pays ou atteignent quelques-uns des multiples ports ou sites balnéaires bretons.

Jamais énorme, le trafic se caractérise, lui, par la prédominance du transport des voyageurs et par une diminution progressive de sa densité en se rapprochant de l'extrémité de la péninsule. Rennes en est le pôle essentiel.

LES INFRASTRUCTURES : LE POIDS DU NŒUD RENNAIS

Sans être le centre d'une étoile aussi active que Le Mans, le nœud rennais est tout de même situé à la convergence de plusieurs lignes, dont l'importance se révèle tout à fait inégale. La voie ferrée qui se dirige vers Châteaubriant, à voie unique, n'a qu'une fonction locale et périurbaine. En revanche, celle qui au nord de Rennes atteint Saint-Malo en suivant initialement la vallée de l'Ille bénéficie d'un meilleur équipement : à double voie, elle est dotée du block automatique lumineux sur ses premiers kilomètres ; son électrification est envisagée. Mais ce sont les trois artères en direction du Mans, de Brest, de Redon et Quimper qui, désormais, présentent des caractéristiques de haut de gamme puisque, toutes trois sont à double voie et électrifiées, en courant 25 000 volts ; en outre leur cantonnement est du type BAL.

Les installations ferroviaires rennaises sont concentrées. En effet les diverses voies ferrées se rencontrent à proximité immédiate de la gare, située au sud de la Vilaine, dans la partie méridionale de l'agglomération, et dont les différents éléments, soudés les uns aux autres, se succèdent d'ouest en est. La structure du carrefour est donc plus simple que celle du nœud manceau.

La gare de voyageurs est riche de 8 voies à quai, toutes de passage ; son accès ouest est facilité par la dissociation des lignes de Redon et de Brest (1), qui autorise de nombreux mouvements simultanés. Dans le contexte de l'arrivée des TGV les bâtiments existants ont été complètement revus et réaménagés, tandis qu'une vaste dalle triangulaire, sur laquelle de nombreux services ont été installés, a été édifiée au-dessus des quais et des voies ; elle relie le bâtiment ancien à la "gare sud", entièrement neuve et d'architecture hardie, où dominent l'acier et le verre ; comme au Mans ou à Nantes est ainsi favorisée l'osmose de la ville et des infrastructures ferroviaires, beaucoup plus avenantes et accessibles.

Immédiatement à l'est, s'étale la gare de triage de Saint-Hélier. Au nord des voies principales de Paris, s'allongent les deux faisceaux de réception et attente au départ, et de débranchement, forts respectivement de 18 et 32 voies. Au sud des voies principales, sont installés le dépôt et les ateliers. Les seconds, qui s'étendent sur 8 hectares et où travaillent près de 700 cheminots, s'intéressent en priorité aux voitures de voyageurs du parc de la SNCF, de grandes lignes ou de la banlieue parisienne, notamment les véhicules à 2 niveaux. Le dépôt, lui, relié au triage par une voie en souterrain qui évite aux locomotives de recouper à niveau la double voie électrifiée de Paris, est fréquenté par une cavalerie mixte, diesel et de plus en plus électrique, en raison du progrès du déroulement des caténaires dans l'ouest français ; il compte parmi les dix principaux dépôts du réseau.

De structure moins éclatée que celui du Mans, le complexe ferroviaire rennais n'en est pas moins armé pour faire face à

(1) Celle-ci donne naissance peu après le franchissement de la Vilaine à l'artère de Saint-Malo.

un trafic important. Et de fait, chaque jour, ce sont en moyenne près de 250 trains qui roulent sur l'ensemble des lignes affluentes. L'analyse plus détaillée montre à la fois la prépondérance de l'artère de Paris et la part considérable des mouvements affectés au service des voyageurs :

Section de Ligne	Nombre total de trains (en 1990)	dont trains de voyageurs
Rennes-Vitré	91	56
Rennes-La Brohinière	58	43
Rennes-Redon	53	39
Rennes-Dol	34	30
Rennes-Châteaubriant	8	8
	244	176

Au plan de l'ampleur des installations les autres nœuds ferroviaires armoricains, hors de la Basse-Loire, souffrent de la comparaison avec le complexe rennais.

Un seul n'est pas situé sur l'une des trois principales lignes de Paris, Brest et Quimper, celui de Dol de Bretagne. Sa gare, aux emprises modestes, marque l'intersection de l'artère Rennes-Saint-Malo à double voie et de la transversale à caractère très régional Lison-Lamballe, en grande partie à voie unique. Le nœud de Redon, lui, est autrement important, non par le nombre des lignes qui convergent (trois seulement), mais par leur équipement et leur rôle. A double voie, les trois artères, venant de Rennes, Nantes et Quimper, sont maintenant toutes trois électrifiées et dotées de la signalisation lumineuse du block automatique sous la forme du BAPR. Autant la première, tracée dans la vallée de la Vilaine depuis Rennes et la seconde, qui longe la barre du "Sillon de Bretagne", offrent des profils aisés, autant l'artère de Quimper se révèle difficile, avec des rampes de 10 mm/m ; c'est qu'en raison de l'extrême découpage de la côte, elle ne peut suivre le rivage, tandis que les rias, vallées qui s'enfoncent profondément à l'intérieur des terres, compliquent le tracé en imposant de nombreux ouvrages d'art. La gare de bifurcation de Redon s'est retrouvée ins-

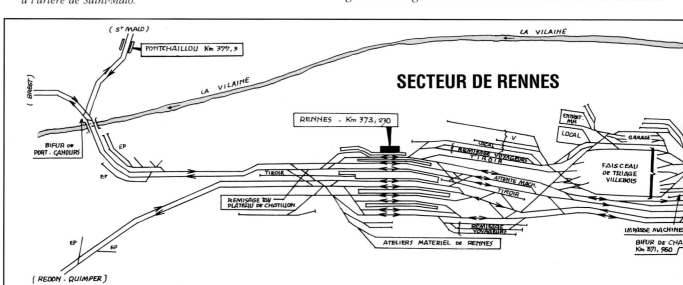

Grâce à la dynamique insufflée par le TGV, Rennes est désormais dotée d'une gare ultra-moderne avec débouché sur les côtés nord et sud de la ville.

tallée à la rencontre des vallées de la Vilaine, de l'Oust et de l'Arz ; à vrai dire la soudure entre les trois lignes s'effectue un kilomètre à l'est ; elle est matérialisée par un triangle qui permet aux trains directs roulant entre Nantes et Rennes de ne pas rebrousser en gare, en empruntant un raccordement qui dans le cadre de l'électrification a été mis à voie unique.

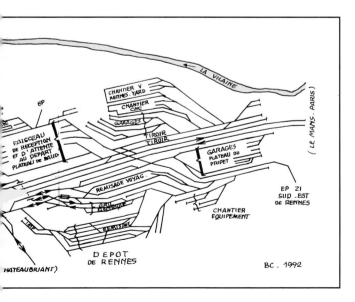

D'ores et déjà, le rôle essentiel de ce nœud est attesté par le nombre moyen journalier de circulations sur les trois lignes : plus de 30 sur celle de Nantes, près de 40 sur celle de Quimper, près de 50 sur celle de Rennes.

Le profil de la ligne Rennes-Brest est du même type que celui de la relation Redon-Quimper, mais en un peu plus accidenté, en particulier à l'ouest de Saint-Brieuc dans les collines du Trégorrois ou des monts d'Arrée, où courbes et rampes de 10 mm/m se multiplient ; plusieurs hauts viaducs ont dû être édifiés pour le franchissement de vallées encaissées et profondes ; le plus connu et le plus important est celui, à Morlaix, long de 285 mètres, haut de 59 mètres, constitué de 14 arches, qui domine les toits de la vieille ville.

Les installations de la plupart des gares sont modestes. Certes celles de Brest et Quimper possèdent des emprises relativement importantes comme voies à quai (6 à Brest), faisceaux de voies de service, annexe traction ; mais les infrastructures ferroviaires sont en relation avant tout avec les activités et le poids de deux agglomérations comptant respectivement 200 000 et 60 000 habitants. La vocation de nœud ferroviaire apparaît beaucoup plus nettement dans des localités desservies par les axes de Bretagne-nord et Bretagne-sud, et origines d'embranchements le plus souvent en impasse, et tous à voie unique non électrifiée.

Vraie épine dorsale, l'axe Rennes-Brest est jalonné par plusieurs gares de bifurcation. Une seule, celle de Saint-Brieuc, dessert une ville importante, comptant plus de 50 000 habitants ; l'activité de l'agglomération justifie, plus que la greffe de la ligne de Loudéac et Auray, les 5 voies à quai et la demi-douzaine de voies affectées au service des marchandises. La gare de La Brohinière qui n'est plus que l'ombre d'elle-même ne donne plus naissance qu'à l'embranchement fret de Mauron, celle de Lamballe à l'origine de la transversale de Dol et Lison. Guingamp commande les lignes exploitées par la CFTA de Paimpol et Carhaix, Plouaret celle de Lannion et Morlaix celle de Roscoff. Non loin de Brest, la gare de Landerneau, elle, voit se détacher de l'axe principal la voie ferrée de Quimper, très sinueuse.

Près de la côte sud de la Bretagne, la liaison Redon-Quimper joue le même rôle, avec à Questembert l'antenne de Loyat, vestige elle aussi de la relation primitive Questembert-La Brohinière et fermée en 1992. La gare d'Auray commande, elle, non seulement la ligne de Saint-Brieuc, qui traverse la Bretagne intérieure, mais aussi le court embranchement de 28 kilomètres qui, parfois longé des deux côtés par la plage et l'océan, aboutit à l'extrémité de la presqu'île de Quiberon. Enfin Rosporden était l'origine de la courte antenne desservant le port de pêche de Concarneau, aujourd'hui neutralisée. Incontestablement le réseau ferré breton, amputé comme ailleurs ces dernières décennies de plusieurs lignes ou sections de lignes secondaires, ne peut dans sa structure actuelle que privilégier les relations est-ouest.

LA PRÉPONDÉRANCE DU TRAFIC DE TYPE RADIAL

Dans le domaine du transport de voyageurs, en effet, apparaît très clairement la primauté des liaisons radiales, à la fois en raison de leur importance propre et aussi de l'atonie des échanges de type transversal.

Favorisées par l'arrivée du TGV les relations avec la capitale bénéficient en moyenne d'une trame de 17 trains dans chaque sens entre Paris et Rennes, de 4 à 5 entre Rennes et Brest ou Quimper. Les temps de parcours sont remarquables. Rennes est dorénavant à un peu plus de 2 heures de Paris, Brest à environ 4 heures, Quimper à moins de 4 heures 30. Il n'est donc pas étonnant que les flux augmentent régulièrement depuis 1989 (1), atteignant maintenant 15 000 voyageurs en moyenne quotidienne, les deux sens réunis, entre Rennes et Le Mans. Important puisqu'il la classe au 13e rang des gares françaises de province, le trafic de la gare de Rennes, agglomération de 235 000 habitants, s'établit majoritairement avec la capitale.

Aussi, à l'ouest, les courants issus du tronc commun et qui se séparent dès la sortie de la gare sont-ils beaucoup moins denses sur les deux axes de Bretagne nord et sud, dont l'activité s'équilibre ; les flux diminuent progressivement en se rapprochant des gares terminales, en raison entre autres de l'activité,

---

(1) Entre 1988 et 90 un gain de 15% a été enregistré entre Rennes et Le Mans.

Sur la ligne Rennes-Brest, des trains Corail intervilles assurent la correspondance TGV pour les villes moyennes que les trains à grande vitesse ne desservent que rarement, voire pas du tout.

Parmi les rares antennes subsistant en Bretagne, celle de Paimpol, gérée par la CFTA, a bénéficié d'une modernisation de l'exploitation grâce aux nouveaux autorails légers à agent seul. Ci-dessus, la ligne de Paimpol longeant la magnifique ria du Trieux. Ci-dessous, une autre antenne, ouverte seulement l'été, donne correspondance depuis Auray sur Quiberon aux voyageurs provenant de la radiale Rennes-Quimper.

orientée surtout avec Rennes et Paris des gares de Saint-Brieuc et de Lorient : près de Brest et Quimper, ils descendent en dessous des 4 000 voyageurs.

En opposition, les relations transversales, une fois de plus, font pâle figure. A la fois conséquence et cause de la faiblesse du trafic, les prestations offertes sont modestes, en raison de l'équipement parfois rustique des lignes, et des tracés sinueux : alors que la médiocrité des liaisons entre Rennes et la Normandie a déjà été soulignée, comment ne pas remarquer qu'entre Quimper et Brest la distance ferroviaire est de 102 kilomètres, contre 70 par la route, qu'entre Rennes et Nantes, les deux itinéraires sont respectivement de 152 et 101 kilomètres.

De plus, dans le cadre du plan routier breton, la mise à 4 voies de ces axes, comme d'autres, ne peut que pénaliser indirectement le chemin de fer. Aussi ne faut-il pas s'étonner si entre les deux principales villes bretonnes, distantes de seulement une centaine de kilomètres, les échanges ferroviaires sont minces, de l'ordre de moins de 1 500 voyageurs en moyenne quotidienne, les deux sens réunis : malgré l'électrification qui a permis une sensible amélioration, dans le meilleur des cas, le trajet entre Rennes et Nantes représente 1 h 18 sans changement ou près de 2 heures avec changement de train en gare de Redon, où les courants les plus denses sont ceux qui circulent entre les lignes de Rennes et Quimper.

Compte tenu du petit nombre de relations directes entre les 2 villes, 4 à 6 par jour dans chaque sens, la gare de Redon joue un rôle de correspondance très affirmé, avec de nombreuses possibilités de changement offertes par les trains et autorails des lignes de Rennes, Quimper et Nantes.

Un autre élément essentiel, positif celui-là mérite d'être souligné. Avec la Côte-d'Azur, la Bretagne représente la région française qui accueille l'été le plus de vacanciers, surtout dans ses nombreuses stations balnéaires. Aussi le trafic des voyageurs connaît-il alors des pointes spectaculaires, puisque le débit réel des artères principales peut sextupler certains jours de juillet ou d'aôut, avec éclatement des flux, grâce aux lignes secondaires et aux autocars, de Saint-Malo (1) à la Baule en passant par Perros-Guirec ou Bénodet. C'est alors surtout que depuis la transversale Bordeaux-Nantes des voitures directes ou des trains venant du sud du pays atteignent Rennes, Quimper ou Brest.

Proportionnellement le trafic du fret se révèle beaucoup moins important que celui des voyageurs. Deux indices sont probants : aucune gare bretonne (la Basse Loire restant exclue) ne se classe parmi les 50 premiers chantiers de la SNCF

---

(1) *L'activité de la ligne Rennes Saint-Malo se caractérise par la juxtaposition de courants migratoires quotidiens et de flux estivaux importants.*

En Bretagne, le trafic fret ne cesse de s'effondrer et, à défaut de transports lourds, risque même de disparaître à moyen terme. Ici, une desserte qui subsiste encore, celle du port du Légué à Saint-Brieuc, avec le passage de la ligne le long de la ria du Gouet.

Morlaix, avant et après l'électrification et l'arrivée du TGV : le train diesel Corail a cédé la place à une rame Atlantique, les vieux autorails X 2400 ont été remplacés par des X 2100 et l'emprise de l'ex-dépôt est occupée par un parking, rabattements automobiles obligent.

Sur les deux radiales bretonnes, les TGV poursuivent leur route sur ligne ancienne depuis Le Mans. Cependant, mettre Brest et Quimper à 3 h 15/3 h 30 de Paris sous-entend la poursuite de la ligne à grande vitesse jusqu'à Rennes, un projet qui figure au schéma directeur.

pour les tonnages chargés et déchargés, tandis qu'en dehors de l'axe Rennes-Le Mans aucune ligne ne supporte un trafic atteignant 5 000 tonnes en moyenne journalière, les deux sens réunis.

La faiblesse relative de l'industrialisation et en particulier la rareté des très grandes usines constituent l'élément principal d'explication. Mais intervient aussi l'efficacité de la concurrence routière, aidée par l'amélioration récente et considérable du réseau, pour entre autres l'approvisionnement des multiples stations balnéaires dispersées sur les côtes nord et sud ; dans le domaine agricole, le chemin de fer n'a pu ou n'a su conserver son rôle essentiel dans l'acheminement vers Paris et l'étranger, par exemple, de la production de choux-fleurs de la région de Saint-Pol-de-Léon.

Le trafic, où dominent les arrivées, dans la proportion des 3/4 environ, est tout de même stimulé par les produits agricoles et l'activité agro-alimentaire, par l'activité industrielle de l'agglomération de Rennes, automobile en particulier. Comme celui des voyageurs, il s'établit surtout avec la région parisienne. Inférieur à un millier de tonnes en moyenne quotidienne, les deux sens réunis, au départ de Brest ou Quimper, il s'épaissit peu à peu pour atteindre 3 000 tonnes entre Vannes et Redon, 4 000 tonnes entre Saint-Brieuc et Rennes. La section Rennes-Le Mans, concentrant l'ensemble du trafic breton, atteint un flux global de 11 000 tonnes dont 7 000 dans le sens est-ouest. Dès lors le rôle de régulation du nœud rennais apparaît clairement. Seul de son espèce dans le périmètre, le triage de Saint-Hélier, en plus de la distribution et du ramassage des wagons dans sa zone géographique, échange quotidiennement des trains avec ses semblables de Saint-Pierre-des-Corps et Sotteville, relativement proches, mais aussi de Villeneuve-Saint-Georges, Lille-Délivrance, Woippy ou Sibelin. Il fait bonne figure dans la catégorie des triages complémentaires, avec en 1991 une moyenne journalière de 588 wagons expédiés.

Malgré les fermetures de ligne et la perte de certaines parts de trafic, le chemin de fer continue de jouer un rôle important dans une péninsule bretonne pénalisée par son éloignement de la plupart des régions les plus actives du pays. Comme la spectaculaire amélioration du réseau routier, les progrès de la desserte ferroviaire, avec l'arrivée du TGV, doivent à l'ère de l'Europe aider la région à sortir d'un isolement qui reste, malgré les efforts, bien réel.

NANTES ET LA BASSE LOIRE

Avec 465 000 habitants, l'ensemble urbain nantais se classe au septième rang des agglomérations françaises. Mais globalement le département de la Loire-Atlantique atteint le million d'habitants, grâce entre autres au poids des 70 000 habitants de Saint-Nazaire. Malgré les difficultés économiques contemporaines les activités sont variées, avec un complexe portuaire qui compte parmi les six premiers de France, des industries diversifiées ; le rôle directionnel de Nantes est réel, même s'il est quelque peu limité par la présence proche de Rennes, tandis que le tourisme balnéaire est particulièrement développé autour de Pornic, Saint-Gilles-Croix-de-Vie et surtout de La Baule. Aussi le rail doit-il faire face à des missions importantes et diversifiées.

Sa présence est fortement marquée dans le paysage, urbain en particulier.

LES INFRASTRUCTURES

Port maritime comme Bordeaux, Nantes n'en est pas moins le centre d'une étoile harmonieuse de voies ferrées. L'éloignement de la côte, de l'ordre d'une soixantaine de kilomètres, la courbure générale de la côte atlantique qui place la Basse Loire sur l'itinéraire obligé entre l'Aquitaine et la Bretagne péninsulaire, sont les principaux éléments d'explication, en même temps que la convergence des voies ferrées vers une grande métropole régionale.

Jusqu'en 1983, le carrefour nantais présentait l'originalité d'être le seul des principaux centres ferroviaires français ignoré par les caténaires. Cette lacune est maintenant comblée.

En effet, la ligne du Mans et Paris, qui suit étroitement jusqu'à Angers le cours de la Loire, bénéficie désormais des équipements les plus performants, avec l'électrification, en courant 25 000 volts, et le block automatique lumineux. Elle peut ainsi faire face à un trafic important, de l'ordre de 90 circulations en moyenne journalière, les deux sens réunis, parmi lesquels les trains de voyageurs et en particulier les TGV, constituent les deux tiers.

A l'ouest de Nantes, l'artère de Savenay offre le même niveau d'équipement. Il est vrai qu'il s'agit là d'un tronc commun donnant naissance aux lignes de Redon et Saint-Nazaire-Le Croisic, elles à double voie et électrifiées, le BAL ayant en outre été installé sur la ligne de Saint-Nazaire, et le BAPR sur Savenay-Redon ; aussi n'est-il pas surprenant qu'entre Nantes et la gare de bifurcation de Savenay roulent plus de 80 convois, parmi lesquels là aussi les trains de voyageurs sont majoritaires.

Nantes est desservie par une troisième artère à double voie, non électrifiée, celle qui au sud s'élance vers Bordeaux. Jusqu'à Clisson, à 26 kilomètres de la gare de Nantes-Orléans, cette transversale supporte les flux circulant ensuite sur la ligne à voie unique de Cholet ; aussi le volume du trafic, correspondant à une cinquantaine de trains, a-t-il justifié la pose des signaux du BAL entre Nantes et Clisson.

Deux autres lignes, à voie unique et non électrifiées s'échappent du complexe nantais. Au nord, celle de Châteaubriant n'est plus ouverte qu'au trafic du fret. Au sud-ouest de Nantes l'artère de Pornic donne elle-même naissance, à la gare de bifurcation de Sainte-Pazanne, aux lignes de Paimboeuf et de Croix-de-Vie.

Si Savenay, Clisson et Sainte-Pazanne constituent une première ceinture de points d'éclatement des voies ferrées, les nœuds de Redon et d'Angers, beaucoup plus éloignés, et analysés dans d'autres chapitres, doivent eux aussi être considérés comme des extrémités de troncs communs : le premier sépare les itinéraires Nantes-Quimper et Nantes-Rennes, le second les lignes Nantes-Paris et Nantes-Tours.

A l'intérieur du carrefour ferroviaire nantais se retrouvent les modules de base habituels dans tout centre d'importance. Mais ici la complexité est particulièrement forte puisqu'à proximité des bras de la Loire foisonnent les raccordements entre lignes et gares de vocation variée. C'est que les vicissitudes de l'histoire ferroviaire ont amené successivement ou simultanément les compagnies des "Chemins de fer Nantais", du Paris-Orléans (PO) et de l'État à aménager leurs propres installations dans l'agglomération. Dès sa création, la SNCF a entrepris une rationalisation du fonctionnement du complexe, en utilisant au mieux l'héritage.

Trois pôles concentrent le trafic. Celui des voyageurs est en totalité assuré par la gare de Nantes-Orléans, dont les emprises s'étalent non loin de la Loire, dont le bras le plus proche a été asséché après 1945. Dominés par l'immeuble très élancé de la direction régionale de la SNCF les quais, dotés de simples abris parapluie, sont longés par 7 voies de passage, auxquelles il faut ajouter 2 voies en impasse, dont une courte, et une voie de circulation. Bordée de faisceaux de remisage des rames de voitures de voyageurs, TGV en particulier, dotée d'un poste de type PRS très moderne qui contrôle la totalité de la circulation dans une vaste zone, et de quatre voies d'entrée et de sortie côté Paris, cette gare possède un potentiel élevé (1). Comme à Rennes une "gare bis" a été édifiée au sud-ouest de l'ensemble des quais ; plus modeste car ne recouvrant pas les voies elle permet elle aussi aux voyageurs une liaison aisée avec le sud de l'agglomération nantaise.

A l'ouest de la gare, la ligne de Quimper et Rennes traverse le cœur de la cité. Pendant longtemps elle a représenté une gêne considérable puisque tracée le long des quais du port et traversée par de multiples passages à niveau. Des travaux considérables, terminés en 1950, ont réglé le problème : dé-

---

(1) Depuis quelques années les trains et en particulier les TGV peuvent entrer ou sortir de la gare à 60 km/h.

Ci-dessus, un TGV-Atlantique entre La Baule et Le Croisic : l'important trafic fret généré par le complexe industriel de Donges-Saint-Nazaire et les pointes estivales à destination de la Côte d'Emeraude ont motivé l'électrification de la ligne depuis Nantes.
Ci-dessous, la ligne réservée au fret venant de Châteaubriand croisant à niveau, au nord de Nantes, les voies des tramways urbains.

sormais la voie ferrée suit un nouvel itinéraire sur près de 4 kilomètres, établi soit en souterrain soit en tranchées ouvertes ou surtout couvertes ; aussi la liaison entre la cité et le port peut-elle s'effectuer sans difficulté et sans interférence avec le trafic routier urbain.

A quelques kilomètres à l'est, non loin de la Loire, s'allongent les voies de la gare de triage du Blottereau. Elle est essentiellement constituée de 2 faisceaux, situés dans le prolongement l'un de l'autre et forts de 13 voies pour celui de réception, de 32 voies pour celui de débranchement ; l'ensemble est encadré par les deux voies principales de la ligne de Paris. Pendant longtemps l'un des plus beaux fleurons du RO (Régime Ordinaire) dans l'ouest du pays, ce triage fait maintenant partie de la famille des chantiers complémentaires.

A proximité immédiate du triage, le dépôt du Blottereau n'a pendant des décennies été fréquenté que par des locomotives à vapeur et par des engins thermiques. Désormais une partie des installations accueille les locomotives électriques, dont le rôle a d'ailleurs décliné dans le domaine de la traction des trains de voyageurs depuis la mise en service des TGV, qui eux ne fréquentent pas le dépôt.

Le troisième pôle ferroviaire nantais est implanté près du centre urbain, dans l'île Beaulieu enserrée par les bras de la Loire : c'est la gare de Nantes-État. Elle a depuis longtemps perdu tout trafic de voyageurs mais jusqu'à la mise en route du plan ETNA concentrait les opérations de triage des wagons du RA (Régime Accéléré) de l'étoile nantaise. Maintenant la quarantaine de voies, assez courtes pour la plupart, qui composent les faisceaux centraux ne sont affectés qu'au classement des wagons à destination ou en provenance des voies de débords ou des quais, des embranchements particuliers comme celui du MIN (Marché d'Intérêt National), ou du SERNAM qui les entourent à l'ouest de Nantes, sur la ligne de Redon, le faisceau de voies de Chantenay joue le même rôle pour la zone portuaire et industrielle de rive droite.

Les trois pôles centrés sur les gares d'Orléans, du Blottereau et État sont reliés entre eux par un système de raccordements nombreux et complexes. A double voie, ils permettent aux trains ou aux locomotives de circuler aisément entre les gares et les lignes de Paris, Châteaubriant et Bordeaux (1). Ils confèrent une densité exceptionnelle au réseau ferré nantais, dans la partie méridionale de l'agglomération.

Les nœuds extérieurs à l'ensemble nantais possèdent bien sûr des installations beaucoup plus modestes, mais adaptées à leur rôle. C'est ainsi que la gare de bifurcation de Savenay (2)

(1) Encore que les lignes de Bordeaux et de Châteaubriant n'aient jamais été reliées directement au triage du Blottereau, ce qui oblige les trains concernés à aller rebrousser en gare de Nantes-État.

(2) L'absence de saut de mouton implique le croisement à niveau des deux itinéraires Nantes-Redon (une quinzaine de circulation en moyenne) et Saint-Nazaire-Nantes (25 environ).

(3) Alors que la distance par la route n'atteint pas 350 kilomètres, la durée du trajet par le rail représente près de 6 heures, avec plusieurs changements.

est dotée de 4 voies à quai de passage, comme celle de Saint-Nazaire. Cette dernière, en outre, est flanquée de faisceaux de voies qui desservent le port et les emprises industrielles, celles des chantiers navals en particulier.

Par rapport au carrefour rennais proche, le trafic de l'ensemble ferroviaire nantais se caractérise par la même prépondérance du transport des voyageurs, mais aussi par le poids plus lourd des échanges générés par une agglomération plus importante.

LE TRAFIC DES VOYAGEURS

L'agglomération nantaise compte près d'un demi-million d'habitants. De plus elle se trouve placée au croisement de courants radiaux, reliant la capitale aux secteurs balnéaires proches de la Basse Loire, et transversaux qui s'établissent entre la Bretagne péninsulaire d'une part, le centre ouest et le sud ouest du pays de l'autre. Aussi les flux sont-ils le plus souvent importants et variés.

Ils se concentrent essentiellement sur trois axes. Le plus important, et de loin est, comme à Rennes, celui de Paris, où sont recensés en moyenne quotidienne, les deux sens réunis, près de 12 000 voyageurs. C'est qu'en dehors des relations avec la capitale ce tronc commun supporte jusqu'à Angers le courant de la transversale Nantes-Tours-Lyon. En seconde position se présente avec plus de 5 500 voyageurs la section Nantes-Savenay, empruntée par les trains des lignes de Saint-Nazaire-Le Croisic et de Redon ; cette dernière l'emporte au-delà de Savenay avec près de 60% du trafic global. Au sud 3 700 personnes sont transportées entre Nantes et La Roche-sur-Yon ; la ponction opérée à Clisson par la ligne de Cholet est faible, de l'ordre de 200 voyageurs environ, sur l'amorce de la transversale de Bordeaux.

Sans commune mesure avec les énormes flux qui s'écoulent en région parisienne, autour de Nantes s'organise, beaucoup plus qu'autour de Rennes, un vrai trafic de banlieue, de type pendulaire, auquel s'ajoutent des déplacements interrégionaux ou en correspondance avec les grandes lignes. Sans dépasser le plus souvent un volume de 4 à 500 personnes, des courants journaliers, en semaine, relient Nantes à des agglomérations comme Savenay, Saint-Nazaire, Saint-Gilles-Croix-de-Vie, La Roche-sur-Yon, éloignées au plus de 80 kilomètres. Des autorails ou automotrices électriques assurent ce type de service qui contribue à l'animation de la gare de Nantes-Orléans.

Dans des proportions sans commune mesure avec le trafic centré sur Nantes, Saint-Nazaire génère grâce aux Chantiers Navals, très gros utilisateurs de main-d'œuvre, un trafic domicile-travail. Celui en provenance de Redon a, depuis l'électrification, été détourné par Savenay, entraînant la fermeture de la ligne Montoir-de-Bretagne-Pontchâteau.

Sur les diverses lignes de l'étoile les trains de grandes lignes offrent des prestations de qualité inégale. Ainsi, l'attractivité moyenne des relations ferroviaires entre Rennes et Nantes a déjà été soulignée ; aussi se rendre par le train de Nantes à Cherbourg relève-t-il de l'authentique exploit (3). Meilleures, les liaisons avec Quimper et Brest souffrent de la fréquente nécessité d'un changement de train à Redon ; la mise en service des TGV sur l'axe de Bretagne-Sud a apporté de nombreuses améliorations dans le domaine de la fréquence et de la vitesse.

Au sud de la Loire les caractéristiques modestes de la desserte de la transversale de Bordeaux ont déjà été évoquées. Bien disposés dans la journée les sillons des trains sont peu nombreux, 5 dans chaque sens, et ne proposent que des vitesses moyennes peu performantes, inférieures à 100 km/heures. L'originalité réside dans le fait que Nantes constitue un jalon de poids sur la relation Quimper-Vintimille, via Bordeaux, Toulouse et Marseille, de loin l'itinéraire le plus long de France puisqu'atteignant 1 570 kilomètres ; même relativement lentes, les relations offertes, notamment la nuit, permettent de se rendre depuis Nantes, sans changement aussi bien sur les rivages de la mer d'Iroise qu'à l'entrée de la Riviera. Pendant longtemps Nantes a été également tête de ligne d'une autre transversale, plus importante qui, traversant le centre de la France, se termine à Lyon après avoir desservi Angers, Tours, Vierzon, Saint-Germain-des-Fossés. Le service de base était constitué au départ de Nantes de 5 rapides et express quotidiens, 4 de jour et un de nuit. Or le lancement des TGV entre Nantes et Paris, en 1989, a entraîné un relatif dépérissement du trafic de bout en bout sur la transversale : phénomène compréhensible puisque le trajet par la capitale a représenté dès l'origine un gain de l'ordre d'une heure trente ; la création de relations TGV directes Nantes-Lyon (trajet en un peu moins de 5 heures, et 4 heures dans un proche avenir), la mise en service à Massy d'une gare d'interconnexion, ont amené la SNCF a envisager l'allègement de la trame des trains classiques roulant entre les deux villes sur l'itinéraire traditionnel. 1983 et 1989 : deux années charnières et importantes dans le domaine des relations de Nantes avec Paris. 1983, c'est l'électrification de la section Le Mans-Nantes et une première amélioration substantielle des vitesses : le Trans Europ Express "Jules Verne" couvre dès lors le parcours en 2 h 53 grâce au relèvement de la vitesse plafond à 200 kilomètres/heure. 1989 voit la mise en service des TGV et de la ligne nouvelle Atlantique, d'où un nouveau bond spectaculaire puisque le meilleur temps se trouve abaissé à 1 h 59, soit à une vitesse moyenne de l'ordre de 194 km/heure. Depuis, le succès a été incontestable, dans la mesure où par exemple le nombre moyen de voyageurs transportés au départ de Nantes en direction d'Angers a augmenté de plus de 15% en 2 ans.

Le service offert est en effet de qualité, très comparable à celui mis en place entre Paris et Rennes, avec une trame quotidienne un peu moins dense (14 allers-retours au lieu de 17), mais là aussi de nombreuses possibilités de séjours de plusieurs heures dans la ville d'arrivée. En service de base, plusieurs TGV poursuivent leur route à l'ouest de Nantes, jusqu'à Saint-Nazaire et au Croisic.

A l'image de la plupart des principales agglomérations du pays, c'est donc avec la capitale, et de loin, que Nantes établit les meilleures relations ferroviaires. Ici comme ailleurs la

qualité des relations TGV minore relativement et par ricochet le niveau des prestations offertes sur les autres lignes.

Ces échanges connaissent les pulsions habituelles, en fin de semaine en particulier. Mais, comme à Rennes, l'activité estivale est marquée par une recrudescence sensible. La différence est qu'autour de Nantes les sites balnéaires attractifs sont beaucoup plus proches. De juin à septembre, dans le cadre du service régulier d'été et plus spécialement lors des pointes comme celles du 14 Juillet ou du 15 Août, des trains plus nombreux sillonnent les lignes de l'étoile nantaise, celles de Quimper, de Bordeaux et bien entendu celle de Paris : des express et rapides relient directement la capitale à Pornic, Saint-Gilles-Croix-de-Vie et les Sables-d'Olonne, au sud de l'estuaire, et, au nord, à La Baule et au Croisic ; par rapport à ses rivales de la côte atlantique la grande station de La Baule est avantagée par l'arrivée des TGV, qui la situent maintenant à moins de 3 heures de Paris !

Dans ces conditions la gare de Nantes-Orléans, qui centralise le trafic des voyageurs, ne peut que connaître une forte animation : de l'ordre de 160 trains entrant en gare ou en sortant en service normal, l'activité quotidienne moyenne atteint les 200 mouvements lors des mois d'été. Les convois de marchandises de la ligne de Savenay, au nombre d'une vingtaine les deux sens réunis peuvent emprunter la voie de circulation extérieure et ainsi dégager les voies à quai. Les flots de voyageurs qui arpentent les quais sont en rapport avec d'abord les flux générés par une agglomération de près d'un demi-million d'habitants, qui classent la gare au 9e rang des gares françaises de province ; le trafic local dépasse d'environ 20% celui de la

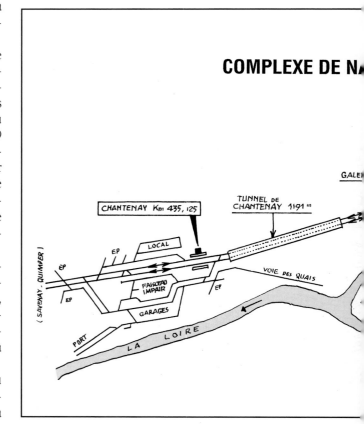

Au sud de Nantes, Challans est l'origine ou la destination de trafics de type "grande banlieue de Nantes" ou touristique pour la desserte de la côte vendéenne.

gare de Rennes, est à peu près au même niveau que celui des gares de Rouen Rive Droite ou Nancy ; mais ils concrétisent également l'ampleur de la fonction de correspondance, entre surtout les trains des lignes de Quimper, Rennes, Bordeaux et Paris : c'est ainsi que c'est par Nantes que les relations ferro-viaires s'établissent entre la capitale d'une part, la Roche-sur-Yon et les Sables-d'Olonne de l'autre. Enfin, même minces, les flux de banlieue complètent la palette de l'activité de la gare de Nantes-Orléans, la plus active de l'ensemble des gares des régions de l'ouest du pays.

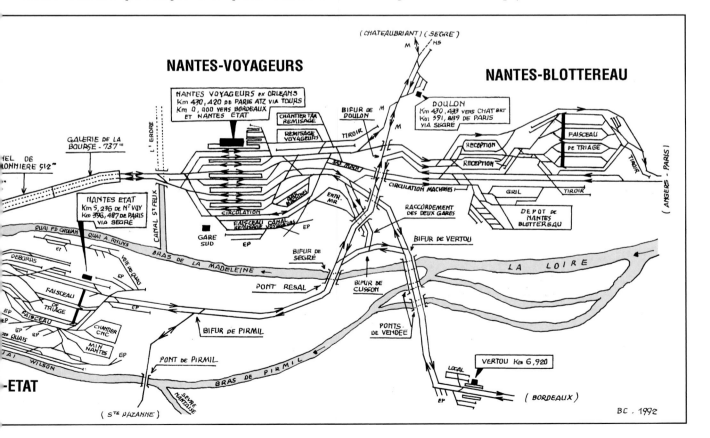

Une vue du faisceau marchandises de Penhoët à Saint-Nazaire ; au premier plan, le train ouvrier des chantiers navals vers Redon, remplacé depuis peu par des automotrices Z2 circulant via Savenay, grâce à l'électrification Savenay-Redon ; cette mesure a entraîné la fermeture de la ligne Montoir-de-Bretagne-Pontchâteau qui n'était empruntée que par ce seul train ouvrier.

LE FRET : LE POIDS DU COMPLEXE INDUSTRIEL PORTUAIRE

Pas plus qu'autour de Rennes les courants de fret autour de Nantes ne peuvent être considérés comme globalement massifs. Nettement inférieurs à 1 000 tonnes en moyenne quotidienne les deux sens réunis, sur les lignes de Châteaubriant et Paimbœuf, ils ne dépassent que de peu ce volume sur l'artère de Bordeaux. Mais les flux sont denses sur deux axes : s'ils atteignent 6 500 tonnes entre Nantes et Savenay, c'est qu'il s'agit là d'un tronc commun : à l'ouest de Savenay la ligne de Saint-Nazaire attire les deux tiers du trafic. Comme dans le domaine des voyageurs l'axe d'Angers et Paris l'emporte de loin avec 10 000 tonnes, soit presque l'équivalent des tonnages transportés entre Rennes et Le Mans ; le flux se dirigeant vers Nantes accapare près des deux tiers de l'ensemble. Les éléments d'explication sont clairs.

D'abord le rôle de transit du nœud ferroviaire nantais n'est pas important. En effet les diverses lignes de l'étoile n'établissent pas des connexions aussi complexes et vivantes qu'autour du Mans ou de Tours, carrefours plus rayonnants et actifs. C'est ainsi que les échanges ferroviaires de marchandises entre la Bretagne péninsulaire et le sud-ouest n'ont jamais été très volumineux, tandis que Rennes et Nantes ne constituent pas deux pôles industriels complémentaires travaillant en

étroite symbiose. De plus c'est par Rennes et non par Nantes que s'écoulent les flux non négligeables entre la région parisienne et la ligne de Bretagne-Sud.

En revanche, plus qu'à Rennes, Le Mans ou Tours naissent ou aboutissent dans l'ensemble ferroviaire même de la Basse-Loire des courants importants ; ils sont induits par l'importance de l'agglomération et par l'ampleur des activités portuaires et industrielles. Comme sur l'ensemble du réseau l'activité, depuis de nombreuses années, se caractérise par un incontestable tassement, à moduler d'ailleurs.

Les arrivages représentent, à l'échelle de la Loire-Atlantique, environ 60% du trafic total. Ils sont de nature très variée. Se remarquent entre autres les marchandises de consommation courante, comme les boissons et en particulier les eaux minérales, reçues à Carquefou et à La Chapelle-sur-Erdre, les fruits et légumes reçus au MIN (Marché d'Intérêt National de Nantes). Au plan du tonnage dominent les produits de la sidérurgie, comme les tôles reçues à Basse-Indre, et les céréales, stockées dans les imposants silos de Chantenay et Saint-Nazaire, pour l'exportation maritime.

Parmi les marchandises expédiées déclinent des trafics comme ceux du charbon, en raison des mutations qui touchent les centrales thermiques nantaises, ou des engrais. En revanche se maintiennent les chargements de ferrailles, vers les pays méditerranéens, de fer blanc vers la Lorraine, et surtout de produits pétroliers : près de 400 000 tonnes sont expédiées annuellement depuis la raffinerie ELF de Donges vers l'ouest, le centre et le sud-ouest du pays.

Dans ces conditions, il n'est pas surprenant que le trafic des gares de Nantes même, et en premier lieu celui de Nantes-État, soit important : cette gare dessert à la fois la ville et une partie du port urbain, le MIN, les halles du SERNAM. Mais pour l'essentiel, les chargements et déchargements massifs sont effectués à l'ouest de l'agglomération, le long d'une véritable rue industrielle : de Nantes à Saint-Nazaire en passant par Chantenay, Basse-Indre, Donges et Montoir de Bretagne, autrement dit sur la rive nord de l'estuaire et donc en osmose avec les activités portuaires, se succèdent les usines métallurgiques ou d'engrais, les chantiers de construction navale, une vaste raffinerie, des entrepôts variés. Aussi la fabrication de navires place-t-elle, au plan des tonnages expédiés et reçus, la gare de Saint-Nazaire avant l'ensemble de celles de l'agglomération nantaise ; par ailleurs, grâce aux engrais et surtout aux produits pétroliers, le trafic de celle de Donges dépasse largement le demi-million de tonnes, constituant environ le quart de l'activité ferroviaire de la Basse-Loire dans le domaine du fret. Alors s'explique l'ampleur des courants de marchandises sur la ligne Nantes-Savenay-Saint-Nazaire, qui dessert étroitement cet axe industriel.

L'organisation générale du trafic est simple. Comme sur l'ensemble du réseau se développe le trafic par trains complets, au départ et à l'arrivée, dans les gares de Nantes-État, Chantenay, Donges ou Saint-Nazaire, aussi bien pour le transport des ferrailles, des conteneurs que celui des produits pétroliers. Pourtant, même en diminution, les wagons isolés subsistent. Leur distribution et leur ramassage sur les lignes de l'étoile nantaise sont organisés par le triage du Blottereau. Celui-ci, comme beaucoup de ses semblables, s'est retrouvé déclassé avec la mise en œuvre du plan ETNA, puisqu'il ne fait plus partie que de la famille des triages complémentaires ; concentrant les activités des deux anciens chantiers RA (Régime Accéléré) de Nantes-État et RO (Régime Ordinaire), il n'expédie plus, en moyenne quotidienne, que 322 wagons en 1991 ; s'il établit des relations suivies avec des triages extérieurs à sa zone d'action et en particulier avec celui de Saint-Pierre-des-Corps, puissant et géographiquement proche, son avenir dans le cadre du plan ETNA est très menacé.

L'activité du complexe ferroviaire nantais, d'une manière générale, se soude étroitement avec celle, intense, qui caractérise le corridor du Val de Loire tout proche.

Le port de Nantes (ci-contre) voit peu à peu ses activités chassées par l'urbanisation et la fermeture des chantiers navals ; ceux de Saint-Nazaire (ci-dessous) restent par contre le dernier bastion de la construction de gros navires en France et le rail y achemine de nombreuses pièces de métallurgie.

Un TGV passant à 300 km-h sur les voies principales centrales de la gare de Vendôme.

LE CORRIDOR DU VAL DE LOIRE

Vanté pour la douceur de ses paysages et de son climat, le Val de Loire développe d'Orléans au pays nantais un large ruban à la fois très actif et peuplé, jalonné par les villes de Blois, Tours, Saumur et Angers. Intégré dans la partie centrale du pays et proche de la capitale, il facilite de nombreuses liaisons entre le Bassin Parisien d'une part, l'ouest et le sud-ouest de la France de l'autre.

Aussi a-t-il toujours été intensément marqué par la circulation ferroviaire. Mais dans ce domaine son originalité essentielle réside dans le fait que depuis la création de la SNCF, rarement une relation importante l'a emprunté de bout en bout. La double voie, très bien équipée avec électrification et signaux lumineux, est en fait suivie partiellement par des trains pour qui elle ne représente qu'une partie de leur itinéraire ; ainsi la section Orléans-Tours constitue-t-elle une partie de l'axe Paris-Bordeaux, tandis que le tronçon Tours-Angers se confond avec la transversale Lyon-Nantes ; à l'ouest d'Angers c'est une autre radiale, la relation Paris-Nantes, qui vient courir sur les bords de la Loire.

La situation centrale du Val de Loire, la platitude relative des régions qui l'encadrent et les facilités offertes par plusieurs grands affluents de la Loire expliquent en plusieurs points une remarquable convergence de voies ferrées. Malgré le niveau de leur activité les nœuds de Saumur et d'Angers sont dépassés en importance par deux carrefours complexes qui comptent parmi les rouages essentiels du réseau, ceux de Tours-Saint-Pierre-des-Corps et Orléans-Les Aubrais.

ORLÉANS-LES AUBRAIS : UNE TRÈS IMPORTANTE BIFURCATION

Le rôle principal de ce carrefour a déjà été noté : comme ceux d'Amiens ou du Mans il marque le point d'éclatement d'un tronc commun né dans la capitale.

En apparence Orléans constitue le centre d'une étoile ferroviaire fort harmonieuse. Mais 4 des sept branches sont en fait des lignes très secondaires, à voie unique et à équipement rustique, qu'elles se dirigent vers Chartres et Pithiviers à travers la plaine de Beauce, vers Vennecy, vers Châteauneuf-sur-

348

Loire le long du fleuve. Le contraste est saisissant avec les trois axes majeurs, électrifiés en courant 1 500 volts et dotés du block automatique lumineux. Quadruplée au nord d'Étampes, la ligne venant de Paris bénéficie sans interruption d'une troisième voie, soit paire soit impaire, qui permet une augmentation sensible du débit théorique : malgré le délestage opéré par la mise en service de la ligne nouvelle du TGV Atlantique, près de 200 trains roulent en moyenne quotidienne, les deux sens réunis, entre Étampes et Les Aubrais. Au sud du carrefour les deux branches qui éclatent à partir du tronc commun connaissent chacune une activité moins forte mais soutenue : 90 circulations pour la ligne de Toulouse, tracée dans la plaine marécageuse de Sologne, 120 pour celle de Tours et Bordeaux qui court le long de la Loire. Comme celui de Tours, et pour le même type de raison, c'est-à-dire dans un premier temps l'arrivée de la ligne de Paris dans une gare en impasse, puis en raison de l'urbanisation l'obligation de créer plus tard l'indispensable gare de passage en dehors de l'agglomération elle-même, aux Aubrais (1), le carrefour d'Orléans est un nœud double. La cité n'est dotée que d'une gare en cul-de-sac ; bien située près du cœur de

(1) Contrairement à une idée répandue les deux municipalités de Tours et Orléans n'ont donc pas refusé le chemin de fer.

la ville, équipée de 7 voies à quai, elle est reliée par des raccordements à voie unique symétriques aux artères de Tours et Limoges.

Le cœur du complexe orléanais se situe en réalité au nord de l'agglomération : la gare des Aubrais assume comme mission première la séparation des flux issus du tronc commun se dirigeant vers Toulouse ou Bordeaux. La bifurcation, si elle est matérialisée par des appareils de voie permettant en voie directe ou déviée la vitesse de 110 km/heure, est à niveau, avec donc incompatibilité de circulation simultanée sur les itinéraires Paris-Bordeaux et Toulouse-Paris ; un palliatif à vrai dire peu utilisé est offert par l'utilisation du saut-de-mouton qui, plusieurs kilomètres au nord de la gare, donne accès au triage : un train Paris-Bordeaux, au prix il est vrai d'une sensible réduction de sa vitesse, peut alors passer sous la voie rapide suivie par le convoi Toulouse-Paris, pour retrouver son itinéraire normal à l'entrée de la gare des voyageurs.

Celle-ci, forte de 6 voies de passage et de 3 voies courtes en cul-de-sac utilisées par les navettes Les Aubrais-Orléans, est dominée par le puissant bâtiment du PRS ; elle s'intercale entre la bifurcation qui marque la séparation technique des deux grandes artères et la zone de leur éclatement dans deux directions opposées, de part et d'autre du centre urbain d'Orléans.

Orléans-Les Aubrais : un Corail Toulouse-Paris-Austerlitz traverse les faubourgs de la ville.

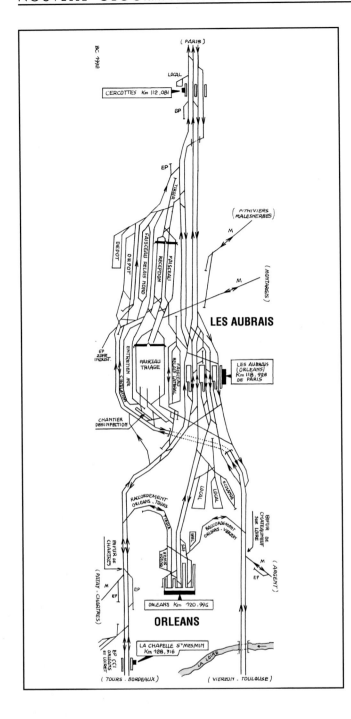

Avec l'application du plan ETNA pour l'acheminement des wagons isolés et la mise en service de la ligne nouvelle du TGV Atlantique, ces diverses installations ne connaissent plus maintenant le même niveau d'activité.

La gare de triage a dans un premier temps été classée comme triage complémentaire ; elle a alors profité de la mise en sommeil progressive du chantier de Paris-Tolbiac (1). Mais l'accentuation de la concentration des opérations et la poursuite de la baisse du trafic diffus, au bénéfice des trains complets, lui ont été fatales : depuis 1991 les faisceaux des Aubrais ne connaissent plus qu'une activité tout à fait locale c'est-à-dire le classement des wagons roulant sur les lignes de l'étoile (2) ; ils prêtent également leurs voies aux opérations de relais. Dans ces conditions la gare des Aubrais, pour l'ensemble du trafic de fret, joue désormais un rôle moins actif mais important : les appareils de voie de la bifurcation répartissent chaque jour entre les directions de Tours et Limoges ou au contraire regroupent une centaine de trains, les deux sens réunis, qui circulent sur le tronc commun Les Aubrais-Paris : l'artère de Bordeaux l'emporte très nettement, avec près de 70 convois qui transportent 36 000 tonnes, contre 30 sur l'artère de Toulouse acheminant 12 000 tonnes. Souvent ces trains traversent sans le moindre arrêt le complexe d'Orléans-Les Aubrais.

Ce constat est valable aussi pour le transport des voyageurs. Non que l'activité générée par une agglomération de 220 000 habitants soit négligeable, puisqu'il représente plus de la moitié du trafic enregistré à Nantes-Orléans ou Nancy-Ville : la proximité de la capitale (121 kilomètres entre les gares de Paris-Austerlitz et d'Orléans) explique des flux de "super banlieue", quotidiens. Ils sont favorisés par une durée de trajet à peine supérieure à une heure, mais handicapés par la nécessité, pour de nombreuses relations, du changement de train en gare des Aubrais et de l'emprunt des navettes pour les deux derniers kilomètres.

C'est qu'aucun train de grandes lignes ne fréquente la gare d'Orléans même, en raison de sa situation en impasse. Les convois qui desservent l'agglomération se contentent de marquer un court arrêt en gare des Aubrais, impliquant donc l'utilisation obligatoire des navettes pour l'habitant du cœur de la cité désireux de se diriger vers Toulouse ou Bordeaux (3).

Avant 1990 et la mise en service de la ligne nouvelle suivie par les TGV, la circulation des trains de voyageurs était particulièrement intense dans le complexe Orléans-Les Aubrais, avec en moyenne quotidienne 130 convois sur la ligne de Paris, près de 80 sur celle de Tours, près de 60 sur celle de Vierzon et Limoges ; parmi les rapides sans arrêt se remarquaient des

Longtemps très actif, le triage des Aubrais longe les voies principales et la gare des voyageurs ; il est essentiellement constitué de deux faisceaux qui se succèdent du nord au sud : celui voué à la réception compte 12 voies, le faisceau de débranchement 34 voies, tandis que deux pinceaux totalisant 9 voies les encadrent. Une annexe traction et un entretien du matériel complètent cet organisme ferroviaire complexe. Comme au nord, l'accès du triage est facilité au sud par un saut de mouton, qui non seulement permet aux trains de la ligne de Toulouse de ne pas se gêner entre eux, mais encore aux convois de marchandises de recouper à un niveau inférieur l'artère de Bordeaux.

(1) En 1990 le triage a expédié en moyenne quotidienne 371 wagons.

(2) Avec une importance toute particulière des expéditions de céréales depuis des silos et embranchements de la plaine de Beauce.

(3) Après 1945, dans le cadre de la reconstruction des installations ferroviaires dévastées par les bombardements, avait été mis au point un ambitieux projet de construction d'une vaste gare de passage à Orléans même ; trop coûteux il faut abandonné.

trains prestigieux comme les "Capitole", "Étendard" ou "Aquitaine". C'est que passaient en gare des Aubrais non seulement les convois constituant la trame des relations Paris-Bordeaux ou Paris-Tours, mais encore ceux qui assuraient les liaisons entre la capitale, Montluçon, Limoges, Tours ou La Rochelle. Depuis 1991, comme celle d'Austerlitz, la gare des Aubrais-Orléans subit les effet du détournement par la ligne nouvelle TGV du trafic haut de gamme entre la capitale et Bordeaux. Si les "Étendard" ou "Aquitaine" ont disparu, subsistent sur la ligne Paris-Tours des relations classiques assurées par des rames traditionnelles, qui parfois poursuivent leur route en direction de Bordeaux (1). Par ailleurs le trafic de l'axe Paris-Limoges-Toulouse, pour le moment, ne subit pas de modification sensible : il devient donc le flux dominant identifié en gare des Aubrais.

Dans le domaine du transport des personnes la mise en service probable des TGV, à terme, entre Paris et Limoges n'est pas de nature à modifier l'activité du nœud Orléans-Les Aubrais puisque l'itinéraire actuel serait dans son ensemble conservé, avec sans doute des tronçons nouveaux de Paris à Étampes et en contournement de Vierzon. Le carrefour conservera dans tous les cas de figure un rôle essentiel pour la desserte du Val de Loire, du sud du Bassin Parisien, et en raison du maintien de trains classiques, Corail entre autres et internationaux, sur les axes de Bordeaux et de Toulouse.

Aussi le carrefour d'Orléans-Les Aubrais continuera-t-il de constituer un pôle ferroviaire très important entre la région parisienne et l'ensemble du sud-ouest.

_____

(1) Une quarantaine de trains de voyageurs roulent, les deux sens réunis et en moyenne quotidienne, entre Les Aubrais et Saint-Pierre-des-Corps.

L'ÉTOILE DE TOURS-SAINT-PIERRE-DES-CORPS

Rayonnant, le nœud tourangeau l'est dans les deux sens du terme, par son importance et par l'envergure et la richesse de l'étoile de voies ferrées qu'il commande.

Au contact des pays du centre du Bassin Parisien, du nord du Massif Central, de l'ouest et des abords du sud-ouest, la région de Tours avait vocation d'attirer les lignes de chemin de fer. De plus celles-ci ont beaucoup profité des avantages offerts par le relief : amples couloirs, en particulier des vallées de la Loire et du Cher, plaines et plateaux très largement développés de part et d'autre.

9 lignes convergent vers Tours. Quatre sont remarquablement équipées : les deux sections de l'axe Paris-Bordeaux, de part et d'autre du carrefour, sont électrifiées et dotées du block automatique lumineux ainsi que d'IPCS (installations permanentes de contre sens), qui augmentent le débit potentiel ; au sud de Tours la ligne se hisse au niveau du plateau de Sainte-Maure grâce à une rampe de 10 mm/m, longue de 4 kilomètres, qui avant l'électrification était redoutée des tractionnaires.

Electrifiée elle aussi, la ligne d'Angers suit jusqu'à cette ville la vallée de la Loire ; elle n'est jalonnée que par les signaux du BAPR. A l'est de Tours l'artère qui se dirige vers Vierzon constitue elle aussi une section de la transversale Nantes-Lyon ; son profil et son tracé sont également excellents dans la mesure où elle remonte la tranquille vallée du Cher ; elle aussi à double voie, elle n'est pas équipée de caténaires, tandis que l'espacement des trains n'est assuré que par le block manuel unifié. Ces caractéristiques techniques sont également celles de la ligne du Mans, qui en revanche ne bénéficie d'aucun large et long couloir ; mais le profil reste bon car la voie

La gare en impasse de Tours : certains TGV à moyen parcours y ont leur terminus.

ferrée entre les vallées de la Loire et du Loir peut suivre des sillons creusés par leurs affluents et sous-affluents.

Trois artères à voie unique complètent l'étoile classique de Tours. Qu'elles se dirigent vers Paris par Vendôme et Châteaudun, vers Chinon ou Loches elles ne sont dotées que d'équipements simplifiés en relation avec le rôle secondaire qui a toujours été le leur.

Dernière née parmi les branches de l'étoile, la ligne nouvelle réservée aux TGV, ouverte en 1990, n'est pas la moins scintillante. Dotée en effet des derniers perfectionnements techniques comme l'électrification, la signalisation en cabine, des systèmes de sécurité très élaborés, cette artère est à double voie ; comme sa jumelle venue du Mans, qu'elle rejoint à Courtalain, elle permet une vitesse maximale de 300 kilomètres/heure contre 270 km/heure sur la ligne nouvelle Paris-Sud-Est.

La jonction de ces nombreuses lignes forme l'architecture de base d'un carrefour particulièrement complexe.

L'axe général des installations est est-ouest ; coupées à un niveau supérieur par l'autoroute A 10, elles s'étalent pour l'essentiel entre la Loire et le Cher, au sud et à l'est de Tours, très largement sur le territoire de la commune de Saint-Pierre-des-Corps. 4 secteurs peuvent s'individualiser.

La ligne de Brétigny à Tours par Vendôme, malgré la concurrence du TGV, a bénéficié d'une modernisation de sa superstructure et du matériel roulant ; ici, un train automoteur à Châteaudun.

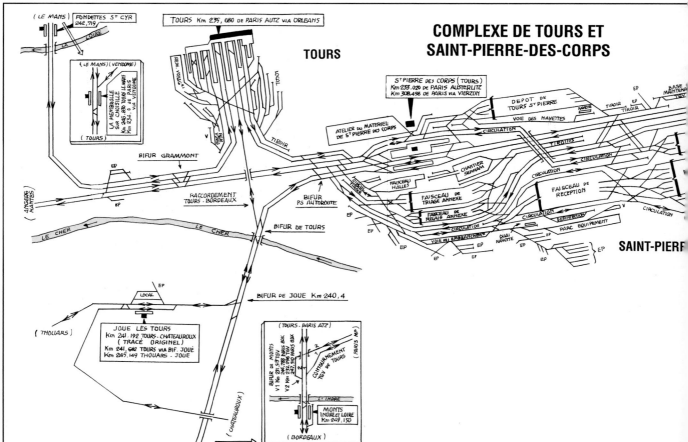

A l'ouest et au sud-est convergent le plus grand nombre des lignes de l'étoile. Au nord de la Loire la ligne du Mans reçoit celle de Vendôme et Châteaudun, avant de rejoindre l'artère d'Angers peu après la traversée du fleuve : la courte section quadruplée qui naît alors permet aux trains de voyageurs roulant entre la gare de Tours et la ligne du Mans, aux convois de marchandises roulant entre la gare de Saint-Pierre-des-Corps et la ligne d'Angers de circuler simultanément sans problème. Près du cœur du nœud ce tronçon rencontre l'artère de Bordeaux, qui elle-même près de Joué-les-Tours a reçu la ligne à voie unique résultat de la rencontre de celles de Chinon et de Loches (1).

Très près du cœur de la ville de Tours a été construite la gare de voyageurs. En impasse, pour les mêmes raisons qu'à Orléans, elle possède une potentialité élevée ; en effet derrière une façade monumentale et sous de vastes verrières se dénombrent 11 voies à quais tandis que 5 voies d'entrée et de sortie s'épanouissent vers la gare de Saint-Pierre-des-Corps, la ligne de Bordeaux (2), le court tronc commun des artères d'Angers et du Mans.

A elle seule la gare de Saint-Pierre-des-Corps, très vaste puisqu'elle s'étend sur près de 5 kilomètres, présente une grande complexité. L'artère Paris-Bordeaux constitue son axe principal. Elle est jalonnée par la gare de voyageurs, distante de 3 kilomètres de celle de Tours, dont les caractéristiques

---

(1) Avant les années 50 cette ligne de Joué-les-Tours bénéficiait d'un tracé autonome jusqu'aux abords de la gare de Tours : elle était branchée sur la ligne d'Angers.

(2) Le raccordement avec la ligne de Bordeaux est à voie unique.

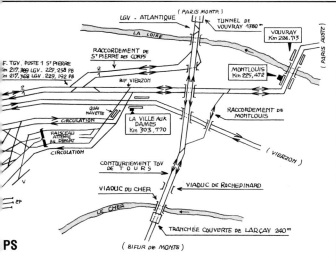

sont différentes de celle des Aubrais : 3 voies de passage auxquelles il faut ajouter une voie courte en impasse qui peut accueillir les navettes desservant la gare de Tours. En outre, 2 voies de circulation extérieure sont empruntées par les locomotives haut le pied et les trains de marchandises ; l'une d'elle, bordée d'un quai, peut être utilisée pour le service des voyageurs. Par ses installations la gare de triage voisine est impressionnante. Comme à Sotteville elle a été aménagée par étapes sous le signe de la différenciation des régimes "ordinaire" et "accéléré" (RO et RA) ; aussi à l'heure actuelle est-il possible d'identifier 5 faisceaux : l'ex-triage RA se compose de deux faisceaux accolés de réception (6 voies) et de triage (16 voies), tandis que la structure de l'ex-triage RO, elle, est très classique avec faisceaux de réception (11 voies), de débranchement (36 voies) et d'attente au départ (6 voies), se succédant d'ouest en est. Ce potentiel considérable est maintenant au service de la mise en œuvre du plan ETNA.

Relié au plateau de triage par un saut-de-mouton, le dépôt de Saint-Pierre-des-Corps joue un rôle important aussi bien par son écurie propre, qui le situe parmi les 15 premiers dépôts français, que par son rôle de relais : il est en effet fréquenté, compte tenu de la situation géographique du carrefour, par des locomotives et des agents de conduite rattachés à des dépôts aussi lointains que ceux de la région parisienne, de Bordeaux ou de Nantes. Complétant la palette du complexe, les ateliers de Saint-Pierre comptent parmi les principaux de la SNCF. Les 850 cheminots qui y travaillent œuvrent surtout pour l'entretien et la réparation des voitures de voyageurs, aussi bien de grandes lignes que de la banlieue parisienne.

A l'est le dernier secteur du complexe ferroviaire tourangeau constitue une autre zone de bifurcation. Sa structure, sur une carte à grande échelle, évoque maintenant celle d'un échangeur autoroutier. En effet subsiste, non loin de la sortie orientale du triage, la séparation de l'artère classique des Aubrais et Paris et de la ligne de Vierzon. Mais en 1990 a été mise en service la ligne nouvelle du TGV : elle se greffe en fait sur l'axe venant de Bordeaux au sud de Tours, à Monts, permettant ainsi aux rames Atlantique sans arrêt d'éviter complètement le complexe Tours-Saint-Pierre-des-Corps. Long de 16 kilomètres, ce contournement sud de Tours offre d'intéressantes possibilités grâce à la construction d'un véritable "échangeur" ferroviaire avec plusieurs raccordements : l'un, à voie unique, non exploité actuellement relie la ligne classique de Paris au contournement ; des trains traditionnels peuvent ainsi ne pas traverser l'ensemble ferroviaire de Tours-Saint-Pierre-des-Corps, souvent engorgé. Une autre, à double voie, dont la plate-forme a fait l'objet d'une réserve, mais non encore construit actuellement, permettrait le cas échéant, à des convois de marchandises roulant sur la ligne de Bordeaux, un départ du triage ou son accès par l'est, souvent plus aisé. Enfin, un raccordement également à double voie et équipé d'un saut-de-mouton relie la ligne nouvelle à la gare de voyageurs de Saint-Pierre-des-Corps et à celle de Tours. L'originalité de cette rocade de contournement est donc de pouvoir

Sur la section Tours-Vierzon de la transversale Nantes-Lyon, un TER desservant Bléré-la-Croix.

théoriquement accueillir à la fois les TGV et les trains classiques, et donc de fournir une bouffée d'oxygène au grand carrefour tourangeau. La ligne nouvelle proprement dite, réservée exclusivement aux TGV, s'élance vers le nord-est en traversant trois imposants ouvrages d'art, le pont sur le Cher long de 827 mètres, situé sur le contournement de Tours, le pont sur la Loire, long de 725 mètres et le tunnel de Vouvray long de 1496 mètres, foré sous un coteau qui porte des vignobles réputés.

Puissantes et complexes, ces diverses infrastructures supportent un trafic lui-même important et varié.

Par le nombre de trains qui sillonnent en tous sens quotidiennement ses installations et ses lignes d'accès, le complexe de Tours-Saint-Pierre-des-Corps mérite d'être considéré comme l'un des grands carrefours du centre de la France.

Avec les deux sens réunis plus de 120 trains par jour, dont un peu plus de la moitié de voyageurs, la ligne de Bordeaux fait désormais jeu égal avec celle des Aubrais, qui en raison de la mise en service de la ligne nouvelle a perdu une partie notable des flux de voyageurs qu'elle supportait. L'axe réservé aux TGV accueille, lui, une quarantaine de circulations. Deux autres lignes sont relativement fréquentées, celles d'Angers (64 mouvements) et de Vierzon (42) ; sur chacune d'elles, le nombre des convois de marchandises et de voyageurs s'équilibre. Par contre, la ligne du Mans souffre depuis 1992 du report de la circulation des trains de fret vers Rennes par l'itinéraire électrifié via Nantes et le triangle de Redon. Les voies ferrées d'intérêt régional de Vendôme, Chinon et Loches ne voient rouler chacune qu'une demi douzaine de trains automoteurs.

Au total plus de 400 mouvements journaliers sont enregistrés à l'entrée et à la sortie du centre ferroviaire avec parmi eux, il est vrai, de nombreux trains de passage, recensés donc deux fois. Deux explications apparaissent, de valeur d'ailleurs inégale. D'abord pèse le poids d'une agglomération comptant 260 000 habitants, qui développe des activités industrielles diversifiées. Mais c'est la situation géographique qui joue le rôle essentiel, dans la mesure où sur les voies ferrées de l'étoile se superposent des courants à la fois divers, importants et à grande distance. Essentiel est celui qui relie la capitale à Bordeaux, à l'ensemble du sud-ouest atlantique et à la péninsule ibérique. Ces flux sont recoupés par les relations transversales qui, grâce à l'itinéraire Nantes-Tours-Lyon, s'établissent entre l'ouest et le sud-est de la France. De plus une autre transversale, celles du Mans et de Mézidon, permet la liaison entre l'Aquitaine et le sud du bassin parisien d'une part, Maine, Bretagne du nord et Normandie de l'autre. Il faut ajouter que par Tours transitent également les courants s'établissant entre la zone de carrières du nord des Deux-Sèvres, l'une des plus importantes de France, et l'Ile-de-France, tandis que les potentialités du triage de Saint-Pierre-des-Corps attirent par Tours une part importante des échanges de marchandises entre la Basse Loire et la région parisienne.

Comme à Orléans le trafic local des voyageurs est placé sous le signe de la dualité. De la gare de Tours, dont le volume de l'activité dépasse celui de la gare de Rennes, partent des trains dans beaucoup de directions, et en particulier vers la capitale, qu'il s'agisse de relations classiques par le Val de Loire ou de TGV limités au trajet Paris-Tours ; ce service, avec un nombre d'une douzaine de mouvements à grande vitesse en moyenne dans chaque sens, offre un rythme presque cadencé ; la durée du parcours, ramenée à un peu moins d'une heure par les TGV, entraîne d'ores et déjà l'essor de mouvements pendulaires quotidiens, apanage jusque-là de Rouen, Amiens ou Orléans. La gare de Saint-Pierre-des-Corps, elle, reliée à Tours par de nombreuses navettes, permet aux Tourangeaux de monter dans des trains directs pour Paris, mais aussi Bordeaux, Nantes ou Lyon. Un nouveau bâtiment des voyageurs a été construit : élancé, clair, de structure novatrice, il donne une image engageante du voyage ferroviaire.

Le nombre et la diversité de ces relations expliquent le très important rôle de correspondance joué par la gare de Saint-Pierre-des-Corps. Dans le cadre de la journée de multiples possibilités existent qui, au prix d'attentes de durée variable mais souvent de quelques minutes seulement, permettent de se rendre en changeant une seule fois de trains de Paris à Saumur, de Bordeaux ou de Lyon à Angers ou au Mans, de Nantes à Poitiers ou Angoulême ; la mise en service, à terme, d'une ligne nouvelle TGV Tours-Bordeaux permettra des relations Bordeaux-Nantes beaucoup plus rapides que par La Rochelle. Dans ce domaine précis la gare de Saint-Pierre-des-Corps assume, en raison de sa situation, des missions beaucoup plus multiformes que celle des Aubrais, que traduisent le passage ou la présence simultanée de rames TGV, de trains Corail classiques ou d'autorails. Il n'est pas étonnant dans ces conditions que pour le nombre de voyageurs transportés en moyenne quotidienne, les deux sens réunis, la direction de Paris l'emporte de manière écrasante avec des flux deux fois plus denses (plus de 15 000 personnes) sur l'axe TGV que sur l'artère classique tracée par les Aubrais. Avec 20 000 voyageurs la ligne de Bordeaux assure elle aussi un trafic très important. La transversale Nantes-Lyon, autour du nœud tourangeau, est, par son activité, en retrait : 4 000 personnes entre Tours et Saumur, 3 000 entre Tours et Vierzon. Enfin la ligne du Mans au plan quantitatif ne peut jouer, avec moins de 1 500 voyageurs, qu'un rôle d'appoint.

Au plan des courants de marchandises le carrefour de Tours assume également une fonction de première grandeur. Sur les voies ferrées de l'étoile les tonnages transportés sont le plus souvent très lourds ; alors que l'artère de Paris, avec 36 000 tonnes, est de loin en tête, celle de Bordeaux, avec 24 000 tonnes, ne devance que d'assez peu celle de Saumur et Angers (21 000 tonnes). Les lignes de Vierzon, avec 7 500 tonnes et du Mans, avec 5 000 tonnes, sont là aussi en retrait.

La trafic généré par l'agglomération de Tours et sa région est loin d'être négligeable, puisque les tonnages chargés et déchargés à Saint-Pierre-des-Corps, qui concentre les opérations, sont annuellement supérieurs à 700 000 tonnes, avec

Une vue des ateliers de Saint-Pierre-des-Corps chargés de la maintenance des voitures.

une énorme prépondérance des arrivages, tandis que comme autour d'Orléans, des plaines céréalières voisines sont expédiées par le rail plusieurs centaines de milliers de tonnes. Mais l'essentiel de l'activité "fret" autour de Tours provient du croisement de puissants courants de transit ; certains sont d'amplitude seulement moyenne, comme les 12 000 tonnes de produits de carrière qui, en moyenne quotidienne, sont expédiés depuis la région de Thouars, dans le nord du département des Deux-Sèvres, surtout vers l'Ile-de-France ; d'autres se développent sur des distances beaucoup plus considérables, comme en témoignent les convois formés à Hendaye-Irun et roulant vers le centre et le nord du pays, ou encore les trains expédiés par le triage bordelais d'Hourcade vers Woippy en Lorraine ou Somain dans le Nord. Ainsi de nombreux convois traversent le complexe ferroviaire, parfois sans arrêt, ou en ne séjournant sur les faisceaux de la gare de Saint-Pierre que pour les classiques opérations de respect des sillons horaires, de relais de locomotives ou de conducteurs : en moyenne quotidienne 80 trains de marchandises font ainsi escale à Saint-Pierre-des-Corps. Son vaste triage, dont l'importance a toujours été considérable en raison de sa position géographique, continue de jouer un rôle essentiel dans le cadre du plan ETNA. Son rayonnement a même été accru, relativement, par le déclassement de triages proches comme ceux de Nantes-Blottereau, de Vierzon ou des Aubrais. En 1991, ce triage a expédié en moyenne journalière 1 172 wagons, ce qui le classe au 7e rang au plan national. En dehors du rôle habituel d'organisation de la desserte dans les gares et sur les embranchements de l'étoile de Tours, il est en relation régulière avec tous les grands triages de réseau, même éloignés : des trains directs circulent entre lui, Hausbergen et Woippy, le Bourget, Villeneuve-Saint-Georges, Hourcade, Gevrey, Sibelin ou Miramas. Au total, en service normal 22 trains sont expédiés chaque jour hors de la zone de Tours, 21 sont reçus. Le fait que depuis Saint-Pierre-des-Corps partent 2, 3 et 4 convois vers respectivement Sotteville, Rennes et Hourcade montre l'impact de l'activité de cette grande gare de triage dans l'ensemble de l'ouest et du sud-ouest français. Ce rayonnement est bien sûr à l'image de celui global du carrefour tourangeau, pièce maîtresse de notre réseau ferré.

SAUMUR ET ANGERS : DEUX NŒUDS FERROVIAIRES COMPLÉMENTAIRES

Egalement édifiée près de la Loire, la ville de Saumur avec ses 35 000 habitants ne peut provoquer un trafic massif. Mais la gare est importante : pendant longtemps, en effet, elle a marqué le point de croisement de la ligne Tours-Angers avec l'artère de l'Etat, Paris-Bordeaux par Chartres, Château-du-Loir, où elle coupait la transversale Le Mans-Tours, Thouars et Saintes, elle aussi à double voie. La construction de cet axe radial avait exigé près de la gare de Saumur deux grands ouvrages d'art, un tunnel et surtout un long viaduc métallique de 1 050 mètres de développement, qui enjambe la Loire. Le déclassement de cet itinéraire suivi de son exploitation en petits tronçons et de la neutralisation de plusieurs sections a amoindri la fonction ferroviaire de Saumur, qui a toutefois retrouvé une partie de son rayonnement avec l'essor du trafic des produits des carrières du nord des Deux-Sèvres. Aussi,

après l'électrification de la relation Tours-Angers, la ligne de Thouars, désormais à voie unique, a-t-elle à son tour été dotée de caténaires (courant 25 000 volts) ; à côté d'un faible courant de voyageurs assuré par autorails circulant sous caténaires, elle supporte un trafic lourd, de l'ordre de 13 000 tonnes évacuées en moyenne quotidienne, grâce à une noria d'une douzaine de rames qui en charge peuvent atteindre 3 200 tonnes, et qui regagnent Thouars à vide. La majeure partie de ces flux, à Saumur, est dirigée vers l'est, c'est-à-dire vers le nœud de Tours-Saint-Pierre-des-Corps, qui organise l'acheminement de ces produits de carrière, en particulier vers la région parisienne. Au plan technique, compte tenu de la disposition des lignes, la gare de Saumur doit assurer, dans les deux sens, le rebroussement de la quasi totalité de ces rames. Ainsi son rôle est-il précis et non négligeable, avec la greffe sur la transversale Nantes-Angers-Tours, ou au contraire le débranchement de près d'une trentaine de mouvements.

Si la gare de Saumur peut être considérée comme jouant un rôle complémentaire du carrefour tourangeau, celle d'Angers assume des fonctions qui la placent dans l'orbite nantaise. En effet la ligne électrifiée venant de la Basse Loire donne naissance à deux branches à double voie se dirigeant vers Paris et vers Tours, elles aussi surplombées par les caténaires du 25 000 volts et dotées des signaux lumineux du B.A.L. pour la première, du Block Automatique à Permissivité Restreinte pour la seconde. La bifurcation, implantée à environ 1 500 mètres à l'est de la gare principale des voyageurs, près de la station de Maître-Ecole, dans un milieu très urbanisé, ne com-

Une gare active au terminus d'une des rares antennes à trafic restreint non encore touchée par la fercamisation : Tournon-Saint-Martin qui expédie de l'argile en tombereaux à toit coulissant ou bâchés.

La bonne tenue du trafic céréalier a entraîné plusieurs réouvertures de lignes secondaires jusqu'alors neutralisées : à côté de Chartres-Voves, Loches-Verneuil et Buzançais-Argy (ligne à voie métrique fermée, reconstruite à voie normale), a eu lieu celle de Thouars-Arçay dont on voit ci-dessus le premier train.

porte pas de saut-de-mouton. Proche du centre de la ville, la gare de Saint-Laud, en partie en tranchée, ne compte que 5 voies à quai, dont 2 très courtes ; à proximité, la halle mécanisée est utilisée par le SERNAM, tandis que les voies de la gare de triage, déclassée, ne sont plus utilisées que pour le trafic local. Si les deux anciennes lignes de Poitiers et de Segré ne sont plus exploitées que sur quelques kilomètres, en revanche la petite gare de la Possonnière, située à 15 kilomètres à l'ouest d'Angers, sur l'artère de Nantes, est l'origine de la ligne à voie unique de Cholet.

Le trafic voyageurs de la gare Saint-Laud représente plus des quatre cinquièmes de celui des gares de Tours ou de Rennes, ce qui est un volume d'activité normal pour une agglomération de 200 000 habitants. En l'absence d'industrie lourde, le chargement et le déchargement des marchandises sont d'un niveau relativement modeste. En tout état de cause le rôle de ventilation de denses courants de transit pour le nœud angevin, est essentiel. Le tronc commun Nantes-Angers est très chargé, avec en moyenne quotidienne et les deux sens réunis 90 trains, dont les deux-tiers affectés au service des voyageurs ; ils transportent 12 000 personnes et 10 000 tonnes de fret environ. Or la répartition à l'est d'Angers entre les deux lignes de Paris, de Tours et Lyon se révèle très différente dans les deux domaines du trafic : en effet, c'est l'axe de Paris qui accapare, et de loin, la plus grande partie des flux de voyageurs ; le courant qu'il achemine, quatre fois plus fort, est aussi épais que celui constaté entre Nantes et Angers dans la

mesure où le délestage opéré au profit de la ligne de Tours, de l'ordre de 3 000 voyageurs, est plus que compensé par les échanges entre Angers même et Paris, stimulés depuis 1990 par l'arrivée des TGV qui mettent Angers à moins d'1 h 40 de la capitale. Ainsi, à la bifurcation de Maître-Ecole se rejoignent ou se séparent les TGV de la ligne de Paris et les rames Corail pour Tours et Lyon ; au plan du nombre de circulations, près de cinquante contre près de trente, c'est l'axe de la capitale qui l'emporte.

L'artère de Tours et Lyon prend sa revanche, et largement, dans le domaine du transport des marchandises, dans la mesure où avec plus de 10 000 tonnes elle égale le trafic du tronc commun. La relative faiblesse de l'activité "fret" de l'axe du Mans (2 300 tonnes seulement), s'explique par la très grande force d'attraction du triage de Saint-Pierre-des-Corps qui contrôle, entre autres, la circulation des wagons du trafic diffus dans la Basse Loire ; par ailleurs les expéditions vers Nantes depuis Saumur d'une partie des produits des carrières de la région de Thouars ne peuvent que renforcer la prépondérance, à l'est du tronc commun, de la ligne de Tours-Saint-Pierre-des-Corps.

La convergence et la divergence, en moyenne quotidienne, de près de 110 trains de toutes catégories à la bifurcation de Maître-Ecole, près de 60 roulant sur la ligne de Paris, montre de manière évidente le rôle du carrefour d'Angers, point de séparation de l'importante radiale Nantes-Paris et de l'active transversale Nantes-Tours-Lyon.

Saint-Gilles-Croix-de-Vie : après avoir connu au cours des années 70 une fermeture durant les périodes hivernales, cette ligne du Sud-Loire venant de Nantes et au trafic touristique soutenu est désormais ouverte toute l'année.

LES PAYS DU SUD-LOIRE

Les régions qui s'étalent entre la Loire, les confins nord-ouest du Massif Central et l'Océan ne comptent pas parmi les plus peuplées et les plus actives : aucune agglomération n'approche par son importance celle de Nantes ou même de Tours. Mais il s'agit là d'une zone de contact non seulement entre les massifs armoricain et central, mais aussi et surtout entre bassins parisien et aquitain. Entre les hauteurs de la Gâtine vendéenne et du Limousin le seuil du Poitou, très peu marqué dans la topographie, offre aux grandes voies de communication un passage facile.

Aussi la partie centrale de l'axe Paris-Bordeaux constitue-t-elle, et de loin, la principale voie ferrée de ces régions. Après la traversée du plateau de Sainte-Maure elle remonte les vertes vallées de la Vienne et du Clain. Son trafic est important puisque quotidiennement, en moyenne et les deux sens réunis, elle achemine près de 20 000 voyageurs, 24 000 tonnes de marchandises grâce à une noria de près de 120 trains équitablement répartis entre les deux catégories. Ces flux sont très largement allogènes, c'est-à-dire circulant sur de longues distances, entre la capitale, Bordeaux et la péninsule ibérique.

Mais, de manière très significative ils perdent au sud de Poitiers environ le cinquième de leur densité. C'est que deux ponctions sont opérées, et d'abord par l'agglomération même de Poitiers : celle-ci, forte de 100 000 habitants, génère en effet un trafic propre d'autant plus important dans le domaine des voyageurs que depuis 1990 le TGV Atlantique procure aux Poitevins des relations d'une durée de l'ordre de seulement une heure trente avec la capitale.

Par ailleurs, Poitiers est un nœud ferroviaire dans la mesure où plusieurs lignes viennent se greffer sur l'axe majeur. Alors que la voie ferrée de Parthenay n'assure qu'un faible trafic de marchandises, celle de Limoges, en revanche, elle aussi à voie unique, assure des relations peu rapides mais toujours suivies entre les deux capitales régionales ; elle est sillonnée quotidiennement par près d'une dizaine d'autorails. En fait la fonction essentielle du carrefour poitevin réside dans la séparation en fin de tronc commun des courants nés dans la région parisienne, vers Niort et La Rochelle d'une part, vers Bordeaux et l'Espagne de l'autre ; ce dernier est de loin le plus important puisqu'il représente près de 6 fois plus de voyageurs et 10 fois plus de tonnes de marchandises. Mais avec 25 mouvements en moyenne journalière, près de 3 000 voyageurs et 2 000 tonnes transportés la ligne de La Rochelle, dont l'électrification se termine et qui doit accueillir les TGV en juillet 1993, mérite d'être considérée comme un axe radial diffluent mais non négligeable. La bifurcation est installée, non à Poitiers même, mais à Saint-Benoît, 6 kilomètres plus au sud, gare également tête de ligne de l'embranchement de Limoges.

Au plan technique la répartition des flux se traduit pour les voyageurs de l'artère de La Rochelle par l'emprunt de trains directs mais surtout, jusqu'à l'électrification, par l'utilisation des nombreuses correspondances offertes en gare de Poitiers ; celle-ci, traversée par de nombreux trains sans arrêt, est dotée de 6 voies de passage et de deux voies courtes en impasse ; le bâtiment des voyageurs et ses abords ont bénéficié pour l'arrivée du TGV d'un rajeunissement apprécié et d'une profonde restructuration. Le trafic des marchandises est lui aussi en grande partie étranger au nœud lui-même, qui ne comporte pas de vraie gare de triage : c'est à Saint-Pierre-des-Corps ou plus loin que sont formés, pour la plupart, les convois de fret de la ligne de La Rochelle. Mais les voies des faisceaux de Grand Pont et de la gare de Poitiers même, affectées au service des marchandises, permettent le garage mo-

mentané, chaque jour, de nombreux trains de fret ; le nœud ferroviaire de Poitiers participe donc activement au bon écoulement du trafic sur le grand axe Paris-Bordeaux et sur l'artère de La Rochelle.

L'essentiel des échanges assurés par la ligne Poitiers-La Rochelle est en relation avec le poids de la ville terminale et de Niort, qui regroupent respectivement 100 000 et 60 000 habitants. La circulation des voyageurs est influencée par l'attraction de Poitiers, capitale administrative de la région et ville universitaire, et surtout de la capitale : actuellement satisfaisantes, les relations avec Paris vont devenir excellentes en 1993 grâce au TGV, qui fera gagner près d'une heure sur l'ensemble du trajet : Niort se retrouvera à 2 h 20 de Paris, La Rochelle à 3 heures. Le trafic des marchandises, lui, est largement conditionné par l'activité du port de La Rochelle-Pallice, les importations de bois tropicaux, les exportations de céréales entre autres.

Le nœud ferroviaire de Niort a connu des heures de gloire lorsque, avant la création de la SNCF, il jalonnait la ligne Paris-Bordeaux du réseau de l'Etat, tracée par Chartres, Saumur et Saintes. Comme les voies ferrées adjacentes de Poitiers, La Rochelle, Fontenay-le-Comte et Ruffec étaient très fréquentées, les installations niortaises se trouvaient mises à rude contribution : les 8 voies à quai de passage étaient souvent

Le port de la Pallice, près de La Rochelle, compte parmi ses spécialités la réception de bois exotiques venus par bateaux ; une partie des grumes poursuit son voyage sur wagons.

Un train passant à Taillebourg, au nord de Saintes ; avec son tracé tourmenté et les faibles performances qui en découlent, la transversale Nantes-Bordeaux est peu armée pour affronter la concurrence routière.

occupées, tandis que le long de la ligne de Saintes le triage de Romagné traitait plusieurs centaines de wagons par jour. Mais le déclin est venu, avec la suppression de la seconde liaison Paris-Bordeaux au profit de l'itinéraire établi par Tours et Poitiers, et avec le dépérissement progressif de la plupart des lignes de l'étoile, qui sillonnaient des régions avant tout agricoles ; aussi le triage de Romagné a-t-il été dès 1950 mis en sommeil, alors que le trafic des voyageurs peut être désormais assuré sans coup férir par seulement trois voies à quai de passage ; une voie courte en impasse, côté Saintes, est également utilisée ; les autres renforcent le faisceau parallèle aux quais et qui regroupe maintenant le service des marchandises. Mais la roue tourne : l'électrification de l'axe Poitiers-La Rochelle, accompagnée d'un rajeunissement du bâtiment des voyageurs et d'un remaniement du plan des voies, va donner une nouvelle jeunesse au nœud niortais. C'est ainsi que ses responsabilités se sont étendues, avec par exemple, depuis 1992, la commande centralisée des aiguillages et signaux de la section Saint-Maixent-Lusignan qui, malgré la trentaine de trains à écouler quotidiennement, restera à voie unique.

Le carrefour rochelais, lui, est plus complexe. Si seulement trois voies ferrées se rencontrent, venant de Poitiers, de Nantes et de Bordeaux, les infrastructures ferroviaires sont réparties sur deux sites. Non loin du vieux port se dresse la façade monumentale de la gare des voyageurs, qui a succédé aux premières gares des Charentes et du PO ; ses 5 voies à quai, de passage, sont recouvertes par une imposante marquise vitrée ; à proximité s'étalaient les emprises du dépôt, près de la séparation des lignes de Poitiers et de Bordeaux, ainsi qu'une petite gare de triage édifiée en remblai, reliée par un raccordement à double voie à la ligne de Nantes et à l'antenne de la Pallice ; le dépôt a totalement disparu, comme beaucoup d'autres, tandis que, compte tenu du poids du trafic portuaire, le classement des wagons de marchandises a été récemment reporté au plateau de Vauguin, fort d'une dizaine de voies.

Ce faisceau, qui marque l'extrémité d'une ligne à voie unique de 6 kilomètres, en cours d'électrification, unissant la gare de La Rochelle Ville au port de la Pallice, commande la desserte des quais et des nombreux embranchements industriels, desservis par une voie-mère en forme de boucle.

Le trafic des voyageurs est marqué par le contraste entre l'activité de la transversale Nantes-Bordeaux, où circulent de nombreux trains à grand parcours entre Bretagne et midi, mais dont la vitesse moyenne, déjà notée, ne facilite guère les relations entre La Rochelle et les deux grands ports de fond d'estuaires de Loire et Gironde, et la radiale de Poitiers. Sur la première en effet les courants de transit l'emportent, tandis que sur la seconde près de 2 000 voyageurs en moyenne quotidienne, pour la plupart, partent de La Rochelle ou s'y rendent. Le transport des marchandises, lui, se caractérise doublement par la part essentielle du trafic portuaire local et l'inexistance des flux de transit sur la transversale Nantes-Bordeaux dans la mesure où c'est par Tours que désormais circulent les flux de marchandises entre ces deux villes ; aussi la radiale de Poitiers domine-t-elle, en liaison avec la force d'attraction du grand triage tourangeau de Saint-Pierre-des-Corps. Toujours est-il que sous la marquise de la gare des voyageurs, cœur du nœud, l'entrée ou la sortie en moyenne quotidienne de 75 trains environ (mouvements de manœuvre non décomptés) confère à La Rochelle un rôle intéressant au plan ferroviaire entre Loire et Gironde.

Sur la transversale Nantes-Bordeaux, en dehors de celle de Saintes qui se retrouve dans l'orbite bordelaise, très peu d'autres gares connaissent une activité notable. Celle de Rochefort ne commande aucune bifurcation, pas davantage que celle de Velluire depuis la fermeture de la ligne de Fontenay-le-Comte. En revanche, la gare de La Roche-sur-Yon, dotée de 5 voies à quai dominées non plus par une verrière mais par de simples abris parapluie, joue un rôle qui rappelle celui du nœud de Saintes : desserte d'une agglomération moyenne, peuplée de 50 000 habitants, contrôle de plusieurs lignes qui restent exploitées ; plus que celle d'Aizenay et Coex, vestige des voies ferrées qui atteignaient Challans et Croix-de-Vie, et même que celle de Bressuire et Thouars, reste dynamique l'artère La Roche-sur-Yon-Les Sables-d'Olonne ; à voie unique comme celle de Saintes à Royan, elle dessert elle aussi une station balnéaire importante et renommée ; aussi est-elle sillonnée, en moyenne quotidienne et les deux sens réunis, par une quinzaine de circulations, affectées en énorme majorité au service des voyageurs : trains directs en provenance ou à destination de Paris, autorails assurant les correspondances en gare de La Roche-sur-Yon ; son activité augmente bien sûr sensiblement l'été.

Comme beaucoup de régions de l'ouest et du sud-ouest, la zone comprise entre la ligne Nantes-Bordeaux, les axes Nantes-Tours et Tours-Poitiers-La Rochelle n'est pas fortement innervée au plan ferroviaire. De part et d'autre en effet des hauteurs de Gâtine s'étalent des secteurs avant tout agricoles, où les foyers industriels sont rares ; de plus, alors que sévit souvent la dépopulation rurale, la concurrence routière a su ravir au chemin de fer une part notable de l'expédition d'animaux vivants, bovins surtout, qui longtemps avait alimenté son activité. Aussi n'est-il pas étonnant que le niveau de l'exploitation ferroviaire ait reculé : si Cholet reste bien relié à Nantes et à Angers, la ligne Cholet-Bressuire-Parthenay est fermée, tandis qu'entre Thouars, Parthenay et Niort, le service des voyageurs a été supprimé. Un grand contraste apparaît désormais : l'activité bruissante de la gare de Thouars, tournée surtout vers Saumur et la ligne Nantes-Tours, est dominée par l'acheminement des produits des carrières, cause de la noria des rames de wagons à partir d'un dense faisceau de voies dominées par les caténaires ; l'atonie de la vie des gares comme celles de Bressuire ou Parthenay, naguère placées à l'intersection de lignes vivantes et qui établissaient des rela-

tions à longues distances (1) provoque d'autant plus de nostalgie.

Ainsi, au plan ferroviaire, l'ouest français, de la Basse Seine aux pays charentais, peut-il être considéré globalement, et par rapport à d'autres ensembles géographiques français, comme une zone plutôt dépressionnaire. C'est ainsi que pendant longtemps il a été ignoré par l'électrification. Mais il faut nuancer l'analyse. Le chemin de fer, en milieu rural, continue de jouer un rôle essentiel pour, par exemple, l'expédition des céréales vers les ports exportateurs ; de plus il continue d'être très présent dans les complexes industriels et portuaires, de la Basse Seine et de la Basse Loire entre autres. Par ailleurs, dans le domaine du transport des voyageurs, la mise en service des TGV "Atlantique" dès 1989 a représenté un important coup de fouet et des perspectives de développement très intéressantes, dans les pays armoricains en particulier, et peut être sur l'axe Paris-Rouen-Le Havre. La modernisation de la relation Paris-Granville, l'électrification de l'artère Paris-Cherbourg vont également augmenter la qualité du service offert. Mais il est vrai que la SNCF et les collectivités territoriales devront déployer beaucoup d'efforts pour améliorer les liaisons transversales : il n'est guère normal que les trajets des voyageurs entre la Normandie et les pays de la Loire par exemple s'effectuent par Paris. Mais la solution du problème, qui se pose en termes tout à fait comparables pour les relations routières ou autoroutières, suppose des décisions d'ordre politique et le dégagement de puissants moyens financiers : la mise en valeur de l'ouest français, dans le contexte européen, est à ce prix.

_____

(1) A Bressuire se sont longtemps croisés, l'été, les trains Paris-Les Sables-d'Olonne, qui désormais passent par Nantes, et les autorails Nantes-Poitiers-Limoges.

Les Sables-d'Olonne : la pointe des retours sur Paris, un dimanche d'août ; le trafic estival est suffisamment étoffé sur la ligne La Roche-Les Sables pour que les autorités régionales s'interrogent sur l'opportunité de l'électrification qui permettrait la mise en marche de TGV directs sur Paris. Reste le problème du financement...

CONCLUSION

A la fin de cette analyse régionale de la structure et de l'activité de notre réseau ferré, comment ne pas être frappé par sa variété et par sa complexité, à l'image de l'économie et de la vie du pays : il est vrai que dans de vastes ensembles géographiques le trafic stagne et ne dépasse pas un niveau moyen, en particulier dans l'ouest, le centre, le sud-ouest ; en revanche, en Alsace ou dans l'ensemble du quart sud-est, les échanges, déjà très importants, se développent très régulièrement.

Les capacités d'adaptation du chemin de fer sont par ailleurs considérables : en raison du recul ou de la disparition de l'extraction du fer ou du charbon, du très net ralentissement de la sidérurgie, des faisceaux de voie sont amputés ou supprimés, des embranchements fermés, des lignes privées de leurs caténaires. Mais le rail a su accompagner remarquablement l'essor par exemple du complexe portuaire et industriel de Fos-sur-Mer, tandis que les voies ou des lignes nouvelles permettent une meilleure irrigation de la tentaculaire banlieue parisienne, sans cesse plus pesante. A l'échelle de l'ensemble du réseau, beaucoup de petites lignes, héritage d'un autre âge, ont dû être fermées. Mais, en dehors de la fercamisation, l'essor des transports combinés rail-route et une politique commerciale nouvelle permettent au chemin de fer de continuer de jouer un rôle essentiel dans les échanges de marchandises à moyenne et longue distance. Aussi la circulation reste-t-elle intense sur les axes lourds du réseau, posant des problèmes d'acheminement des nombreux trains de fret et de voyageurs. En l'état actuel des choses, notre réseau ferré présente un visage rajeuni et moderne. Les progrès de la signalisation et de l'électrification, la simplification et la rationalisation de la carte des gares de triage, l'essor de la gestion informatique doivent lui permettre de faire face sans problème majeur aux futures échéances. Le percement du tunnel sous la Manche, les progrès de l'unité européenne devraient amener un surcroît d'activité entre autres aux lignes et aux carrefours du nord de la France, mais aussi au grand corridor rhodanien, en raison de l'essor attendu des relations entre les régions rhénanes et les pays de la méditerranée occidentale. Au-delà des spectaculaires progrès apportés par l'essor des TGV, c'est l'ensemble du trafic ferroviaire qui devrait être stimulé, dans un esprit de complémentarité et, pourquoi pas, de saine concurrence avec les autres moyens de transport. Il est vrai que depuis de longues années le rail éprouve des difficultés pour défendre ses parts de marché, notamment dans le domaine des trains classiques de voyageurs et dans celui des marchandises. Le troisième tome de la *Nouvelle géographie ferroviaire de la France* montrera que le déclin est plus relatif qu'absolu compte tenu de l'essor des autres modes de transport.

Ce problème, qui n'est pas propre à notre pays, doit être traité dans l'optique du plus grand bien de la collectivité nationale. Affirmer que les dés sont quelque peu pipés n'est pas faux lorsqu'un examen objectif de la situation révèle qu'à la différence de la SNCF, qui doit financer elle-même la maintenance de ses installations, les entreprises de transport routier sont en fait dégagées de ce type d'obligation à propos de l'entretien des routes et autoroutes. Qu'elles puissent concurrencer victorieusement le rail est dans ces conditions inévitable. Aussi une taxation plus adaptée, en allégeant la charge des pouvoirs publics et donc des contribuables, devrait ramener au chemin de fer de nombreux clients, et pas seulement le trafic de produits lourds, encombrants et dangereux, pour qui, d'ailleurs, il offre les meilleurs garanties.

Si les autorités de tutelle arrivent à passer outre le diktat du très puissant lobby routier, qui a réussi jusqu'à présent à refuser toute charge nouvelle et même à faire baisser celles existantes, il est alors permis d'espérer que dans l'intérêt de tous va s'opérer, à court ou moyen terme, une redistribution des flux, mettant pleinement à profit les potentialités considérables du rail. Celui-ci, dans la perspective de l'aménagement harmonieux du territoire, doit ne pas trop privilégier les axes principaux, qui ont le plus souvent vocation d'accueillir les TGV, au détriment des autres lignes : le reproche de la mise en place d'un réseau à deux vitesses n'aurait plus alors lieu d'être. Enfin, fidèle à sa mission de service public, la SNCF doit, sous réserve d'aides financières appropriées, et en veillant à la qualité d'ensemble de ses prestations, contribuer à la lutte contre le dépérissement économique et démographique, qui menace de larges secteurs de notre pays, dans l'ouest, le centre et le sud-ouest entre autres.

En évolution en raison des mutations que connaît notre pays, le réseau ferré doit donc rester un atout de premier ordre pour la France et son économie.

ANNEXE

LES PROFILS DES PRINCIPALES LIGNES FRANÇAISES

Le réseau français, par la diversité de sa géographie physique, est composé de lignes dont les profils sont naturellement variés. Leur représentation dans les pages suivantes permet de mettre en évidence, par exemple, la douceur des profils des premières grandes lignes de l'"Etoile de Legrand" et les rampes beaucoup plus prononcées des liaisons établies ultérieurement. Certains profils présentent en outre des aspects très spectaculaires : ainsi en est-il des lignes pyrénéennes ou alpines, mais aussi de celui de la ligne nouvelle Paris-Sud-Est où

l'on a "osé" des rampes de 35 mm/m, lesquelles, jusqu'à présent, ne se rencontraient qu'en zone montagneuse. Celles des lignes nouvelles Atlantique et Nord sont nettement moins accentuées, mais leurs dents de scie rapprochées sont cependant caractéristiques.

Chaque profil porte un numéro ; on pourra, pour trouver un profil donné, se reporter à la carte ci-dessous : les numéros de profils figurent à cheval sur les lignes auxquelles ils se rapportent.

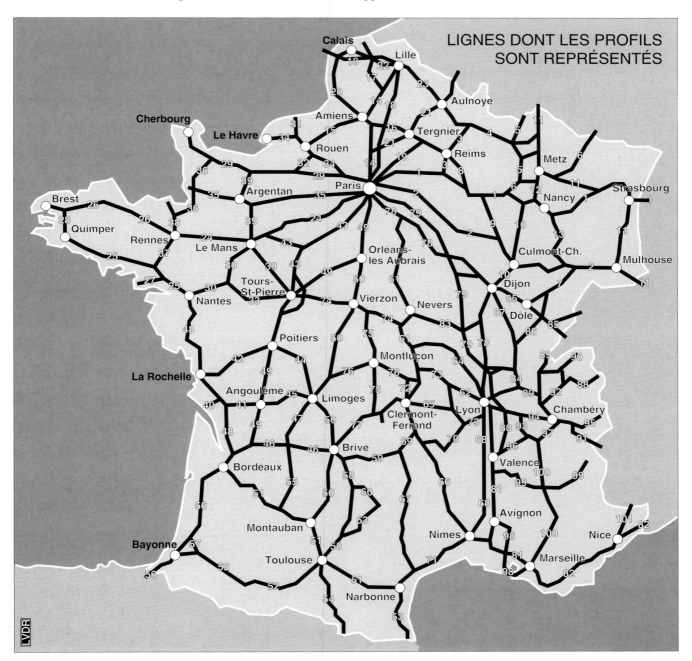

LIGNES DONT LES PROFILS
SONT REPRÉSENTÉS

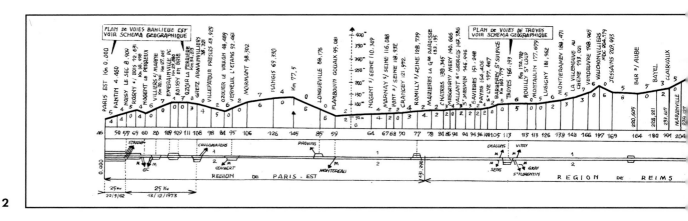

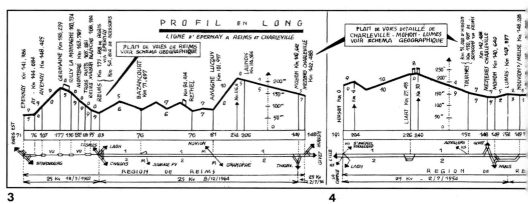

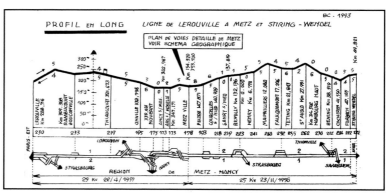

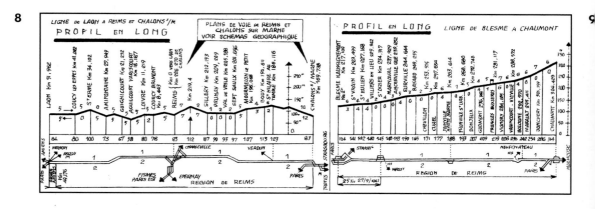

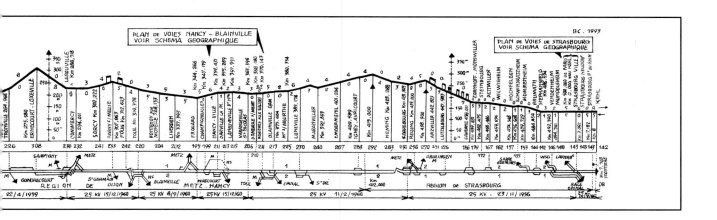

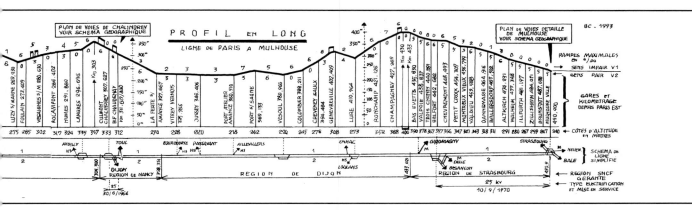

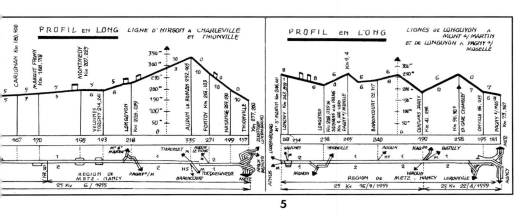

5

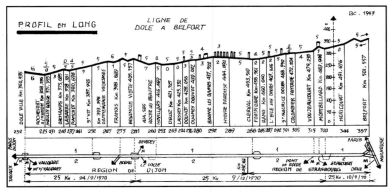

7

10

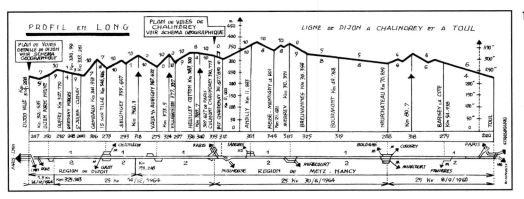

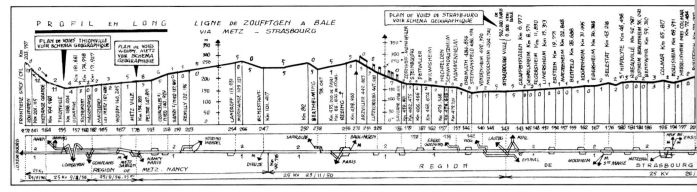

11

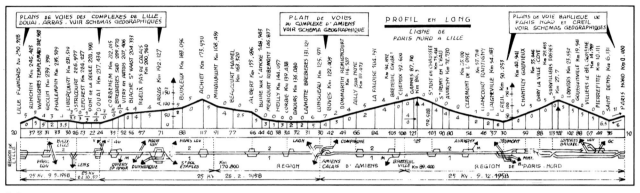

14

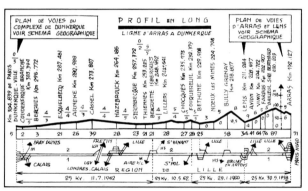

17

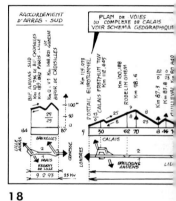

18

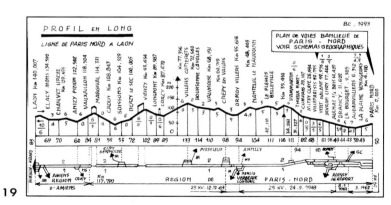

19

21

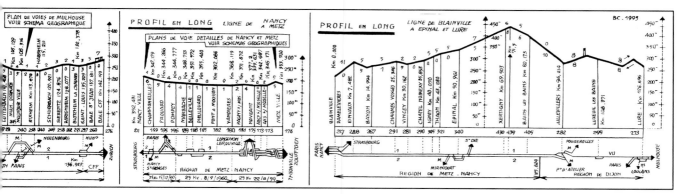

12   13

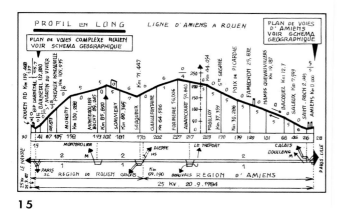

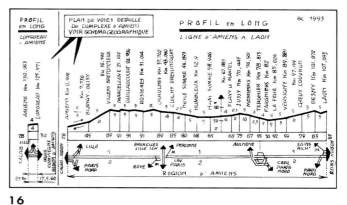

15   16

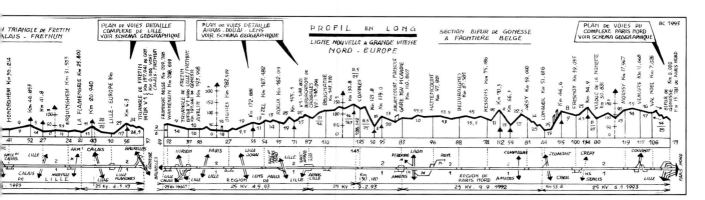

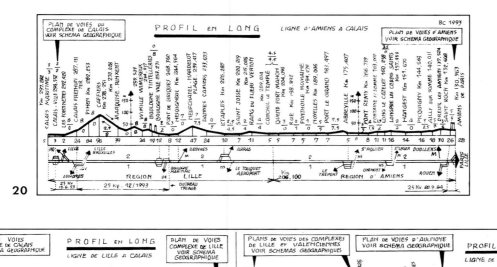

20

22   23

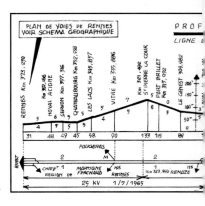

PLAN DE VOIES DE RENNES
VOIR SCHEMA GEOGRAPHIQUE

24

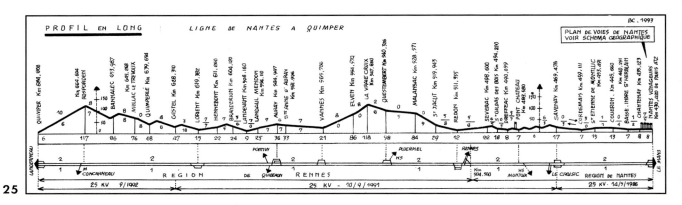

PROFIL EN LONG — LIGNE DE NANTES A QUIMPER

BC . 1993

PLAN DE VOIES DE NANTES
VOIR SCHEMA GEOGRAPHIQUE

25

PROFIL EN LONG
LIGNE DE SAVENAY AL CROISIC

27

PROFIL EN LONG
LIGNE DE QUIMPER A LANDERNEAU

28

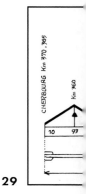

29

PLAN DE VOIES DE NANTES
VOIR SCHEMA GEOGRAPHIQUE

PROFIL EN LONG — LIGNE DU MANS A NANTES

PLAN DE VOIES DU MANS
VOIR SCHEMA GEOGRAPHIQUE

BC . 1993

30

PROFIL EN LONG — LIGNE DE TOURS A ANGERS

PLAN DE VOIES DE TOURS
VOIR SCHEMA GEOGRAPHIQUE

33

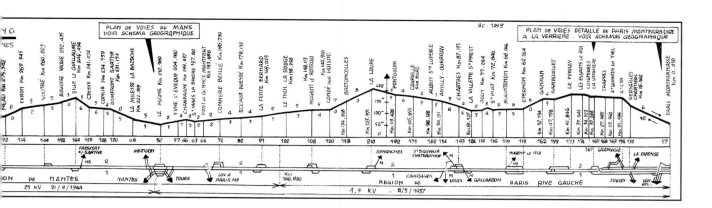

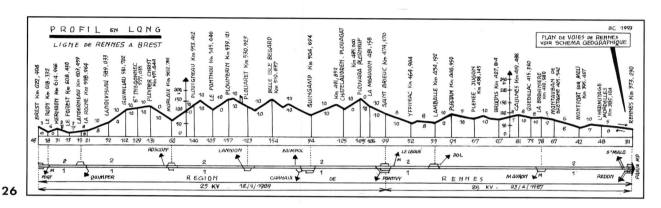

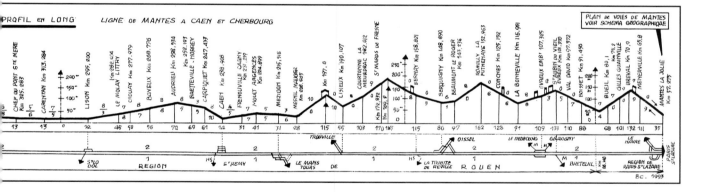

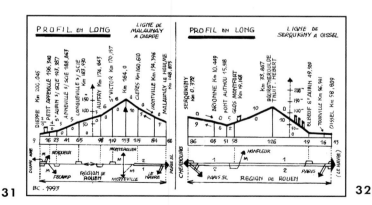

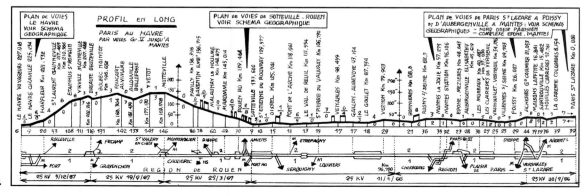

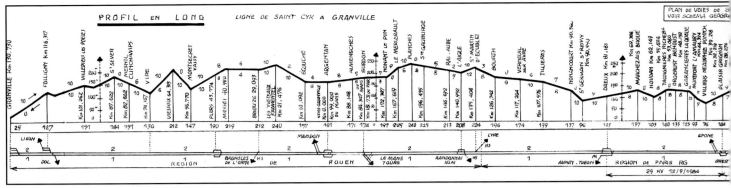

35

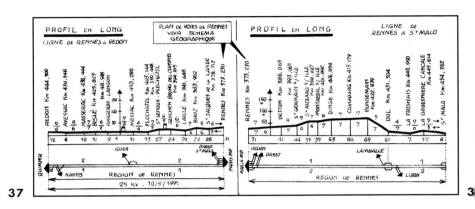

37

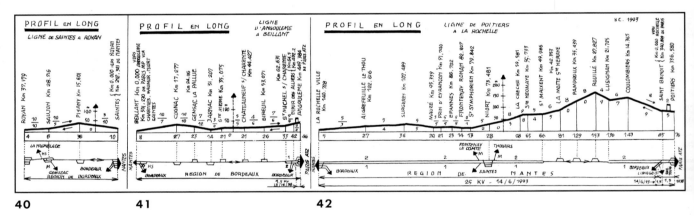

40 **41** **42**

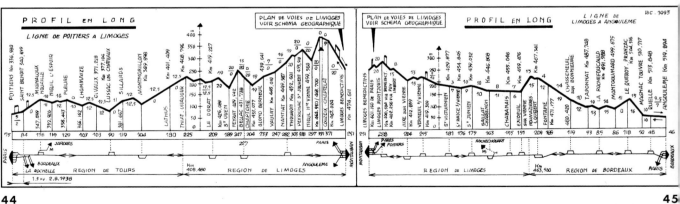

44 **45**

48

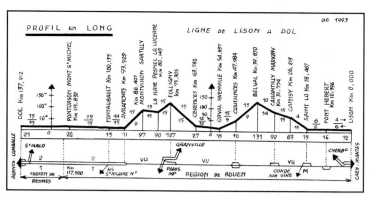

36

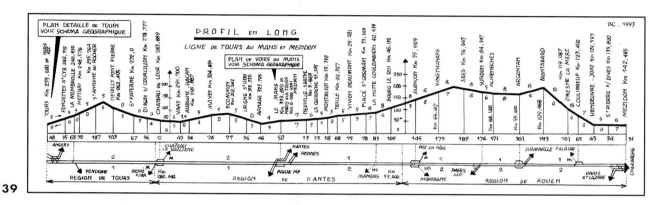

39

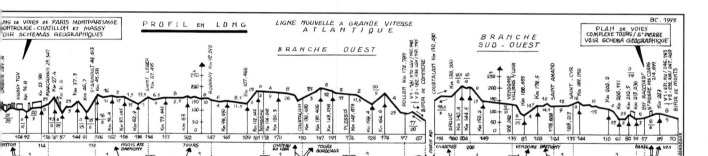

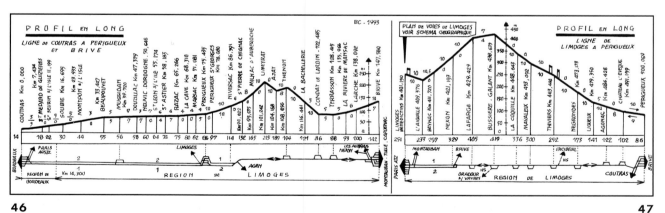

46

47

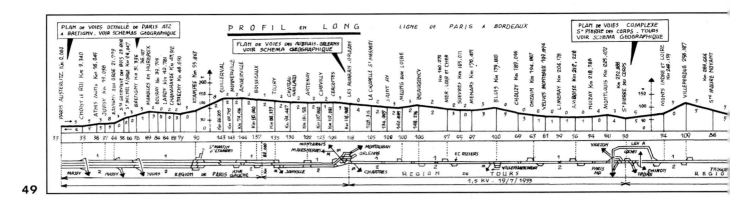

49

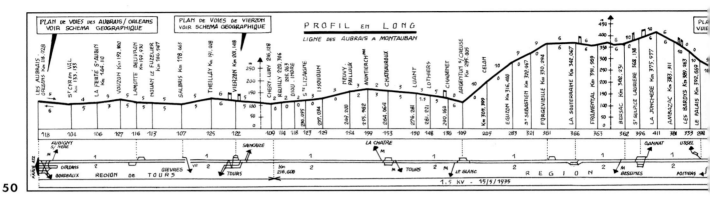

50

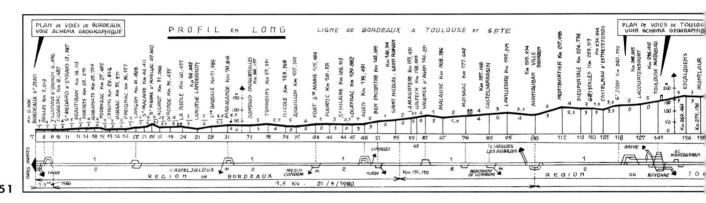

51

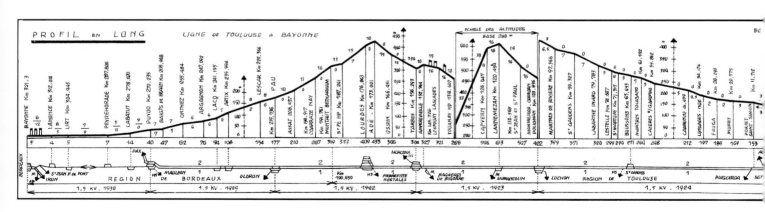

54

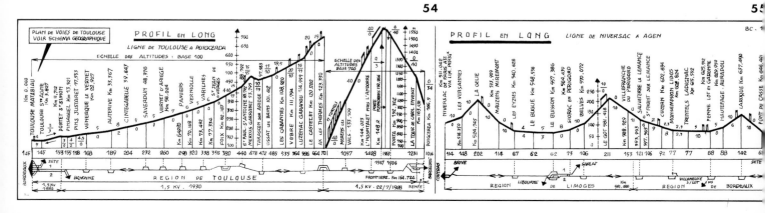

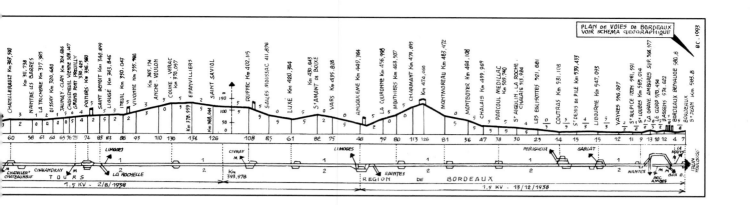

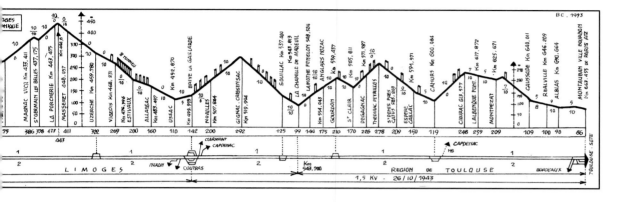

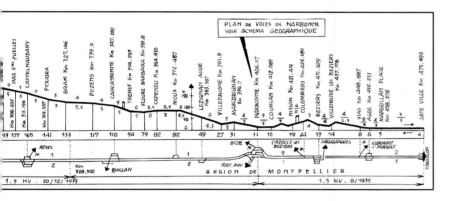

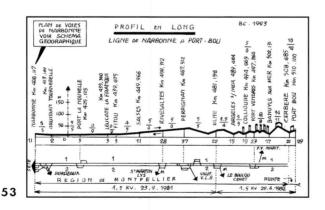

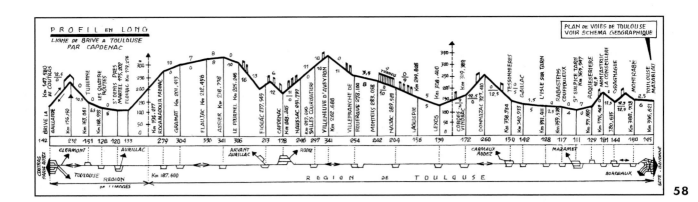

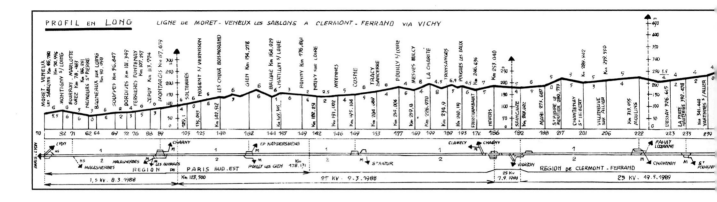

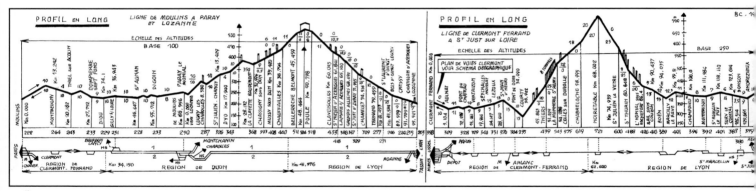

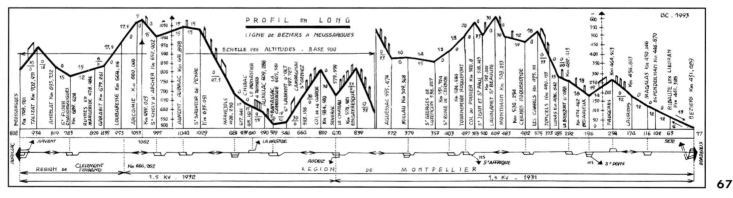

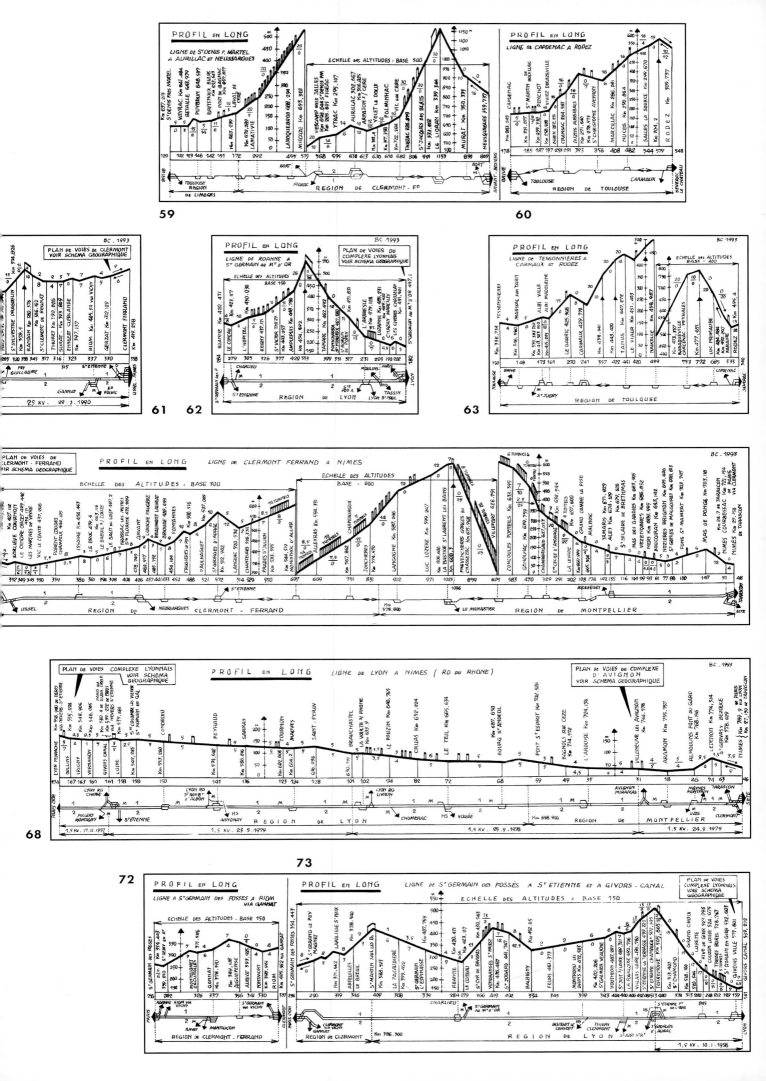

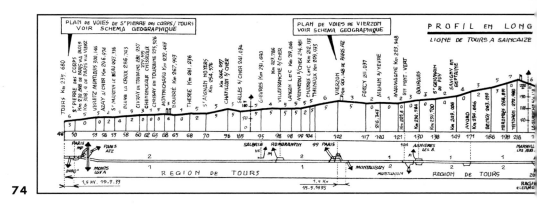

PROFIL EN LONG
LIGNE DE TOURS A SAINCAIZE

74

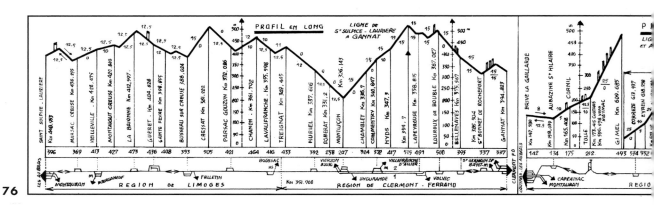

PROFIL EN LONG
LIGNE DE St SULPICE - LAURIÈRE A GANNAT

76

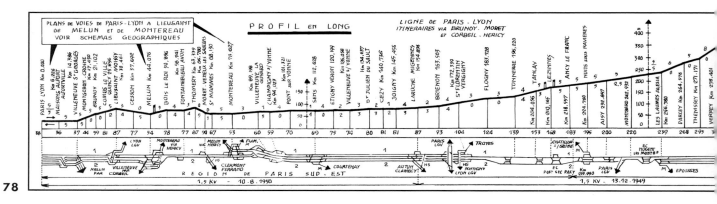

PROFIL EN LONG
LIGNE DE PARIS - LYON
ITINÉRAIRES VIA BRUNOY, MORET
et CORBEIL - HÉRICY

78

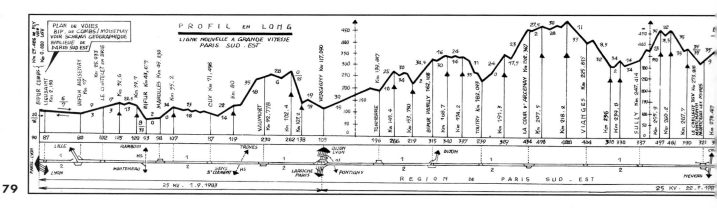

PROFIL EN LONG
LIGNE NOUVELLE A GRANDE VITESSE
PARIS SUD-EST

79

81

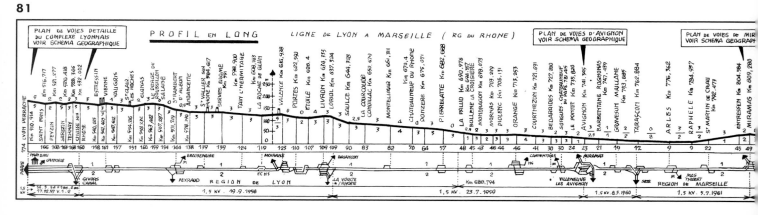

PROFIL EN LONG
LIGNE DE LYON A MARSEILLE (RG DU RHONE)

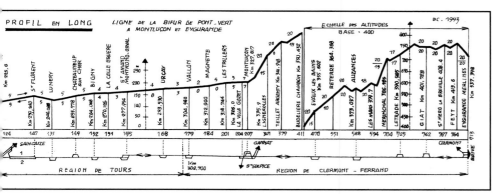

75

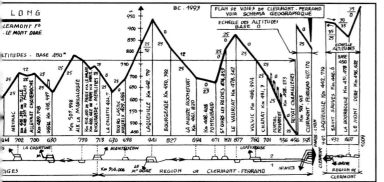

77

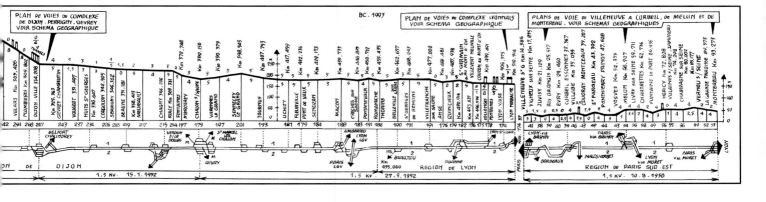

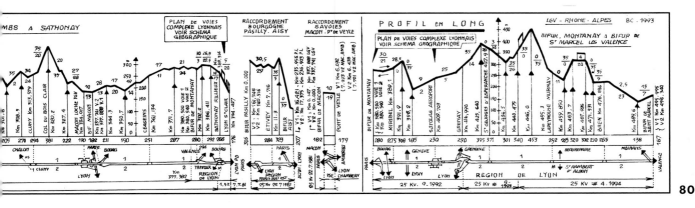

80

82

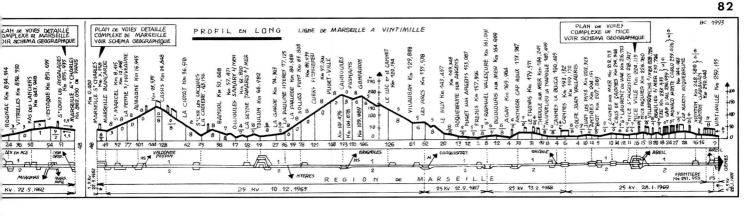

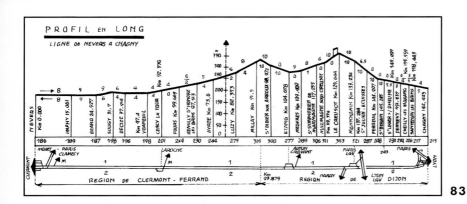

PROFIL en LONG — LIGNE DE NEVERS A CHAGNY

83

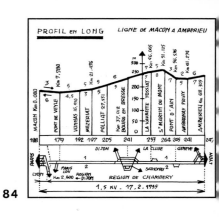

PROFIL en LONG — LIGNE DE MACON A AMBERIEU

1,5 KV. 17.2.1955

84

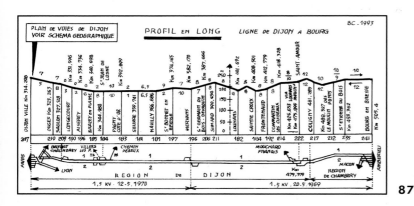

PROFIL en LONG — LIGNE DE DIJON A BOURG

PLAN DE VOIES DE DIJON VOIR SCHEMA GEOGRAPHIQUE

BC.1993

1,5 KV. 12-5.1970   1,5 KV. 20.5.1969

87

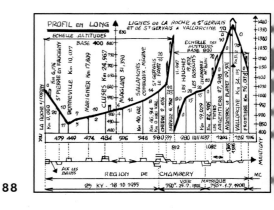

PROFIL en LONG — LIGNES DE LA ROCHE A ST GERVAIS ET DE ST GERVAIS A VALLORCINE

25 KV. 18.10.1955

88

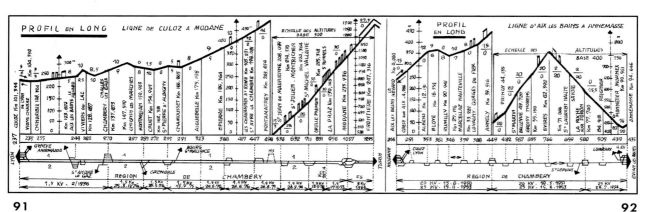

PROFIL en LONG — LIGNE DE CULOZ A MODANE

1,5 KV. 2/1936

91

PROFIL en LONG — LIGNE D'AIX LES BAINS A ANNEMASSE

92

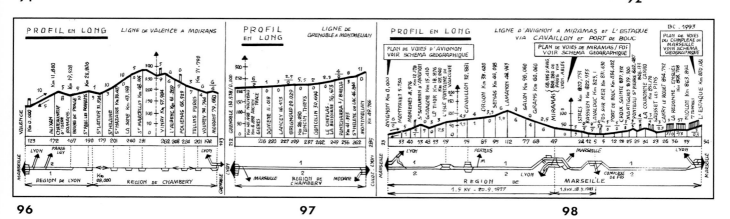

PROFIL en LONG — LIGNE DE VALENCE A MOIRANS

96

PROFIL en LONG — LIGNE DE GRENOBLE A MONTMELIAN

97

PROFIL en LONG — LIGNE D'AVIGNON A MIRAMAS ET L'ESTAQUE VIA CAVAILLON ET PORT DE BOUC

PLAN DE VOIES D'AVIGNON VOIR SCHEMA GEOGRAPHIQUE

PLAN DE VOIES DE MIRAMAS / FOS VOIR SCHEMA GEOGRAPHIQUE

PLAN DE VOIES DU COMPLEXE DE MARSEILLE VOIR SCHEMA GEOGRAPHIQUE

BC.1993

1,5 KV. 20.9.1977   1,5 KV. 18.5.1983

98

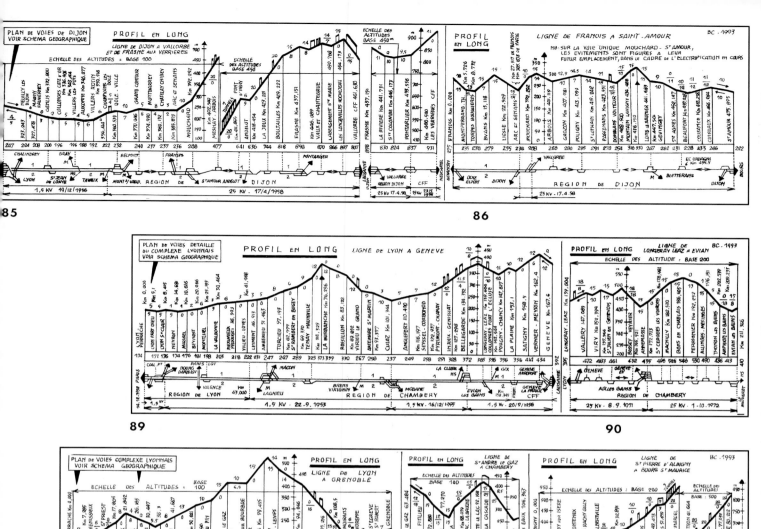
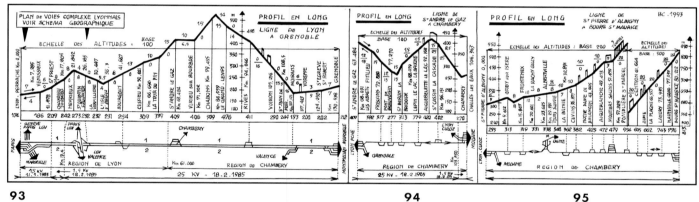
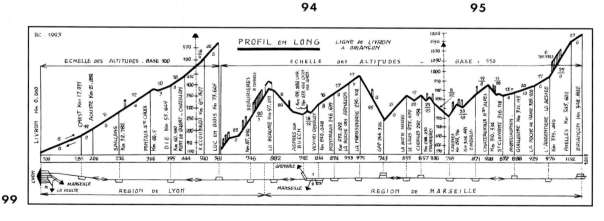
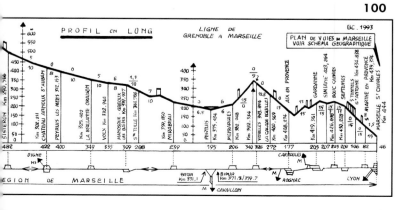
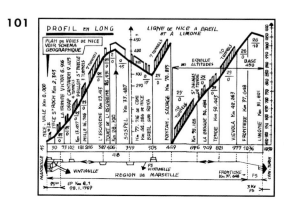

CRÉDIT PHOTOS

TABLE DES CARTES ET SCHÉMAS

INDEX

Ne sont ici énumérés que les centres ou sites ferroviaires présentant quelque importance ou originalité. Les numéros de page indiquent les principaux endroits où ils sont évoqués

TABLE DES MATIÈRES

Achevé d'imprimé en mai 1993
sur les presses de Mâcon-Imprimerie
Photogravure : Vision 2000
Reliure : SRID